D1429803

Granach wird 1890 im galizischen Örtchen Werbowitz als Jessaja Szajko Gronach geboren. Der neunte Sprössling jüdischer Bauern kehrt dem Elternhaus früh den Rücken und schlägt sich durch diverse Provinzstädte. Vorwiegend arbeitet Granach am Backofen, aber auch als Bordell-Türsteher setzt er seine ganze Kraft ein. Nachdem er in Lemberg zum ersten Mal eine Theateraufführung erlebt, möchte er nur noch auf der Bühne existieren. Voller Ehrgeiz gelangt der Sechzehnjährige ins stürmische Berlin, wo er nebenbei Schauspielunterricht nimmt und schließlich an Max Reinhardts Schule aufgenommen wird. Der Dienst in der österreichischen Armee während des Ersten Weltkriegs, den Granach teilweise in italienischer Gefangenschaft verbringt, schiebt die Entfaltung eines hoch talentierten Mimen nur auf – nach Erfolgen in Deutschland, Polen, Russland und der Schweiz emigriert Granach in die USA. Dort brilliert er, der schon in Friedrich Wilhelm Murnaus cineastischem Meisterwerk *Nosferatu* (1922) faszinierte, unter anderem im Film *Ninotschka* (1939) an der Seite Greta Garbos.

»Ob es sich um den Alltag oder religiöse Feiertagssitten handelt, ob vom gelehrsamen, patriarchalischen Vater die Rede ist oder die fleißige, selbstbewusste Mutter auftaucht: Stets findet der Autor die Balance zwischen Beschreibung und Reflexion, Information und Kritik, Ernst und Ironie, Detail und Abriss.« *Neue Zürcher Zeitung*

Alexander Granach, geboren 1890 in Werbowitz (Galizien), starb 1945 in New York. Er lernte bei Max Reinhardt und wurde zu einem der großen expressionistischen Schauspieler. Unvergessen bleibt er als Murnaus *Nosferatu* oder an der Seite von Greta Garbo in *Ninotschka*.

Alexander Granach

Da geht ein Mensch

Autobiographischer Roman

btb

Diese Ausgabe ist textidentisch mit der Stockholmer Erstausgabe von 1945. Orthographie und Zeichensetzung wurden der neuen Rechtschreibung angepasst. Inhaltliche Ungereimtheiten wurden belassen und sind darauf zurückzuführen, dass der Autor die Veröffentlichung seiner Memoiren nicht mehr erlebte.

Verlagsgruppe Random House FSC® N001967

9. Auflage
Genehmigte Taschenbuchausgabe Februar 2007

Umschlaggestaltung: Design Team München
Fotos: Gad Granach, Akademie der Künste Berlin, Ölbaum Verlag
Druck und Einband: GGP Media GmbH, Pößneck
SK · Herstellung: sc
Printed in Germany
ISBN 978-3-442-73603-4

www.btb-verlag.de
www.facebook.com/btbverlag
Besuchen Sie auch unseren LiteraturBlog www.transatlantik.de

Inhalt

Das Schauspielergenie aus dem Schtetl

von Rachel Salamander

Da war sie, die Kraft aus dem Osten, von der sich Franz Kafka für das bereits entleerte, traditionslose Westjudentum Stärkung erhoffte. 1910 war er im Café Savoy auf eine in Prag gastierende Lemberger jiddische Theatertruppe getroffen, deren Vitalität und Ursprünglichkeit, deren »talmudische Melodie genauer Fragen, Beschwörungen oder Erklärungen« den Autor vollends in den Bann zog. Als eine Schauspielerin ihre Ansprache mit »jüdische Kinderlach« begann, »ging mir ein Zittern über die Wangen«, wie der Tagebucheintrag vom 5. Oktober 1911 vermerkt.

Auch Alexander Granachs erste Begegnung mit dem jiddischen Theater 1905 in Lemberg, wohin er sich als 14-Jähriger abgesetzt hatte, sollte über seinen Lebensweg entscheiden.

»Hier ... vor Deinen Augen, in drei kurzen Stunden, verändern sich Menschen und Welten und das ganze Leben! Welch ein zauberisches Wunder!!! ... Das ist die Welt, wo ich hingehöre!« Und in der Tat, der jüdische Bäckerjunge aus dem galizischen Schtetl Werbowitz, dann der jüdische Proletarier in Lemberg, hat sich mit grandioser Willensstärke und unerschöpflicher Neugierde hochgearbeitet bis zum genialen Schauspieler auf den großen Bühnen Berlins. In der Emigration, ohne Geld in den USA angekommen, schafft er es zu einem der großen Charakterdarsteller des Hollywoodfilms.

Auf all seinen Stationen hat er jedoch nie vergessen, woher er kam: Aus der in sich geschlossenen Welt des Schtetls, wo die jüdischen Gesetzesvorschriften das Leben bestimmten, die Armut und der Kindersegen groß waren, jeder Tag von neuem den Kampf ums Überleben brachte. Das Elend konnte noch so bedrückend sein, der tiefe Glaube verließ die Menschen nicht. Gottergeben standen sie in all der Not und inmitten einer feindlichen Umgebung zusammen. Auch Alexander Granach, der Sohn des Händlers und Bäckers Aaron Gronich, war fromm erzogen worden, »mit großer Ehrfurcht vor Gottes Welt« und der »Heiligkeit des Wortes«. Die Religiosität half, von den drückenden Verhältnissen Abstand zu gewinnen. Distanznahme bedeutete immer auch, die Verhältnisse zu transzendieren, sich zumindest eine spirituelle Gegenwelt aufzubauen. Um Weltflucht handelte es sich dabei nicht. Wirklichkeitsnähe und Realitätssinn zählen in der jüdischen Existenz zu den Überlebensprinzipien schlechthin. Früh eingeübt, zunächst als religiöse Praxis, hat sich die Transzendierung des Bestehenden zu einem Instrumentarium verselbstständigt, das für die jüdische Kultur so typisch geworden ist. »Wann singt ein Jude?« fragt man. »Er singt, wenn er hungrig ist.« Und bei solchen Bedingungen gab es natürlich immer Gesang. Wusste kein Rebbe mehr Rat und kein Ausweg war in Sicht, gebar das Leid einen Witz oder wusste eine jener unzähligen Parabeln zu erzählen, die es zu ertragen halfen. Der Mangel beflügelte die Phantasie, in den Schtetls hatten Wunderrabbis Hochkonjunktur, die Welt war voller Geschichten und begnadeter Erzähler. Mit Humor ließ sich ein Perspektivwechsel vollziehen.

Dermaßen ausgestattet war auch der Ostjude Alexander Granach, der mit sechs Jahren in der Bäckerei seines Vaters mitgearbeitet hatte, mit zwölf Jahren auf die Wanderschaft ging, mit vierzehn Jahren zum ersten Mal Theater in Lemberg sah; mit sechzehn Jahren kam er nach Berlin, mit siebzehn Jahren zu Max Reinhardt, mit vierundzwanzig Jahren ging er in den Krieg, mit achtundzwanzig Jahren spielte er den Shylock in München. So lakonisch beginnt Granach anlässlich einer Lesung aus seiner Autobiographie in New York über sich zu erzählen. Die gelehrsamen Zitate aus Talmud und Thora, die Fabelgestalten seiner Kindheit, die Spaßmacher und Possenreißer, die Purimspiele und die Wunderwelt des Schtetls, den Geruch von Galiziens Erde mit seinen »verträumten Wäldern« nahm er mit in die »überwirkliche Wirklichkeit« auf die Bühnen der Metropolen. Das war der Nährboden seiner unwiderstehlichen Kraft, die sich auf alle, die ihm begegneten, übertrug. Belehrt durch die Grunderfahrungen seiner Kindheit und Jugend blieb dieser Hintergrund für sein Leben und sein Spiel immer der Maßstab.

Sprach er bei Max Reinhardt vor, fühlte er sich an Jom Kippur vor dem Gottesgericht erinnert, die jungen Schauspieler »lauschten Reinhardt wie junge Chassidim ihrem Wunderrabbi lauschen«. Auf der Bühne zu stehen, »war für mich dasselbe, was für meinen Vater der Gottesdienst war«. Als Granach 1919 endlich seine Traumrolle, den Shylock, am Münchner Schauspielhaus spielen konnte und die Rolle kreierte, fragte er sich, ob Shylock auch unterzeichnen kann, »dass er seinen Glauben ablegt und einen neuen annimmt? Kann man einen Glauben wechseln wie ein Hemd? Würde das mein Vater getan haben? Oder Schimschale, der Milnitzer? Nein, nein, nein!«

Granach hatte die ethische Schule des Schtetls absolviert, das Schicksal seiner Menschen im Mikrokosmos kennengelernt, sich seine ursprüngliche Volksnähe bewahrt. Er liebte die Menschen, viele Menschen, die ihn noch mehr als die Schauspieler anregten, »sie heben mich, erheben mich bis zur Ekstase«. Er, der oft genug für einen Hungerlohn Tag und Nacht durchschuften musste, verhehlte auch nicht, dass sein Herz hauptsächlich für die im Leben zu kurz Gekommenen schlug. »Es genügt ein Mensch zu sein« lautet das eigentliche Thema in Lessings »Nathan der Weise«; im Judentum ist die Aussage, einer sei ein Mensch, höchses Prädikat. Mensch sein heißt für Granach »der Welt das Unrecht ins Gesicht schleudern«, »eine gütige Seele und einen geraden Charakter« auszubilden. Für ihn galt, was er Shylock als Maxime seines Handelns mitgeben wollte: » ... ihn so lange zu spielen, bis einmal alle künstlichen Unterschiede von uns abfallen und der Mensch in seinem Mitmenschen den Bruder erkennt und seinen Nächsten liebt wie sich selbst und ihm nichts antut, was er selber nicht erleiden möchte.« Alexander Granachs Erinnerungen enden in München bei der Figur des Shylock, dem er unbedingt humane Züge verleihen wollte. Der Titel des Buches, »Da geht ein Mensch«, weist auf den Anspruch Granachs hin, darauf, was er von sich zu sein beanspruchte: ein Mensch.

Die großen Erfolge, die ihm danach noch beschieden waren, kommen in den Memoiren ebenso wenig vor wie die bittere Zeit, als er aus Deutschland weggehen musste. Was hatte er nicht alles unternommen, um ein deutscher Schauspieler zu werden: Er änderte seinen Namen, aus Jessaja Szaijko Gronich wurde Alexander Granach. Er riskierte seine Gesundheit und ließ sich, als er fürchtete, sie wären seiner Karriere abträglich, seine X-Beine geradebrechen. Er lernte Deutsch, makellos. Als er erreicht hatte, was er sich erträumte, war er, der vom Publikum Bejubelte und von der Kritik Gefeierte, plötzlich nicht mehr erwünscht. Im Februar 1933 übernahm Gustav Gründgens seine Rolle als Mephisto am Deutschen Schauspielhaus. Im Mai 1933 floh Granach aus Deutschland. Er musste erleben, dass seine Kollegen »Kraus und George zu den Mördern übergingen«, wie er an Thomas Mann schrieb.

Schon als er von zu Hause abgehauen war, hatte er erfahren, dass »die Fremde kalt ist«. Trotzdem biss er sich auch in der Emigration durch, lernte erneut eine Fremdsprache: Englisch. Mit seiner Energie, seinem Temperament und dem bezwingenden Charme eines Mannes aus dem Volke gelang ihm in den USA trotz der großen Konkurrenz unter den Flüchtlingen wieder der Durchbruch. Heimat war ihm schon vorher die Bühne geworden, und die war an keinen Ort gebunden. »Der Ruhm, der Erfolg, war ein Mittel gesellschaftlich heimatloser Menschen, sich eine Heimat, sich eine Umgebung zu schaffen« (Hannah Arendt). In »Ninotschka« mit Greta Garbo in der Hauptrolle und in der Regie von Ernst Lubitsch wurde er über Nacht berühmt. Die Kritik erging sich in Superlativen.

Dort, in der Neuen Welt, begann er die Rückerinnerung an seinen Ursprung aufzuschreiben, quasi notgedrungen, denn er hatte viel Zeit, weil er nach Kriegsrecht in Hollywood jeden Abend um acht Uhr zu Hause sein musste. Im Juli 1942 schrieb er seiner Freundin Lotte Lieven zum ersten Mal über das Buchprojekt, im August wieder: »... das Schreiben macht mich sehr glücklich – regt mich genauso auf wie schönes Theater spielen.« Bald kündigen die Filmkritiker in ihren Besprechungen das Erscheinen des Buches an. Granach selbst liest immer wieder privat und öffentlich aus dem unveröffentlichten Manuskript vor. Thomas Mann und Lion Feuchtwanger schätzen es sehr hoch ein. Dann ist es so weit. Er teilt seiner Freundin Lotte Lieven mit, dass das Buch in New York bei Doubleday erscheinen soll und in Stockholm beim Neuen Verlag. Alexander Granach erlebt die Herausgabe seiner Memoiren nicht mehr. Er stirbt am 13. März 1945 in New York nach einer überstandenen Blinddarmoperation an einer Embolie. Aber er hinterließ ein wunderbares Dokument seines Lebens. Vor uns ersteht eine vernichtete Welt wieder auf, mit den Menschen aus Alexander Granachs Kindheit und Jugend, mit ihren Begriffen von Treue und Würde. Wortstark und mit größtem psychologischen Einfühlungsvermögen, voller Einfälle und mit viel Witz ist es Granach gelungen, für uns dieses andere Leben zu bewahren.

Ich habe das Buch vor vielen Jahren gelesen, ich bin seinem Zauber erlegen. Seitdem begleitet es mich. Jeder Leser kann sich nun auf die vollständige Ausgabe freuen, denn jede Zeile mehr verlängert den Genuss dieses Schatzes an Geschichte aus Geschichten. Lion Feuchtwanger: »Granachs Buch ist von der ersten bis zur letzten Zeile erfüllt von jener ungeheuren Lebendigkeit, welche von dem Menschen und Schauspieler Granach ausging. Es ist heiter, traurig, ergreifend, das Zwerchfell erschütternd, belehrend, bereichernd, beglückend. Es ist im besten Sinne das Buch eines großen Schauspielers, eines Mannes, der Menschliches in sich aufnehmen und wiedergeben kann.«

Rachel Salamander, 4. September 2003

Alexander Granach, 1920

1
Ich trage den Namen eines freundlichen Mannes

Die Erde in Ostgalizien ist schwarz und saftig und sieht immer etwas schläfrig aus, wie eine riesige, fette Kuh, die dasteht und sich gutmütig melken lässt. So schenkt die ostgalizische Erde dankbar und vertausendfacht alles zurück, was man in sie hineintut, ohne dass man ihr mit Dünger und Chemikalien besonders schmeicheln muss. Ostgalizische Erde ist verschwenderisch und reich. Sie hat fettes Öl, gelben Tabak, bleischweres Getreide, alte verträumte Wälder und Flüsse und Seen und vor allem schöne, gesunde Menschen: Ukrainer, Polen, Juden. Alle drei sehen sich ähnlich, trotz verschiedener Sitten und Gebräuche. Der ostgalizische Mensch ist schwerfällig, gutmütig, ein bisschen faul und fruchtbar wie seine Erde. Wo man hinguckt, Kinder. Kinder in den Höfen, Kinder bei den Tieren, Kinder in den Feldern, Kinder in den Scheunen, Kinder in den Stallungen, Kinder, als ob sie jeden Frühling an den Bäumen wüchsen wie die Kirschen. Wenn der Frühling ins galizische Dorf einzieht, kommen die Kälber, die Ferkel, die Fohlen, die Küken und das kleine quietschende Zeug, die kleinen Menschlein: Kinder.

Mein Heimatdorf heißt Wierzbowce auf polnisch, Werbowitz auf jiddisch und Werbiwizi auf ukrainisch. Es liegt neben Seroka. Seroka liegt neben Czerniatyn. Czerniatyn liegt neben Horodenka. Horodenka liegt neben Gwozdziez. Gwozdziez neben Kolomea. Kolomea neben Stanislau. Stanislau neben Lemberg. Lemberg ist berühmt geworden in der Welt durch den Hollywoodfilm »Hotel Stadt Lemberg«.

Meine Eltern wohnten im Dorfe Werbiwizi und hatten bereits acht Kinder. Das Leben war schwer, besonders für meine Mutter. Sie war dem Vater alles: Weib, Geliebte, gebar jedes Jahr ein Kind, war Hausfrau, kochte und buk allein, wusch die Wäsche, bediente im Kramladen, wenn ein Kunde kam, grub den Garten um – nicht für Blumen, sondern für Kartoffeln und Kraut und Zwiebeln und Kürbisse –; und jeden Augenblick kam ein Balg gelaufen, zerrte am Rock und mahnte: Essen! Es ist wahr, die älteren Kinder halfen mit, die Kleinen zu besorgen, zu besänftigen, herumzutragen, zu füttern, zu waschen, anzuziehen, auszuziehen, schlafen zu legen und manchmal auch zu verprügeln.

Aber auf ihr, der kleinen Mama, lastete doch alles: Sie tummelte sich herum, den ganzen Tag, sie stand mit den Hühnern auf und fiel als Letzte ins Bett, eine Müde. Der ganze Haushalt von zehn Personen ging durch ihre Hände und die Hauptsorge war immer: Es gab nie genug Futter im Haus. Wir buken Brot vom billigsten, schwärzesten Schrotmehl, aber es schmeckte uns ohne Butter. Ja, Zwiebeln und Knoblauch wurden versteckt, denn mit Zwiebeln und Knoblauch wurde noch mehr Brot verschlungen. Auch das frisch gebackene Brot wurde versteckt, nicht aus Angst, unsere kleinen Mägen zu verderben, sondern weil frisches Brot schneller herunterrutschte, und wir bekamen es erst einige Tage später zu sehen. Wir kochten Riesentöpfe Kartoffeln und sie verschwanden wie Manna, wir buken *Malaj* aus Kukuruz. Kochten Polenta mit Bohnensuppe – die Polenta wurde mit einem Zwirn geschnitten –, wir kochten Kraut und Mohrrüben, Reis mit Erbsen und manchmal auch Riesennudeln aus Teig und Piroggen mit Kartoffeln gefüllt, und wir fraßen alles ratzekahl wie die Heuschrecken.

Dabei war unsere Kindheit von einem Reichtum an Abenteuern und Spielen, dass wir nicht mit dem buntesten, prächtigsten Kinderzimmer getauscht hätten. Wir gruben im Garten, bauten Häuser aus Stroh und Lehm, zimmerten Wagen aus alten Stühlen, machten Schlitten aus Gerümpel, und auch die jungen Tiere der Nachbarn, Kälber und Fohlen, mussten herhalten für unsere Spiele, ja sogar Enten und Hühner wurden eingespannt vor unsere Wagen; Laternen wurden aus Kürbissen geschnitten, die Hunde taten bei allem mit, nur die Katzen und Gänse nicht – die Katzen verschwanden und die Gänse bissen, die dummen Gänse!

Ob es den Tieren so viel Spaß machte wie uns, weiß ich nicht, wir jedenfalls waren glücklich. Die erwachsenen Geschwister taten erhaben, aber wenn niemand dabei war, machten auch sie mit. Und besonders liebte es Vater, sich richtig an den Spielen zu beteiligen. Aber die Mutter, die Arme, war meistens müde und schlechter Laune. Wenn man ihr zu nahe kam und sie belästigte, schlug sie um sich, verteilte Ohrfeigen, Rippenstöße, zwickte und gab auch Fußtritte, wenn man ihr zu sehr zusetzte. Die arme kleine Mama. Sie hatte es wirklich nicht leicht. Denn die erwachsenen Kinder haben Vater viel mehr geliebt. Ich weiß nicht, wie es kam. Vater arbeitete auch den ganzen Tag schwer, aber für die Kinder hatte er immer Zeit. Besonders Schabbatmorgen, da kamen die meisten in sein Bett gekrochen und durften auf ihm herumreiten und lustige Zöpfe aus seinem Barte flechten. Und mit den Kleinen pflegte er wie mit Erwachsenen zu sprechen und hatte auf alles eine gescheite Antwort, immer andere Worte; ja, Vater behandelte uns wie Freunde, nahm uns wichtig.

So bildete sich nach und nach eine einheitlich gute Meinung über den Vater, und, da er gelehrt war – Bibelzitate auswendig wusste, Talmud konnte, lesen und schreiben, sogar polnisch –, so verehrten ihn auch die Nachbarn und die Bauern des Dorfes. Aber bei uns Kindern hatte sich eine richtige blinde Liebe und Verehrung für ihn entwickelt und beinahe das Gegenteil für die Mama. Die arme kleine Mama, sie war sehr unglücklich! Sie war die Mutter und das Weib, die Geliebte und die Magd, die Gebärerin und die Amme, die arme, arme Kleine! Und war doch selber ein Kind, ein unwissendes, ahnungsloses Kind, ohne jegliche Freiheiten und Freuden, sie kannte nur Arbeit und Pflichten, Pflichten und Arbeit.

Eines Tages brach sie zusammen unter diesem Trott, sie war müde, überwältigt und konnte nicht mehr weiter. Sie legte sich am helllichten Tag ins Bett und weinte und schrie und wollte entweder sterben oder sich scheiden lassen.

In solchen Fällen kam immer ein armer Verwandter aus der Stadt, der alte Jessaja Berkowitz. Er war noch ärmer als wir und kam oft ins Dorf und wohnte abwechselnd eine Woche oder zwei bei jeder der vier jüdischen Familien. Er schlichtete Missverständnisse und Streitereien, sprach mit dem Lehrer, prüfte die Kinder, zankte die Männer aus, redete den Weibern zu, und alle hörten auf ihn, alle mochten ihn, besonders die ukrainischen Bauern.

Wo immer er wohnte, war das Haus am Abend voll. Er wurde von den alten Bauern mit Fragen überschüttet und er hatte auf alles eine Antwort, mit einem Gleichnis, einer heiteren Erläuterung. Er war in den Siebzigern; klein und bäurisch. Das von Wetter und Wind wie Leder gegerbte Gesicht war beinahe glatt, nur unter dem Kinn, auf der Oberlippe und zwischen den Backenknochen und Ohren waren kleine weiße drahtähnliche Haarbüschel. Er war halb ukrainisch gekleidet, mit einer Pelzmütze, Sommer und Winter, gegen Hitze und Kälte. Er hatte große, gutmütige, weise Augen und die Bauern nannten ihn »Szajko Rozum«, das heißt »Jessaja, der Kluge«. Er pflegte manches Mal sogar auf ukrainisch zu beten und hebräische Psalmen auf ukrainisch zu singen, denn er behauptete, der Liebe Gott verstehe alle Sprachen, wenn man es nur ehrlich meine. Und er, Szajko Rozum, meinte es ehrlich mit allen Leuten. Er sagte den Angesehensten und Reichsten offen heraus seine Meinung, aber immer gutmütig, mit einem Scherzwort und einem Beispiel. Und noch etwas: Er hatte nie Geld und rührte auch keines an. Dabei liebte er zu essen und zu trinken, und am Freitagabend oder Schabbat, wenn er einige Gläschen zu sich nahm, sang er jiddische und ukrainische Melodien und wusste zu erzählen, Kombinationen von jiddischen und slawischen Volkssagen und Legenden, mit Gleichnissen und Beispielen und weisen Aussprüchen.

Ja, das war der alte Szajko Rozum, der jetzt zu uns kam.

Er setzte sich zur Mutter ans Bett, wie ein Doktor, und

schickte alle hinaus und hörte ihr zu und sprach sehr lange mit ihr. Vater stand draußen, verlegen, und ging von einer Arbeit zur andern. Er pflegte ja immer zu helfen. Er melkte die Kuh, er reinigte Getreide, schnitt Häcksel, bereitete das Essen für das Vieh, ja, an dem Tage hat er auch gekocht. Wir Kinder waren immer froh, wenn Vater kochte; und das tat er stets vor den großen Feiertagen und wenn die kleine Mama gebar; und sie gebar, die Gute, jedes Jahr.

Szajko Rozum kam heraus, nahm den Vater ins Gebet und ging mit ihm aufs Feld spazieren. Die Kleinen lärmten und trieben sich herum in den Nachbargärten, mit den Nachbarskindern, die älteren Geschwister gingen ihrer Arbeit nach. Die beiden Männer kamen ernst und schweigsam zurück. Man ging früh schlafen an diesem Tage, und am nächsten Morgen wurde angespannt, und Vater und Mutter und der alte Szajko Rozum fuhren zusammen in die Stadt. Die älteren Geschwister versahen das Haus, die kleineren verschwanden mit einem Haufen Nachbarskindern, irgendwelche Obstgärten plündern, und niemand ahnte, was vorging.

Der kluge Schimmel, der zur Familie gehörte wie ein großer Bruder, bekam heute Hafer und er zog an, kräftig und flink, als ob er sagen wollte: »Jawohl, wenn du mir Hafer gibst, werde ich dir zeigen, was ich kann.«

Sie saßen alle drei auf einem aus Stroh und Decken bereiteten, aber etwas engen Sitz. Vater trieb den Schimmel an und alle schwiegen.

Der alte Szajko fing an, eine Geschichte zu erzählen, von seinem Onkel, der einmal zum Rabbi ging, sich scheiden zu lassen, und Folgendes geschah: Als der Onkel mit seiner Frau zum Rabbi kam, stand sein Nachbar vor des Rabbis Haus, nahm den Onkel zur Seite und sagte: »Na, Chaim, du musst aber froh sein, dieses böse Weib jetzt loszuwerden!« Onkel Chaim aber guckte sich den Nachbarn an und sagte: »Wer hat Ihnen das Recht gegeben, so zu mir über meine Frau zu sprechen?« Und als der Onkel dann geschieden vom Rabbi herauskam, trat der Nachbar wieder auf ihn zu und sprach: »Na, jetzt gratuliere ich dir, dass du diese Hexe losgeworden bist. Du musst aber jetzt sehr glücklich sein!« Da wandte sich der Onkel zum Manne und sagte: »Sie sollten sich schämen, Herr Nachbar, dass Sie in solch einer Weise über eine fremde Frau zu mir sprechen«, und ließ ihn stehen.

Sie fuhren dann eine Weile schweigend, da sah man von weitem eine braunlackierte Kalesche mit vier Pferden angaloppieren; Szajko ließ den Vater halten. Auf dem Bock saßen ein Kutscher und ein Diener, und in der Kalesche der Gutsbesitzer und seine Frau, und beide waren in eine grüne Sammetdecke eingewickelt. Der alte Szajko sagte: »Schau dir diese zwei Menschen genau an.« Die Kalesche kam jetzt näher und näher, das Gutsbesitzerpaar war sehr guter Laune, sie lachten und scherzten laut und vernehmlich, und auf den Gruß der beiden Juden, die ihre Häupter entblößten, antwortete der Gutsbesitzer nur mit einer kurzen Fingerbewegung an seine Mütze. Als sie vorbei waren, fing Szajko Rozum, zum Vater gewandt, wieder an: »Hast du gehört, wie sie fröhlich waren? Hast du gesehen, wie er sie anguckte, wie er ihr schmeichelte und wie sie lachte? Und was hältst du davon, Aaron? Ist sie ihm mehr im Haus, bei Tisch oder im Bett als dir die Deine? Sie gebar ihm zwei Kinder und hat Köchinnen und Diener und Kutscher und Ammen und Gouvernanten. Deine gebar dir schon, Gott sei Dank, acht Kinder und ist dir Weib und Köchin und Amme und Gouvernante und Magd und Waschfrau und Wirtin und alles, alles, alles. Er aber lacht sie an, schmeichelt ihr, macht sie heiter, und du, Aaron, fährst in die Stadt zum Rabbi, dich scheiden zu lassen!«

Vater aber murmelte verlegen: »Nun verdrehen Sie doch die Sache nicht, Szajko Rozum. Ich fahre nicht, mich scheiden zu lassen. Das tut ja meine Frau, die sich scheiden lassen will, und meine Schuld ist es auch nicht, dass er Gutsbesitzer ist und ich ein armer Hund.« Dem Weib aber, meiner Mutter, rannen Tränen übers Gesicht; um das Herz aber war ihr schon ganz leicht und gut, und sie sprach: »Nun, ich bestehe ja auch nicht darauf, mich scheiden zu lassen, und ich habe niemandem niemals nicht vorgeworfen, dass man arm oder reich ist.« – »Ja«, sagte der alte Szajko Rozum, »wir müssen sowieso erst heim, um die Kinder zu befragen, welche zum Vater, welche zur Mutter wollen«. Das Weib aber lächelte schon mit ihren noch nicht getrockneten Tränen und sagte leise: »Heimfahren, ja, aber niemanden fragen, und niemand braucht nichts zu wissen.«

Und Vater wendete den Wagen, und Szajko Rozum sagte: »Komm, komm Aaron, schnell heim, zu Hause ist es immer am schönsten.« – »Nein«, sagte der Mann, »siehst du das Haus dort links? Das ist das große Landgasthaus, dort halten wir erst.« Und sie fuhren vor dem Landgasthaus vor, und Szajko Rozum kroch als Erster vom Wagen, und Vater hob die kleine Mama, die jetzt glühende Wangen hatte, herab von ihrem Heusitz, und sie sahen sich heute zum ersten Male in die Augen, und sie standen ganz ruhig nebeneinander, und er sagte:» Du gehörst zu mir, bist nicht meine Magd, bist nicht meine Waschfrau, bist nicht meine Köchin und niemandes Gouvernante. Aber du bist meine Mutter, die Mutter meiner Kinder, und meine Schwester, und mein Kind, und mein Freund in allen Nöten und Freuden, in alle Ewigkeit, Amen.«

Und sie kamen verlegen und lächelnd in die Schänke und setzten sich zum alten Szajko an den Tisch und tranken Wodka und aßen hartgekochte Eier mit weißen Semmeln wie reiche Leute; der Szajko trank und lachte ihnen zu. Dann kauften sie noch mehr Semmeln und Salzbrezeln zum Mitnehmen für die Kinder.

Und genau neun Monate später kam ich zur Welt. Und in diesen neun Monaten besuchte uns der alte Szajko noch einige Male, dann starb er, der Gute.

Ich bekam dann seinen Namen und mein Vater pflegte oft zu mir zu sagen: »Mein Sohn, du trägst den Namen eines freundlichen Menschen.«

2
Wie ich in dieser regnerischen Nacht auf die Welt kam

In unserem Dorfe Werbiwizi lebten ungefähr hundertundfünfzig ukrainische Familien und unter ihnen vier jüdische. Alle lebten vom Ackerbau. Die Juden hatten nebenbei noch kleine Kramläden, und einer von ihnen hatte die Dorfschänke vom Gutsbesitzer gepachtet. Das Dorf hatte zwei Hügel; auf einem stand die kleine Holzkirche mit ihrem Zwiebeldach, auf dem andern lag das Gut. Die kleinen *Chatas* im Dorf hatten Strohdächer, die braun und schwarz geräuchert waren von den Kaminen, durch die es hereinregnete, und am Qualm konnte man immer riechen, ob bei den Nachbarn Fleisch gekocht wurde. Die Stallungen des Gutes, die Scheunen, die Gesindequartiere hatten auch Strohdächer. Nur ein Haus war weiß, hatte ein Blumenbeet, und das Dach war mit Holzschindeln getäfelt. Es war etwas Fremdes für uns, das Gut gehörte dem polnischen Gutsbesitzer. Zwischen dem Gutsbesitzer und dem Dorfe war eine Wand. Es war eine fremde Welt. Er, seine Frau, seine Kinder und sogar seine Angestellten mischten sich nicht mit dem Dorf. Auch die Sprache war eine andere. Polnisch. Er pflegte sich und seine Kinder anders zu kleiden, sie sprachen anders und aßen anders. Ich erinnere mich noch, wie der kleine Nikola, mein gleichaltriger Milchbruder, der Sohn des Nachbarn Jus Fedorkiw, eines Tages gelaufen kam und zu seiner Mutter sagte: »Mama, ach Mama, weiße Semmel mit Butter schmeckt aber gut!« – »Woher weißt du denn das, mein Junge?«, fragte die Mutter. »Ich habe gerade gesehen, wie der Junge des Gutsbesitzers sie gegessen hat.«

Wir Dorfkinder, Juden- und Ukrainerbuben, hatten selten Gelegenheit, den kleinen Gutsbesitzerskindern zu begegnen, und wenn wir sie in ihrer Kalesche vorbeifahren sahen, waren sie herausgeputzt, mit gelocktem, frisiertem Haar, trugen Galoschen, wenn es regnete, und Handschuhe sogar im Sommer. Sie guckten böse, hochmütig und dumm auf uns herab. Genauso, wie ihr Vater auf das Dorf herabsah.

Vom Gut führte eine dichte Pappelallee zur Landstraße, das Dorf lag einige Meilen abseits. Die Dorfschänke führte Elikune. Dann waren da noch der alte David Berkowitz, mein Onkel Leiser und wir, die Aaron Gronachs. Alle jüdischen Familien hatten Häuschen, Gärten, einige Acker Land, Haustiere und kleine Kramläden. Wir handelten aber auch mit Eiern, mit Getreide und Vieh.

In unseren Kramladen brachten wir alles aus der Stadt, was das Dorf brauchte: Hufeisen, Nägel, Petroleum, Semmeln, Schmieröl, Werkzeuge, Pfeffer, Salz, Kerzen, bunte Tücher, Honig, Saure Gurken und viele andere Sachen. Zu dem Haus, in dem wir wohnten, gehörten ein Stall, eine Scheune, ein Misthaufen, ein Garten und zwei Stuben. In beiden Stuben waren viele Schlafgelegenheiten. Im Sommer schliefen die meisten von uns Kindern in der Scheune und auch im Stall. Im Winter waren beide Stuben vollgepackt und manches Mal, wenn der Frost anfing, seine Blumenzeichnungen an die Fenster zu malen, musste auch ein junges Kalb oder ein Fohlen mit uns übernachten, was uns Kleinen viel Spaß machte. In einer Stube war der Ofen mit einem Vorbau zum Kochen, in einer Ecke war der Laden aufgebaut, dann ging es über die Schwelle eines offenen Türrahmens in eine andere, die gute Stube. Da waren zwei Betten, ein Tisch mit Bänken, und an den Wänden hingen Bilder. Eins vom jüdischen Baron Hirsch, mit rasiertem Gesicht und gezwirbeltem Schnurrbart, weißgestreifter Hemdbrust, Stehkragen und schwarzer Krawatte. Ein zweites Bild stellte dar: Aaron Hakohen, mit zwölf brillantenen Täfelchen auf der Brust, in die die Namen der zwölf Söhne Jakobs, von denen wir abstammten, eingraviert waren. Er stand vor einem siebenkerzigen Leuchter, hatte einen langen schneeweißen Bart und war bunt gekleidet wie ein Mädchen. Ein Bild zeigte Moses mit einem großen Stab, wie er uns führte von Irgendwoher nach Irgendwohin.

In einem der Betten lag jetzt eine kleine, kräftige Frau und wälzte sich in Schmerzen: Sie erwartete ihr neuntes Kind. Ihr Mann, ein hochgewachsener, breitschultriger Mensch mit gutmütigen braunen Augen und einem schwarzbraunen langen Bart, stand im Vorraum hinterm Laden. Die Stube war vollgepackt mit Bauern. Sie tranken heißen Tee mit *Prekuska*, das heißt: Sie bissen krachend an Stücken Zucker und schlürften laut und nachdenklich den heißen Tee, rauchten ihre Pfeifen und spuckten in Abständen auf den Boden und sprachen langsam, neugierig über Politik und Ernte, über Preise und die Bibel. Andere kamen und gingen, kauften eine Kerze oder einen Hering, Petroleum oder eine Kranzsemmel, Streichhölzer oder Honig, Salz oder ein Hufeisen, eine Peitsche oder ein Abführmittel und zahlten teils mit frischgelegten Hühnereiern, teils mit Getreide, mit Leinöl oder Mehl, oder sie ließen aufschreiben bis zu den nächstgelegten Hühnereiern, bis zum nächsten neugeborenen Kalb oder bis zur nächsten Ernte. Sie feilschten ein bisschen, denn sie gingen zu allen drei Krämern, und wer das meiste für ihre Naturalien bot, mit dem machten sie das Geschäft.

Aus dem anderen Raum kam jetzt ein lauteres Stöhnen, die älteren Bauern guckten sich an, stumm, einer zwinkerte mit dem Auge, einige lächelten schlau; sie verstanden, dass die Aarons im Begriffe waren, sich zu vermehren. Und einer nach dem anderen stand auf und ging zu Aaron mit einem »Gute Nacht«, in dem schon so was klang wie ein »Gratuliere« oder ein kleines »Beileid«. Denn ein neues Mitglied in einer Familie bedeutete immer: eine neue Hilfe oder ein neuer Fresser. Nur drei junge *Parobkins*, das sind die eben mannhaft gewordenen Burschen des Dorfes, saßen da, unbeweglich, stellten gleichgültige Fragen an den Juden, scherzten, genossen des Mannes Verlegenheit, genossen des Weibes Stöhnen, und machten keine Anstalten zu gehen.

Die Alte kam, die Hebamme und Hexe, Arzt und Wahrsagerin zugleich war. Sie machte alles im Dorf: Sie brachte Kinder zur Welt, sagte den jungen Mädels ihre Männer voraus, gab den unfruchtbaren Weibern Mittel, Kinder zu kriegen, bereitete Salben für allerlei Gebrechen der alten Bauern. Was sie tat, war nicht immer erfolgreich, aber sie konnte auch hexen und fluchen, und sie roch immer nach Wodka, sodass sie eine gefürchtete Autorität im Dorfe war. Als sie das Haus betrat, schnalzte sie mit den Fingern, und das bedeutete: ein Teeglas Wodka; denn sie öffnete nie ihren Mund, bevor sie nicht ihr Teeglas Wodka bekam. Sie trank, und dann erst sagte sie »Guten Abend«.

Sie schaute sich um und forderte die Burschen auf, das Haus zu verlassen. Die Burschen aber nahmen Tabak aus ihren breiten, ledernen Gürteln, drehten sich Zigaretten, ohne auf die Alte zu reagieren. Sie machte Feuer, stellte Wasser auf, spuckte dreimal auf beide Türschwellen, stellte sich in Positur und forderte die Burschen noch einmal auf, zu gehen. Die Burschen lachten, nahmen ihre Hirtenpfeifen heraus und pfiffen ganz gleichgültig ein Volkslied. Die Alte leerte ihr Teeglas Wodka und fing an, Zeichen in der Luft zu machen, zu drohen und zu fluchen, schlug dreimal das Kreuz in den Raum und schrie: »Schnell, schnell, gute Kinder, gute *Chlopzis*, arme elende Jungens, schnell, schnell, macht euch fort, sonst werdet ihr ein Leben lang so sitzen bleiben, lahm und starr wie ein Kuhfladen im Winter!«

Aus der anderen Stube kam ein Stöhnen, denn ein neuer Mensch war dabei, in diese Welt einzutreten. Die Burschen lachten und behaupteten, die Flüche der Hexe hätten sich schon erfüllt, denn sie wären bereits starr und lahm und erfroren und könnten sich nicht mehr von der Stelle rühren.

Die eigenen vier großen Söhne kamen nun heim vom Jahrmarkt; es entstand eine halb lustige, halb ernste Rauferei, die Burschen wurden hinausgeworfen, die Alte goss ihnen noch das kochende Wasser nach und die Haustür wurde verriegelt. Das Weib stöhnte, die Hexe trank ihr zweites Teeglas Wodka, plötzlich hörten die Leute in der Stube die drei Burschen draußen ein Spottlied auf ihren Hirtenpfeifen spielen. Nun ging ein Beben durch den Leib des Weibes: Ein kleines Etwas erschien und quietschte.

Die Bauernburschen draußen begrüßten ihren neu angekommenen Menschenbruder, indem sie die Fensterscheiben einwarfen und verschwanden.

Die Männer verstopften die Fenster mit Kissen und Fetzen. Das neugeborene Geschöpf bekam einen Schock, begann sich zu krümmen, kleine, zarte Gliederchen reckten sich im Krampf.

Die Alte trank bereits ihr drittes Teeglas Wodka, die Männer saßen in der anderen Stube und rauchten stumm, die Söhne schauten den Vater mit einer Art Vorwurf an und er war verlegen.

Derweil die Alte das kleine Ding badete und Krämpfe das kleine Körperchen hin- und herschleuderten, weinte die Mutter verzweifelt. Die Alte tröstete sie und meinte: Es sei gar nicht so schlimm, nur ein kleiner, drittklassiger, zahnloser Kobold sei in das Kind gefahren, denn er selbst, der große Teufel, könne es nicht sein, da er um diese Jahreszeit am Ende der Welt sei, in einem dunklen Nichts, in solch einer Klemme und so bedrängt von einem kleinen rosa Engel, dass er dort für die nächsten drei bis vier Monate Blut und Wasser schwitze und hier gar keinen Einfluss haben könne. Und sie kann – sie trank gerade ihr viertes Teeglas Wodka – sie kann diesen kleinen, zahnlosen Kobold in den nächsten drei bis vier Monaten aus dem Kinde leicht verjagen, natürlich nur, wenn das Weib ihr verspreche, stillzuschweigen, es niemandem zu erzählen und zu tun, was sie, die Hexe, verordne.

Das Weib versprach zu gehorchen, und das kleine Etwas, das in dieser regnerischen Aprilnacht auf die Welt kam, war ich.

3
Wie ein kleiner, zahnloser Kobold aus mir ausgetrieben wird

Ich kam also in dieser regnerischen Aprilnacht auf die Welt. Und brachte noch mehr Unruhe in ein bereits unruhiges Dasein. Und brachte noch mehr Unordnung in ein schon unordentliches Leben.

Nach einer Woche stand die Mama aus dem Wöchnerinnenbett auf. Der jüngste Bruder, Schabse, der gerade ein Jahr alt war, war plötzlich erwachsen und nicht mehr das Kind. Das Kind war jetzt ich, und was für eins: Ein kleines Etwas, das mit Händchen und Füßchen um sich schlug und Tag und Nacht schrie.

Die alte Hexen-Hebamme und Wahrsagerin kam immer hereingeschneit, wenn Vater und die großen Brüder gerade nicht da waren, und traf Anordnungen, um den kleinen, zahnlosen Teufel aus mir auszutreiben. Sie erteilte ihre Anordnungen der kleinen ängstlichen und besorgten Mama, die das Versprechen hielt, niemandem etwas von dieser Kur zu verraten. Niemand erfuhr, was ihr verordnet wurde, und niemand erfuhr, was sie dafür zahlte, nicht einmal sie selber. Denn sie zahlte mit allem, was im Kramladen war: Salz, Petroleum, Honig, Heringen, Kolatschen, Spaten, Nägeln, ja einmal sogar mit einer Holzsäge und einer Axt, die die alte Hexe an den reichen Nachbarn Jus Fedorkiw ganz billig wieder verkaufte, um alles zu Schnaps zu machen. Sie war sehr vorsichtig, um nicht dem Vater oder dem ältesten Bruder zu begegnen. Besonders fürchtete sie den ältesten Bruder, der einmal dazukam, wie die Mutter ihr ein Teeglas Schnaps einschenkte. Er nahm den Schnaps, schüttete ihn aus und verbot ein für allemal, ihr wieder Schnaps zu geben, worauf sie ihm drohte, das Kalb zu verhexen. Der Bruder aber erklärte sofort vor Zeugen, dass er sie jetzt für die Gesundheit seines Kalbes verantwortlich mache, und sie – falls dem Kalb etwas passiere, ja, falls es nur die Anzeichen eines Dünnschisses zeige – sofort vom Gendarmen abholen lassen werde. Sie fürchtete meinen ältesten Bruder sehr und war jetzt um die Gesundheit seines Kalbes besorgter als er selber.

Meine Kur hatte damit begonnen, dass die alte Hebammen-Hexe in unserem Garten herumgrub und niemand wusste, warum und wozu. Aber eines Nachts, die Männer waren noch nicht zurück vom Jahrmarkt, wurde das kleine Wesen mit Wanne und Windeln und Wasser in eine Grube im Garten versenkt und zugedeckt. Die Mutter stand da mit einer Kerze und leuchtete, die anderen Kinder weinten in der Stube vor Angst, die Alte murmelte und spuckte und machte ihren Hokuspokus und sprach: »Siehst du, siehst du, Aronka, wie das Gras wächst, er wird leben, leben und den Bösen überwinden«, und sie öffnete die Grube wieder, nahm Wanne und Kind ins Haus zurück, und am nächsten Morgen soll hohes Gras an dieser Stelle gestanden haben; aber das Kind war immer noch von Krämpfen geplagt und an dem Tage erbrach es sich noch dazu. Dann ordnete die Alte an, das Kind, wenn es nachts unruhig würde und wieder vom Teufel besessen wäre, neben das Bett auf die Erde hinzulegen und ruhig abzuwarten, bis das Böse entfliehe.

So legte mich die Mama eines Nachts auf den Erdboden, aber ich, wohl zusammen mit dem zahnlosen Kobold, brüllte so laut, dass das Haus erwachte. Vater machte Licht, dachte, das Kind wäre aus dem Bett gefallen, legte es der Mutter ins Bett zurück, die Mama gab ihm die Brust, das Kind trank gierig und hungrig Milch und Wärme und beruhigte sich. Dann kam die dritte Kur. Es war ein Dienstag; alle Erwachsenen waren in der Stadt zum Jahrmarkt. Die Alte kam mit fertiggemachtem Teig, heizte den Ofen, und es wurde eine Riesen-

Kranzsemmel gebacken. Während die Kranzsemmel die erste Bräune zeigte, wurde das Kind auf der Brotschaufel festgemacht und in den Ofen hineingeschoben und wieder heraus, in Abständen, drei mal drei, zusammen neun Mal. Als die Semmel fertig gebacken war, nahm die Mutter das Kind und die Alte die Semmel, und sie schoben neunmal das Kind durch das Semmelloch, wozu die Alte immer wieder murmelte: »Kleiner Szajko durch die Semmel, kleiner Kobold in die Semmel, wer Semmel frisst, nicht vergisst, dass er den Kobold mitgefrisst. Kleiner Szajko durch die Semmel, kleiner Kobold in die Semmel, wer Semmel frisst, nicht vergisst, dass er den Kobold mitgefrisst.« Dann wurde das Kind gebadet und die Alte verschwand mit der Semmel in einem Sack.

Als die Leute nachts vom Jahrmarkt heimkamen, hatte des reichen Jus Fedorkiws schwarzer Wolfshund, der immer um eine Meile seinem Herrn voraus war, am Kreuzweg vor dem Dorfe, auf einem Steinkreuz, eine große, runde Kranzsemmel entdeckt; er sprang hoch, und hungrig, wie er immer war, biss er kräftig hinein, aber in der Semmel war auch von neunmal neun Streichholzpaketen der Phosphor und der Schwefel verbacken. Der große schwarze Wolfshund heulte plötzlich wie seine Urahnen, die Wölfe, wenn sie dem Tode nahe waren; die Hunde im Dorfe heulten und bellten mit, der Hund wälzte sich und versuchte zu laufen und fiel und jammerte schauerlich und kam heim und krepierte in wenigen Stunden eines scheußlichen Todes. Das Dorf war wie von Panik ergriffen. Am nächsten Tag wurde die Alte vom Gendarmen abgeholt.

So wurde meine Kur gewaltsam unterbrochen; ich bekam normal die Brust der Mutter und der Nachbarin, denn ich hatte immer einen schrecklichen Hunger. Nach einem Jahr bekam die Mutter wieder ein Kind und nun war *ich* plötzlich erwachsen und nicht mehr das Kind und kroch schon mit den anderen Kindern und Haustieren im Hof und Garten herum und wuchs heran, gesund und kräftig, war bald der wildeste Junge im Dorfe, der beste Schlitterer und Eisglitscher, Radschläger und Baumkletterer. Immer war alles an mir zerrissen und immer verlor ich die Höschen mitsamt der Strippe, die sie festhalten sollte.

Und wenn meine Mutter ganz böse wurde, pflegte sie zu sagen: »Ich bin noch immer nicht sicher, ob der kleine, zahnlose Teufel dich je verlassen hat.«

4
Meine grossen Brüder oder Einer fehlt

Mein ältester Bruder hieß Schachne Eber. Er war groß und kräftig, schweigsam und ehrgeizig und sehr fleißig. Niemand sah ihn je herumstehen oder herumsitzen oder herumschwatzen. Sogar am Schabbat oder an Feiertagen wusste er sich zu beschäftigen. Er ging ins Feld nach dem Getreide sehen, das Vieh untersuchen, im Laden in den Kisten und Kästen die Waren nachzählen und ordnen. Er war eigentlich der Herr des Hauses. Vater behandelte ihn auch so, als ob er, der Vater, sein jüngerer Bruder wäre, denn er wusste über alles besser Bescheid als Vater. Er verabscheute Armut. Er sagte immer, die armen Leute machten es falsch, erst Kinder zu haben und dann fürs Essen zu sorgen; es müsste umgekehrt sein. Die Reichen haben erst Geld und dann Kinder. Er war immer aufs Geldverdienen aus und sparte. Dabei war er gutmütig und hasste herumzukommandieren, anzuordnen, Befehle zu erteilen. Er sagte immer: »Es nimmt weniger Zeit, selber anzupacken, die Arbeit selber zu verrichten, als sie anzuordnen.« Als mein Bruder Schachne einmal an einem Jahrmarktstage eine Fuhre Getreide nach Kolomea brachte und sie beim Getreide- und Mehlhändler Jakob Brettler ablieferte, gefiel Herrn Brettler sehr die Geschicklichkeit und leichte Art, mit der er die Säcke ablud; und er gab ihm eine Stelle zwischen Kommis und Lastträger in seinem Getreide- und Mehlspeicher.

Er bekam zehn Gulden im Jahr, mit Kost und Quartier, und an den Markttagen erhielt er noch fünf Kreuzer extra für die Ab- und Verladung jeder Fuhre. Nach einem Jahr kam er nach

Hause, mit neuen Stiefeln, einem feinen schwarzen Hut, einem seidenen Kaftan, zwei weißen, nach Maß gearbeiteten Hemden, Geschenken für die Kleinen, ersparten acht Gulden und irgendeinem Riss in seinem Körper. Er war jetzt blass wie ein Gelehrter und hustete. Aber für das Geld kaufte er sich ein Kalb, zog es auf, brachte die junge Kuh zum Bullen, sie kalbte, er verkaufte sie, hatte so mehr Geld und ein Kalb als Grundstock eines Vermögens. Er war nun wohlhabend und angesehen und bewundert von den Kleinen, aber auch vom Vater. Er versah auch die anderen Geschäfte des Hauses und galt als eine Art Vater-Stellvertreter, nur mit mehr Autorität, die er aber nie missbrauchte. Sein Gesicht war jetzt ernst, von einem weichen Flaum umrahmt. Vater fragte ihn oft um Rat und lieh bei ihm manches Mal einen Gulden oder auch zwei. Er aß auch nicht mehr unser schwarzes Brot, sondern brachte sich jede Woche vom Markt einen großen Brotlaib aus gebeuteltem Roggen, mit Kümmel bestreut, mit. Das Brot lag in einem Fach an der Wand, mit einem Handtuch zugedeckt, und niemand rührte es an. Nur wenn einer der Jüngeren einen Gang für ihn tat oder das Kalb für ihn besorgte oder seine neuen Stiefel putzte, bekam er eine dicke Schnitte vom neuen schmackhaften Brot. Er brachte auch immer vom Jahrmarkt buntfarbige Bonbons oder Honigkuchen mit. Ach, dieser Honigkuchen schmeckte so gut, dass es einem im Mund wässerte, wenn man von ihm sprach, und man feuchte Augen bekam, wenn man ihn aß.

Nach dem Bruder Schachne Eber kam der zweitälteste, Abrum. Abrum war ein Jahr jünger, aber größer, breiter, kräftiger und sehr schwer im Denken und Sprechen. Wenn er was sagte, wurde er für gewöhnlich ausgelacht, worüber er einen roten Kopf bekam, was ihm den Spitznamen »Rote Rübe« einbrachte. Um dem zu entgehen, pflegte er wenig zu sprechen. Da er merkte, dass die Leute umso weniger über ihn lachten, je weniger er sprach, schwieg er beinahe ganz; und die Leute hörten beinahe ganz auf, über ihn zu lachen. Er war der stärkste Kerl im Dorf und tat die schwerste Arbeit ohne jegliche Anstrengung, wie ein Bulle. Er litt nur still darunter, nicht ernst genommen zu werden. Er war weder ehrgeizig noch neidisch auf den älteren Bruder, aber er wollte auch Geld verdienen. So pflegte er in die Stadt zu gehen und sich als Lastträger zu verdingen; meist ging er Montag und kam Freitag wieder; das machte er einige Monate und dann hatte er Geld gespart, das er in einem Topf irgendwo im Garten vergraben hielt. Mit diesem Geld tat er sich mit Iwan Horbaty, dem ärmsten Bauern im Dorf, zusammen und kaufte eine Sau. Die Sau warf vierzehn Ferkel. Das Dorf wurde misstrauisch und setzte dem armen Bauern zu; viele dachten, er hätte das Tier irgendwo gestohlen, bis er schließlich das Geheimnis ausplapperte, und nun waren wir blamiert. Ein Jude handelt mit Schweinen, koschere Menschen mit *treifenem* Vieh! Die Hölle war los! Abrum bekam nun sein Geld ohne Verdienst zurück, war aus dem Geschäft heraus, aber es nützte nichts, er und die ganze Familie waren der Schande und dem Spott preisgegeben. Da hatte Abrum einen Einfall: Er mischte sich wieder ins Gespräch und siehe da, die Leute lachten wieder über ihn, aber das war viel leichter zu ertragen, viel angenehmer, als dass man stumm an ihn und die Schande dachte.

Der älteste Bruder sprang ein, verkaufte ein Kalb, sie taten sich zusammen und fingen an, mit Pferden zu handeln, damit die Schande des Schweinehandels von der Familie abgewaschen würde.

Daran beteiligte sich auch der dritte Bruder: Jankel. Jankel war komisch und machte Witze, konnte die Augen nach allen Richtungen verdrehen und auch sonst schielen, er konnte bellen wie ein Hund, muhen wie eine Kuh, gackern wie die Hühner und die Kniekehlen nach rückwärts eindrücken wie halbe Reifen. Er war ganz ukrainisch angezogen, denn es war wärmer im Winter, kühler im Sommer und billiger das ganze Jahr. Er ging mit den Dorfburschen umher, war bildschön, und die Bauernmädel liefen ihm nach. Er hatte gar keinen Ehrgeiz, saß in der Schänke herum und bekam vom Schankwirt oft einen spendiert, denn er unterhielt die Leute mit seiner Anwesenheit, und einmal spielte sogar der Vertreter des Gutsverwalters mit ihm Karten. Von Jankel ist sonst nicht viel zu erzählen, umso mehr von Schmiel, dem nächsten Bruder.

Schmiel war dünn und flink, mit einem schwarzen Lockenkopf und überzeugt, dass er der Gescheiteste von allen sei. Er war erfinderisch, frech, unternehmungslustig und wichtigtuerisch. Er hatte zwei Leidenschaften: Er log gerne und liebte Pferde. Er trieb sich den ganzen Tag im Dorf herum, von Pferdestall zu Pferdestall, er kannte alle Pferde beim Namen und die Leute im Dorf behaupteten, dass die Pferde auch ihn kannten und liebten. Wenn ein Pferd krank wurde und der Tierarzt der nahen Stadt versagte, wusste Schmiel immer noch ein Mittel. Der Tierarzt hasste ihn und die Bauern nannten ihn den Schmilko Kon, das heißt: der Pferdeschmiel. Selbstverständlich wurde auch er zum Pferdehandel hinzugezogen, bekam aber gleich beim ersten Jahrmarkt Streit mit dem ältesten Bruder. Dienstag spät in der Nacht kam man vom Jahrmarkt heim, am nächsten Tag guckte der Vater sich mit den Nachbarn die Koppel junger Pferde an, begutachtete, diskutierte die Preise, so war es nach jedem Jahrmarkt. Dann ging man sich ansehen, was die anderen eingehandelt hatten, und besprach, was der und der für seine Kuh, sein Pferd, sein Kalb, sein Schwein bekam oder zahlte, und so verging der Mittwoch.

Dann kam der Donnerstag mit seinem großen Betrieb; da begannen schon die Vorbereitungen für Schabbat, mit Teiganrühren für das Brot, den weißen *Barches* und den *Malaj* aus Kukuruz. Die Weiber laufen umher, atemlos und aufgeregt, ein Stück Sauerteig zu leihen, oder etwas Holz oder einen guten Rat, alles durcheinander in der letzten Minute.

Donnerstagnacht zu Freitag wird durchgearbeitet, Teig gemacht und Ofen geheizt, Kartoffeln geschält, am Ofenfeuer schon die verschiedenen Töpfe gekocht, dann gebacken: das Brot, die *Challe*, der Kukuruz-*Malaj*; das Kartoffelbrot – *Mandaburtschinik* genannt –, das schon Freitag heiß verschlungen wird, schmeckt großartig mit Butter oder Schmetten.

Freitag wird alles gewaschen, geputzt, aufgeräumt. Den Kleineren werden die Köpfchen von den etwas Größeren mit

Petroleum gewaschen und gekämmt; Petroleum ist gut gegen Läuse. In der Stube riecht es nach frisch gebackenem Brot, gebratenem Fleisch und Petroleum durcheinander. Spät am Nachmittag ist man halb so weit, den *Schalet* in den Ofen zu schieben, der Ofen wird hermetisch abgeschlossen und sauber geputzt. Der erdene Fußboden wird mit dünnem Lehm getüncht, dann kriegen die Wände am Fußboden einen grünen Streifen gezogen. Der Tisch ist weiß gedeckt, geputzte Messingleuchter zieren ihn, die Tellerchen stehen da für jeden, jeder hat seinen Platz, dem Alter nach, der Würde nach. Der männliche Teil der Familie ist bereits beten gegangen. In der Dorfschänke im Hinterzimmer ist ein Art Nottempel aufgebaut. Es waren ja nur vier jüdische Familien im Dorf, aber es war schon längst ein *Minjir*. Inzwischen hatte die kleine Mama Licht *gebenscht* und immer private Gespräche in das Gebet gemischt; sie sprach immer zum Lieben Gott wie eine erwachsene Tochter zu ihrem Vater, ihn an seine Verantwortung und an seine Pflichten mahnend, jede Woche dasselbe.

Nun kam der männliche Teil der Familie heim von der *Schul*, feierlich und pathetisch wünschte man sich gegenseitig »*Gut Schabbes*«. Vater sprach das *Kiddusch*-Gebet über den aufgestellten Rosinenwein, er kostete, der Becher wurde Mutter gereicht, dann machte er die Runde um den Tisch. Die Schwester half der Mutter auftragen, Vater präsidierte, der Geruch der Pfefferfische kitzelte bereits in der Nase, Wasser wurde gereicht zum Händewaschen für das *Schabbat*-Brot. Alle schauten auf den Vater, er fing an und starrte links auf den dritten Platz, wo ein Gedeck verschämt daliegt – einer fehlt!!!

Alle merkten es plötzlich. Vater fragte: »Wo ist Schmiel?« Schachne Eber, der Älteste, antwortete: »Ich sah ihn zuletzt Dienstag auf dem Jahrmarkt.« Nun wusste man, dass seit Dienstag ihn niemand gesehen; aber es fiel erst jetzt wieder auf, weil man nur Freitagabend und Schabbat zusammen am Tisch saß. Mutter weinte schon, erst still und dann lauter, und wenn Mutter weinte, so weinte sie gleich aus mehreren Gründen: »Gott, o Gott«, jammerte sie, »warum werde ich mehr gestraft als alle Mütter dieser Welt? In einen ist der Teufel gefahren, und einer läuft zum Teufel. Für welche Sünden strafst Du mich, o Herr?« Vater aber sagte: »Weißt du, was die größte Sünde ist? Den heiligen Schabbat zu zerstören.« Und er fing auch schon zu singen an, mit seinem warmen Bass-Bariton: »*Schabbes Scholem Miwojroch*« – »Der Friede des Schabbat werde geheiliget«; und leise murmelnd stimmten alle ein: »Der Friede des Schabbat werde geheiliget.«

Dann wurde aufgetragen, und obwohl alle sehr hungrig waren, aßen sie müde, ohne Appetit, und die Mama biss sich in die Lippen, um nicht zu weinen, und wischte sich immer wieder verstohlen eine Träne mit der Handfläche ab.

Und zwischen den Gerichten wurde wie immer gesungen; heitere, lustige Melodien, aber heute klangen sie herzbeklemmend, melancholisch, denn jeder dachte: »Wo mag Schmiel jetzt wohl sein?«

Der Erste ist in die Welt gegangen, wie weit mag diese Welt wohl sein?

5
Die Mama träumt

Die Jahreszeiten in unserem Dorf kamen und gingen wie menschliche Wesen. Der Frühling erschien wie der Besuch eines treuen Freundes, den man lange erwartet und von dem man genau weiß, wie er aussieht. Aber wenn er kommt, ist man doch überrascht. Er ist noch angenehmer, noch freundlicher, noch wärmer, und jeden Tag bringt er einem andere Geschenke. Irgendwo im Koffer hat er noch eine kleine Aufmerksamkeit, noch eine liebe kleine Gabe, und man schämt sich beinahe, sie anzunehmen.
Erst kommt die zarte gelbe Sonne, dann werden die Pfade und Wege trocken und gangbar, dann werden die gelbgrünen Teppiche über die Wiesen und Felder ausgebreitet, dann schießen aus den Bäumen und Büschen zarte, weiche Knöpfchen und schließlich ist er kein Gast mehr, der Frühling, man freundet sich mit ihm an wie mit einem zugehörigen lieben Menschen, man wird immer wärmer, immer intimer mit ihm. Und mit ihm geht man dann, ohne dass man es merkt, in den Sommer hinein, feiert Hochzeit, hat Ziele, baut ein ganzes Leben auf! Es kommt dann das gemeinsame Reifen, man entwickelt sich, wächst, das Glück, die Erfolge kommen, es kommt die Ernte, der Reichtum, alles wird unter Dach und Fach gebracht, der Herbst zeigt seine ersten Spuren, die Erde steht da, rasiert, nackt, sie schämt sich, die Erde, alles hergegeben zu haben. Man fängt an zu zählen, zu rechnen, zu sparen. Dann kommen Regen und Wind und Kälte, und man fängt an, Doppelfenster einzusetzen. Die Wände der Häuser werden von draußen mit Strohbündeln oder Kukuruzstengeln umstellt und befestigt. Dann ist es plötzlich

kalt, die Luft rein und klar, und man steht eines Tages auf und alles ist weiß. Schneeweiß. Schnee und Frost. Alles hockt in der Stube, bis auf die, die gutes Schuhzeug haben und schlittern oder glitschen können.

An einem solchen Wintertag standen wir Kinder mit der kleinen Mama am Fenster; sie wischte immer mit der Schürze an der gefrorenen Scheibe einen Ausblick frei und wir guckten hinauf auf den gegenüberliegenden Hügel, wo die kleine Holzkirche mit ihrem Zwiebeldach stand und die Leute des Dorfes mit brennenden dicken Kerzen, die eine zarte Brise auszulöschen drohte, einer Prozession folgten: An der Spitze trug einer ein großes metallenes Kreuz mit einem gekreuzigten Menschen aus Holz, dann kamen kleine Jungen mit weißen Talaren und sangen, dann der Dorfpfarrer, dann das ganze Dorf, alles sehr feierlich – es war Weihnachten.

Uns war das alles mehr als fremd. Die ganze Woche war man befreundet, half sich gegenseitig; wir hatten dieselben Sorgen, dieselben Nöte, dieselben Masern, dieselben Pocken, dieselben Arzneien, planschten oder glitschten im selben Bächlein, aber jeden Sonnabend wurden wir daran erinnert, dass wir Juden waren. Und jeden Sonntag wurden sie daran erinnert, dass sie Christen waren. Die beiden Begriffe standen sich fremd, kalt und gehässig gegenüber.

Wenn wir *Pessach* oder *Simchas Thora* feierten, erzählten uns am nächsten Tag die Kinder, was ihre Eltern ihnen erzählten, welch Unglück es wäre und welche Dummheit, ein Jude zu sein, der keine Ahnung hat vom Segen der Erlösung, der Auferstehung und vor allem – dem Geschmack von Schweinefleisch. Und wenn *die* einen Feiertag hatten, erzählte man uns, wie schrecklich es sei, ein *Goj* zu sein, der niemals zu *Mojsche Rabejnu* und der guten *Mutter Rachel* in den Himmel kann und nie vom *Schorr-Abor* oder *Leviathan* kosten wird. Und wer wird schon *Leviathan* mit Schweinefleisch vergleichen?

Jetzt stand die kleine Mama da und spottete über die Prozession, den Priester und die Menschen. »Ja«, sagte sie, »Unser,

unser Großer Gott sitzt im Himmel auf einem feurigen Thron und schickte Moses, dass er für uns das brausende Meer spalte, und führte uns heraus, von dort, wo es noch schlechter, noch viel schlechter war, als es jetzt hier ist; führte uns in ein Gelobtes Land, wo in den Gassen Milch und Honig in Strömen floss und jeder davon essen und trinken konnte soviel er wollte, und gab uns noch dazu die *Thora* und alle Weisheit der Welt. Und *die* küssen Figuren und beten zu geschnitztem Holz.« Dann erzählte sie, die kleine Mama, alles durcheinander. Das Fenster war schon längst wieder ohne jede Aussicht, aber sie, die Kleine, kam erst jetzt richtig ins Reden. Es war schon dunkel geworden, und sie sprach nun von Geistern und Teufeln, von verirrten Seelen und Kobolden, die die Luft erfüllen, und von Hexen und Gespenstern, die herumschwirren in solchen Zeiten, und dass man nicht fromm genug sein kann und immer beten muss, beten mit reinem Herzen, zu unserm Lieben Gott, dem einzigen Herrn der Welt. Denn nur er kann uns durch solche Finsternis hindurchführen; und es war jetzt auch schon ganz finster in der Stube, und wir hatten alle eine Gänsehaut, und das Haar stach uns wie Nadeln auf unseren Köpfen, und die kleine Mama selbst traute sich nicht von der Stelle weg, um die Lampe anzustecken, und wir schmiegten uns an sie und umdrängten sie wie Küken eine Henne. Da ging plötzlich die Tür leise knarrend auf, wir erstarrten und Mama schrie: »Wer ist da?« Und der Bruder Jankel, der immer Witze machte, steckte ein Streichholz an, verdrehte seine Augen und sprach aus dem Bauch: »Ich bin einer aus dem Jenseits«, und steckte die Lampe an und lachte. Wir waren immer noch ängstlich und rieben uns mit den kleinen Fäusten das plötzliche Licht aus den Augen. Mama schimpfte schon und fing an, Feuer zu machen, aber niemand getraute sich in den Vorraum hinaus, Wasser und Holz zu holen, auch die Mama nicht. Nun, Jankel tat es. Es wurde das Abendbrot gekocht. Heute gab es Polenta mit Bohnensuppe.

Vater kam heim und die älteren Brüder. Schachne Eber verteilte Bonbons. Aber der Schreck saß uns noch immer in den

Gliedern. Es wurde schnell und still gegessen, und jeder war froh, sich schlafen zu legen, die Augen zu schließen und nicht zu denken an all die gräulichen Geschichten, die die kleine Mama erzählt hatte. Das Nachtgebet, das immer schläfrig-mechanisch geplappert wurde, sprachen wir heute mit einer Inbrunst wie nie zuvor. Aber es hat nicht geholfen.

Mitten in der Nacht hörten wir plötzlich Mama laut sprechen: »Nein, nein, nein, ich gebe mein Kind nicht. Aaron, Aaron, schau, da kommt schon die andere Hexe, durch den Kamin, schau, wie sie erst mit den Händen herunterkriecht und wie ihr das lange schwarze Haar herunterhängt! Hexe! Hilfe! Aaron! Kinder! Steht auf! Wir sind fromme Menschen! Nein! Nein! Ich gebe mein Kind nicht! Hilfe! Hilfe! Aaron! Aaron! Zwei Hexen in unserem Haus!«

Inzwischen war der Vater aufgestanden, hatte Licht gemacht, alle Kinder waren wach, Vater zog den Gebetsmantel an, erst jetzt wurde uns ängstlich zumute. Mama jammerte immer noch unverständliche Worte, die Kleinen weinten laut mit ihr. Mama lag jetzt mit offenen Augen und hielt das Jüngste mit beiden Händen fest an ihr Herz gedrückt, als ob jemand es ihr entreißen wollte. Vater fing an Psalmen zu sagen: *»Achrej Huisch Ascher Loj Ulach Bazass Reschoim«* – »Gelobt sei der Mann, der nicht geht in die Reihen der Sünder«, und dazwischen ging er zum Türrahmen und küsste die *Mezuza* und sprach monoton in der Gebetsmelodie: »Unser Haus ist gesegnet und rein, und die Unreinen haben kein Recht, hier zu sein, unsere heiligen Bücher beschützen uns, und die *Mezuzas* an den Türen sind unsere Zeugen und Wächter.« Wir zitterten jetzt noch mehr als bei den Ausbrüchen der Mutter. Denn Vater war eine große Sache für uns, und da *er* so ernst wurde, bekamen wir es erst recht mit der Angst.

Da sagte der komische Bruder Jankel plötzlich ganz ruhig, gähnend und schläfrig: »Vater, möchtest du dir nicht eine Zigarette drehen? Ich habe heute bei einer Wette ein Paket ›Dreizehner‹ gewonnen.« Und der Älteste, Schachne Eber, sagte: »Hast du gehört, er hat ›Dreizehner‹; gib mir auch eine.« Vater hörte plötzlich zu beten auf, legte den Gebetsmantel zusammen, drehte sich eine Zigarette und rauchte sie an der Lampe an. Jankel und Schachne Eber, die einzigen, die es wagten, in Vaters Gegenwart zu rauchen, drehten sich jetzt auch Zigaretten. Und man fing an, über tagtägliche Dinge zu sprechen: Warum Jus Fedorkiw die Stute verkaufen wollte, und dass der Kukuruz in die Scheune müsste, und dass die Kartoffeln in der Grube mehr Stroh haben müssten, sonst erfrören sie, und dass die Kuh zum Bullen geführt werden müsste, und noch dies und jenes. Und man vergaß die Tränen der Mutter, und die Kleinen schnarchten schon, und Vater löschte diesmal die Lampe nicht ganz aus, sondern drehte die Flamme auf den kleinsten Punkt und legte sich auch schlafen. Er rief noch ein, zwei Mal nach der Mama, aber auch die Kleine schlief schon, und Vater sagte, noch immer wie zu sich selbst: »Na, Träume hat mir Gott geschickt ... Gute Nacht.«

6
Zwei Familien – vier Freundschaften

Am nächsten Tage waren wir eine Sensation. Die Großen gingen ihren Beschäftigungen nach, und die Kleinen hatten für gewöhnlich nur ein Paar Stiefel von einem der Erwachsenen. Und ein Recht darauf hatte nur, wer was Nützliches fürs Haus tat, wie Wasser holen mit dem Handschlitten, auf dem das Fass befestigt war, oder Holz hereinbringen zum Heizen, oder einen Gang zu einer der jüdischen Familien machen, um etwas zu leihen oder zurückzubringen. Heute war ein Geriss um die Paar Stiefel; jeder wollte Wasser holen, jeder Holz hereinbringen zum Heizen oder einen Gang machen, jeder wollte alles tun; heute wollte jeder so schnell wie möglich die dumpfe Stube verlassen und in die eiskalte Luft hinaus, Freunde sehen, schlittern, glitschen, Neuigkeiten hören und, vor allem, unsere Sensation erzählen. Heute wurde im alten Gerümpel nach den letzten Überresten eines Stückchen Leders gekramt, zerrissene Überbleibsel von Schuhen, die nicht mehr zueinander passten, alles, was einmal auf einem Fuße gewesen war, wurde nun mit Strippen, mit Draht, mit Fetzen festgebunden. Nur heraus! Heraus aus der Stube, die nicht mehr dicht hielt gegen Hexen und Gespenster!

Jeder erzählte dasselbe Erlebnis in eigener Ausgabe, mit eigenen Farben, ganze Strecken weglassend oder zugebend, je nach Wesen, Charakter und Temperament des Erzählers, und wir waren sehr erfolgreich.

Die jüdischen Familien meinten, diese Heimsuchung sei der Beweis dafür, dass wir nicht fromm genug wären, besonders die Kinder würden nicht in Religion und Sitten unterrichtet und eingeweiht, sondern trieben sich den ganzen Tag mit den ukrainischen Kindern wild herum – und das sei die Warnung auch für die anderen.

Auch die Ukrainer, Männer und Weiber und junges Volk, die sich auf dem Platze vor der Dorfschänke versammelten, um in die Kirche zu gehen, sahen nicht ohne Schadenfreude Gottes warnenden Finger darin: »So eine kinderreiche Familie, die Aarons«, meinte Juzecha Fedorkiw, die uns befreundete Nachbarin, »und ungläubig; aber mit unseren Feiertagen kommen auch die Warnungen für die Ungläubigen, die vielleicht noch nicht ganz verloren sind.«

Der alte Jus Fedorkiw kam jetzt zu uns, ließ sich ein Glas Tee geben und saß schweigend da. Der buschige Schnauzbart hing ihm ernst über den Mund herab, sein grauer Kopf war nicht gekämmt und da sein Leinenhemd offen war, konnte man auch seine behaarte Brust sehen.

Seit vielen Jahren führte er mit Vater dasselbe Gespräch. Ein Gespräch in Fortsetzungen. Sie fingen immer dort an, wo sie am letzten Tage aufgehört hatten. »Aaron«, hieß es immer, »du hast gestern oder vorgestern oder vorige Woche das und das behauptet«, und die prompte Antwort war wie gewöhnlich: »Jusiu, nicht ich, ich behaupte nie etwas, ich sage nur, wenn einer das oder das behaupten würde, könnte man sagen ...« Und schon waren sie mittendrinnen.

Es drehte sich ja immer um ein und dasselbe Gespräch in täglichen, wöchentlichen, ja jährlichen Fortsetzungen: Warum der Liebe Gott, den doch alle Völker und alle Religionen als letzte Autorität anerkannten und der auch selbst als Vater aller alle Wesen, sogar die Regenwürmer, anerkannte, warum Er wohl nicht *ein* Volk, *ein* großes Volk und so auch *eine* Religion erschaffen hätte ...? Und von seiner Allmacht sprachen sie, deren Wunder jeder im Frühling zurückkehrende Storch bestätigte und jede kleinste Feldmaus. Und dass Er alle Teufel und bösen Geister nach Wunsch in ein Rattenloch einsperren und schwitzen lassen könnte, ja, warum Er dann sie wohl überhaupt erschaffen hätte, diese Geister und Teufel, die uns doch nur verwirren?

Die letzten Wochen drehte sich das Gespräch um die sechs Schöpfungstage, über die sich die beiden so richtig fromm begeisterten. Er sagte nur: »Es werde«, und es ward. Aus gar nichts, aus noch weniger als aus leeren Taschen, denn damit eine Tasche leer ist, muss doch eine Tasche erst da sein!

Nur eine kleine, bescheidene Neugierde quälte unseren Freund Fedorkiw: Die Maus hatte ihr Loch, der Storch sein Nest, das Pferd seinen Stall, der Hund seine Hütte, der Löwe seine Wüste, der Gutsbesitzer sein Gut, wir haben ja auch unsere Häuser und Winkel und Ecken, und der Liebe Gott hat Seinen Himmel!

Und das Schönste in der Welt ist ja diese tiefe, weise Ordnung – aber, den Himmel hat Er erst am ersten der sechs Schöpfungstage erschaffen. Wo also hat der Liebe Gott gewohnt, bevor er den Himmel erschaffen hat?

Das waren sehr ernste Gespräche, nicht eine Sekunde zynisch oder gottlos. Denn nicht zu glauben oder nur zu zweifeln, würde ja soviel heißen, wie nicht zu glauben und zu zweifeln, dass die zuverlässige, feste Erde dich tragen kann, zu zweifeln am Aufgang der Sonne jeden Morgen, zu zweifeln, dass nach dem eisigsten Winter der Frühling wiederkomme, oder gar, dass nach der Schneeschmelze die Wintersaat aufginge!

Heute sprachen sie über die Ereignisse der letzten Nacht. Vater meinte, er wolle selber zu seinem Wunder-Rabbi, einem weisen Manne, fahren, um sich mit ihm zu besprechen. Soweit er verstünde, wären das nur Zeichen, dass die Jugend leichtgläubig geworden sei.

»Ich bin vorige Woche mit deinem Sohn, dem Studenten, aus Horodenka nach Hause gefahren und er hat über euren eigenen Glauben gottlose Bemerkungen gemacht und am Kreuzweg vor dem Kreuz nicht einmal sein Haupt entblößt und sich nicht bekreuzigt.«

»Ja, ja«, sagte der alte Fedorkiw, »da hast du wieder recht,

Meine bekreuzigen sich nicht und Deine beten nicht, deshalb die Zeichen und Warnungen.«

Die Beziehungen zwischen den Fedorkiws und uns waren sehr eng. Wir wohnten in der Nachbarschaft und Vater und Jus Fedorkiw waren ein Beispiel an Freundschaft. Dann fiel auf jeden von uns ein gleichaltriger Spielkamerad. Mutter kindelte um dieselbe Zeit wie Juzecha und die Kinder krochen herum in beiden Häusern, tauschten manchen Bissen aus, und die ganz Kleinen tranken bei beiden Weibern die Brust.

Die nächste Freundschaft war zwischen Iwan, dem Studenten, der in Horodenka das Gymnasium besuchte, und meiner vierzehnjährigen Schwester Rachel. Wenn Iwan aus der Stadt nach Hause kam, tauchte er sofort bei uns mit der Ausrede auf, irgendwas kaufen oder Vater irgendwas aus der Stadt bestellen zu wollen. Aber alle wussten, dass er eigentlich kam, um mit der Rachel Blicke auszutauschen oder zu schwatzen. Einmal habe ich gesehen, wie er ihr im Geheimen ein dünnes Büchlein zusteckte. Rachel wurde immer rot wenn er kam; und am Tage, wenn sie ihn erwartete, hatte sie immer irgendeine rote oder grüne Schleife im Haar oder die neue Schürze an. Die älteren Brüder merkten das schon im Voraus und versetzten ihr böse Sticheleien über ihre Neigung zum *Goj* Iwan und drohten ihr, sie zu verprügeln. Sie trauten sich aber nicht so recht, denn sie war das einzige Mädchen in der Familie, vom Vater verhätschelt und sehr hübsch. Sie hatte zwei flackernde, tiefschwarze Kirschaugen, kleine feste Äpfelchen im Busen, war groß und schlank und hatte zwei lange braune Zöpfe, die ihr bis zum Hintern reichten. Sie lachte gern und viel mit ihren ukrainischen Freundinnen, die sie um Iwan Fedorkiws Gunst beneideten. Sie verhöhnte die Brüder und sagte, sie wären neidisch, weil sie selber bäurisch und beschränkt seien, während der junge Fedorkiw studiere, Bücher lese und anders denke über alle Sachen des Lebens als sogar seine *eigenen* Brüder, die ihn auch nicht verstünden. Und er verstünde mehr als der Dorflehrer, der Pfarrer, ja sogar mehr als die Juden. Er brächte ihr immer Bücher mit, die von klugen und schönen und mutigen Menschen erzählten, die in noch viel schwierigeren Situationen im Leben wären und immer noch Auswege fänden. Sie dächte gar nicht daran, sich von den Brüdern, die selber nichts wüssten, vorschreiben zu lassen, mit wem sie sprechen oder spazieren gehen könnte. Aber auch Iwans großen Brüdern passte seine Freundschaft mit Rachel nicht. Sie verhöhnten und beschimpften ihn, dass er immer mit dem Judenkalb schwatze. Sie nannten ihn »Herrchen« und »Juden-Iwan«. Er aber war ihnen nicht einmal böse deswegen. Er meinte nur, sie seien eben wie die Aaron-Söhne und man müsse Geduld haben mit ihnen, denn eines Tages würden sie selber mehr verstehen, ihr schlechtes Benehmen bedauern und sich sogar bei ihm, dem Jüngeren, entschuldigen.

Haben wir also schon drei Freundschaften in beiden Familien: Vater mit dem alten Fedorkiw, Mutter mit seiner Frau, die Schwester Rachel mit dem Studenten Iwan.

Aber es war noch eine sehr wichtige Freundschaft in beiden Familien. Bei den Fedorkiws war ein missratener Junge, den man »Bohugekowate« nannte, das heißt »Gott zum Dank«. Er war etwa vierzehn Jahre alt, breit, untersetzt, mit einem übergroßen Mädchengesicht, zwei glasigen Kalbsaugen. Wenn man ihn etwas fragte, murmelte er immer lächelnd und guckte einem ganz treu in die Augen und sagte nur: »Gottzumdank, Gottzumdank, Gottzumdank.« Das gab manchen dummen oder bösen Menschen Anlass zu allerlei Scherzen; sie stellten ihm Fragen wie zum Beispiel: »Du wirst wohl bald den Dorfpfarrer heiraten?« Und er antwortete: »Gottzumdank, Gottzumdank, Gottzumdank.« – »Dein Vater wird wohl bald sterben?« Und er: »Gottzumdank, Gottzumdank.« – »Deine Brüder werden Dich wohl schlachten zu Ostern?« Und er antwortete immer mit seinem treuen Kalbsblick und gütiger Stimme freundlich: »Gottzumdank, Gottzumdank, Gottzumdank.«

Die Leute wagten diese Scherze nur, wenn niemand von den Fedorkiws dabei war, denn die Brüder Fedorkiw waren gefürchtet im ganzen Dorf. Sie haben einmal den Sohn des Dorfältesten dabei erwischt, wie er Gottzumdank neckte, und ihn einfach krank geprügelt.

Die Mutter Fedorkiw, der Alte und die Brüder liebten »Gottzumdank« zärtlich und steckten ihm immer was zum Essen zu und er aß und aß und wurde fett wie ein gemästetes Schweinchen.

Und in unserer Familie war ein gleichaltriger Junge, sein Milchbruder, der einmal kopfüber vom Apfelbaum stürzte, die Sprache und das Gehör verlor und schief zu wachsen anfing. Das heißt: er wuchs auf einer Seite mehr als auf der andern. Im Laufe der Zeit wurde eine Schulter, eine Hand, ein Bein, aber auch ein Teil des Gesichts kürzer als die anderen Teile. Er blieb von selbst von den Spielen der anderen Geschwister weg, trotz der Mahnungen des Vaters, ihn hinzuzuziehen. Er wurde melancholisch und hatte zwei große braune Bettelaugen, und alle bemitleideten ihn, und er bekam den Spitznamen »Rachmonessl« (Mitleidchen). Und ohne dass jemand was dazu getan hätte, bestand zwischen Gottzumdank und Rachmonessl eine zarte Freundschaft. Man konnte sie immer irgendwo zusammen sehen. Sie konnten stundenlang sitzen und schweigen wie zwei Pferdchen. Dann wieder betasteten sie sich und wälzten sich, lachten sogar zuweilen und saßen wieder ruhig. Sie teilten alles was sie hatten, und manchmal kam Rachmonessl in Gottzumdanks Hemd nach Hause oder Gottzumdank kam in Rachmonessls Rock heim. Man konnte sie auch zuweilen im Stroh oder auf dem Misthaufen mit irgendeinem Tier zusammen sehen. Manchmal schlugen sie sich auch, aber nur so in Abständen: Einer bekam einen Stoß, fasste sich an die Stelle, wartete, dann gab er einen Stoß zurück; oder sie bissen sich gegenseitig in die Hände, die Ohren, die Nasen, aber niemals bösartig, mehr wohl aus Neugierde, denn sie sahen immer freundlich dabei aus; aber ihr liebstes Spiel war, am Brunnenrand zu stehen und ihre Spiegelbilder zu beobachten, Gesichter zu schneiden, hineinzulachen und zu spucken – sie spuckten so gerne in den Brunnen.

So waren also beide Familien durch vier Freundschaften verbunden: die beiden alten Männer, die ein Gespräch schon zwanzig Jahre lang führten; die beiden Frauen, die während derselben Zeit ihre Kinder kriegten, sich halfen, sie zu erziehen und Mütter für beide waren und beide säugten; der Student Iwan mit der Schwester Rachel und Gottzumdank mit Rachmonessl. Die Kleinen spielten in beiden Gärten, tauschten das Futter aus und sprachen dieselbe Sprache.

Aber zwischen den erwachsenen Männern beider Familien, so zwischen achtzehn und dreißig, war eine Rivalität. Man konnte nicht sagen, dass sie Feinde waren, aber es war immer eine Reibung, immer Zündstoff da, der bei jeder Gelegenheit explodierte. Sonntags gewöhnlich oder feiertags war man in der Schänke, scherzte erst, dann fiel ein Schimpfwort, dann prahlte man ein bisschen, die anderen hetzten, man betastete sich gegenseitig die Muskeln, fing zu ringen an. Erst zum Spaß; einer verletzte die Regeln, der erste Rippenstoß fiel, dann ein Faustschlag, dann packte einer einen beim Haarschopf, dann ging auch schon die Prügelei los. Erst lachend mit Humor; dann wurde man richtig heiß, dann flogen Gläser und Flaschen, Stühle und Lampen, Leuchter und Holzbeine, man wälzte sich auf die Dorfstraße hinaus; Zuschauer kamen, es beteiligten sich immer mehr Leute. Knäuel wuchsen, zwei Riesenparteien schlugen aufeinander ein, es floss Blut, die Weiber kreischten.

Der Dorfälteste tauchte immer erst nach einer Stunde auf, die Vernünftigen und Schlauen fingen an zu beruhigen, zu verhandeln, Frieden zu stiften. Und bald war man wieder in der Schänke, wo man sich aussöhnte und Schnaps und Bier trank und die verschiedenen Griffe und Püffe fachmännisch besprach; und jeder war auf seine Schürfungen, Risse, Wunden, Kratzer und sein blaues Auge stolz, und man war wieder herzlich und befreundet und besoffen und ging gut auseinander – bis sich wieder eines Sonntags oder eines Feiertags genau dasselbe genauso wiederholte.

7
Das erste Opfer

Am letzten Feiertag war die kleine Holzkirche vollgepackt und der rundliche Dorfpfarrer mit der niedrigen Stirne und den drahtähnlichen Haarborsten redete und redete. Jeder wusste, dass er gestern den Gutsbesitzer besucht, dort gegessen und getrunken hatte, und mit vielen Geschenken nach Hause gekommen war; und er sprach auch schon selber darüber, was man ihm dort erzählt hatte: dass der jüdische Bankier, Herr Jungermann, den Gutsbesitzer pfänden lassen wollte und dass alle Juden Freitagabend weiße Semmeln, Fische und Pflaumenkompott äßen. Und schließlich waren es doch die Juden, die unseren Heiland gekreuzigt hatten. Und da gäbe es noch Leute im Dorf, die in Freundschaft mit ihnen lebten, ihre Kinder säugten und sich mit ihnen mischten.

Er nannte die Fedorkiws nicht beim Namen, aber alle wussten, wen er meinte. In der kleinen Kirche standen die Fedorkiw-Söhne, hörten teils den Pfarrer schüren und hetzen, teils dachten sie schon an die verschiedenen Griffe und Püffe der Prügelei, die sicher heute stattfinden würde.

Wir, die Kleinen, hatten heute unser Paradies. Das gefrorene Bächlein war sauber gefegt vom Schnee und glasscharf vom Glitschen. Mit uns war heute auch unser Rachmonessl; als aber die Fedorkiw-Schar mit ihren kleinen Schlitten auftauchte, löste sich plötzlich Gottzumdank von ihnen und niemand merkte, dass Rachmonessl mit Gottzumdank verschwand. Sie liefen im Schnee herum und versteckten sich dann in unserem Stall, wo es warm war und sie sich im Heuhaufen verkrochen.

Vor der Dorfschänke wurde es jetzt sehr lebhaft; die Leute

kamen von der Kirche, einige gingen in die Schänke und tranken ihr erstes Gläschen. Draußen standen die Ärmeren und warteten darauf, dass sie von den Wohlhabenden eingeladen würden. Die Weiber standen in Gruppen. Einige hatten bereits eine Flasche gekauft und ein Gläschen machte immer die Runde; sie tranken nach alter Sitte und küssten sich gegenseitig die Hände, sprachen sehr freundlich, und mit jedem Gläschen wurden sie immer freundlicher und herzlicher zueinander.

Iwan Fedorkiw, der Student, saß jetzt bei uns, sprach mit Vater und Rachel sehr ernst. Er meinte, heute, da der Pfarrer auch noch hetzte, müsste Vater die älteren Brüder zurückhalten und niemand sollte sich heute provozieren lassen. Dann ging Iwan nach Hause, sprach mit seinem Vater, und nun kamen die Fedorkiw-Söhne heim, etwas angeheitert schon, und Andryj Fedorkiw fragte den Alten, wie ihm denn der Pfarrer heute gefallen hätte. Der alte Fedorkiw öffnete die Bibel und zeigte den Söhnen, was der Liebe Gott selber hineingeschrieben hätte: »Liebe deinen Nächsten wie dich selbst«, und der Pfarrer sprach nur von Hass heute und kein Wort von Liebe und Vergebung. Aber es wurde jetzt aufgetragen und eine große Flasche machte die Runde.

In unserem Stall lagen Rachmonessl und Gottzumdank ineinander verbissen. Heute zerkratzten sie sich die Gesichter, die Nasen, wälzten sich herum und schrien und lachten laut, bis es jemand hörte und sie trennte. Rachmonessl wurde hereingeholt, er legte sich auf den Ofen und kicherte. Als Gottzumdank jetzt nach Hause kam, zerschunden, aus der Nase blutend, hielt ihn Andryj, der älteste Sohn, vor seinen Vater und sprach: »Da seht Ihr, Vater, wie die Juden ihre Nachbarn lieben, das werden wir ihnen noch heute heimzahlen.« Die anderen Brüder fingen an, Stöcke hereinzubringen und Knüppel zurechtzuschneiden, aber der alte Fedorkiw nahm einen dieser Stöcke und schlug auf den Tisch, dass die Splitter flogen, und alle standen auf und guckten ihn einige Sekunden fremd und ruhig an. Da sagte Iwan, der Student, halb zum Vater und halb zu den Brüdern: »Nur weil der Gutsbesitzer schlechte Geschäfte mit dem reichen Bankier macht, deswegen müssen sie sich mit den Aaron-Söhnen totprügeln!« – »Das hat dir wohl dein Judenkalb erzählt?«, meinte Andryj. »Nein«, sagte der alte Fedorkiw, »das hat uns heute unser Pfarrer erzählt.« Und einer nach dem andern verließ die Stube und ging in die Schänke, die schon vollgepackt war, und die Lampe wurde dort gerade angesteckt, denn es dunkelte bereits, und der alte Fedorkiw ging jetzt mit Iwan, dem Studenten, zu den Aarons. Aaron machte Tee, man saß da, schweigend, und der Student Iwan fing an, auf die Brüder Aaron einzureden, sie sollten sich doch nicht provozieren lassen, heute, nur heute nicht, weil das ganze Dorf aufgehetzt wäre. Die Schwester Rachel hörte mit begeisterten Augen ihren Freund klug sprechen und die Brüder merkten nur das und hörten nicht auf seine Worte. Da ging Abrum auf den Studenten zu und sagte ohne jeglichen Übergang: »Gute Nacht, Iwan«. Iwan stand auf und ging. Alle schwiegen betreten. Rachel nahm ihren Mantel und lief ihrem Freund nach. Nach einer Weile kroch Rachmonessl vom Ofen und folgte seiner Schwester Rachel, die er sehr liebte. Der alte Aaron steckte jetzt auch die Lampe an und alle merkten, dass es schon richtige Nacht war.

Draußen jagten die Wolken am Mond vorbei und Rachmonessl glaubte, dass der Mond so schnell fliege, und er vergaß seine Schwester, der er folgen wollte und die mit Iwan schon zu den Pappelbäumen spazieren gegangen war. Rachmonessl stand jetzt an die Wand des Hauses gelehnt und guckte und guckte auf den fliegenden Mond.

Derweil wurde in der Schänke gezecht und gelacht. Einer der Freunde Fedorkiws, der immer umsonst mittrinken durfte, zog seinen Schafspelz aus und wandte ihn um, mit dem Pelz nach außen, und begann, auf allen Vieren zu kriechen, und bellte wie ein Hund oder brummte wie ein Bär, und alle lachten. Schließlich fingen mehrere an, ihm das nachzumachen, und bald sah die Schänke aus, als ob Bären und Wölfe und Hunde herumhockten, und alle brüllten, und einer machte den Vorschlag, vor das Fenster des Juden zu kriechen und den Aarons einen Schabernack zu spielen. So stärkten sie sich noch mit einem Glas und krochen dann bellend und brüllend auf allen Vieren aus der Schänke heraus.

Wie sie vor Aarons Haus kamen, stand da immer noch Rachmonessl und spielte mit den Strahlen des Mondes und erschrak vor den bellenden und brüllenden Tieren und fing an zu rennen, und die sahen nicht einmal, wer ihnen davonlief. Und nun jagten sie hinter ihm her, und er erreichte gerade den Brunnen und lief um den Brunnen herum. Und sie kamen immer näher und lachten und brüllten besoffen. Er blieb stehen, aber auch die Tiere hinter ihm hielten an, und sein kleines krankes Herz klopfte wild, und er sah plötzlich auch den Mond rennen und versuchte, in die entgegengesetzte Richtung zu laufen. Aber auch die jagenden Tiere hinter ihm wechselten die Richtung, in der sie liefen. Nun ging es um den Brunnen herum, zweimal ganz schnell, ohne dass sie sahen, wen sie verfolgten; er lief wieder in die entgegengesetzte Richtung, seine Verzweiflung wuchs. Die Jäger hatten plötzlich viel Spaß daran. Das wiederholte sich einige Male, immer um den Brunnen herum, stehen geblieben und weitergerannt, und weitergerannt und stehen geblieben, hin und zurück, hin und zurück.

Plötzlich packte Rachmonessl den Brunnenrand und sah dort unten auch einen Mond, und oben einen Mond, und Tiere von beiden Seiten. Und dann schloss er die Augen, und Mond und Tiere und Brunnen kreisten in seinem kranken Hirn, und er sprang hinein.

Und um den Brunnen sprangen und hockten auf allen Vieren die Fedorkiws, und nach einer Weile merkten sie, dass der von ihnen Gejagte verschwunden war. Und sie wussten nicht, wohin er verschwunden, und sie wussten nicht einmal, wen sie gejagt. Vom Lärm gestört kamen der alte Aaron und Fedorkiw heraus. Der alte Fedorkiw sagte nur: »Das sind ja meine erwachsenen Söhne.« Sie standen jetzt auf, etwas geniert, verlegen, aber niemand merkte, dass im Brunnen kleine, zarte Hände immer wieder versuchten, an den glitschigen, moosigen Steinen sich festzuhalten und immer wieder abrutschten.

Der alte Fedorkiw ging heim und die Söhne gingen heim. Iwan brachte Rachel nach Hause. Alle waren in den warmen Stuben und wenn jetzt jemand in den Brunnen geguckt hätte, hätte er gerade das letzte Glucksen des Wassers hören und die letzten Ringe sehen können, wie nach einem hineingeworfenen Stein. Dann wurde auch das Wasser ruhig. Es hatte das erste Opfer verschlungen.

8
Er konnte nicht die Bibel lesen, er hat aber auch nicht den Predigten des Pfarrers zugehört

Am nächsten Morgen, als der erste Nachbar Wasser holen wollte, entdeckte er im Brunnen Rachmonessl, der jetzt eine Wasserleiche war. Das Dorf wurde plötzlich wach und – stumm. Alle hatten steinerne Gesichter. Bald lag in unserer Stube ein Etwas auf Stroh gebettet auf der Erde.

Wir, die ganz Kleinen, wurden zum Onkel Leiser gebracht. Niemand sprach zu uns, aber die Blicke! Alle guckten uns ernst und traurig an und uns rannen nur die Tränen. Wir versuchten, nicht zu weinen, und hockten in einer Ecke in Onkel Leisers Stube und schluchzten. Um das Herz herum war es uns wie eine leere Grube und von daher kam das Schluchzen.

In der Nähe des Dorfes, auf dem Weg zur Stadt, war ein kleines Stück Wiese abgezäunt: der jüdische Friedhof. Dort waren erst zwei Tote begraben: der alte Vater vom Onkel Leiser lag da und Szajko Rozum, der Weise. In der Nähe von Szajko Rozum wurde jetzt ein Grab ausgehoben, für Rachmonessl.

Gegen Mittag wurde uns mitgeteilt, wir dürften unserem Bruder das letzte Geleit geben. Die vier ältesten Juden nahmen die Bahre auf und trugen sie den halben Weg. Dann wechselten sie mit dem Vater und den drei ältesten Brüdern; zwei Weiber führten die kleine Mama, die heute kein Wort sprach und keine Träne vergoss. Ja, niemand weinte, nur den Kleinen klapperten die Zähne.

Jetzt wurde Rachmonessl in seinen weißen Totenkleidern

ins Grab gesenkt und Mama murmelte plötzlich zu ihren Begleiterinnen: »Schaut, wie schnell das geht, wie schnell das geht, wie schnell das geht.« Dann warf Vater die erste Hand voll Erde auf Rachmonessl, und jeder tat das Gleiche, und Vater fing an, das Totengebet *Kaddisch* zu sagen; er kam aber nicht weit. Nach dem ersten Satz: *»Jis Gadejl W'Jiskadosch Schmej Rabu ...«* unterbrach er sich selbst und sagte, ganz privat, wie bei einem Glas Tee: »Mein Sohn«, sagte er, »es ist ja gegen die Regel, nicht der Vater sagt *Kaddisch* nach seinem Sohn. Du hättest ja nach mir *Kaddisch* sagen sollen.« Und der Rest des *Kaddisch*-Gebets ging unter, denn nun fingen alle ganz laut zu heulen an und zu schluchzen, wie in einem Chor, das ganze bisherige Schweigen entlud sich in einem Wolkenbruch von Weinen und Jammern.

Im Dorf standen Gruppen vor den Häusern und sprachen, da sah man plötzlich den runden, fetten Gottzumdank atemlos laufen und stehen bleiben, herumguckend, suchen.

Er näherte sich einer Gruppe; eine Frau weinte und sprach ihn an: »Armer Junge, du hast deinen besten Freund verloren.« Und er sagte nur: »Gottzumdank, Gottzumdank« und rannte davon.

Aber nach einer Weile kam Gottzumdank wieder gelaufen und diesmal direkt zum Brunnen und guckte hinein und sah sein eigenes Gesicht im Wasser und warf ganze Stücke Brot hinunter und aß dazwischen und warf und guckte in den Brunnen und lächelte freundlich und sagte immer nur: »Gottzumdank, Gottzumdank.«

Inzwischen hatte die Frau bereits die Fedorkiw-Söhne verständigt – sie nahmen ihren Bruder vom Brunnen weg und fingen an, den Brunnen mit Brettern zuzunageln. Einer erklärte Gottzumdank, dass sein Freund nicht in dem Brunnen wohne, sondern auf dem kleinen Friedhof, wo die zwei Steine lagen.

Und Gottzumdank lief jetzt wieder heim, nahm Salz und einen Laib Brot und lief und lief.

Als er auf dem Felde war, kamen schon die Juden mit ihren Kindern von der Beerdigung heim; so wusste er jetzt genau, dass auch sie seinen Freund in der neuen Wohnung besucht hatten; und im Vorbeilaufen zeigte er ihnen noch, dass er seinem Freund Brot und Salz bringe. Aber niemand, nicht einmal die Kinder, achteten auf ihn. Als er jetzt auf den Friedhof kam, beendete Onkel Leiser gerade das Zuschütten des Grabes, guckte Gottzumdank an und sagte nur: »Ja, ja, Gottzumdank, das ist nun sein ewiges Haus, hier wird nun dein Freund länger wohnen als wir alle zusammen leben werden«, und ging auch davon.

Aber Gottzumdank kniete jetzt am Grabe seines Freundes nieder, nahm das Brot und das Salz aus seinem Bündel und stellte es auf das Grab und wartete, dass sein Freund die Hand ausstrecke und die Gaben in sein neues Heim hineinnähme.

Aber nichts dergleichen geschah. So vergrub Gottzumdank das Brot und das Salz im Grabe und wartete auf ein Zeichen seines Freundes.

Als einer der Aaron-Söhne jetzt den zugenagelten Brunnen sah, nahm er Hammer und Zange und fing an, die Bretter abzureißen. Die Söhne beider Familien standen um den Brunnen herum; die Aarons rissen die Bretter ab und die Fedorkiws nagelten sie wieder drauf, und müde und traurig wie sie waren, fingen sie an, sich anzufassen, leise Püffe auszuteilen, einige Griffe auszuprobieren. Zu jeder anderen Zeit wäre das eine richtige Prügelei geworden, aber heute sah dieses Prügeln aus, als wenn satte Menschen essen sollten. Es ging eben nicht recht. Da tauchte von weitem Rachel mit Iwan Fedorkiw auf und Andryj sagte: »Da ist ja mein geliebter studierter Bruder, der wohl bald mit euch am Freitag zum *Davenen* gehen wird ...« Und Abrum sagte: »Und unsere geliebte Schwester, die bald eure Familie mit einigen kleinen Iwans vermehren wird.« Und Rachel weinte, und der sonst so ruhige Iwan versetzte Abrum einen Faustschlag ins Gesicht, und Andryj sprang zwischen Abrum und Iwan und rief: »Das ist meine Arbeit. Hinaus aus dem Dorf, Juden-Iwan!« Und Abrum wandte sich zu meiner Schwester: »Und du, *Gojim*-Hure, kannst gleich mitgehen!« Und plötzlich war aller Hass und aller Schmerz der

Aarons und Fedorkiws gegen diese zwei gerichtet. Es waren auch schon andere dazugekommen, und das Weib Nadryjs, die große, dicke Warwara, schrie plötzlich: »Wir sind Christen, und die Aarons sind Juden, und diese zwei sind beides nicht. Sie sind auch schuld an allem Unheil hier. Hinaus, hinaus mit ihnen aus dem Dorf!« Und eine richtige Hetzjagd durch die Gärten und Gassen begann, und es schneite immer mehr, und es dunkelte. Aber die Jagd wurde fortgesetzt ... Und am Grabe von Rachmonessl saß Gottzumdank und zitterte vor Kälte und buddelte das Brot und das Salz wieder aus und fühlte: Meinem Freund ist kalt, so kalt, dass er nicht einmal das Brot und Salz hereinnehmen kann in sein neues Heim. Kalt ist ihm, meinem Freund, fühlte er – ach armer, armer Freund, wie kalt ist dir. Und er zog seinen eigenen Schafspelz aus und hüllte das Grab von allen Seiten sorgfältig und zärtlich ein damit und fror selber. Aber er lächelte, und der Schnee fiel in dicken Flocken, und er schloss die Augen und dachte nur: Gottzumdank, Gottzumdank, Gottzumdank – meinem Freund wird jetzt nicht so kalt sein wie mir – Gottzumdank – Gottzumdank – Gottzumdank ... und schlief auch schon langsam ein.

Und durch die Gassen und Gärten wurden Rachel und Iwan aus dem Dorf hinausgejagt. Und beide Parteien gingen nun befriedigt in die Schänke, um mit Schnaps ihre neueste Heldentat zu begießen. Und Rachel und Iwan dachten, es wäre wie in jenem Buch, das er ihr mitgebracht hatte, nur konnten sie nicht so schön zueinander sprechen wie die zwei Menschen in jenem Buch. Sie konnten nur weinen und waren müde, und Rachel sagte: »Ich möchte noch Rachmonessls Grab sehen und dann gehen wir in die Stadt.« Und sie gingen zu Rachmonessls Grab, und da saß ein Etwas, vollkommen verschneit. Und sie erkannten nun den erfrorenen Gottzumdank am Grab seines Freundes. Und Iwan nahm den erfrorenen Bruder auf den Rücken und trug ihn heim. Und es war schon Mitternacht, und die Brüder waren immer noch in der Schänke. Und der Alte hieß ihn den Schlitten anspannen und mit Rachel in die Stadt fahren. Und plötzlich war das ganze Dorf wieder wach – und stumm, und am nächsten Tag wurde auch Gottzumdank begraben, aber ohne Priester, denn der alte Fedorkiw sagte: »Gottzumdank hat nie die Bibel gelesen, aber auch nicht den Predigten des Dorfpfarrers zugehört. Aber er liebte seinen Freund mit einer Zartheit und Treue, wie sie dem Vater aller Wesen sicherlich genehm sein wird und wie sie der Dorfpfarrer doch nie verstehen kann.«

9
Wir ziehen in die weite Welt – aber sie hat dasselbe Gesicht

Wir hatten ein Bächlein im Dorf, wo wir Kinder herumplantschten im Sommer und glitschten im Winter. Mein Milchbruder Nikola behauptete, wenn wir nachts schlafen gingen und die Pferde und die Kühe und die Schafe und alle Vögel, und am Himmel jemand all diese Millionen Kerzen angezündet hatte, dann bliebe auch das Bächlein stehen und ruhe sich aus vom Laufen des ganzen Tages.

Wir waren neugierig, wann das Bächlein sich schlafen legte, und so lange wir auch aufblieben und so früh wir auch aufstanden, es war immer in Bewegung.

Aber auch wir waren in Bewegung. Die Familie vermehrte sich jedes Jahr um einen kleinen Esser. Vater führte nun Gespräche mit dem ältesten Bruder und den anderen erwachsenen Juden des Dorfes, die jetzt in den *Schiwu*-Tagen in unserer Trauer bei uns beteten und saßen und über dieselben Sorgen sich mit Vater besprachen: »Die Kinder wachsen wild heran.« – »Die Zeiten werden schlechter.« – »Einen Lehrer kann man nicht mehr halten.« – »Und in den Städten gibt es wenigstens *Cheder* und Schulen.«

Es war noch nicht eine Woche nach Rachmonessls Beerdigung – denn Vater und Mutter und die älteren Geschwister saßen immer noch auf dem Fußboden oder auf kleinen Hockern in Socken *Schiwu:* die Sieben-Tage-Trauer.

Am Tage der Beerdigung wurde nicht gegessen, und am zweiten Tage bekamen wir Kleinen Schnitten von Schachne Ebers gutem, hellen Roggenbrot mit einem Apfel dazu, und wir würgten es mit den Tränen herunter, denn wir dachten an Rachmonessl, der jetzt allein in der Erde lag.

Am dritten Tag kam die Tante Feige, Onkel Leisers Weib und meiner Mutter Schwester, und kochte eine schlechte, wässerige Bohnensuppe. Niemand mochte die Tante, niemand mochte ihr Essen, niemand mochte ihr Mitleid. Sogar jetzt nicht; und wir aßen still und verlegen und sehr wenig.

Und Vater las aus einem Buch vor von einem frommen und gottesfürchtigen Mann, den der Herr liebte und der Riesenherden von Schafen und Rindern hatte und wohlerzogene studierte Kinder.

Und plötzlich ging bei ihm alles schief, und er wurde bettelarm; das Vieh starb an Seuchen, die Söhne kamen elend um, und Häuser und Stallungen und Scheunen und Speicher verbrannten, ohne gegen Feuer versichert zu sein; und zu alledem schickte der Liebe Gott dem Mann noch Krätze, Grind und scheußlichen Aussatz.

Und dann ging es doch alles noch gut aus, und der Mann wurde nach und nach gesund, erholte sich ganz und wurde noch reicher als zuvor, dieser Glückliche. Das war für uns wirklich ein Trost, wir hatten ja schließlich nur einen kleinen Bruder verloren, wir waren zwar arm, aber wir hatten keinen Aussatz, keinen Grind und keine Krätze, denn unsere Köpfe wurden ja jede Woche mit Petroleum gewaschen.

Und an diesem Nachmittag tauchte bei uns ein Mann in städtischen Kleidern auf und sprach sehr freundlich und lächelte. Er zählte die Erwachsenen und die Kinder und schrieb etwas mit einem silbernen Bleistift in ein kleines Büchlein. Er erzählte, dass in der Stadt Skolje ein reicher Herr Lifschitz eine große Fabrik eröffnet hätte, wo Streichhölzer hergestellt würden, und Herr Lifschitz hätte ihn, den »Lächelnden« gesandt, kinderreiche Familien ausfindig zu machen, denen er sogar die Übersiedlung nach Skolje bezahlen wollte. Und statt dass die Kinder sinnlos und gottlos im Dorf herumliefen und glitschten und nur aßen und wild aufwüchsen, könnten sie in Skolje in der Fabrik arbeiten, Geld verdienen und den Eltern helfen. Die

Kleinen könnten in den *Cheder* und in die Schule gehen, heranwachsen wie es vorgeschrieben war: Und geschrieben stand ja: »*Meschane mokim Meschane Mazl*« – »Wechsle den Ort und du wechselst dein Glück.«

Vater besprach sich mit dem ältesten Bruder Schachne Eber und schlug ein. Als die sieben Trauertage um waren, kamen schon drei Fuhren; das Gerümpel wurde verladen mit allem was drin war, Truhen und Betten, Stühle und Tische, Körbe und Bündel. Und wir saßen teils auf den Betten, teils auf den Stühlen, teils waren wir in Heu und Stroh gebettet.

Die anderen Juden und die Bauern gaben uns das Geleit und nur der älteste Bruder, Schachne Eber, blieb im Dorf, in unserem Haus, allein zurück. Wir Kleinen kamen uns sehr interessant vor und empfanden zum ersten Mal eine Art Stolz, denn nun gingen wir alle in die weite Welt.

Und wir fuhren durch Felder und Städtchen, durch Wälder und Dörfer, und es wurde Nacht und wir schliefen ein.

Und als wir Kleinen erwachten, waren wir in der weiten Welt. Aber wir trauten fast unseren Augen nicht: Es war finster in dieser weiten Welt wie bei uns; und am nächsten Tag wurde es hell wie bei uns, in den Feldern wuchs Getreide, und in den Gärten wuchsen Kartoffeln wie bei uns – die Erde jedenfalls hatte dasselbe Gesicht wie bei uns, und das tat wohl: Wir brauchten uns nicht so fremd zu fühlen in dieser weiten Welt.

10
Das Dorf speit uns endgültig aus

Skolje war ein kleines Städtchen mit Juden und Polen und Ukrainern. Vater ging in die Fabrik mit allen Kindern, die über acht Jahre alt waren. Es war eine Streichholzfabrik und es roch immer nach Schwefel und Phosphor. Einige arbeiteten in der Tischlerei, wo Holz durch verschiedene Maschinen ging, die anderen arbeiteten schon mit den Kästen, in denen gekerbte Lineale übereinandergeschichtet lagen, und in jeder Kerbe des Lineals lag ein Hölzchen. Einige hoben diese Kästen und tauchten sie in eine gelbe Flüssigkeit, andere schoben sie in den nächsten Raum, wo sie nochmals in eine grüne Flüssigkeit getaucht wurden.
Dann wanderten diese Kästen in den Trockenraum, von da in den Packraum, wo Kinder schon von ihrem achten Jahr an arbeiteten: Sie grabschten mit ihren kleinen, flinken Händchen eine Hand voll fertiger Streichhölzer vom gekerbten Lineal und schubsten sie in Päckchen.

Nach einigen Tagen roch im Haus alles nach Schwefel. Das Essen und das Brot und die Kleider und die Wäsche, alles roch dumpf und faul und bittersüßlich. Wir machten Bekanntschaft mit Nachbarn und Leuten, die genauso wie wir mit vielen Kindern aus Dörfern herkamen, und sie erzählten uns, dass dieser Schwefel- und Phosphorgeruch in die Knochen dringe, und nach einiger Zeit bekämen alle, die da arbeiteten, krumme Beine. Vater ließ sich nicht abschrecken oder beirren, er glaubte den Leuten nicht so recht.

Ich ging mit meinem Bruder Schabse ins *Cheder*, er war

sechs, ich war fünf, und wir sprachen jiddisch mit einem Dorfakzent und wir wurden »die *Gojimlech*« genannt. Der Rabbilehrer mochte uns auch nicht, zwickte uns im Geheimen, ich hasste ihn, und jeden Tag gab es Szenen, um mich mit Gewalt ins *Cheder* zu schleppen.

Umso lieber rannten wir in den nahen Wald, wo wir Erdbeeren und Blaubeeren entdeckten, die mit Brot großartig schmeckten. Skolje war noch immer Ostgalizien, aber schon auf der anderen Seite von Lemberg, an der russischen Grenze; für damalige Begriffe sehr weit von uns.

Auf dem Marktplatz wurde eines Morgens eine Blindschleiche entdeckt; das Städtchen war auf den Beinen; die kleine Schlange wurde unter wahnsinniger Aufregung mit Spaten und Äxten in Stücke gehackt, und man erzählte sich wilde Gerüchte: Eines Tages hatte eine Ratte eine Katze angesprungen, das versetzte die Leute in Hysterie.

Eines Sonnabends kam aus dem Wald ein behaarter Mann barfuß dahergelaufen, direkt in die Synagoge; der Stadtrabbi erschien, alle warteten draußen. Der Rabbi war allein mit ihm drinnen, kam dann heraus, ließ die Leute sich umwenden, dann kam der behaarte Mann heraus und verschwand. Und der Rabbi wurde mit Fragen überschüttet und erklärte lächelnd, dass wahrhaft Fromme nicht so viel fragten, und schickte die Leute heim, um Psalmen zu lesen. So lebte Skolje von einer Sensation zur andern.

Wir hatten einen polnischen Nachbarn, den man Dobusch nannte (Dobusch war der Name eines legendären Räubers in der Umgebung).

Der Nachbar Dobusch hatte einen Haufen Kinder, die schon etwas größer waren als wir. Am ersten Tag, als sie uns erblickten, riefen sie uns Spottnamen zu und schrien: »Jüdchen sind gekommen« und sangen ein Spottlied:

»Jid parch parchalup zahuben kapeluch
Ja iszow taj znajszow, tom usrau taj pizou.«
»Jud grindiger, grindiger Jud,

hat verloren seinen Hut,
hab' ihn gefunden, hineingeschissen
und dem Juden nachgeschmissen.«

Man warnte uns vor Dobusch; er war stark, jähzornig und wenn er besoffen war, suchte er immer Händel mit Juden und brüllte: »Wenn ich Schnaps trinke, muss ich einen Juden als *Zakuska* (als Zubeiß) haben.« Ein ungemütlicher Nachbar mit ungemütlichen Kindern.

Der Winter kam und wir pflegten mit unseren Schlitten in den Wald zu fahren, um zu schlittern und Holz heimzubringen. Eines Tages auf der Heimfahrt holten uns die Dobusch-Söhne ein, kippten unsere Schlitten um, verprügelten uns und fuhren lachend davon. Wir waren eingeschüchtert und beschlossen, zu Hause nichts zu erzählen, denn wir wussten, dass unsere großen Brüder nur auf eine Prügelei warteten. Aber die Dobusch-Söhne hatten bereits in der Nachbarschaft prahlend alles berichtet. Der alte Dobusch stand jetzt vor seinem Haus mit seinen Heldensöhnen, schaute zu uns herüber, und sie lachten und verhöhnten uns.

Es war Freitagnachmittag. Vater kam vom Dampfbad heim, und er brachte wie immer die viereckige Branntweinflasche mit »Achtundneunziger«-Schnaps für den *Sabbat* mit. Unterwegs hatten ihm die Nachbarn bereits vom Überfall auf uns erzählt. Unser Vater war ein Patriarch. Wir hielten Disziplin und er hat uns selten geprügelt. Wir gehorchten aus Liebe. Wir gehorchten auch den älteren Geschwistern. Es gehörte beinahe zur Religion und wir waren sehr fromm. Wenn Vater uns manchmal schlug, weinten wir nicht wegen der Schmerzen. Wir nahmen stumm die Schläge hin und gingen in eine Ecke und waren nur unglücklich darüber, dass der Mann, den wir so liebten, uns schlagen konnte. Einmal wurde ich beim Plündern eines Obstgartens erwischt. Der Hüter des Obstgartens schlug mich dermaßen, dass ich wie ein Hund auf allen vieren nach Hause gekrochen kam. Vater nahm mich bei der Hand, ging mit mir zu dem Mann, stellte ihn und gab ihm in meiner Gegenwart dieselbe Tracht Prügel zurück. Was machte es dann aus, dass er mich zu Hause noch einmal versohlte, weil er mich selbst zu bestrafen habe und nicht fremde Leute. Vater lehrte uns mit seinem Gerechtigkeitssinn tausend ungeschriebene Gesetze.

Vater kam also jetzt, wie jeden Freitagnachmittag, vom Dampfbad heim, wobei er auf dem Nachhauseweg immer die viereckige Flasche »Achtundneuziger«-Branntwein kaufte. Er fragte uns, was passiert sei. Wir sahen aus wie kleine verprügelte Hunde, konnten ihn nicht belügen, aber wir trugen nicht gerade dick auf, an die Dobusch-Legende denkend. Das alles hatte sich vor dem Haus abgespielt. Vater ging zu unser aller Schrecken zum Dobusch hinüber, der schon in seiner Stube war, schlug mit der Faust ans Fenster und rief: »Hej, Dobusch, komm heraus, hier ist Schnaps mit einem Juden als Zubeiß!« – Dobusch erschien mit einer Axt, aber bevor er sich rühren konnte, hatte er schon die viereckige Flasche mit dem »Achtundneunziger« in seiner Fresse und einen Faustschlag und einen Tritt in den Bauch, und Dobusch mit seiner Legende lag im Dreck ...

Vater nahm die Axt und kam heim, und der komische Bruder Jankel sagte: »Vater, schick ihm doch die Fische auch rüber, denn die Pfefferfische ohne »Achtundneunziger« schmecken sowieso nicht!« Und Vater gab Jankel Geld und sagte: »Entschuldige, Jankel, einmal musst du einem guten Nachbarn auch eine Flasche Schnaps spendieren.« Und Jankel ging anderen Schnaps holen.

Nein, es war nicht sehr gemütlich in Skolje.

Einige Zeit danach bekamen die meisten blasse Gesichter und Schmerzen in den Gelenken, besonders in den Kniekehlen. Und bei Abrum und Jankel zeigten sich die ersten Anzeichen von X-Beinen.

Eines Sonnabends traf Besuch ein. Unser Onkel Leiser kam mit einem anderen Fuhrmann mit zwei großen Zeltwagen. Sonnabend-Abend wurde alles verpackt und verladen und weggefahren.

Am nächsten Morgen holte uns im Städtchen Dolina der

»lächelnde« Agent ein, der jetzt aber gar nicht lächelte. Mit ihm waren zwei Gendarmen, die Vater aufforderten, zurückzufahren. Vater weigerte sich, ging mit den Gendarmen zum Bürgermeister von Dolina, der meinte, solange der »Lächelnde« nicht nachweisen könne, dass wir Herrn Lifschitz bestohlen oder einen kleinen Mord begangen hätten, dürfte uns niemand aufhalten. Denn einem Mann, der etwas dagegen hätte, seine Kinder zu Krüppeln werden zu lassen, könnte man nichts antun. Wir kamen zurück nach Werbiwizi, wo der älteste Bruder allein im Haus war und sich dann lange mit Vater unterhielt.

Am nächsten Tag fuhren sie beide in die Stadt, um eine Braut für den Bruder anzusehen. Sie war eine arme Verwandte vom reichen Schlojme Bär Offenberger. Ein sehr hübsches und gesundes, etwas breithüftiges Mädchen. Es wurde bei Herrn Offenberger Verlobung gefeiert. Schachne wurden hundertundfünfzig Gulden Mitgift versprochen. Dieses Geld bot er dem Vater an, damit wir das Dorf verlassen und in die Bezirksstadt Horodenka ziehen könnten. In einigen Monaten war die Hochzeit, wir Kleinen blieben zu Hause, man brachte uns Süßigkeiten mit, und wir zogen in ein anderes Haus.

Der älteste Bruder führte sein junges Weib heim, das uns alle nicht mochte, und das beruhte auf Gegenseitigkeit. Auch der Bruder entfremdete sich uns.

Und eines Tages wurden wir wieder auf zwei Wagen verladen und verließen das Dorf. Unterwegs erwischte uns der Regen, die Wagen waren offen, alles wurde pitschenass. Vater meinte, es wäre ein gutes Zeichen: »Alles Böse der Vergangenheit wird damit weggewaschen.« – Und als wir Horodenka erreichten, kam auch schon die Sonne durch. Als wir aber in die erste Stadtgasse einbogen, kreuzte unseren Weg eine Frau mit zwei leeren Kannen. Vater ließ halten, wurde kreidebleich, wischte sich den Schweiß von der Stirn und sagte: »Kinder, es ist nicht gut, aber wir können nicht mehr zurück.«

So fuhren wir in eine der Hintergassen, vor ein kleines, ärmliches Haus, zu dem armen Schneider Chain Karinik, wo wir eine Stube gemietet hatten. Es war kein Stall da und kein Heuschober und kein Misthaufen und keine Haustiere. Wir schliefen zusammengepfercht, vier in einem kleinen, schmalen Bankbett, am Kopf- und Fußende je zwei, und dasselbe auf dem Ofen und auf dem Boden.

Gleich in den ersten Tagen brach Typhus im Städtchen aus; ein Haus nach dem andern bekam mit schwarzer Kohle einen Strich gezogen, das bedeutete »Typhus!« Bald hatte auch unser Haus den Strich und alle lagen krank mit Fieber und Schüttelfrost. Und ich wusste dann nicht, ob ich schlief oder wachte; ich sah nur Riesenscharen großer Läuse mit grünen Bäuchen und roten Oberkörpern auf einem Berg über und unter mir wegkriechen wie Ameisen, hin und zurück, und ich war lahm und konnte kein Glied bewegen, und stumm und konnte nicht schreien, und dann kam Jus Fedorkiws schwarzer Wolfshund, der jetzt auch grün am Bauch und rot am Oberkörper war, und aus der Riesenschnauze hing ihm eine flammendrote, dampfende Zunge, und er nahm meinen Kopf in die Schnauze und wirbelte ihn nach allen Seiten, und der Kopf blieb am Körper, und ich schrie und brüllte mit aller Kraft, aber es kam kein Laut aus meiner Kehle, und die grün-roten Läuse krochen über meine Beine, zwischen meinen Schenkeln, auf dem Bauch und Rücken entlang, unter die Achselhöhlen, zwischen den Fingern, um den Hals und in die Augen. Und ich versuchte mich zu schütteln und zu kratzen, aber meine Glieder gehorchten nicht, und ich sah Vater und den guten Bruder Leibzi, wie sie frisch gewaschen gerade vom Dampfbad kamen, und ich schrie und schrie, aber die Lippen bewegten sich nur, und es kam kein Laut; und sie sahen mich beide freundlich an und lächelten und dachten, ich spaße nur, und ich konnte mich ihnen nicht verständlich machen. Da hob sich auch schon der ganze Berg auf wie eine steile Wand, und ich kollerte hinunter und blieb dann irgendwo liegen und öffnete ängstlich und müde die Augen und war nass am ganzen Körper, und Vater und der Bruder Leibzi, der mit mir auf demselben Ofen lag, banden mir ein Handtuch mit rohen kühlen Kartoffelscheiben um die Stirn, und der fette Doktor Kanafas hielt meine Hand in seiner, und in der anderen Hand hielt er eine große Uhr wie eine Zwiebel und fragte mich was auf Polnisch, und ich sah jetzt hinter seinem Zwicker zwei rötlich angelaufene Augen, wie zuvor bei Jus Fedorkiws Hund, und er verlangte, ich sollte meine Zunge rausstrecken, und nun dachte ich auch an die dampfende Zunge des Hundes von vorhin und weinte, und ich hörte mich weinen, und Vater hörte mich und sprach zu mir und streichelte mich, und ich wurde ruhig und war so müde und schlief auch bald einen langen, festen Schlaf; und wie ich später aufwachte, lag ich mit meinem Bruder Leibzi auf dem Ofen, wo auch Gebäck in einem kleinen Holztrog stand, das die Nachbarn immer durch's Fenster hereinreichten; aber wir durften ja nicht essen, und an dem Tag stahl ich einen Wecken Weißbrot, und mein Bruder und ich aßen und aßen und stahlen und futterten uns so heimlich gesund. Wir standen dann auch als Erste auf und durften als Erste hinaus aus dem Muff und endlich frische Luft atmen.

So nahm uns die Bezirkshauptstadt Horodenka sehr unfreundlich auf. Doch das Dorf hatte uns endgültig ausgespien.

11
Bezirkshauptstadt Horodenka, die grosse Konkurrenz

Zwischen dem Dorf Werbiwizi und dem Städtchen Horodenka war der Unterschied größer als zwischen dem Städtchen Horodenka und irgendeiner europäischen Hauptstadt. Denn Horodenka hatte schon alle Zeichen der unsicheren, jagenden, konkurrierenden Stadt, während Werbiwizi ruhig, stabilisiert und ein friedliches Dorf war.

Im Dorfe lebte man von der Erde und hatte Kontakt mit ihr. In Horodenka lebte man voneinander, nebeneinander und hatte keinen Kontakt miteinander. Im Dorf war alles »geordnet«, jeder wusste, wovon er lebte, jeder wusste, was er hatte. Man lebte mit den Haustieren, mit der Erde, ja sogar mit den Jahreszeiten in »geordneten Verhältnissen«. Es kam auch manchmal ein Unglück vor, ein Tier erkrankte, oder Dürre trocknete die Erde aus, oder im Frühling prasselte plötzlich ein Hagel nieder und zerstörte Saat und Blüten. Oder mitten im Sommer, wenn alles auf dem Feld in Hochbetrieb war, erschien von irgendwo eine fremde trächtige Wolke, stolperte über ein einheimisches friedliches Wölkchen und goss sich aus. Darüber war man nicht nur traurig, sondern richtig böse. Man guckte in den Himmel und schimpfte wütend diesen komischen Frühling aus, der plötzlich hagelte und seine eigenen Saaten und Blüten zerstörte. Oder man lachte böse über einen Herrn Sommer, dessen Wolken sich am falschen Ort zur falschen Zeit ergossen.

So war es in Werbiwizi – anders aber in Horodenka. Im Dorf gab es auch Arm und Reich und einen Hagel oder eine Dürre oder eine Tierseuche. Das traf aber alle, alle, und man war nahe zueinander und half sich gegenseitig – anders aber in der Stadt:

In der Stadt lebte man nicht mehr von der Erde, sondern von den *Menschen*. Im Dorf guckte man zum Himmel und glaubte, dass er alles regierte. In der Stadt waren der polnische Gutsbesitzer Romaschkan und der jüdische Bankier Jungermann die, zu denen man hinaufguckte, denn sie konnten die Leute beglücken oder zugrunde richten. Sie hatten ihre Verwalter, ihre Makler, die die guten Stellen verteilten, und diese beglückten wieder andere, und von diesen anderen lebten die Ärmeren und von denen wieder die Ärmsten.

Gebaut war Horodenka auch anders als das Dorf. Das Dorf war planlos auseinander gestreut: ein Garten, ein Haus, dann in Abständen nach allen Richtungen wieder ein Garten, wieder ein Haus. Ein besseres, ein schlechteres Haus, aber alle hatten Strohdächer, die Männer trugen dasselbe Leinenhemd über derselben Leinenhose, denselben Schafspelz, besser oder schlechter.

Aber in der Stadt war alles anders. Einige, besonders die Beamten, trugen kurze Röcke und Lackschuhe und Stehkragen und steife Hüte und Handschuhe und fuhren in Kaleschen spazieren, und die anderen liefen barfuß und in Fetzen. Gebaut war Horodenka auch anders: in Ringen. Der äußerste Ring um die Stadt war dem Dorf am ähnlichsten. Die Dächer waren aus Stroh, manche hatten schon rote Kacheln, darin lebte die ukrainische Bevölkerung, die ihre Kartoffeln, ihre Zwiebeln, ihre Rüben, ihre Bohnen, ihre Erbsen, ihre Hühner und andere Waren jeden Tag auf dem Markt verkaufte.

Dann gab es den mittleren Ring; da waren schon villenartige Häuschen mit Schindeldächern und Blumengärten. Drinnen wohnten die Beamten des Gerichts, der Bezirkshauptmannschaft und der Steuerbehörde. In der Mitte, eingezäunt von diesen beiden Ringen, wohnten die Juden. Wie also sah diese Mitte der Stadt Horodenka aus? Ganz im Zentrum lag der große Marktplatz, der in weitem Zirkel von Häusern umrahmt war. Die Post dominierte, aber am sichtbarsten war die

schmucke, polnisch-katholische Kirche mit zwiebela
Kuppeldach, weiß und sauber getüncht und gemalt, so sic
war es, dass man sehen konnte, dass im Bau der Kuppel zwei Ziegelsteine fehlten – da hatten die Eulen ihr Nest. Der Platz wurde in der Mitte von der Hauptlandstraße durchschritten und diese von einer zweiten Landstraße, so dass vor der Kirche ein Kreuzweg war mit vier Tafeln. Nach dem Osten ging es zum Dnjestr über das Städtchen Usciecka zur russischen Grenze, zum Westen nach Kolomea, Stanislau bis Lemberg, zum Süden nach Zaleszczyki, dem galizischen Meran, und zum Norden nach Obertyn, der Stadt der Pferdehändler und Diebe. Wenn man jemanden fragte: »Sie sind wohl aus Obertyn?«, kam die prompte Antwort: »Selber ein Dieb!« Und nach allen diesen vier Richtungen lagen achtundvierzig Dörfer, die zur Bezirkshauptstadt gehörten.

Der jüdische Teil der Stadt war durch die Hauptlandstraße in zwei Teile geteilt: die Ober- und Untergassen. Der zu den Obergassen gehörende Stadtteil hatte ein mit einer dichten Kastanienallee bepflanztes Trottoir und ging vom Gericht, dem ersten großen Gebäude im Westen, hinunter über den Marktplatz, die Kirche, dann südlich die Straße entlang, die nach Zaleszczyki führte, bis zur Baron-Hirsch-Schule. Die Obergassen der Stadt wurden von Gemeindedienern gefegt und gesprengt und gepflegt, aber um die Untergassen kümmerte sich niemand. Da war ein großer Graben, *Prowalj* genannt, wohin die Leute ihren Mist brachten, ihren Abfall, wohin sie ihr Spülicht gossen, und frühmorgens konnte man dort ganze Scharen mit enthüllten Körperteilen privateste Dinge verrichten sehen.

Die Untergassen waren schmutzig und es stank, und wenn nicht Regen und Frost den Dreck weggewaschen und die Luft gereinigt hätten, wären die Leute einfach erstickt. Die kleinen Holzhäuschen standen aneinander gereiht, denn es war ja billiger, an des Nachbarn Wand anzubauen. Ein Haus drückte sich, stützte sich, lehnte sich an das andere, wie gebrechliche, kränkliche Wesen, die schwach sind und frieren und Angst haben, allein zu sein.

In diesen Häuschen lebte die Armut: Schuster, Schneider, Tischler, Spengler, Fassbinder, Maurer, Kürschner, Bäcker und allerlei Kutscher und Lastträger – alles fleißige Menschen, die den ganzen Tag herumjagten, um ein Brot oder fünf Kreuzer zu verdienen, damit die Stuben voller Kinder was zum Essen kriegten. Besonders wartete man auf den Dienstag, wo die Bauern und Juden von den achtundvierzig Bezirksdörfern zum Jahrmarkt kamen. Von diesem Dienstag, diesem Jahrmarkt, lebte man.

Da war ein Gedränge und Gerenne, Gepuffe und Geschwitze, als ob die Welt unterginge. Der wichtigste Teil ist der große Viehmarkt außerhalb der Stadt, auf der Toloka: Hengste erkennen da, in die Luft schnuppernd, ihre alten Stutenbräute oder wittern jungfräuliche neue, und alle wiehern sich wilde Grüße zu. Die armen Kühe, die heute nicht gemolken werden, damit man ihre prallen vollen Euter sehen kann, muhen verzweifelt um Hilfe. Schafe blöken weinend nach ihren grünen Wiesen, aber am lautesten schreien die Schweine; sie schreien, als ob man ihnen bei lebendigem Leibe Schinkenscheiben von ihren fetten Hinterteilen herausschnitte. Dazwischen schießen die Händler herum mit ihren Maklern, schwitzend, brüllend, feilschend, mit bösen Augen, sich in die Hände schlagend, bis man schließlich noch um die letzte Differenz, um etwa drei Gulden, handelt. Beide Parteien sind sich schon längst einig, der Käufer ist schon längst entschlossen, das Pferd, die Kuh, das Schwein oder die Schafe zu nehmen – aber die letzten drei Gulden! Dann schlägt man sich noch einmal in die Hände, man kommt sich entgegen, die drei Gulden werden gespalten, man einigt sich auf zwei und für den dritten trinkt man *Mohoritsch* auf das Gelingen des Geschäfts und die Gesundheit des Viehs.

Auf dem Stadtmarkt geht es um kleinere Dinge. Ärmere Bauern bieten hier ihre Hühner, Gänse, Enten, ihr Getreide, ihren Flachs, ihr Linnen, ihr Öl an. Dann gehen sie in die Geschäfte und kaufen bunte Tücher, Glasperlen, Wolle zum Sticken ihrer Hemden, Zucker, Salz, Töpfe, Streichhölzer, Heringe. Die Gasthäuser sind vollgepackt; da trinkt man Wodka, Bier, Met, Rum, isst sein Stück Speck, seine Wurst, viele sind heiter, einige angetrunken; alles drängt und saust mit offenen, ängstlichen, neugierigen, suchenden Augen – ein Kind ist abhanden gekommen – ein Taschendieb wird erwischt – ein scheues Pferd ist durchgegangen und gerade in den Topfmarkt hineingaloppiert – ein Gekreische und Gebrülle, ein Gestoße und Gezupfe; Hunderte von Waren werden durcheinander ausgerufen, angeboten; Karusselle locken, rufen, und dazwischen jagt die Armut aus den Hintergassen nach einem kleinen Verdienst. Die Tischler halten ihre Kästen und Truhen feil, die Schuster ihre Stiefel und Schuhe, die Kürschner, die Schneider ihre Fetzen, und man tauscht gegen Getreide, Hühner, Gänse, Enten, Eier. Am lebhaftesten sind die Weiber und das junge Volk. Die Weiber bieten Weißbrot, Semmeln, Kuchen, gekochte Erbsen, Bohnen, Piroggen mit verschiedenen Füllungen: mit Kartoffeln, Käse, Fleisch, süßen Kirschen, sauren Weichseln, Blaubeeren. Alles rennt, brüllt sich heiser, überbietet sich. Man konkurriert, man schimpft, man betrügt um Groschen. Am wildesten sind wir, die ganz Kleinen, denn uns macht es Spaß, auch dabei zu sein, dazu zu gehören, ein Teil zu sein von diesem großen Durcheinander. Wir tragen in gläsernen Krügen *Kwas* herum. Das ist so ein Apfelmost, gesüßt und gemischt mit einem Geheimnis vom Fajwele Kwasnik, der uns alle damit übers Ohr haut. Wir kauften seinen *Kwas* und hassten ihn und sangen ein Spottlied auf ihn:

»Euer Fajwel, unser *Kwas*,
Zwanzig Mal leck mich am Arsch.«

Wir taten Eis in den *Kwas*, das schmolz, und der *Kwas* wurde immer dünner und kälter, und wir riefen das Zeug aus, anpreisend, bittend oder drohend.

»Frischer *Kwas* Gewalt – bekömmlich eisig kalt!«, oder »Kaufe *Kwas*, kauf! – Wer ihn trinkt, ist wohlauf!«

Ich machte die besten Erfahrungen mit Drohen; ich rief ganz schrill:

»*Kwas! Kwas!* Eisig kalter *Kwas!*

Wer ihn trinkt, wird gesund,
Wer nicht trinkt, krepiert wie ein Hund!«

Manche alte Bäuerin, wenn sie mich fluchen hörte, schüttelte nur den Kopf und bekreuzigte sich und kaufte ein Glas und gab mir manchmal einen Heller mehr und ermahnte mich, doch keine solchen Flüche auszustoßen. Ich dachte, dass sie Recht hätte. Dann aber überlegte ich mir, dass, wenn ich nicht geflucht hätte, sie mir weder den Heller gegeben noch ein Glas abgekauft hätte. Fluchen brachte was ein, sah ich, und so rief ich weiter meine Drohungen und Flüche und verdiente manchen Dienstag dreißig bis vierzig Kreuzer. Dieses kleine Vermögen führte ich immer an den Vater ab und er lobte mich für meine Tüchtigkeit und das machte mich stolz und glücklich. Mein um ein Jahr älterer Bruder Schabse verdiente nur etwa ein Drittel davon, und er war neidisch und unsicher. Das machte mich noch sicherer, noch fröhlicher – und das war der Anfang einer Rivalität, einer Konkurrenz in der Stadt.

Eines solchen Dienstags kam der älteste Bruder Schachne Eber aus dem Dorf, ging mit Vater gegen Abend zum Mehlhändler Scholem Luft und zahlte Herrn Luft fünfundzwanzig Gulden. So wurde beschlossen, dass wir eine Bäckerei eröffneten, und Herr Luft sollte Mehl liefern in Höhe eines Kredits von weiteren fünfundzwanzig Gulden, für die der Bruder gutsagte. Eines Tages zogen wir also aus der Untergasse heraus, mieteten bei Froim Gloger die Bäckerei neben Herrn Zulaufs Besitz in der Nähe der Baron-Hirsch-Schule, und plötzlich waren wir was Feineres. Wir buken Brot und Semmeln und Kipfel und Kaisersemmeln, und da wir alle mitarbeiteten, verkauften wir alles billiger als die anderen Bäcker; aber wir selber waren unsere besten Kunden, denn wir konnten der Versuchung nicht widerstehen, und jeder von uns verschlang trotz Verbots jeden Tag vierzig bis fünfzig von den reschen, knackenden Kipfeln oder Kaisersemmeln. Jeder war überzeugt, er sei der Einzige, der das tat, und alle taten es. Die Bäckerei ging nicht gut. Mein Bruder Schabse und ich gingen in die Baron-Hirsch-Schule, aber nachts wurden wir aufgeweckt zum Kipfeldrehen und Kaisersemmelnklopfen.

Da geschah etwas, was für unser Leben von großer Bedeutung war. Mein Bruder war sieben, ich sechs Jahre alt. Aber er war sehr lang und dünn und ich untersetzt und kräftig. Ich musste immer zu ihm emporschauen, was mich ärgerte. Wenn man uns beide weckte, dauerte es lange, bis er wach wurde, und ich sprang auf wie ein Wiesel. Er sträubte sich und weinte. Ich merkte das und tat sehr frisch und willig. Das war der Anfang und die Grundbasis zu meinem Selbstvertrauen. Ich wurde nun auf seine Kosten gelobt; er fing an, mich zu hassen, und ich, seine Hilflosigkeit zu genießen. Er wurde immer unsicherer und ich immer sicherer. So war es in der Schule, in den Gassen, bei den Spielen. Es fing ja schon mit dem *Kwas*-Verkauf an. Gott verzeih mir, es war ein bisschen doch meine Schuld. Und als ich meinen Bruder dreißig Jahre später traf, hatte ich ein peinliches Gefühl. Er war gar nicht verändert. Er hatte erwachsene Kinder, die ihn genauso schlecht behandelten wie einst wir, seine Geschwister. Er hatte dieselben verweinten, roten, vorwurfsvollen Augen und sprach etwas stotternd und unsicher wie damals, nur trug er jetzt einen Bart, der unecht aussah. Solche Bärte tragen junge Choristen in der Oper.

Ich hatte das Gefühl eines kleinen, zarten Mordes. Ich nahm ihm seine Selbstständigkeit und legte sie mir zu, denn wir lebten ja schon in Konkurrenz. Wir waren doch nicht mehr im Dorf, sondern in der Bezirkshauptstadt Horodenka, wo alle schlechten Seiten des Stadtlebens schon mitspielten: Rivalität und Konkurrenz. Denn es ist ja vom Dorf Werbiwizi zum Städtchen Horodenka ein viel weiterer Weg als vom Städtchen Horodenka zu irgendeiner großen europäischen Hauptstadt.

12
Mein Rabbi Schimschale der Milnitzer, dem zuliebe man alles tun musste (Berthold Viertel gewidmet)

Meine Erfahrungen mit dem *Cheder* in Skolje waren bald vergessen, denn unser Rabbi-Lehrer Schimschale der Milnitzer war ein müder und friedlicher Mensch, der, nicht nur, dass er uns nicht schlug, auch froh war, wenn wir ihn in Ruhe ließen. Er pflegte zu sagen, es wäre ihm lieber ein frecher Junge mit einem guten Kopf, der gut lernt, als ein »braves, anständiges« Kind mit einem verstopften Kopf. Wir haben diese seine Ansicht oft missbraucht und ihm immer wieder kleine Schabernacks gespielt.

Einmal haben wir seinen Kaftan am Stuhl, auf dem er saß, befestigt. Einmal haben wir seinen Fuß mit einer Strippe an ein Tischbein angebunden; und er schüttelte nur den Kopf und lächelte gutmütig müde dazu. Ein anderes Mal, als er, was oft geschah, beim Lehren mit dem Kopf über dem rechten Arm auf dem Tisch einschlief, haben wir seinen Bart mit warmem Wachs an der Tischplatte festgeklebt, und als er aufwachte, hat er einfach das Wachs vom Tisch abgekratzt und es sich dann stückchenweise aus dem Bart herausgezupft, ohne an diesem Tag ein Wort darüber zu sprechen oder sonst darauf zu reagieren.

Einige Tage später sagte er nur: »Kinder, neulich hat einer so einen Scherz mit meinem Bart gemacht. Ich habe nichts gesagt – nicht, weil ich mich nicht gekränkt fühlte. Umgekehrt, ich war so traurig, dass ich einfach nichts sagen konnte. Ihr wisst ja, dass ich viele Sorgen habe und sehr arm bin. Aber der Liebe

Gott hat mir einen Bart gegeben wie Leuten, die keine Sorgen haben und wohlhabend sind, wie jedem anderen Mann. So war mein Bart für mich ein Trost in meinen Sorgen. Wenn ihr aber auch den Bart in meinem Gesicht beleidigt, so macht ihr mich noch ärmer, als ich so schon bin – und keiner von euch wird dadurch reicher.«

Das war an einem Donnerstag. Er pflegte Montag und Donnerstag zu fasten und sprach sehr still an diesen Tagen, und wir schauten verlegen auf die Erde, dann schickte er uns an diesem Tag eine Stunde früher nach Hause.

Aber seit diesem Tag war er für uns heilig wie die *Thora* selber. Wir scherzten nie mehr über unseren Rabbi und spielten ihm nie wieder einen Schabernack.

Er lehrte uns geduldig erst die hebräischen Buchstaben, die aussahen teils wie kleine Kästchen oder kleine Werkzeuge, teils wie kleine Häuschen mit halben Türen und Toren oder wie Würfel mit kleinen Fensterchen. In Skolje pflegten diese Buchstaben vor meinen Augen zu tanzen, und ich konnte sie nicht voneinander unterscheiden. Hier aber, dank der Geduld unseres müden Lehrers, ordnete ich sie schnell ein, und es machte mir sogar Spaß, sie auseinander zu halten. Und bald konnte ich sie zusammensetzen wie Kästchen, diese Buchstaben mit den Vokalzeichen darunter und konnte sie lesen, aber nicht verstehen, denn wir sprachen ja jiddisch. So lernten wir beten, ohne zu verstehen, was wir beteten, so lernten wir singen, ohne zu verstehen, was wir sangen.

Und bald fing ich auch an, *Chumisch*, die fünf Bücher Moses, zu lernen. Aber da wurde schon übersetzt mit verschiedenen Auslegungen und Erläuterungen einer ganzen weiten Welt, die einstmals war, wo man einstmals lebte und wo es zum Himmel und zum Lieben Gott so nahe war, dass Leute wie Moses und Abraham und Jakob und die Mutter Rachel und andere Größen nur so ein- und ausgingen bei Ihm, wie bei uns in Horodenka die großen Kaufleute und Beamten bei Baron Romaschkan und Bankier Jungermann ein und aus gingen.

Und wenn ein Junge *Chumisch* zu lernen anfing, gab es auch

ein Fest. Und eines Schabbesnachmittags bekam ich ein neues Gewand und von den Verwandten und Nachbarn wurden viele Taschenuhren und Ketten ausgeliehen, an die zwanzig und mehr. Und diese Ketten und Uhren wurden mir und einem anderen kleinen Jungen, der den Segner und Frager darzustellen hatte, umgehängt. Wir standen nun beide auf dem gedeckten Tisch, und Lehrer und Eltern und Verwandte und Nachbarn saßen und standen in der engen Stube um den Tisch herum, erwartungsvoll, mit leuchtenden Augen; und nun ging es los. Der andere Junge breitete seine zwei Händchen aus und sagte:

»Hatienuh es Rojschchu, wej awirechechu.«

»Beuge dein Köpfchen, und ich will dich segnen.«

»Ben Pojress Josseff ben Pojress Eilhoju.«

»Der schöne Josseff, der reizende Josseff, genau wie Josseff Hazadik, fand Gefallen bei Gott und bei den Menschen, genauso sollst du, Jingali, klein Bocherl, auch finden Gefallen bei Gott und den Menschen.«

Und alle riefen im Chor: »Amen, Amen, Amen!«

Jetzt fragte der Segner, und ich antwortete:

Frager: »Was lernst du, Jingali?«

Jingali: »*Chumisch.*«

Frager: »Was heißt *Chumisch*?«

Jingali: »Fünef.«

Frager: »Was fünef? Fünef Brezeln für einen Kreuzer?«

Jingali: »Nein, fünef heilige Bücher hat die heilige *Thora.*«

Frager: »Welches Buch lernst du, Jingali?«

Jingali: »*Wajekru.*«

Frager: »Was heißt *Wajekru*?«

Jingali: »Und er hat gerufen.«

Frager: »Wer hat gerufen? Der *Schammes* hat gerufen in die *Schul?*«

Jingali: »Nein, Gott hat gerufen zu Mojsche, ihm zu sagen die Gesetze der Opferung, und Opferung ist heilig, und ich, Klein-Jingali, bin auch heilig, deshalb hat der Rabbi mit mir zum Glück angefangen zu lernen *Wajekru.*«

Frager: »Lerne, Jingali, lerne! Zeige, was du kannst«, und er zwinkert schon zu den anderen, die lächeln vor Freude und Spaß.

Jingali: »*Wajekru,* und er hat mich gerufen, Mojsche, einer hat geheißen Mojsche ...«

Und in der Mitte werde ich schon unterbrochen, und alle gratulieren mit »*Mazl toff, Mazl toff*«, und die Mama weint vor Freude und Glück und Stolz, und die Nachbarinnen weinen mit ihr, alles knutscht mich gegen meinen Willen, denn ich fühle mich beinahe erwachsen. Ich merke, dass alle mich ansehen, ich weiche den Blicken aus und ich weiß, dass mich niemals so viele Menschen so nett angeschaut haben und dass sie alle meinetwegen da sind, und der Honigkuchen, den ich jetzt aß, war weniger süß als die Süßigkeit in meinem Herzen.

Seit dem Zwischenfall mit dem Bart liebten wir unseren hageren, großen Rabbi Schimschale. Am schönsten war es im Winter, da lernten wir an den Abenden und gingen heim mit Laternen und hörten ihm gerne zu, wie er für jeden Satz, ja manchmal für ein Wort eine ganze erklärende oder erläuternde Geschichte erzählte.

Und über die Heiligkeit des gedruckten Wortes sprach er, und die Auslegung der Worte, und was zwischen den Worten alles war. Er fing gewöhnlich so an: »*Szymon W'Levi Achim.*« – »Simon und Levi waren Brüder.« Und nun ging es los, was für Brüder sie waren, wie stark und groß und breit, und Levi hieß er, weil einmal, als er den Philistern nachjagte und in der Wüste dem Verdursten nahe war, Löwen ihn überfielen; er aber packte eine Löwin, hob sie an der Schnauze und am Schwanz hoch, trank die Milch aus ihren Zitzen und schleuderte sie weg. Simon konnte mit seinen Schultern ganze Berge von der Stelle schieben und mit ihnen die Feinde zuschütten und begraben. Und eine Schwester hatten sie, eine wunderschöne. Und die Philister haben sie einmal überfallen, als die Brüder nicht zu Hause waren; und als die Philister ihre Schwester unrein gemacht, da gingen beide Brüder in die Stadt der Philister und metzelten mit ihren Schwertern alle Männer nieder und äscherten die Stadt ein und rächten so die Ehre ihrer Schwester.

Und einmal lernten wir: »*Wej ani*«. – »Und ich Jakob«, und dann hingen wir schon an den Lippen unseres Lehrers, und er erzählte in einfachem Jiddisch, wie es die Leute in unseren Untergassen sprachen: »*Wej ani.*« – »Und ich Jakob, jetzt sterbend in Ägypten, ermahne dich, meinen Sohn Joseph, mich nach dem Tode nach Kanaan zu bringen und dort zu begraben, obwohl ich mit deiner Mutter Rachel nicht so getan. Ich begrub sie auf dem Wege nach Bethlehem und brachte sie nicht einmal in die Stadt. Und wenn du denken wirst, es fiel ein Regen oder die Wege waren schwer, sage ich dir: Nein. Die Erde war trocken und gelöchert wie ein Sieb. Es war die Zeit nach dem Abdienen bei Laban, erst sieben Jahre für Leah, dann sieben Jahre für deine Mutter Rachel. Wir zogen dann aus, Laban aber setzte uns nach und holte uns ein und behauptete, wir hätten seine Götzenbilder gestohlen. Ich war empört über diesen Verdacht und rief: ›Wer deine Götzenbilder gestohlen hat, der soll sterben‹, und siehe, deine Mutter Rachel hatte die Götzenbilder und ist gestorben!

Und ich beerdigte sie dort auf dem Felde, dem Weg nach Bethlehem. Warum?, wirst du wieder fragen, mein Sohn. Werde ich dir erklären: Ich hatte ein prophetisches Gesicht und sah unser Volk durch die Wüste wandern, niedergeschlagen, einsam und verzweifelt; und da werden sie auf der Mutter Rachel Grab stoßen und Trost suchen und weinen und klagen und rufen: ›Mutter Rachel, Mutter Rachel, siehe was da geschieht mit deinen Kindern!‹ Und die Mutter Rachel wird hinaufgehen zum Lieben Gott und zu Ihm sprechen: ›Vater im Himmel, was tust du mit meinen Kindern?‹ Und der Liebe Gott wird antworten: ›Ich strafe sie.‹ Und die Mutter Rachel wird fragen: ›Warum strafst du sie?‹ Und der Liebe Gott wird antworten: ›Ich strafe sie, denn sie haben getanzt vor dem Goldenen Kalb!‹ Da wird die Mutter Rachel sagen: ›Vater im Himmel, lass dir von mir eine Geschichte erzählen: Als Jakob kam, um mich zu freien, war er groß und breit und klugäugig, und wir fanden Gefallen aneinander und mochten uns gleich, wie wir am Brunnen uns sahen. Aber mein Vater Laban war schlau und listig und bäurisch verschlagen und wollte erst loswerden Leah, die klein und hässlich und pockennarbig war und lispelte. Und als es Nacht wurde, rief er Jakob in die Stube, und ich musste mich unterm Bett verstecken und sprechen für Leah, auf dass Jakob glaubte, Leah wäre ich und ich wäre Leah, und er verheiratete sie. Und ich habe Jakob geliebt mit meinem ganzen Herzen und allem, was mein war, und war doch nicht neidisch auf die arme Leah. Und ich war doch nur ein armer Mensch aus Fleisch und Blut und war nicht neidisch. Und du, Großer Gott, Schöpfer aller Welten, bist neidisch auf ein Goldenes Kalb!‹ Und der Liebe Gott wird antworten: ›Gehe, meine Tochter Rachel, gehe und bringe Trost deinen Kindern und sage ihnen: Ich werde sie niemals vergessen‹«.

Und über *Mojsche Rabejnu* wusste er immer neue Erläuterungen und Berichte. Einmal bat er uns, einen halben Tag nicht zu trinken wegen einer sehr wichtigen Geschichte, die er uns zu erzählen hätte. Wir gehorchten, und als er merkte, dass einige von uns schon trockene Lippen hatten, hieß er uns trinken und meinte: »Eine gute Geschichte soll man nicht nur mit den Ohren hören, mit dem Herzen fühlen und mit dem Verstand begreifen. Eine gute Geschichte kann man mit Hunger und Durst auf der Zunge schmecken.« Heute zum Beispiel habe er uns gebeten, nicht zu trinken, damit wir am Durst eines halben Tages begreifen könnten, wie schwer es war für Mojsche und das ganze Volk, vierzig Jahre durch die Wüste zu wandern, wo es doch überhaupt keine Brunnen gab.

Und er fing an zu erzählen über *Mojsche Rabejnu* und unser Volk in der Wüste: »Mojsche führte vierzig Jahre das Volk durch die Wüste. Das Volk war müde und verzweifelt und verlor die Kraft des Glaubens an das Gelobte Land und wurde kleinmütig und zänkisch und sehnte sich zurück in die Sklaverei zum geregelten Sklavenfraß. Und der Gehorsam war untergraben, und Mojsche schaute sorgenvoll zum Himmel, und da donnerte es eines Tages und blitzte, und alle wussten, dass der Herr Mojsche rufe, und Mojsche verschwand und kam dann zurück und versammelte das ganze Volk und sprach:

›So sagt der Herr: Jeder Jüngling, Mann und Greis ergreife heute den Spaten und schaufle sich sein eigen Grab und lege sich heute abend in dasselbe und frage nicht, warum und wozu, denn so will es der Herr.‹

Und Jünglinge, Männer und Greise schaufelten sich ihre Gräber und legten sich am Abend hinein, wie es der Herr durch Mojsche befohlen hatte. Und als die Sonne am nächsten Morgen heraufkam, da blieben zwei Drittel des Volkes tot in ihren Gräbern liegen und nur ein Drittel erhob sich, und Mojsche sprach: ›So sagte der Herr: Die Kleinmütigen und Feigen, die Schwachgläubigen und Ängstlichen werden in ihren Gräbern liegen bleiben; aber die Starken und Mutigen, die Kühnen und Furchtlosen, die Beherzten und Gläubigen werden verjüngt und gestärkt und angefüllt mit neuer Kraft weiterwandern und einziehen in das Gelobte Land Kanaan.‹«

Ein müder Mann war unser Lehrer Schimschale der Milnitzer, und nur arme Kinder lernten bei ihm. Er hatte selber ein Haus voller Kinder; er lief immer herum, leihen und borgen. Bei uns nahm er immer Brot auf Kosten des Unterrichts, aber es wurde nie verrechnet. Vater meinte, es gäbe keinen gottgefälligeren Handel als den Austausch zwischen *Thora* und Brot, und nach den vielen Broten, die der Rabbi bekam, müssten wir große Gelehrte, ja selber Rabbis werden.

Manches Mal machten wir ein kleines Fest im *Cheder*. Wir waren ungefähr sechzehn bis zwanzig Kinder. Jeder gab, was er konnte. Einen Kreuzer oder zwei. Man kaufte weißes Brot und einen Hering und Pflaumenmus und Honig und ein bisschen Schnaps für den Rabbi, und wir saßen am Tisch mit dem Rabbi, und er behandelte uns wie Erwachsene, wie seinesgleichen, und an solchen Abenden kauften wir etwas mehr Schnaps als gewöhnlich, und er wurde gesprächig und erklärte uns, warum er nie einen Schüler angerührt hatte wie andere Lehrer. Er denke immer an Joshua und *Mojsche Rabejnu*, sagte er, den größten Lehrer und größten Schüler seit der Erschaffung der Welt. Und beim dritten Gläschen bekam er zum ersten Mal ein heiteres und schönes Gesicht und fing an: »Eigentlich ist es eine Geschichte zwischen dem Vater im Himmel und *Mojsche Rabejnu* und Joshua. So rief der Herr eines Tages Mojsche auf den Berg Nebo und sagte etwas verlegen: ›Höre, mein Freund, du hast dich schon genug gequält mit dem Volk. Ich glaube, es wäre doch ganz gut, wenn du endlich ausruhtest und zu mir in den Himmel kämest. Was meinst du, mein Sohn?‹ Und Mojsche sah verwundert und überrascht auf und sagte: ›Nein, bitte, nein, erst muss ich sie ja ins Gelobte Land hineinführen. Dann, ja dann, mit Vergnügen. Verzeih, o Herr‹, sagte er nun, ›ich bin jetzt sehr eilig.‹ Und ging.

Nach einiger Zeit ließ ihn der Herr wieder kommen und sagte: ›Weißt du, Mojsche, es ist so langweilig im Himmel. Meine Engel üben sich seit langem auf ihren Blas- und Streichinstrumenten und wollen ein Fest und fragen mich, wann sie dich empfangen dürften. Du weißt ja, mein Sohn, wie wir dich alle lieben.‹

›Ja, ja‹, sagte Mojsche, ›ich weiß es, Vater, ich weiß, aber siehe, was hättest du gesagt, wenn dich jemand in den sechs Schöpfungstagen plötzlich unterbrochen hätte? Niemand weiß es besser als du, dass eine Arbeit, erst angefangen, zu Ende geführt werden muss. Verzeihe, o Herr, ich hoffe, dass dein Himmel mit den Engeln mir doch nicht entgehen wird. Und zweitens will ich mich beeilen, mit deiner Hilfe, und dann deiner Einladung in die Ewigkeit gerne folgen.‹ Und er ging wieder.

Und nach einiger Zeit wurde Mojsche wieder zum Herrn gerufen und Mojsche fing gleich selber zu sprechen an und sagte: ›Vater, ich weiß, die Engel langweilen sich und wollen ein Fest, und ein goldener Stuhl wartet auf mich, oder ist es was anderes? Ich bin kurz vor Beendigung meiner Arbeit, kurz vor Kanaan. Was ist es wieder? Vater, bitte, ohne Ausrede, ganz offen. Ich bin diesmal sehr eilig.‹

Und der Herr in seiner ewigen Güte und Ruhe lächelte und sprach: ›Mojsche, Offenheit gegen Offenheit. Du weißt, dass ich mit dir war, bin, und sein werde, aber auch ich muss mich an bestimmte Gesetzmäßigkeiten halten. Ganz offen, ja? Schau, du hast einen Schüler, Joshua, der schon vierzig Jahre auf seinem Hocker sitzt, dir zuhört und überall folgt und alles für dich tut. Nun hat er schon selber einen langen Bart mit grauen Haarsträhnen und wartet und wartet. Es ist soweit, dass ich deinen Schüler Joshua zum Lehrer und Führer des Volkes machen muss. Nun weißt du es, mein Sohn.‹

Mojsche schaute empor zum Herrn und sagte: ›Das ist alles? Warum hast du es mir nicht gleich gesagt? Ernenne ihn doch zum Lehrer und Führer des Volkes, und lass mich unten auf seinem Hocker sitzen und zusehen, nur zusehen, von Weitem, was aus meiner Arbeit, meinem Werk wird.‹ Und der Herr sprach: ›Gut, Mojsche, mein Sohn, das kann ich dir nicht verwehren. Gehe, und ich will dich beschützen und behüten.‹ Und Mojsche ging, und der Herr schaute ihm nach und streichelte seine Schulter mitleidsvoll mit seinen himmlischen Strahlen.

Und als Mojsche zurückkam, da donnerte es schon und blitzte, und sein Schüler Joshua stand auf von seinem Hocker und wusste, dass der Herr ihn rufe, und er ging zum Berge Nebo, und der Herr sprach zu ihm, und das Volk wartete in Ehrfurcht, und dann kam Joshua und schritt direkt zum Tempel, und alle sahen den Glorienschein um sein Haupt, und alle wussten, dass der Herr ihn heute geküsst hatte. Und kurz vor dem Tempel fasste Mojsche Joshua am Arm und sagte: ›Du, Joshua, was hat Er dir gesagt?‹ Und Joshua machte seinen Arm los und drehte sich um zum Weitergehen und sagte nur über die Schulter: ›Hast du mir jemals erzählt, was Er dir gesagt hat?‹, und ließ ihn stehen und ging in den Tempel und das Volk mit ihm. Und niemand bemerkte jetzt Mojsche, wie er verschämt und gebückt durch die Seitenwege ganz schnell den Berg Nebo hinaufging, und der Herr wartete schon auf ihn, und Mojsche hob seine Augen zum Herrn und sagte: ›Du, Vater, nimm mich hinauf.‹

Versteht ihr nun, warum ich euch nicht als kleine Kinder

behandle und als Schüler?«, sagte der Rabbi, unser Rabbi Schimschale der Milnitzer. »Man kann nie wissen, wer Schüler ist und wer Lehrer. Eines Tages ist einer von euch ein großer Lehrer und ich bin wieder sein Schüler. Ihr sitzt da und guckt mich an und hört mir zu wie richtige Männer. Und mir ist so, als ob ich gestern erst ins *Cheder* ging. Dann habe ich mich schlafen gelegt eines Tages als Kind und stand auf am nächsten Tag mit einem Bart und habe nun selber ein Stube voll Kinder. Und nun ist es zu spät, ein Handwerk zu lernen. Schaut euch die Tischler, die Schuster, die Schneider, die Bäcker an, sie brauchen nicht die Hand auszustrecken (er pflegte nämlich jeden Donnerstag betteln zu gehen und litt Qualen darunter) –, lernt ein Fach, ganz schnell, denn morgen oder eines Tages steht ihr auf, seid bewachsen im Gesicht, habt selbst Kinder und habt Sorgen wie ich und eure Väter.«

Dann sang er schöne Melodien und erzählte auch gerne gruselige Geschichten von Geistern, Teufeln und verirrten Seelen, die sich nachts am Kreuzweg träfen. Verirrte Seelen waren sein besonderes Gebiet. Wenn so eine sündige Seele manchmal weder in den Himmel noch in die Hölle kann, dann lebt sie in einem Hunde, der geschlagen wird, oder in einem Schwein oder einem Huhn, und kann nur erlöst werden durch den Segen eines ganz Frommen, der die Seele in diesen Tieren ›erkennt‹. Dann sprach er gerne über die verschiedenen Teufel. Eine Sorte war besonders böse, sagte er, aber so kleine Kobolde spielen nur gerne Schabernacks. Wenn sie nachts in ein Haus kommen, dann kippen sie alles um oder streuen Niespulver, nageln die Türen zu oder vernähen die Hemdärmel. Das war gruselig und lustig zugleich. Und wenn wir dann nachts mit unseren kleinen Laternen nach Hause gingen und an den Kreuzweg kamen, da ließ ich halten und rief: »Hexen, Geister und Teufel hierher! Hierher! Hierher!!! Hinweg! Hinweg! Hinweg!!« Alle zitterten und liefen zähneklappernd heim. Ich zitterte doppelt: aus Angst vor den Bösen und aus Angst vorm Rufen. Aber das Gefühl, dass die anderen dachten, ich hätte *keine* Angst, bestärkte mich, dass ich es immer wieder tat. Jeden Abend waren Verhandlungen mit mir, diese Nacht die Bösen nicht zu rufen. Ich bekam alte Knochen, Stückchen Eisen und Knöpfe. Sie schnitten sich die Knöpfe von ihren Anzügen und den Anzügen ihrer Brüder und Väter ab – aber am Kreuzweg konnte ich mich nicht beherrschen, vergaß alle Abmachungen und rief wieder die Geister, um mich an der Angst der anderen zu weiden. Ja, ich war eben ein liebes, kleines, unschuldiges Kind.

Bis eines Tages, als wir allein waren, mein Lehrer-Rabbi zu mir sagte: »Ich weiß, ich weiß, du bist ja viel mutiger als die anderen Kinder und gescheiter, ja, deshalb müsstest du sie ja beschützen und nicht ängstigen. Übrigens mische ich mich nicht in eure Angelegenheiten. Ich überlasse es lieber deinem eigenen Verstand.« Und ich begriff, dass er Recht hatte, und tat es nie wieder, aber hauptsächlich doch nur meinem Rabbi-Lehrer Schimschale dem Milnitzer zum Gefallen, dem zuliebe man einfach alles tun musste.

13
Vielleicht meine erste Rolle

Uns wurde erzählt, dass ein Jude, Herr Hirsch, so reich geworden war, dass der Kaiser ihn hat nach Wien kommen lassen, ihm große Ehren und Ämter anbot, und der Herr Hirsch sagte nur: »Danke, großer Kaiser, aber ich kann das nicht annehmen.«

»Warum?«, fragte der Kaiser verwundert. Da sagte Herr Hirsch: »Großer Kaiser, Gott hat mich reich gemacht, und du willst mir Ehren und Titel geben, aber in deinem Lande Galizien gibt es so viele kleine jiddische Kinder, deren Eltern sind so arm, dass sie diese Kinder nicht ernähren, nicht kleiden und nicht unterrichten lassen können. Und da ich jetzt das Glück habe, vor deinem Angesicht zu stehen, möchte ich dich bitten, mir zu erlauben, Schulen da auf meine Kosten zu eröffnen, damit die Kinder was lernen und aufwachsen und du dann auch kluge und tapfere Soldaten an ihnen hast.« Da sagte der Kaiser: »Oh, das gefällt mir, das gefällt mir sehr, mein lieber ›Baron‹ Hirsch.«

Und so kam Herr Hirsch als »Baron Hirsch« nach Hause und gründete die Baron-Hirsch-Schulen in Galizien, und eine sogar in Horodenka. Die Baron-Hirsch-Schule konnte man mit dem *Cheder* nicht vergleichen. Im *Cheder* war es dunkel und schmutzig, und Schimschale der Milnitzer liebte uns und sprach zu uns wie zu Seinesgleichen. In der Schule war es hell und sauber, und die Lehrer behandelten uns wie kleine Tiere und schlugen uns. Aber wer lernte, bekam eine Mütze mit Lackschirm, für besser Lernen gab es schon ein Paar Hosen dazu und für gut Lernen noch ein Jackett, und für sehr gut

Lernen wurde man ausgeputzt von Kopf bis Fuß, sogar mit Hemden und Taschentüchern. Man achtete darauf, dass wir sauber und gewaschen in die Schule kamen, sogar mit geputztem Schuhzeug, sonst wurde man nach Hause geschickt, was eine Schande war. Die Lehrer waren europäisch gekleidet und sprachen polnisch und haben uns geschlagen. Wenn die Aufgaben schlecht gemacht waren oder Fragen falsch beantwortet wurden, musste man die Handfläche hinhalten, und der Lehrer hieb mit dem Lineal darauf.

Manche Lehrer schlugen mechanisch und es tat nicht sehr weh, aber einer, der Jiddisch schreiben und lesen lehrte, Herr Wieselberg, schlug mit der scharfen Seite des Lineals. Er war der erste böse Mensch, den ich in meinem Leben sah. Er hatte einen gelblich-blonden Kaiser-Franz-Joseph-Bart und guckte bei jeder Kleinigkeit in den Spiegel und kämmte sich dabei den Bart, besonders nach dem Prügeln; da bekam er ein rotes Gesicht wie ein Affenarsch und guckte in den Spiegel und kämmte und putzte sich. Auf dem Katheder lagen sein Lineal, sein sehr dünnes Rohrstöckchen zum Schlagen und sein Kamm und Spiegel. Manchmal wurde man auch über die Bank gelegt und mit dem Rohrstöckchen verprügelt. Kinder, die Prügel erwarteten, pflegten ihre Hosen an den Hinterteilen mit kleinen Kissen oder sonstigen Fetzen zu polstern. Wenn das entdeckt wurde, mussten die Höschen herunter und das nackte Fleisch bekam es zu spüren, was sehr wehtat und dazu noch eine Schande war. Herr Wieselberg war ein Meister in dieser Prozedur und wurde so gehasst, dass wir nie zu seinen Kindern sprachen, die mit uns in dieselbe Schule gingen. Er kam nicht zum Lehren, sondern zum Schlagen. Alle haben sie geschlagen, sogar die Lehrerin Chamejdes. Und das hat uns besonders geärgert. Aber wir wehrten uns auf unsere Art. Im Winter brachten wir Stückchen Eis in die Klasse oder kleine harte Schneebälle und arrangierten kleine Saalschlachten, und im Frühling gab es Millionen Maikäfer. Diese Maikäfer brachten wir zu Hunderten in die Klasse und ließen sie auf ein Zeichen los, und sie summten und brummten herum, und die Chamejdes wurde hysterisch und schrie, und wir machten unschuldige Gesichter und freuten uns. Einmal haben wir in der Pause ihre Handschuhe mit Maikäfern gefüllt, in jeden Handschuhfinger einen Maikäfer hineingesteckt, und als sie beim Verlassen der Klasse ihre Handschuhe anziehen wollte, quietschte sie vor Schreck und wir vor Freude. Sie rief den Direktor Berlass, einen langen, hageren, finsteren Herrn mit bleichem Gesicht und heraufgezwirbeltem Schnurrbart, und er ließ uns den ganzen Tag nachsitzen. Nur ein Lehrer hat uns nie angerührt, er hieß Dreyfuß; wer ihm die Schulhefte nach Hause brachte, bekam sogar Süßigkeiten. Er starb plötzlich und jemand schrieb auf sein Grab:

»Hättste nicht den Bart rasiert,
Wärste jetzt im Himmel spaziert.«

Sonst wurden wir von den anderen Lehrern wie kleine Verbrecher behandelt. Aber die schönen Anzüge zu den Feiertagen und im Winter die gute, dicke Bohnensuppe und die Spiele außerhalb der Schule halfen uns darüber hinweg. Das Gute, das der Baron Hirsch an uns tat, konnten seine Lehrer doch nicht ganz zerstören.

Das Leben zu Hause war jetzt geordneter, denn jeder hatte seine Arbeit, seine Beschäftigung. Wir Kleinen standen schon um vier Uhr auf, Kipfel zu drehen und Kaisersemmeln klopfen zu helfen. Um sechs Uhr trugen wir das Gebäck in Strohkörben zu den Kunden und in die Marktbude. Um acht Uhr gingen wir in die Schule. Ich hatte immer kleine Reste von Teig um meine Nagelränder und zeigte sie voller Stolz den anderen Kindern, prahlte, dass ich schon nachts arbeitete wie die großen Gesellen. Der um ein Jahr ältere Bruder Schabse war immer müde und traurig und hatte immer rötlich angelaufene, nicht ausgeschlafene Augen. In der freien Zeit lernte er die Aufgaben und blieb von den Gassenspielen weg, aber wenn er vom Lehrer gefragt wurde, stotterte er die Worte unverständlich und unsicher und ängstlich, und nur ich wusste, was er meinte. Er musste sich setzen, voller Scham und Verlegenheit, und wenn ich dann nach ihm aufgerufen wurde, brauchte ich nur laut und frech das zu wiederholen, was er vorher gesagt hatte und wurde gelobt auf seine Kosten. Mein armer Bruder Schabse.

Wir saßen in der dritten Bank und mir zur Seite saßen zwei blonde verhätschelte Kinder mit rosa Gesichtern in meines Bruders und meinem Alter. Sie hatten lange Locken bis zu den Schultern und trugen hellblaue und rosa Anzüge mit Matrosenkragen. Es waren die Kinder vom Baron Jungermann. Jeden Tag hatten sie andere Leckerbissen mit. Für gewöhnlich war es weißes Brot mit Hühnerfleisch dazwischen. Oder Semmeln mit Butter und Eingekochtem oder Honig oder süßer Rosinenkuchen mit Butter darüber gestrichen und dazu Früchte: Kirschen, Weichseln, einen Apfel, eine Birne oder einen Pfirsich.

Einmal in der Pause, ich hatte Hunger wie immer, und ich starrte die Leckerbissen an, und das Wasser lief mir im Mund zusammen, bat ich den kleinen Jungermann, mir doch etwas abzugeben. »Nein«, sagte er, und schaute mich kalt und fremd an und aß weiter. Ich fühlte das Blut in mein Gesicht schießen und schämte mich, dass ich ihn gebeten hatte, und schämte mich über die Absage und fing an, beide Brüder zu hassen. Nun wurde ich ganz unfreundlich und dachte mir jeden zweiten, dritten Tag was Böses für sie aus. Ich brachte Ruß mit und streute ihn auf ihre Tischseite, und sie machten sich und die Hefte dreckig. Ich legte spitze Steinchen auf ihre Sitze und sie taten sich weh und ärgerten sich. Eines Tages legte ich einen kleinen, winzigen Nagel auf den Sitz meines Nachbarn, er setzte sich darauf und schrie, und alle lachten, bloß ich nicht, ich sah nur unschuldig aus. Eines Tages wusste ich im Voraus, dass ich von der Lehrerin Chamejdes etwas gefragt werden würde. Ich nahm also das Tintenfass aus dem Loch, sorgte dafür, dass es ganz voll war, und vorsichtig stellte ich es so zurecht, dass es, als ich beim Aufrufen aufsprang, wie eine Sturzquelle sich über meinen kleinen Nachbarn ergoss. Sein rosa Gesicht, seine hellblonden Locken, sein weißer Matrosenanzug, alles sah scheckig aus. Die Klasse brüllte vor Lachen, der kleine Jungermann weinte, die Lehrerin beruhigte, ich setzte ein ganz trauriges, verlegenes Gesicht auf, aber irgendwo im Bauch war mir viel süßer als sein süßester Rosinenkuchen mit Butter ... Und so ging es immer weiter. Einmal rutschte ich etwas später in die Bank, so mit einem Wuppdich, und versetzte meinem kleinen Bankier mit dem spitzen Ellenbogen kräftig eins in die Rippen. Ein andermal, beim Aufstehen, trat ich ihm »zufällig« ganz kräftig auf den Fuß. Immer dachte ich mir eine Schikane für ihn aus und er guckte mich schon immer ängstlich an, eine neue Bösartigkeit erwartend. Aber einmal, in der Pause, kam er ganz scheu zu mir und sagte: »Warum bittest du mich nie wieder um etwas?« Ich sagte: »Und wenn ich bitten würde, würdest du denn was geben?« Der andere Bruder kam hinzu und sagte: »Bitte doch.« Und ich sagte: »Na, gib doch!« Und ich traute meinen Augen nicht, sie hatten ein ganzes Frühstückspaket für mich, sogar mit einer großen Birne. Von jetzt an bekam ich jeden Tag was Gutes zum Essen und freute mich schon deshalb auf die Schule. Und das Tintenfass blieb sorgfältig im Loch, und keine Steinchen und keine Nägel waren auf ihren Sitzen, und vorsichtig setzte ich mich in die Bank, um ja nicht mit meinem spitzen Ellenbogen des Nachbars Rippen zu berühren, und nichts von Fußtritten.

Und wir wurden Freunde, und nach der Schule nahm ich sie beide zum Obststehlen auf den Marktplatz mit. Wir hatten lange Latten mit einem Nagel an der Spitze. Wenn die Verkäuferin wegguckte, hauten wir die Latte mit dem Nagel auf einen Apfel oder auf eine Birne und sie war unser, und wir waren verschwunden. Wir waren eine kleine organisierte Bande und plünderten Obstgärten, und wenn es irgendwo brannte, liefen wir, um zu »retten« und stahlen, was wir konnten, wie die Elstern.

Beim Schmied »fanden« wir, wenn gerade niemand hinguckte, kleine Stückchen Eisen, Hufeisen, Nägel und verkauften alles an den falsch-frommen Mord'chai, den Alteisenhändler, der nach den Preisen, die er uns zahlte, genau wusste, wo wir das alles her hatten. Mord'chai brachte uns auf einen neuen lustigen Einfall. Wir waren immer fünf, sechs Jungen zusammen. Ein Teil von uns bot ihm die Beute an und feilschte, währenddessen stahl der andere Teil von seinem eigenen Stand andere Stückchen Eisen und bot sie ihm an, und er kaufte manches Mal zwei-, dreimal dasselbe Hufeisen, dieselben Nägel, und er kaufte und zahlte für alles, und das machte einen Heidenspaß. In unserem Übermut stahlen wir bei ihm in seinem Laden einen alten Samowar und boten ihn ihm gleich zum Verkauf an. Er wurde misstrauisch, guckte uns an, guckte die Stelle an, wo der Samowar gestanden hatte, fing an, sich den Ledergürtel von der Hose herunterzuziehen. Wir schmissen ihm den Samowar an den Kopf und verschwanden und haben nie wieder Geschäfte mit ihm gemacht.

Vom Bankier Jungermann kam eines Tages der private Lehrer der Kinder und verklagte mich beim Vater, dass ich nicht nur selber stehle, sondern sogar versuche, die Jungermann-Kinder zu Dieben zu machen. Vater warf den Lehrer hinaus und sagte, er irre sich, seine Kinder wären ehrlich und anständig. Er solle ihm den Beweis bringen und sich hüten, solche Sachen über seine Familie zu verbreiten. Und als der Lehrer weg war, schickte er alle aus der Stube und sagte zu mir: »Ich glaube dem Mann jedes Wort, das er sagte, aber ich möchte es jetzt von dir selber hören. Sage Ja oder Nein, denn du lernst bei einem gottesfürchtigen Mann, Schimschale Milnitzer, und in der *Thora* heißt es: ›Du sollst nicht stehlen‹, und solange du noch nicht dreizehn Jahre alt bist, werden ich und der Rabbi für deine Sünden bestraft. Gestehe Ja oder Nein und sage gleich, wieviel Hiebe ich dir geben soll.« Ich sagte »Ja« und verlangte fünfundzwanzig Hiebe über den Hintern, und Vater sagte: »Gut, mein Sohn, du bist noch kein Dieb, denn Diebe sind auch Lügner, und versprich mir, es nie wieder zu tun, und ich schenke dir auch die verlangten fünfundzwanzig Hiebe.« Dann kamen alle zurück, und Vater sagte nur: »Ja, ja, der Jungermann ist selber ein Dieb. Er bestiehlt Gott und die Welt und die Menschen und hat deshalb Angst, dass seine Kinder auch solche Diebe werden. Wir sind ehrliche Menschen und brauchen diese Angst nicht zu haben.«

Ich habe ihn damals nicht verstanden, meinen klugen, guten

Vater, aber wenn es einen Himmel gibt, dann sitzt er jetzt droben und lächelt und denkt: Wie lange Zeit doch so ein Kind braucht, um so einfache Dinge zu verstehen.

Eines Dienstags gab es auf dem Jahrmarkt eine große Sensation. Ein Seil war plötzlich vom höchsten Gebäude, dem Stockhaus des Herrn Neumann, bis zum Postamt gespannt. Ein Mann, eine Frau und ein Junge meiner Größe waren angezogen in bunten Trikots mit Flitter: die Mutter in Grün, der Vater in Rot und der Junge in Hellblau. Vater, Mutter und Junge kletterten auf eine Erhöhung. Mutter schlägt die Trommel, Junge bläst dreimal lange auf einer Trompete und Vater hält eine Rede. Er erklärte, er spreche alle Sprachen der Welt, aber hier spreche er polnisch, weil der Bürgermeister auch polnisch spreche. Dann erzählte er, sie seien große Künstler, als Beweis dafür seine vielen Medaillen, die er bekommen hat von allen Kaisern und Königen der Welt, und er kam nach Horodenka, seine Kunststücke zu zeigen, nur weil wir so einen feinen Bürgermeister hätten. Jetzt weinte er beinahe und sagte, dass er das Leben seines einzigen Kindes auf das Spiel seiner Kunst setzte. Sein achtjähriges Kind, genau mein Alter, wird bald auf diesem Seil in der Luft von einem Haus zum anderen gehen, und er verlange kein Geld dafür im Voraus, und jetzt schluchzte schon seine Stimme, denn wenn seinem Kinde etwas passiere, brauche er sowieso kein Geld mehr, aber wenn Gott seinem Kinde über das Seil durch die Luft das nächste Haus zu erreichen helfe, dann würden er, seine Frau und sein Kind sich erlauben, mit den Hüten sammeln zu gehen. Und er glaube nicht, dass es solche Halunken in Horodenka gebe, die nach der gezeigten Kunst einfach weggingen, ohne Künstler zu unterstützen, die ihr Leben aufs Spiel setzten, und denen alle Kaiser und Könige der Welt Medaillen gegeben hätten.

Tausende von Menschen auf dem Markte standen da in Spannung. Dann wurde der Junge mit zwei Stricken um die Hüfte festgemacht und bekam eine Balancierstange in die Hände, die Eltern gingen hinunter, die Menschen wurden ganz still und schauten herauf zu dem Jungen. Der Vater schrie dem Jungen was zu, die Mutter wischte sich eine Träne ab, der Junge bekreuzigte sich und der Vater rief in zwanzig Sprachen: »Achtung! Achtung! Achtung! Hochgeehrtes Publikum ... Die Vorstellung beginnt.« Und der Junge fing an, zum Erstaunen von Tausenden von Menschen, einen Fuß nach dem andern vorzuschieben und das Seil abzutasten und zu schreiten, mit der Stange balancierend. Er ging – setzte einen Fuß vor den andern und schob die Füße auf dem Seil voraus. Die Menge war elektrisiert – schaute gespannt auf den Jungen. Der Junge schreitet – kommt in die Mitte des Weges – bewegt die Stange nach beiden Seiten und schreit herzzerreißend: »Vater, Wind!!!« Die Zuschauer schaudern und bekreuzigen sich. Aber siehe, jetzt geht er weiter. Gott sei gelobt! Schneller, schneller, schneller, er schreitet, balanciert, die Stange kommt vorwärts, schneller, schneller, jetzt – jetzt noch fünf Schritte, jetzt – endlich erreicht er das Dach von dem Postgebäude. Der Markt schreit, brüllt, springt wie erlöst. Vater, Mutter und Kind sammeln Geld, niemand geht weg, alle drängen sich zu ihnen, ihren Obolus zu geben. Ich bin in der Nähe des Jungen. Ich trinke sein Wesen. Ein Mensch hat mit seinem Leben gespielt, ein Kind wie ich. Ich bewundere und beneide ihn.

Und Sonnabendnachmittag sammle ich meine Freunde und die Nachbarskinder. Ein Seil liegt auf der Erde, und ich nehme eine Brotschaufel in meine Hände und spanne die Muskeln und schließe die Augen und schiebe einen Fuß und den zweiten vor, tastend, und schreite und komme in die Mitte und bewege mich nach beiden Seiten und glaube zu fallen und schreie verzweifelt: »Vater, Wind! Vater, Wind! Vater, Wind!«, und wiederhole noch einmal und noch einmal und noch einmal. Die Kinder sind begeistert. Mein Bruder Leibzi schwitzt und starrt mich an mit weitem Blick, und mir rinnt schon der Schweiß von der Stirne, und ich wiederhole es immer wieder und wieder. Ich gehe jetzt schneller auf dem Seil bis zur Mitte und schreie wieder »Vater, Wind! Vater, Wind! Vater, Wind!« Und noch einmal schreite ich über das Seil, und noch einmal komme ich in die Mitte und balanciere die Schaufel nach links und nach rechts und glaube, aus einer unerhörten Höhe zu fallen und rufe verzweifelt: »Vater, Wind! Vater, Wind! Vater, Wind!«

Und die Nachbarn kommen, die Erwachsenen, und die taube Nachbarin fragt eine andere, was denn eigentlich hier geschehe, und die andere ruft laut in ihr Ohr: »Siehst doch! In der Bäckerei ist's stickig heiß, und er geht auf und ab und schreit: »Vater, Wind! Vater, Wind! Sicherlich *nebbich meschugge* geworden, der arme Junge!«

14
Mojsche, schlägt man Fensterscheiben ein? Portrait eines Stadtmeschuggenen

In Horodenka waren mehrere *Stadtmeschuggene*, aber Mojsche, der Wasserträger, war ein nützlicher *Meschuggener*. Er war ein hochgewachsener und breitschultriger Mensch, immer in Gedanken und ruhig und pflegte niemanden anzusprechen. Und wenn ihn jemand was fragte, um sich an seiner Hilflosigkeit zu weiden, was oft geschah, pflegte er den Kopf abzuwenden, zu antworten und zu vermeiden, des Fragenden Augen zu begegnen. Seine Antworten waren kurz, nach Worten suchend, als ob sie gerade zur Welt kämen, diese Worte, und immer waren dabei eins oder zwei, die nicht zur Sache gehörten.

Einmal, als wir kleinen Gassenjungen am Stadtbad vorbeigingen, hörten wir ihn schimpfen und lärmen. Wir dachten, jemand habe ihn überfallen und er wehre sich und ringe mit einem Gegner, der ihm die Gurgel zuzudrücken suche, so verzweifelt und gepresst stieß er immer wieder von neuem abgehackte, merkwürdige Worte hervor. Wir öffneten langsam ein Fenster von außen und sahen im halbdunklen Bad ein merkwürdiges Bild: Mojsche stand in der Mitte des Raumes, starrte vor sich hin und sprach und gestikulierte zu einem unsichtbaren Gegner. »Eine Leiter wuchs zum Himmel ... und Blitze schossen auf grindige Köpfe!!! Und deshalb schlägt man Fensterscheiben ein? Ganze Brunnen ins Antlitz gespien ... und Baumstämme in den Schlund gestoßen als Nachspeise ... und deshalb schlägt man Fensterscheiben ein? Mit dem Daumen Talmud geschaufelt ... und geplündert dem Himmel sein Blau ... deshalb schlägt man Fenster ein? Schlägt man Fenster ein, schlägt man Fenster ein?«, wiederholte er leise immer wieder und wieder. Wir Jungen standen erst erstarrt und erschrocken vor diesem Schauspiel, dann fingen wir aber an, ihn nachzuäffen: »Auf Leitern grindige Köpfe in den Himmel geschossen, schlägt man Fensterscheiben ein, Mojsche, schlägt man Fenster ein? Brunnen mit Balken geschluckt und gespien, Mojsche, schlägt man Fensterscheiben ein? Geplündert Talmud im blauen Himmel, Mojsche, schlägt man Fensterscheiben ein? Mojsche, schlägt man Fensterscheiben ein? Mojsche, schlägt man Fensterscheiben ein?«

Er aber, uns bemerkend, wurde sofort ruhig und streckte sich auf dem Boden aus, mit geschlossenen Augen, gleichgültig, apathisch, als ob nichts geschehen wäre. Und wir selber liefen bald davon, unseren fünfzig anderen Kinderstreichen nach. Aber seit diesem Tag nannten wir ihn, und mit uns das ganze Städtchen: »Mojsche schlägt man Fenster ein?« – »Mojsche schlägt man Fenster ein« war in Fetzen gekleidet, und doch waren seine Fetzen anders als die der anderen *Stadtmeschuggenen*. Die Fetzen an seinem Leibe waren nicht schmutzig und um die Beine herum war alles sorgfältig mit Strippen umbunden.

Und Sommer und Winter ging er barfuß. Ja, er hatte hübsche, sogar graziöse Füße. Wenn er hungrig war, nahm er zwei Kannen aus dem Bad und trug Wasser. Wasser für Essen. Gewöhnlich aber trug er das Wasser direkt zum Bäcker und bekam dafür einen alten Laib Brot. Sich auf ihn als Wasserträger verlassen konnte man nicht, denn er trug Wasser nur, wenn er Hunger hatte. Sobald er den Hunger gestillt hatte, hörte er auf, Wasser zu tragen, und versteckte sich wieder im Stadtbad oder in irgendeiner Scheune auf einem Strohhaufen, wo er zu liegen pflegte, leise mit sich selber redend, dann wieder den Atem anhaltend, um sich selbst lautlos die Gegenargumente zu sagen.

Wenn wir kleinen Gassenjungen ihn belästigten, pflegte er einfach nicht zu reagieren. Aber wenn so ein ausgewachsener Strolch nur in seine Nähe kam, wurde er gefährlich und wild, und er fletschte seine weißen Zähne, und seine schwarzen

Augen funkelten aus seinem dunklen, behaarten Antlitz. Und die Strolche hüteten sich vor einem Faustschlag seiner knochigen Hände, die sonst müßig an seinem breitschultrigen Körper herunterhingen.

»Mojsche schlägt man Fenster ein« hatte einen eigenen Lebensstil, wie eine echte Persönlichkeit. Er war nicht von Horodenka, er kam von irgendwoher, aber niemand sprach darüber. Viel Würde war in seinem Wesen und wie ein Ring war die Atmosphäre um ihn. Man sollte meinen, dass es nichts Ärmeres in der Welt gibt als einen *Stadtmeschuggenen.* Und doch wusste jeder, dass »Mojsche schlägt man Fenster ein« ein Kopf mehr war als der Durchschnittsbürger in Horodenka und, verglichen mit den anderen *Stadtmeschuggenen,* war er ein Aristokrat.

Einmal, an einem *Pessachtag*, hat ihm jemand ein reines Hemd geschenkt und ein Gewand. Gewaschen und angezogen ging er am Nachmittag durch die Hintergassen und sah merkwürdig fremdartig und schön aus. Leute, die vor den Haustüren saßen, in den Türen standen, durch die Fenster guckten, starrten ihn an, als ob sie ihn zum ersten Mal sähen. Die Weiber bekamen gerötete Gesichter, die Männer schauten mit Neid. Die einfachen Handwerker neideten ihm seine breiten Schultern und die Gelehrten seinen edlen Gesichtsausdruck; und niemand wagte ihn heute zu verspotten. Und von Haus zu Haus übertrug sich ein Geflüster, dass »Mojsche schlägt man Fenster ein« kein einfacher »Irgendjemand« wäre und schon ganz und gar nicht *meschugge.*

Und als er jetzt verschwand, bildeten sich kleine diskutierende Gruppen, und die fromme Channe Rachel, die Vorbeterin, schwor, dass sie mit eigenen Augen den Glorienschein über seinem Antlitz hätte leuchten sehen. Und der krumme Josie, der Schneider, der lungenkrank war und immer hustete, schwor beim Rest seiner Lungen und bei seinen sieben Kindern, dass »Mojsche schlägt man Fenster ein« ein *Lamed Wownik*, einer der »Sechsunddreißig Gerechten« wäre. Und Chaim Zankie, der Lastwagenkutscher, behauptete wieder in seiner Sprache, dass für so einen sich eines Tages der Himmel öffnen könnte, und falls Horodenka sich zu ihm schlecht benommen hätte, er dort mit der himmlischen Peitsche nur einmal zu knallen brauchte, und ganz Horodenka würde ausgelöscht werden von dieser Welt! Ja, sagte ein anderer, man könnte genau sehen, was für eine große, gefährliche Macht in ihm steckte: ein *Lamed Wownik*. Das will doch was heißen, es beruht doch auf ihm der sechsunddreißigste Teil der Welt!

Aber wir wissen, dass er kein *Lamed Wownik* war. Er war ein *Bocher* aus Brody, einem galizischen Städtchen an der russischen Grenze. Er hätte dort heiraten sollen, Channe Chifre, die Magd vom reichen Krämer Reb Horowitz. Da passierte ein kleiner Zwischenfall: Die kränkliche Krämerin Madame Horowitz legte sich eines Tages hin und starb. Da beschloss der reiche wohlbeleibte Reb Horowitz, sich zum Spaß und ganz Brody zum Ärger, seine vollbusige und breitärschige Magd zu heiraten. Und in der Hochzeitsnacht, als man die Neuvermählten nach altem Brauch schlafen legte, schlug Mojsche bei ihnen alle Fensterscheiben ein, und mit Schande und Schmach bedeckt floh er nach Horodenka. Erst in Horodenka wurde er *meschugge*, trug Wasser nur wenn er hungrig war, und schlief im Stadtbad oder auf einem Strohhaufen. Und an jenem *Pessachtag*, als ihm jemand ein reines Hemd und ein sauberes Gewand gab, glaubte man, dass er ein *Lamed Wownik* war.

Er war nur ein armer Mensch aus einem armen Volk, den die Kinder und das Städtchen zu nennen pflegten: »Mojsche schlägt man Fenster ein?«

15
Die Familie wird kleiner, aber die Armut grösser

In jeder Unordnung ist eine Ordnung, eine Art ordentlicher Unordnung. Auch im Durcheinander unserer Familie war eine Methode. So half der älteste Bruder mit seiner Mitgift dem Vater, eine Bäckerei zu gründen, und lebte nun verheiratet im Dorf, genauso wie wir zu leben pflegten. Seine Frau gebar ihm, genauso wie meine Mutter dem Vater, jedes Jahr ein Kind, und er bekam nun dasselbe Sorgengesicht und dieselben Runzeln auf der Stirn wie Vater.

Eines Tages packte der komische Bruder Jankel sein hölzernes Köfferchen und schnitzte sich aus einem duftenden Weichselzweig einen neuen Stock, und der Vater kam hinzu und fragte, was er denn eigentlich vorhätte. Jankel meinte, ein sehr reicher kinderloser Mann aus der Stadt Mishkolz in Ungarn liege im Sterben und habe nach ihm gesandt, er solle ihn beerben und sein Vermögen übernehmen. Vater schmunzelte und fragte, warum er gerade nach ihm geschickt, und Jankel sagte, jemand habe dem reichen Mann erzählt, wie lustig er sei und wegen der vielen Kunststücke, die er könne, und der reiche Mann möchte noch einmal lachen, bevor er sterbe.

Und schon fing Jankel auch an, aus dem Bauch zu sprechen, ohne die Lippen zu bewegen, verdrehte die Augen nach verschiedenen Seiten und drückte die Kniekehlen nach rückwärts wie halbe Reifen und bellte wie ein Hund und griff nach uns und muhte wie eine Kuh und krähte wie ein Hahn, und alle lachten, und Vater fragte, wann er zurückkäme, und Jankel beendete jetzt das Schnitzen des duftenden Weichselstockes und schaute nicht mehr Vater in die Augen, und seine Stimme wurde plötzlich ernst und traurig, und er sagte: »Ja, wann? Der alte Mann hat Kammern voll mit Gold« – und nach dem Tod des Mannes, sowie er mit dem Zählen fertig wäre, käme er zurück in einem Vierpferdegespann und mit einem Wagen voll Gold als Geschenk für den Vater. Und er nahm das Köfferchen und sagte, er käme bald zurück, um Abschied zu nehmen, und verschwand.

Und er kam nie wieder zurück, und wir haben nie wieder was von ihm gehört, und wenn jemand nach ihm fragte, pflegten wir zu sagen: »Oh, Jankel, der ist sehr glücklich, er beerbte einen Millionär im weiten Ungarnland und sitzt nun da in Sammet und Seide gekleidet und zählt die Kammern mit Gold, und wenn er fertig damit ist, kommt er heim und nimmt uns alle zu sich, um uns glücklich zu machen.« Wir haben unser Leben lang auf Jankel gewartet; er hat nie geschrieben und wir haben nie wieder von ihm gehört.

Abrum, der Zweitälteste, ging eines Tages mit Fuhrleuten nach Lemberg und blieb dort. Nach einiger Zeit kam er heim, städtisch gekleidet, mit Geschenken, lächelte glücklich und zufrieden und bat Vater, mit ihm zu kommen, denn er habe eine Braut gefunden und wolle den Leuten zeigen, dass auch er nicht unter einem Stein geboren sei, und Vater sollte ihm die Hochzeit verschönen. Vater war gerührt und stolz, zog seine Sabbatkleider an und fuhr mit zur Hochzeit. Kam dann zurück und erzählte Wunder über Abrums hübsche Frau, und wie groß Lemberg sei, und dass Abrum mit Obst handelte und mit angesehenen Leuten verkehrte, und niemand nannte ihn dort beim Spitznamen und niemand lachte über ihn, wenn er sprach, und alle Leute lebten freundlich miteinander und verdienten besser, und jeder war beschäftigt, und man hatte nicht so viel Zeit wie in Horodenka, einander zu beklatschen und übereinander zu spotten. Jawohl, Lemberg war eben eine Riesenstadt. Vaters Erzählung machte einen so großen Eindruck auf uns, dass jeder im Stillen eine Sehnsucht bekam, zu entkommen, zu entfliehen in die großen Städte, wo jeder beschäftigt war und freundlich, und keine Zeit für Tratsch und Spott.

Nun waren also die vier ältesten Brüder fort: Schmiel als Erster, Schachne Eber, der Älteste, blieb im Dorf. Jankel ging seine Millionen zählen, und Abrum heiratete in Lemberg.

Mit der Eröffnung der Bäckerei kam auch die Schwester Rachel heim. Sie sagte, sie sei bei Vaters Schwester Tante Taube in Wiznica und lerne Modistin, und sie konnte auch wirklich aus Draht und Stoff und Stroh lustige Hüte machen. Niemand sprach mit ihr über ihren Freund Iwan. Alle waren froh, dass sie zu Hause war und der Familie einen schlechten Ruf ersparte. Sie war jetzt erwachsener und hübscher; jeden Sonnabend war das Haus voll von ihren Verehrern, die, um eine Ausrede zu haben, versuchten, sich mit den Brüdern anzufreunden.

Wir litten darunter, denn wir sprachen ja selbst schlecht über andere Mädchen, die mit Burschen herumzogen. Wir waren, teils als Brüder, teils als angehende Männer, besorgt um den guten Ruf der Familie und teils richtig eifersüchtig. Und sie kümmerte sich einen Dreck um uns. Sie lachte nur und winkte mit ihren leuchtenden schwarzen Augen und zeigte ihre schneeweißen großen Zähne und ihr rundes Gesicht, das immer die Farben wechselte, mit den zwei tiefen Grübchen. Sie lachte und wieherte über jede Dummheit, jedes Wort, wie ein wildes Füllen.

Wir litten darunter und hassten sie beinahe, denn wir hörten die Burschen schmutzige Bemerkungen machen über andere Mädels. Und wirklich, eines Tages hörten wir einen Burschen genau so eine Bemerkung über unsere Schwester machen. Mit Steinen schlugen wir ihm ein Loch in den Schädel, kamen heim, packten und rissen voller Wut unsere hübsche Schwester an den Zöpfen. Vater kam hinzu, trennte uns; wir weinten, Rachel weinte, wir erklärten, dass wir keine Schwester haben wollten, die eine Hure wäre! Vater bestrafte uns und sagte, so was dürfe man nicht einmal denken, das sei in unserer Familie ausgeschlossen, und wir sprachen nie mehr darüber.

Aber auch Rachel schien jetzt vorsichtiger zu sein, denn Vater war mit ihr spazieren gegangen und hatte ein langes Gespräch mit ihr gehabt. Sie saß nun in unserer Bude auf dem Markt und verkaufte das Gebäck, das wir Kleinen in Körben von der Bäckerei brachten. Einige Zeit später fanden wir bei unserer Schwester Rachel Taschentücher mit einem Spruch bestickt, ihrem Namen und dem Namen des Burschen, mit dem sie im Geheimen eine »Liebe« spielte. Es gab wieder einen Krach und sie brannte endgültig zur Tante nach Wiznica durch.

Der älteste Bruder zu Hause war jetzt Leibzi. Es arbeiteten bei uns noch zwei fremde Gesellen. Einer hieß »das Fässchen«. Er war dick und kräftig, bekam jede Woche einen Gulden fünfzig mit Kost und Quartier. Das Quartier war in der Mehlkammer im Sommer und auf dem Ofen im Winter. Da pflegten wir alle durcheinander zu schlafen. Ich beneidete das »Fässchen« um seine Freiheit und Unabhängigkeit. Er beendete seine Arbeit und ging spazieren und hatte Geld und konnte sich kaufen, was er wollte, während Vaters eigene Kinder viel mehr arbeiteten und gar kein Geld bekamen. Ich guckte ihm bei der Arbeit seine Geschicklichkeit ab, und nach einiger Zeit war ich der flinkeste Kipfeldreher und Kaisersemmelklopfer.

Leibzi war nun sechzehn Jahre alt, sah aber älter aus, denn er war groß und breit, aber schwerfällig. Er fing erst mit fünf Jahren zu gehen und zu sprechen an, er war das fetteste Kind in der Familie. Er war hellblond und machte sich nichts aus gutem Anziehen, aber er liebte zu essen und kochte sich nachts, wenn die anderen noch schliefen, verschiedene gute Sachen, die er mit mir teilte. Er war schweigsam, stritt nie mit den anderen, gab auch alles gern weg, er war der Gutmütigste von allen. Man sagte von ihm, er habe keine Galle, und zwischen ihm und mir bestand schon seit dem Typhus eine enge Freundschaft. Wir ergänzten uns: Ich liebte seine schwere Art, und er mochte meine Flinkheit.

Ich war der Einzige, der wusste, dass er Freitagabend nach dem Essen ins Bordell ging, immer mit anderen Geschenken, und manchmal schickte er mich auch wochentags mit seidenen Strümpfen, einem bunten Kopftuch oder Schokolade zum kleinen Hurenmädchen Salka, das er heiß und still liebte. Ich pflegte ein Brieflein zurückzubringen, das ich ihm vorlas, denn er konnte weder lesen noch schreiben, und ich setzte die Antworten selber aus einem Briefsteller auf. Ich konnte drei Briefsteller auswendig und mein Bruder bewunderte mein reiches Wissen. Ich stahl auch immer Geld und steckte es ihm zu. Wir hatten ein großes Geheimnis und wir ergänzten uns auch darin: Ich bewunderte seine Erwachsenheit, seine Männlichkeit, und er meine Schlagfertigkeit und die schönen Briefe, die ich für ihn schrieb. Eines Tages wurde Salka krank, ging ins Spital und von dort in eine andere Stadt. Mein Bruder Leibzi wurde noch wortkarger und fing an abzumagern.

Eines Nachts, wir waren beide wach und er briet gerade auf den Kohlen ein Stück Leber, sagte er, er hätte ein Geheimnis, und ich müsste diese Woche mindestens zwei Gulden stehlen. Ich tat es, und am Sonnabend nach dem Essen flüsterte er mir zu, ich sollte auf Umwegen zum Gerichtsgebäude kommen und ihn dort treffen. Ich kam mir so wichtig und geheimnisvoll vor und war schon vor ihm da. Von dort gingen wir bis zum Rande der Stadt, und als wir das letzte Haus hinter uns hatten, setzten wir uns in den Graben, und er sagte, er halte es nicht mehr zu Hause aus, alle erwachsenen Burschen wanderten aus, und er ginge auch weg. Und dann weinten wir ein bisschen, und er versprach, mich überallhin kommen zu lassen, wo er sein würde, und es wäre gut, dass er, der Große, als Erster ginge und sich auch für mich umgucken könnte. Dann küssten wir uns, und ich stand wie erstarrt und traute meinen Augen nicht. Er ging und drehte sich um, dann winkte er mit dem Hut, dann wurde er immer kleiner, und ich schaute ihm so lange nach, bis er so klein war wie ein Stückchen Bleistift und verschwand.

Und ich ging ganz gebrochen heim, und als es Nacht wurde, ging ich in die Bäckerei und tat von selbst seine Arbeit, rührte den *Sauer* an für den Brotteig und den *Taufel* für die Semmeln, und als Vater nachts zur Arbeit kam und merkte, dass Leibzi weg war, sagte er nur: »Meine lieben Kinder sind wie die Vögel, sobald sie Federn kriegen, fliegen sie davon, ohne dem Vater ein Wort zu sagen – vielleicht muss das so sein.«

Und ich schämte mich mit meinem Geheimnis und tat nun

jeden Tag Leibzis Arbeit und sehnte mich im Stillen auch hinweg. Ein halbes Jahr später kam von Leibzi eine Postkarte. Vater setzte die Brille auf und las laut: »Lieber Vater, ich habe dir nicht geschrieben, weil du mir doch das Lesen und Schreiben nicht beigebracht; jetzt habe ich ein feines Mädchen kennen gelernt und sie schreibt für mich. Ich arbeite in Stanislau beim Bäcker Seybold und bin Gott sei Dank gesund. Hoffe, dasselbe von dir zu hören. Dein treuer Sohn Leibzi«. Vater nahm die Brille ab, steckte sie in die Schatulle, und zwei große Tränen kullerten über seinen Bart. Ich sah ihn zum ersten Mal weinen.

So wurde die Familie immer kleiner, aber die Armut größer. Wir hatten nun des Bruders Mitgift verbacken und konnten die Bäckerei nicht mehr führen. Wir waren bankrott. Und wir wuchsen – ich verließ bald die Schule und wurde Geselle bei einem anderen Bäcker, unserem ehemaligen Konkurrenten; aber mir gefiel es besser. Ich wurde selbstständig und fühlte nun mit zehn Jahren, dass ich mich ernähren konnte. Und das war ein Trost, der mir im Leben sehr viel geholfen hat.

16
Mein Bruder Schmiel mit der reichen Phantasie kommt zurück

Einige Jahre vergingen nach Schmiels Flucht, und kurz bevor wir das Dorf verließen, kamen Bauern eines Abends und sagten, sie hätten Schmiel auf dem Pferdemarkt gesehen. Dann kam Onkel Leiser gratulieren, er hätte Schmiel auf dem Jahrmarkt gesprochen, ob er schon zu Hause wäre. Dann kamen einige Burschen, seine Altersgenossen und Freunde, sie hatten Schmiel auch auf dem Markt gesehen und wollten ihn sprechen. Elikune von der Dorfschänke kam auch gratulieren und wollte Neuigkeiten hören, die Schmiel aus der weiten Welt mitbrachte, er hatte ihn auch auf dem Markt gesehen. Die Stube war vollgepackt, alle warteten; wir waren alle sehr aufgeregt und blieben lange auf – und kein Schmiel kam. Aber in derselben Nacht ist aus Jus Fedorkiws Stall sein bestes Pferd, die dreijährige Stute verschwunden. Im Dorf gab es große Aufregung und auf dem nächsten Jahrmarkt erkannte Jus Fedorkiw beim Pferdehändler Mendel Spierer sein Pferd. Spierer erzählte, er habe das Pferd von einem Sohn der Gronachs gekauft, der ihm heute die Papiere bringen sollte. Er hatte also keine rechtlichen Unterlagen für den Kauf; es gab großen Krach. Der älteste Bruder, Schachne Eber, der immer über den guten Ruf der Familie wachte, setzte sich mit dem Pferdehändler und Jus Fedorkiw in eine Schänke, sie tranken mehrere Glas Bier und besprachen alles friedlich und einigten sich, gemeinsam den Schaden zu tragen. Und Fedorkiw bekam seine Stute zurück, und die Sache war vergessen.

Jetzt war es schon mehrere Jahre her; wir wohnten in

Horodenka und so ganz klar war ja die Pferdegeschichte nicht. Jetzt kam Schmiel heim. Er war einundzwanzig Jahre alt und musste sich der Militärkommission stellen. Er war sehr elegant angezogen, trug einen schönen Pelzmantel mit Persianerkragen, hatte Reithosen an mit braunen Stiefeln wie ein Kavallerie-Offizier, und sonnabends trug er einen schwarzen Anzug mit Lackschuhen und feine Lederhandschuhe, die er meistens in der Hand hielt, damit man die vielen Ringe an der Hand sehen konnte, und dann trug er immer einen braunen, aus Leder geflochtenen Stock. Sein Lockenkopf war jetzt gescheitelt und den grünen Sammethut setzte er immer etwas zur Seite, dass die große Locke auf der linken Stirnseite zu sehen war. Und zu alledem behauptete er, er könne nicht mehr Jiddisch sprechen, sondern nur Deutsch. Er sprach zu allen deutsch, sogar zur kleinen Mama, die ihn bat, doch wenigstens zu ihr, wenn niemand dabei war, einfach jiddisch zu sprechen, damit sie ihn besser als ihr Kind erkenne. »Nein Mutter«, behauptete er, »nix jiddisch, ich von Mislowitz (Mislowitz ist ein kleines Kaff neben Mährisch-Ostrau, im alten Österreich), wo nur sprechen daitsch.« Er hatte auch eine dicke Brieftasche, vollgepackt mit Banknoten, die er voller Stolz zeigte, wobei er lächelnd behauptete, er könnte sich nun sogar ein Gut kaufen. Auf dem ersten Jahrmarkt kaufte er sich auch ein schönes Pferdchen und ritt den ganzen Tag in der Gegend herum und sprach »daitsch«.

Eines Tages hatte er die Brieftasche zu Hause liegen gelassen, und die Schwester Rachel wollte sehen, wieviel Millionen unser Bruder heimgebracht hatte und schaute nach: Da waren fünfundsechzig Kronen richtiges Geld drinnen und sehr viele Tausendkronenscheine. Diese aber waren nur auf einer Seite als Tausendkronenscheine bedruckt und auf der andern Seite konnte man in großen Lettern lesen: »Genausoviel ist ein Glas Pilsener Bier wert, das wir für nur fünf Kreuzer verkaufen. Gasthaus zur Glocke in Mislowitz.«

Das Geheimnis verbreitete sich noch am selben Tag durch die Untergassen, und alle freuten sich, dass nicht einmal in

Mislowitz die Millionen frei herumlagen, und unser Bruder, der bis jetzt den Spitznamen »Pferdeschmiel« geführt hatte, wurde jetzt umbenannt in »der Daitsch mit den Millionen«. Vater schmunzelte und meinte, es wäre nur die erste Zeit, es würde sich schon geben, Schmiel würde wieder Jiddisch lernen und sich daran gewöhnen, dass man in Horodenka auch ohne Millionen leben könnte.

Wir hatten in der Stadt eine entfernte Verwandte, die wir die Tante Henje nannten. Sie handelte mit Gänsen und Hühnern und hatte drei erwachsene Kinder, zwei verheiratete Söhne, einer war Lastkutscher, der andere Lastenträger, zwei große, breite Kerle, und eine große, etwas beschränkte Tochter. Eines Sonnabendnachmittags ging Schmiel mit ihr außerhalb der Stadt spazieren, wurde müde und legte sich mit ihr ins Getreidefeld, um auszuruhen. Am späten Nachmittag sah man sie durch die Untergassen gelaufen kommen und weinen und schreien. Bald war ein Auflauf vor Tante Henjes Haus. Man hörte die Tochter nur jammern: »Mama, Schmiel, im Feld, hat mir was angetan! Mama! Hilf! Ich bin so unglücklich!«, und kaute an ihrem Taschentuch und weinte und schluchzte.

Die Tante Henje schickte nach meinem Vater, die Leute wurden gebeten, nach Hause zu gehen, und die Tante und der Vater unterhielten sich lange sehr ernst, besorgt und friedlich. Vater kam nach Hause und sagte, der Schmiel hätte von den »Daitschen« ein schlechtes Benehmen mitgebracht. Man wartete und wartete, und endlich kam auch Schmiel nach Hause. In der Stube war es schon dunkel, aber man konnte kein Licht machen, denn es waren noch keine Sterne am Himmel, Sabbat-Übergang. Vater fing an: »Höre, mein Sohn, ich habe nichts gesagt, als du dein dummes ›Daitsch‹ plappertest, ich habe nichts gesagt, als du mit bedruckten Fetzen den Millionär spieltest, ich habe dich nie um die Pferdegeschichte gefragt – aber wenn du glaubst, dass deine Reithosen und dein Pelz und deine Lackschuhe dir das Recht geben, dich wie ein Halunke aufzuführen, dann irrst du dich. Ich werde dich mit deinem Ochsenziemer so lange schlagen, bis du wieder Jiddisch sprichst und deine bedruckten Schwindelpapiere vergisst, oder ich lasse die Tante Henje rufen, und wir feiern heute Abend Verlobung mit ihrer Tochter.« Und Schmiel fing bitterlich zu heulen an und zu gestikulieren, er gab nur stumme Laute von sich, riss sich an der Zunge, und alle waren erstarrt. Nun riss er sich selber am Kopfhaar und schlug sich an die Brust; jetzt wurde auch schon Licht gemacht. Vater gab ihm Bleistift und Papier, und Schmiel schrieb mit zitternder Hand, er könne nicht sprechen, er sei stumm und bitte um Hilfe. Man solle nach dem Arzt schicken.

Die Tante und ihre Tochter mit dem Getreidefeld waren plötzlich vergessen. Der Doktor Kanfas kam, beklopfte Schmiel, untersuchte ihn, fummelte in seinem Mund herum, massierte seine Schläfen – das Haus war voll von Leuten. Draußen stand die Menge, alle wollten den schönen Schmiel mit dem Lockenkopf, den »Daitsch mit den Millionen« sehen, den der Liebe Gott so schnell mit Stummheit geschlagen hatte. Der Arzt ließ sich zwei Gulden bezahlen und meinte, da der Schmiel ein wohlhabender Mann sei, bestände keine große Gefahr. Er werde nun jeden Tag kommen und inzwischen an einen großen Professor nach Wien schreiben und seinen Rat einholen; möglicherweise sei es nur eine Erkältung der Sprechadern, und er wollte morgen wiederkommen. Er legte Schmiel ins Bett und ließ ihm heißen Schnaps mit Pfeffer geben, damit er schwitze und sich alles in ihm löse, und schickte alle Leute weg und ging selber auch. Schmiel wälzte sich stöhnend, heulend und schwitzend im Bett und schlief ein.

Am nächsten Morgen war er kreidebleich und alle guckten auf ihn voller Mitleid. Vater half ihm in die Kleider und wir gingen alle zum Wunder-Rabbi beten. Beim Rabbi war es vollgepackt. Er ließ sich vom Vater alles erzählen und behielt dabei immer den Schmiel im Auge. Der Rabbi sagte nun zu dem blassen und ängstlichen Schmiel das Folgende: »Schmiel, Sohn des Aaron, höre! Im Angesicht der Gemeinde, deines Vaters und unser aller Vater, der in unseren Nöten immer mit uns ist, fordere ich dich auf, jetzt mit deinem ganzen Herzen und deiner ganzen Seele zu beten.« Und unser Bruder bekam feuchte Augen und der Rabbi sagte: »Ich sehe Tränen in deinen Augen, so haben unsere Worte Anklang in deinem Herzen gefunden und ich weiß, dass du jetzt fromm und ehrlich bist. Lasst uns anfangen«, wandte er sich zur Gemeinde und fügte nur hinzu: »Jidden helft ihm so *davenen* heute, dass die Tore des Himmels sich öffnen mögen und unser Gebet erhört wird.« Und der Vorbeter fing an und alle fielen mit Inbrunst ein, die Gemeinde steigerte sich in frommer Andacht, die Köpfe nach oben gewandt, mit geschlossenen Augen waren alle bald in Ekstase. Und als jetzt der Vorbeter ausrief: »Höre, Israel, o Herr, unser Herrscher, o Herr, der Einzige!«, und alle in frommer Begeisterung diesen himmlischen Ausruf wiederholten, hörten wir auch unseres Bruders Stimme aus dem Chor herausklingen. Und der Rabbi rief: *»Mazl Toff, Mazl Toff«*, und ließ das Gebet abbrechen. Schmiel aber fing an, Zeichen zu machen, er sei immer noch stumm, da sagte der Rabbi: »Ich und mit mir die ganze Gemeinde haben dich eben laut sprechen hören; aber wenn es dir Spaß macht, uns zu erzählen, dass du noch immer stumm bist, so tue es, mein Sohn. Die Hauptsache ist, dass deine Eltern, die Gemeinde, die dir jetzt geholfen haben, es wissen, dass du Gott sei Dank sprechen kannst, und niemand braucht mehr besorgt um dich zu sein.«

In der Zwischenzeit wurden die Gebetsmäntel und *Tfilim* zusammengelegt, und alle setzten sich an den großen Tisch, und Schnaps mit Honigkuchen und Eierküchel wurden serviert. Der Rabbi ließ Schmiel ein Glas geben und nahm selber ein Glas. Sie hatten ihre Gläser in der Linken, und der Rabbi reichte Schmiel seine rechte Hand, und alle schauten und horchten gespannt. Da sagte der Rabbi: »Gott soll dir helfen, dass deine Zunge dir immer gehorchen soll wie jedem frommen Menschen«, und unser Bruder sagte laut und vernehmlich: »Amen Rabbi.« Und Freude und Begeisterung brach aus, und man saß noch lange zusammen.

Jahre vergingen. Ich lebte schon in Berlin, und Schmiel fuhr nach Amerika, über Hamburg, und besuchte mich auf der Durchreise. Er konnte kein Wort Deutsch sprechen. Ich fragte ihn, wie das eigentlich komme, er sprach doch zu Hause so fließend diese Sprache, dass man ihn den »Daitsch« nannte, worauf er meinte, er spräche »Mislowitzer Dialekt«. Viele Jahre später kam ich nach Amerika, und mein Bruder hieß Sam und war ein reicher Mann mit großen, erwachsenen Kindern, alle in Amerika geboren, die frei und bezaubernd waren, wie es nur die Amerika-Jugend sein kann. Und er erzählte immer noch Räubergeschichten wie damals, und seine echt amerikanischen Kinder glaubten ihm genauso wenig, wie wir ihm seine Geschichten geglaubt hatten. Und sie liebten ihn genauso, wie wir es ja auch getan hatten. Er war nie langweilig, er hatte von der ganzen Familie die vielfarbigste Phantasie, und er glaubte selber an seine Flunkereien. Seine Kinder sprachen mit mir darüber ganz offen und meinten: »Unser Vater erzählt immer Geschichten, von denen wir wissen, dass sie erfunden sind; aber erstens ist er der beste Vater der Welt, zweitens gönnen wir ihm seinen ›fun‹, und drittens glauben wir, dass sich wohl die meisten Europäer nicht besonders an die Wahrheit halten.« Ich war gerade frisch von Europa gekommen und schämte mich ein bisschen für meinen alten Kontinent.

17
Jeder kämpft mit seinen eigenen Waffen

Vater, mein Bruder Schabse und ich arbeiteten nun in der Hofbäckerei bei Wolf Bäcker. Vater bekam den gemeinsamen Lohn für uns alle, und wir arbeiteten ungezählte Stunden. Wir fingen Sonnabend an und es ging durch mit Unterbrechungen von einigen Stunden Schlaf bis Freitagnachmittag. Freitagnachmittag gingen wir ins Dampfbad und schliefen Freitagnacht zu Hause, hatten Sonnabend frei, und Sonnabendabend gingen wir wieder hin bis zum nächsten Freitagnachmittag.

Ich konnte nun das Fach wie ein richtiger Geselle und trug mich mit dem Gedanken, durchzubrennnen. Es waren die großen Feiertage, da kamen die jungen Burschen aus den verschiedenen Städten, wo sie arbeiteten und Geld verdienten, nach Hause. Sie kamen heim, gut angezogen, und erzählten, dass es überall in der Welt viel schöner sei als in Horodenka. Der Bruder von meinem Schulfreund Rosenkranz kam aus Czernowitz und hatte nicht nur einen blauen Anzug mit Streifen, er trug auch einen hohen Stehkragen mit einer bunten Krawatte, einen grauen, hellen Sammethut und Schuhe aus feinem Kalbsleder, und an den Absätzen hatte er zwei runde Gummirädchen, die in Horodenka eine Sensation waren. Diese Gummirädchen waren hübsch und praktisch; wenn man sie abgetragen hatte, erzählte er, konnte man für ein paar Heller andere kaufen, und die Schuhe bleiben neu, und man ging auf ihnen wie ein Tänzer, ohne jegliches Geräusch. Diese Gummirädchen regten mich so auf, dass ich mit meinem Schulfreund immer seinem Gummibruder folgte und ihn bewunderte und beneidete. Es waren ja nicht nur die Gummirädchen; alles an ihm, wie er ging, wie er den Mädchen zuwinkte, die geölte, glänzende Locke auf der Stirn und das immer überlegene, selbstzufriedene »Czernowitzer Lächeln«, das er heimbrachte, zusammen mit den grauen Handschuhen, regten nicht nur mich, sondern ganz Horodenka auf. Die Feiertage waren um, und er ging zurück nach Czernowitz, aber seine Gummirädchen blieben in der Luft. Ich konnte sie direkt sehen und hören, sie flüsterten immer: »Hau doch ab, du kannst uns ja auch haben, aber nicht in Horodenka.«

Eines Sonnabendnachmittags waren wir so weit: Mein Schulfreund Rosenkranz, der Bruder der Gummirädchen, und ich zogen zwei Hemden und den Wochentags- und *Schabbesanzug* übereinander an und gingen los in Richtung Kolomea. Wir hatten starkes Herzklopfen, und gegen Abend kamen wir am Heimatdorf Werbiwizi vorbei und beschlossen, bei der Tante Feige zu übernachten, nicht bei meinem ältesten Bruder, denn der hätte uns abgefangen und zurück nach Hause geschickt. Am nächsten Morgen standen wir sehr früh auf, stopften unsere Taschen voll mit grünen Gurken aus dem Garten und gingen los. Als wir schon eine halbe Stunde auf der Landstraße wanderten, hörten wir jemanden uns nachrufen.

Oh, es war die Tante Feige, bei der wir übernachtet hatten, die niemals lächelte, die immer salzlose dünne Suppe aufwärmte – nichts schmeckte bei ihr –, sie machte aus allem Suppe, ich glaube, sogar aus alter Wäsche und Fetzen, und immer war noch Suppe von gestern und von vorgestern da, sie wärmte sie auf, sie kochte nie frische. Wir fragten uns, wann hat sie eigentlich das gekocht, was sie immer zum Aufwärmen hatte? Wir nannten sie die »aufgewärmte Tante«, denn genauso hat sie ausgesehen! Aufgewärmt! Dünn und von vorgestern! So erreichte uns nun die »Aufgewärmte« und durchsuchte unsere Taschen und fand die Gurken und sagte, sie dachte, wir hätten Eier gestohlen, und ließ uns die Gurken und ging. Ich habe mich vor meinem Freund so geschämt, dass ich der Wassertante diese Schmach nie vergessen habe, sogar heute noch nicht.

Nach einem halben Tag Wanderung erreichten wir das Städtchen Gwozdziez, das noch kleiner war als Horodenka. Da hatten wir den ersten großen »Hunger in der Fremde« und verkauften, ohne viel zu überlegen, unsere guten Anzüge, kauften frisches Brot und Topfen und Butter und Milch, und aßen und tranken und waren plötzlich guter Laune und hatten Geld und holten aus und wanderten weiter, und abends waren wir in Kolomea. In Kolomea ging ich gleich von einer Bäckerei zur andern, sagte zum ersten Mal das Bäcker-Losungswort: »Uschitz«. Und die Gesellen antworteten: »Lemschitz«. Heute glaube ich, dass diese zwei Solidaritätsworte ursprünglich hießen: »Ohneschutz« und »Nimmschutz«. Die Bäckergesellen pflegten immer zu »reisen«, besonders im Sommer. Im Winter hielt man sich irgendwo für einen kleinen Lohn auf, aber gleich im Frühling konnte man hunderten von Bäckervögeln auf der Landstraße begegnen, und man rief sich zu: »Uschitz«, und bekam die Antwort: »Lemschitz«, und fühlte eine heimische Bäckerwärme und Solidarität auf der Landstraße. Die Bäckergesellen, die ich jetzt besuchte, sprachen zu mir wie zu einem Erwachsenen, erkundigten sich nach dem und jenem und gaben mir Brot und Auskunft, wo eine Stelle frei wäre. Sie schickten mich gleich zu einem kleinen Bäckermeister, der vom Städtchen Jablonow, einem Nest nicht weit von Kolomea, kam und eine jugendliche Hilfe wie mich suchte. Der Mann, der einst bei uns als Geselle gearbeitet, mietete mich für zwanzig Gulden im Jahr mit Kost und Quartier. Schlafen auf dem Ofen, zwei Mahlzeiten am Tag und zwei Kreuzer für das Frühstück, »etwas zum Brot zu kaufen«. Ich dachte gleich an die schönen Sachen, die ich mir dann zu Ostern würde kaufen können, und besonders an die Gummirädchen! Auch mein Freund Rosenkranz bekam einen Posten in Kolomea als Kommis in einem Fachgeschäft, mit viel weniger Gehalt, aber Kommis war auch ein feineres Fach.

Jablonow liegt schon am Fuß der Karpaten. Und als ich die erste Nacht gearbeitet hatte und frühmorgens die ersten zwei Kreuzer bekam, mir etwas zum Brot zu kaufen, und als ich auf dem Marktplatz schöne, frische Blaubeeren von einem *Huzul,* einem Karpaten-Bauern, einhandelte, sah ich plötzlich den Rücken eines Mannes, der gerade von einer Fuhre abgestiegen war und sich umguckte; nun erkenne ich diesen breiten Rücken, es ist ja mein geliebter Vater! Ich renne zu ihm, und er nimmt meine zitternde Hand und sagt still und warm: »Geh, mein Kind, zieh dich an, ich warte hier.«

Ich war in fünf Minuten zurück, wir setzten uns in den Wagen – es war das Eingespann vom Bruder Schachne Eber, das er sich ausgeliehen hatte, und wir fuhren. Er ließ mich kutschieren, denn er wusste, wie gern ich das tat. Nun sprachen wir den ganzen Weg über die Karpaten-Berge, über die gute schwarze Erde, was für hübsche Kinder der älteste Bruder im Dorf hatte, über die Preise in den Städten, und dass er beabsichtige, demnächst nach Czernowitz zum Wunder-Rabbi zu gehen. Mein Vater sprach mit mir an diesem Tag über tausend Sachen, nur kein einziges Wort über meine Flucht. Gelobt sei sein Andenken!

Als ich zurückkam, ging ich zu Jossie Bones arbeiten. Er war einst bei uns Geselle gewesen und später arbeiteten wir zusammen bei Wolf Bäcker, und nun hatte er geheiratet und sich selbstständig gemacht. Er war selber ein erstklassiger Arbeiter und ein feiner Kerl und mochte mich besonders. Er zahlte mir jede Woche einen Gulden mit Kost und Quartier, und ich führte selbstverständlich das Geld zu Hause ab.

Mit mir arbeitete ein Junge aus dem Städtchen Obertyn; er war in meinem Alter, niemand wusste, wie er hieß, man nannte ihn »die Obertyner Maus«. Als wir uns sahen, da gab es Hass auf den ersten Blick. Er war etwas größer als ich, aber dünn, und hatte eine lederne, braun-grünliche Haut mit Runzeln wie ein junger Greis, einen dünnen, spitzen Mund wie eine Maus und besabberte sich, wenn er aß, und war klebrig wie ein Wurm und widerlich wie eine kranke Ratte. Er fand alles schlecht, nichts gefiel ihm in unserer Stadt, die Häuser gefielen ihm nicht, die Menschen gefielen ihm nicht. Er lachte niemals und an mir hatte er immer etwas auszusetzen. Er verpetzte mich bei jeder Gelegenheit beim Chef, besonders versuchte er immer bei der Chefin sich »lieb Kind« zu machen. Er half ihr in der Küche, beim Aufräumen der Stube, sogar bei den Kindern, und sie mochte ihn auch und hörte auf seine Tratschereien und genoss es, dass ich, bei dessen Vater ihr Mann gearbeitet hatte, nun bei ihr in Stellung war.

Eines Nachmittags, als wir nach beendeter Arbeit auf dem Erdboden zwischen dem Ofen und einer Wand uns schlafen legten, fing er an, mir zuzusetzen, mich zu kritisieren, dass ich mich schon putze, und dass ich eingebildet wäre, und dass ich erwachsen sein möchte, und dass ich den Mädchen schon nachguckte, und dass ich ganz klein bleiben würde wie ein Liliput und nicht mehr wachsen würde und verhöhnte mich so. Ich sagte zu ihm: »Höre, du Obertyner Maus, falls du nicht aufhörst, ein für alle Mal, mich nicht in Ruhe zu lassen, dann wirst du es bereuen.« Er: »Was kann schon so ein ungeschlachter Grobian wie du mir antun?« Ich: »Ich kann dir dein Mausgesicht verunstalten.« Er: »Deine Pfoten werden dir erlahmen, falls du mich anrührst.« Ich: »Ja? Aber erst werden sie dir dein dreckiges Genick abdrehen.« Er: »Ach, der Teufel soll in deinen Hurenvater fahren.« Nun knallte ich ihm eins in sein widerliches Gesicht. Er wusste, wie ich meinen Vater liebte, er wusste, dass ich einst mit einem Beil auf einen Mann losgegangen war, der meinen Vater angegriffen hatte. Er schlug nicht zurück, sondern sagte ganz ruhig noch einmal: »Der Teufel in deinen Vater!« Ich klebte ihm die zweite Ohrfeige. Und er sagte wieder, in unverändertem Ton: »Der Teufel in deinen Vater!« Und ich schlug ihn wieder ins Gesicht, und nun ging alles viel schneller, er wiederholte den Fluch, und ich schlug auf ihn ein. Jetzt ging es schon ganz mechanisch, wie ein Räderwerk: Fluch und Schlag, Schlag und Fluch, Fluch und Schlag! Immer schneller, wir warteten nicht mehr aufeinander, er verfluchte meinen Vater ohne Unterbrechung, und ich schlug auf ihn ein ohne Unterbrechung.

Ich fing an, müde zu werden und ihn zu beobachten und an andere Dinge zu denken, aber die Flüche und Schläge wechselten weiter. Er hatte offene Augen ohne jeglichen Ausdruck und war besabbert um den Mund und um die Nase und wiederholte etwas leiser jetzt, mechanisch, denselben Fluch, und ich schlug auch schon schwächer und mechanisch auf ihn ein und dachte: »Wird er sich denn bis morgen so schlagen lassen?« – »Aber«, dachte ich, »er wehrt sich ja, er schlägt ja zurück mit dem Fluch, das ist ja sein Sich-Wehren, das ist ja seine Waffe.« Ich fühlte plötzlich eine Müdigkeit und einen Ekel, als ob ich in einen Dreckhaufen hineinschlüge, in einen Haufen klebriger Würmer, meine Hand wurde nass von seinem Sabber, und ich war nun müde, dieselbe Bewegung zu machen, und schlug weiter, schwächer, und dachte, was ich fühlen würde, wenn ich in einer fremden Stadt allein wäre, niemand hätte, und jemand mich so schlagen würde, und ich so eine braun-grünliche Haut mit Runzeln hätte wie er, und ich so ein spitzes Mausgesicht hätte wie er – und schlug nicht mehr, und schloss die Augen, und war nun wie er in einer fremden Stadt allein und fühlte mich elend und schmutzig und besabbert und krank und hilflos und unglücklich und einsam und drehte mich mit dem Gesicht zur Wand und zitterte am ganzen Körper, und es schüttelte mich, und ich heulte und schluchzte sehr lange. Dann war ich ruhig und schämte mich, und er lag noch immer da, bewegungslos, mit offenen Augen, ohne jeglichen Ausdruck, und ich stand auf und ging weg und kam nicht mehr zu Jossie Bones zurück.

Viele Wochen vergingen und noch hatte ich ein stumpfes Holzgefühl in meiner rechten Hand; ich hatte ein Gefühl, als ob sie immer noch schmutzig sei von den Schlägen und dem Gesabber. Ich musste immer an den kleinen, heimatlosen sechsjährigen grindigen Jungen denken, der bettelte und immer von den andern Jungens geprügelt wurde. Wenn man ihn schlagen wollte, pflegte er zu sagen, in seiner etwas lispelnden und verquatschten Kinderart: »Wenn du mich schlägst, kommt in der Nacht meine tote Mutter mit ihren furchtbar langen, dünnen Fingern und Nägeln und erwürgt dich.« Das wirkte dann einige Tage, aber da keine tote Mutter zum Würgen kam, wurde er von den Kindern wieder geschlagen, dann sagte er wieder: »Wenn du mich jetzt schlägst, kommt mein toter Vater, der Schlächter war und das längste Messer der Welt im Himmel hat, und schlachtet dich.« Aber auch das wirkte nur eine kurze Zeit und er bekam wieder Schläge. Dann pflegte er zu sagen: »Wenn du mich schlägst, stinke ich«, und das war Realität. Denn das konnte er wirklich, und das tat er, und man ging von ihm weg und ließ ihn in Ruhe – denn es ist schon so in der Welt: Jeder kämpft mit seinen eigenen Waffen.

18
Menschen und Liebeserwachen in Horodenka

Da lebte auch die Familie Gloger in Horodenka. Sie wurden genannt die Jerischkes, nach dem alten, achtzigjährigen Stammvater Jerichem. Der Alte hatte immer ein fröhlich gerötetes Gesicht vom letzten Schnaps, den er gerade hinter die Binde gegossen hatte. Er hatte kleine, verschmitzte, lustige Äuglein, die durch die herunterhängenden buschigen Brauen hindurchzwinkerten, und einen dichten weiß-gelben Bart, der vom Wind nach einer Seite verweht schien, und er wuchs auch nur nach einer Seite. Dabei sah er aus, dieser Bart, als ob er aus Flachs und Hobelspänen gemacht wäre. Er hatte acht Söhne, sieben von ihnen verheiratet, und alle waren sie Glaser und Tischler. Sie waren alle einfache, ungelernte Menschen, großgewachsen, kräftig und kühn. Horodenka zitterte vor den Glogers, besonders vor dem Jüngsten, der untersetzt, breitschultrig und herausfordernd war. Er hieß Srul Kune. Diese Glogers hatten oft Krach untereinander, besonders die Weiber beneideten sich gegenseitig, zankten immer, und manche Brüder sprachen Jahre nicht miteinander. Aber wenn einer von ihnen mit einem Fremden eine Prügelei hatte, kamen alle zu Hilfe! War aber jemand in Not und ging zu einem Gloger, so halfen sie aus vollem Herzen und gaben mit vollen Händen. Der Jüngste, Srul Kune, der Meistgefürchtete von allen, war der Hilfsbereiteste und Gutmütigste von allen. Zu seinem Freundeskreis gehörten die Tischlergesellen, die Schlächter, die Pferdehändler und die Lastenträger, die ihm blind folgten. Mit ihnen ging er oft zu den Allerärmsten, nachsehen, ob sie hungerten. Dann ging er zu den Reichen, und zwang sie mit Drohungen und Erpressungen, diesen Armen zu helfen. Die Reichen hassten ihn und schrieben anonyme Anzeigen und Beschwerden an die Bezirkshauptmannschaft gegen ihn, aber die armen und mittleren Leute liebten und bewunderten die Glogers, besonders Srul Kune. Donnerstags gingen die Ärmsten immer von Geschäft zu Geschäft betteln, und Srul Kune mit seinen Freunden erkundigte sich bei ihnen, wer gab und wer nicht gab. Einmal, an einem Donnerstag, war der reiche, geizige Herr Offenberger schlechter Laune und schmiss die Bettler raus und sagte, er gäbe nichts, und er ließe sich auch nicht mehr vom Vagabunden Srul Kune mit seiner Bande erpressen, und das ganze Städtchen sprach davon.

Freitagnachts brannte dann »zufällig« Herrn Offenbergers Haus. Jeder wusste, dass das Srul Kunes Arbeit war; alle freuten sich, aber kein Mensch sprach ein Wort darüber. Sonnabendfrüh standen viele Leute bei den brennenden Ruinen von Herrn Offenbergers Haus und Srul Kune kam mit seinen Freunden vorbei und sagte: »Ach Gott, welch eine Sünde, am *Schabbes* Feuer zu machen. Aber das hat sicher der Liebe Gott selber getan, um den Offenberger für seine Schlechtherzigkeit gegen die Armen zu strafen.« Offenberger war zwar gegen Feuer versichert, aber der Schaden war trotzdem groß. Er fing nun wieder an, Almosen zu geben, und zwar mehr als zuvor, setzte aber bei der Bezirkshauptmannschaft durch, dass neue, strenge Gendarmen nach Horodenka kämen. Und wirklich, unter den neuen Hütern des Gesetzes war einer im Range eines Feldwebels, mit hochgezwirbeltem Schnurrbart bis zu den Augen, sodass der böse Blick durch die letzten Härchen des Schnurrbartes durchschoss, dass man weggucken musste, wenn er einen ansah. Er verhaftete auch auf den leisesten Verdacht jeden, der ihm nicht gefiel, und verprügelte die Leute immer auf der Gendarmen-Station. Er besuchte oft Herrn Offenberger und wurde von ihm mit Schnaps traktiert, und er »kaufte« da viele Sachen, ohne zu zahlen und pflegte zu sagen: »Jawoll, Herr Offenberger, hier wird jetzt Ordnung geschafft.« Und er wurde immer auch von Herrn Offenberger freundlich begrüßt mit den Worten: »Grüß Gott, Herr Ordnung!« Bald wurde der Gendarm im ganzen Städtchen »Herr Ordnung« genannt. Einmal, an einem Jahrmarktstage, hatte Srul Kune eine Prügelei, und »Herr Ordnung« kam hinzu und verhaftete Srul Kune. Seine Freunde wollten ihn mit Gewalt befreien, aber Srul Kune schrie sie an, streckte seine Hände aus und ließ sich freiwillig die Handschellen anlegen und sagte nur: »Jawoll, Ordnung muss sein in Horodenka und wird sein!« So wurde er abgeführt, und das Städtchen war sehr aufgeregt, und am nächsten Tage war er entlassen und sprach kein Wort darüber.

Es vergingen keine zwei Wochen, da wurde »Herr Ordnung« eines Nachts erwischt, entwaffnet und furchtbar verprügelt, und eines seiner zwei spitzen, bis zu den Augen reichenden Schnurrbartenden abgeschnitten und er selber wie ein Paket Mist ins Spital eingeliefert. Das Gewehr aber, mit dem aufgepflanzten Bajonett, der Säbel mit der Koppel, die Tasche mit den Ketten und Handschellen und der gelben Feldwebelstroddel und der gefürchtete steife Hut mit den schwarz-blauen Federn wurden mit folgendem Brief an die Bezirkshauptmannschaft abgeliefert:

»An den Kaiser- und Königlichen Bezirkshauptmann von Horodenka!

Wir haben diese Nacht in einem Graben den Feldwebel-Gendarmen vollkommen besoffen gefunden, wo er des Kaisers Rock und des Kaisers Waffen beschmutzte; den betrunkenen Gendarmen brachten wir ins Spital zur Ernüchterung und dem k. u. k. Bezirkshauptmann liefern wir die Waffen, den Rock und den Federhut ab. Es lebe der Kaiser!

Srul Kune Gloger und Freunde.«

Bei Froim Gloger, von dem wir die Bäckerei gemietet hatten, war ein Junge in meinem Alter: Mojsche Mendel. Wir gingen zusammen in die Schule, ins *Cheder,* Obst stehlen, Hufeisen »suchen« und hatten tausend Geheimnisse. Wir erzählten uns alles, was wir wussten, alles, was wir wissen wollten und alles, was wir vermuteten. Wir hatten eine große Sehnsucht, unsere Kräfte zu entwickeln und unsere Neugierde zu stillen. Wenn wir ein frisches Graham-Brot mit Butter im Geheimen verzehrten, betasteten wir gleich unsere Muskeln und waren überzeugt, dass sie fester wurden. Wenn wir einen guten Markknochen aussaugten, glaubten wir, dass unsere Knochen dadurch stärker würden. Wenn wir Herz, Niere, Lunge oder Leber aßen, war es ganz klar für uns, dass dieselben Körperteile in uns dadurch gesünder würden. Wir glaubten aber auch, dass Starksein ohne Gescheitsein nicht genug wäre, und so fingen wir an, im Geheimen in kleinen Restaurants gekochtes oder geschmortes Gehirn zu kaufen und so unsere Gescheitheit zu entwickeln.

Zu dieser Zeit wurde in Horodenka ein Vergnügungspark angelegt, mit vielen Hütten und Bänken und Bäumen und Blumen und Wippen und Schaukeln und anderen Vergnügungen. Dieser Park wurde der »Spaziergarten« genannt. Sonnabends und sonntags und auch wochentags an den Nachmittagen konnte man da hunderte junger Burschen und Mädchen in Gruppen treffen. Erst gingen die Burschen in Gruppen und die Mädchen in Gruppen, dann sprach man und scherzte gruppenweise, dann gingen schon einzelne Pärchen, dann sagte man: der und die »gehen« oder der und die »sprechen« miteinander. Und wenn der und die eine längere Zeit »sprachen«, dann sagte man: der und die »spielen« oder »führen eine Liebe«.

Sonnabend war der Tag der großen Aufregungen. Frühmorgens gingen die Handwerksburschen in die *Schul*, aber mehr schon, um sich zu treffen, als um zu beten. Dann ging man in eine der kleinen Kaschemmen, spendierte sich gegenseitig einen Wodka, einen Imbiss, wurde heiter, besprach und beklatschte den und jenen oder die und jene, und gleich danach ging man in den »Spaziergarten«. Da war schon das junge Weibervolk, Schneiderinnen, Modistinnen, Dienstmädchen und andere. Da trafen sich schon Pärchen, da gab es schon »Romane« und Liebes- und Spottlieder und Abenteuer und Entführungen und sogar kleine Tragödien. Besonders, wenn so ein Mädchen aus den Obergassen, aus den »besseren Kreisen«, sich in so einen kleinen Handwerksburschen vergaffte und sich zu ihm aus Liebe »herabließ«. Dann mischten sich die Eltern ein, und da gab es Flucht, geheime Hochzeiten und Prozesse und Skandale und Aufregungen. Das war alles neuartig in Horodenka, denn die ältere Generation pflegte zu sagen: »Wir durften das nicht!« Plötzlich durfte man. Es war die erste Generation, die ohne Heiratsvermittler auskam. Jeder junge Bursche, der etwas auf sich hielt und für erwachsen gelten wollte, hat angefangen, mit Mädchen zu »gehen«, zu »sprechen« oder gar »eine Liebe zu spielen«.

Die Luft im »Spaziergarten« war vollgeladen mit Liebesklatsch und Tratsch. Man litt Liebesqualen, man opferte sich den Gefühlen, man litt seelisch, man posierte melancholisch. Man las Romane, die einen so aufregten, dass es einem schwindlig wurde. Da war die berühmte Geschichte vom leidenden, verzweifelten Bräutigam, der von seinem Rivalen in einem Hungerturm gequält wurde, und als er dann in höchster Verzweiflung von der Zinne des Turms heruntersprang – kam noch gerade in letzter Sekunde seine Geliebte mit einer großen Heufuhre, auf die er fiel, ohne sich ein Haar zu krümmen. Und Bräutigam und Braut lagen sich nun in den Armen und weinten glückliche Tränen mit dem Leser zusammen. Dann gab es die Geschichte vom jungen Baron, der den bösen Verwandten zum Trotz das eigene Dienstmädchen liebte. Er wurde mit ihr verjagt und vertrieben, und sie ziehen bettelnd durch Regen und Schnee und Frost durch die Welt, bis sie zuletzt beide in der Gosse zusammenbrechen, da liegen bleiben, und eine Sekunde bevor sie ihren Atem aushauchen, weckt sie der Briefträger mit einem Brief, in dem geschrieben steht, dass er doch noch den Grundbesitz des toten Großvaters erbe, und er zieht glücklich heim und macht seine leidende Geliebte, das verachtete Dienstmädchen, allen zum Trotz zur echten Baronin …

Beim reichen Herrn Koffler war das kleine bildschöne

Dienstmädchen Riffkele aus dem Städtchen Usciezka. Sie war arm und einfach, aber sauber und adrett angezogen. Alles an ihrem vollschlanken vierzehnjährigen Körperchen war ganz anliegend, dass man ihre festen, rundlichen Formen sehen konnte. Sie hatte eine schneeweiße Haut, braunseidenes Haar, große, schwarze, glühende Augen, zwei Grübchen in ihrem festen, immer die Farbe wechselnden Gesichtchen und zwei kleine Semmelchen in der Bluse. Und wenn ich frühmorgens das Gebäck brachte in meiner Bäckeruniform, in meiner weißen Bäckerhose, mit der Schürze und aufgekrempelten Hemdsärmeln und ein zerrissenes Mützchen auf dem Kopf als Schutz gegen das Mehl, da pflegte sie mit ihrer klingenden, lachenden Stimme zu rufen: »Oh, das Zerrissene Mützchen bringt heute aber sehr schöne Kipfl«, oder: »Oh, das Zerrissene Mützchen bringt heute aber zu blasse Semmeln«, oder: »Oh, das Zerrissene Mützchen hat heute aber sehr resche Kaisersemmeln!« Jeden Frühmorgen, wenn ich das Gebäck brachte, bekam ich als Geschenk den »Zerrissenen-Mützchen-Satz«. Das »Zerrissene Mützchen« dies, das »Zerrissene Mützchen« jenes. Dieser Zerrissenes-Mützchen-Satz zerriss mein Herz und machte mich todunglücklich, wenn er ausblieb. Und nun fing ich an, ihr nachzugucken und ihr von weitem auch nachzugehen. Sie hatte eine Freundin, das andere Dienstmädchen bei Herrn Koffler, und diese gab mir einmal mit einem Wink zu verstehen, dass sie es merkten, dass ich ihnen nachging. Dann fing ich an, ganz unauffällig vor ihrem Haus zu stehen. Sie kam dann auch ganz unauffällig mit ihrer Freundin ans Fenster, und sie schauten in eine ganz andere Richtung. So ging es wochenlang ohne ein Wort, nur mit Herzklopfen. Eines Tages sagte ich laut zu meinem Freund: »Weißt du, ich möchte jetzt in den Garten spazieren gehen.« Und sie sagte dann zu ihrer Freundin, auch lauter als notwendig: »Ich habe nur noch aufzuräumen, dann gehen wir spazieren, nicht?« Beide Mädchen verschwanden vom Fenster. Wir warteten. Dann kamen sie heraus und gingen in den »Spaziergarten«, und wir folgten ihnen von weitem. Im Garten gingen wir eine bestimmte Allee auf und ab und trafen uns immer in der Mitte des Weges und guckten uns groß und fragend an, und mein Freund sagte zu mir nach einer Zeit, ich müsste sie nun doch ansprechen, und ich gab ihm Recht, und wir überlegten sogar den ersten Satz, aber immer wieder, wenn ich ihr begegnete, wurde ich so aufgeregt, dass ich nicht die Kraft und den Mut hatte, den Mund zu öffnen, und die Worte blieben mir in der Kehle stecken.

Nach einigen Stunden sagte sie laut zu ihrer Freundin, sie ginge jetzt heim, und wir folgten ihnen mit Herzklopfen und standen wieder vor ihrem Haus. Dann kam sie wieder mit ihrer Freundin ans Fenster, und wir sprachen alle vier, aber nicht zueinander. Ich sagte was zu meinem Freund, und sie antwortete ihrer Freundin, ohne dass wir uns dabei anguckten.

Und eines solchen Abends hat folgendes Gespräch stattgefunden. Ich zu meinem Freund: »Wenn man einem Mädchen nachgeht und wenn man auch nicht direkt zu ihr spricht, weiß man doch ganz genau, was es bedeutet.« Sie dann zu ihrer Freundin: »Wenn man das so genau weiß, warum macht man dann so ein Geheimnis daraus?« Ich zu meinem Freund: »Es ist ja gar kein Geheimnis, jeder kann es ja sehen, dass ich jemanden liebe.« Sie zu ihrer Freundin: »Dass es jeder sehen kann, ist doch zu wenig, man müsste es doch dem Jemand auch schließlich sagen.« Ich zu meinem Freund, mit einem schmelzenden Eisblock im Herzen: »Jemand wird es schon von mir hören.« Darauf sie, immer noch zu ihrer Freundin, mit Ironie und Herausforderung: »Da muss man sich aber doch beeilen, denn nächste Woche geht Jemand nach Zaleszczyki, dann, ja dann wird es wohl einen anderen ›Jemand‹ unter einem anderen Fenster geben.« Und beide Mädchen kicherten.

Dabei schauten wir uns die ganze Zeit nicht an, und ich fühlte Trockenheit im Hals, und heiß war mir, und ich hatte Herzklopfen, und ich sagte zu meinem Freund: »Wenn Jemand nach Zaleszczyki geht, so werde ich auch nach Zaleszczyki kommen. Und dort wird man schon glauben müssen, dass es ernst ist.« Sie zu ihrer Freundin lachend: »Gut, ich gehe Mittwoch, da wird man ja sehen, wie Männer Wort halten.« Da sagte ich, und es war mir, als ob mir jemand mit einem Stein eins über den Kopf gab: »Dann, ja dann werde ich Sonnabend nachgehen.«

Es war feierlich still, und ich dachte an Mittwoch und dass sie »Männer« gesagt hatte. Und ich hob meine Augen zu ihr empor und sah ihren schönen, schneeweißen, langen Hals, ihr braunseidenes, rötliches Haar und ihre zwei schwarzen, glühenden Augen im Halbdunkel leuchten. Und wir guckten uns groß und ernst zum ersten Mal in die Augen, und unsere Blicke hingen ineinander, und ich glaubte Tränen in ihren Augen zu sehen, und mir selber war ganz weinerlich zumute, ohne dass ich wusste, warum. Und dann sagte sie zu ihrer Freundin: »Ich habe heute noch so viel zu tun«, und zum ersten Mal direkt zu mir gewandt, mit einem zarten, innigen Ausdruck: »Gute Nacht, Zerrissenes Mützchen«, und zog sich langsam zurück. Ich stand wie gelähmt vor Erregung, ohne mich von der Stelle zu rühren. Dann kam sie allein zurück, öffnete das Fenster langsam, war jetzt in einem Hemd ohne Ärmel, hatte eine Schürze umgebunden und sagte leise, scherzend: »Ich hoffe, dass ich niemanden beleidigt habe mit dem ›Zerrissenen Mützchen‹. Es kleidet ihn sehr gut, Gute Nacht.« – »Gute Nacht«, sagte ich, schon heiter und dankbar, »gute Nacht.« Und sie schloss langsam das Fenster, und ich ging froh und leicht nach Hause, und mein Freund war begeistert über das gebrochene Eis, und alles in mir hat sich gefreut, und ich legte mich schlafen und träumte lang und ausführlich, wie Riffkele und ich durch den Park spazieren gingen, und der Garten war so groß und weit, er führte bis Zaleszczyki, und sie war in ihren Hemdsärmeln, sodass ich ihre nackten runden Arme berühren durfte, und war tief ausgeschnitten, dass man den Ansatz ihrer zwei kleinen Kürbischen sehen konnte, und mit dem zerrissenen Mützchen spielten wir Ball, und wenn wir Hunger hatten, buk ich schöne Salzbrezeln und Kümmelstangen, und sie waren knusprig und heiß, und wir freuten uns und lachten und lachten den ganzen Weg.

Am Mittwoch ist Riffkele nach Zaleszczyki abgefahren, am Freitag schickte mich Vater fünf Postkarten kaufen. Ich dachte an Flucht und steckte das Geld ein. Sonnabendmittag, nach dem Essen, ging ich los. Mein Freund begleitete mich bis außerhalb der Stadt. Der Himmel war bewölkt. Wir setzten uns in den Straßengraben. Ich band mir die Schnürsenkel an den Schuhen zusammen. Er schenkte mir zum Andenken seinen besten Bleistift, und wir schwuren uns ewige Freundschaft, und ich ging los.

Nach einer guten halben Stunde regnete es plötzlich, mir wurde ängstlich, und ich hoffte mit meiner ganzen frommen Kraft, ein Stückchen Eisen als Schutz gegen die Regengeister zu finden. Ich schloss eine Wette mit mir selber ab, falls ich kein Stückchen Eisen fände, dann hieße es, dass ich umkehren müsste. Da sah ich plötzlich auf der Landstraße ein halbes Hufeisen, als ob es jemand für mich hingelegt hätte. Ich nahm es als ein gutes Omen und holte kräftig aus, und am Abend war ich im Dorf Serafinez, das zwischen Horodenka und Zaleszczyki liegt. Ich ging in die Dorfschänke, die vollgepackt war mit ukrainischen Bauern, die mich gleich mit hundert Fragen überschütteten: Wie alt ich wäre, wie lange ich schon auf der Wanderschaft wäre, wie die Weltpolitik aussähe, warum die Türken rote Mützen trügen, und ob es wahr wäre, dass bei manchen Völkern die Männer Zöpfe hätten, und dass es Menschen gäbe, die nur ein Auge an der Stirn haben. Ich wusste auf alles eine Antwort. Einer, der die meisten Fragen stellte, lud mich zu sich nach Hause zum Abendessen ein, was ich als frommer kleiner Jude höflichst ablehnte. Nun forderte der Bauer den jugendlichen Schankwirt auf, mich doch einzuladen, was jener mit der Begründung abschlug, er hätte seine eigenen Kinder zu ernähren. Der ukrainische Menschenfreund spendierte mir nun vier große Semmeln, einen Hering und einen halben Liter Bier, das mir gleich Kopfschmerzen machte, und ich ging in die Scheune schlafen. Ich fror in der Nacht und stand mit der Sonne auf und ging los.

Ich marschierte schnell, und es wurde mir warm, und die Vögel sangen dem Schöpfer ihr Morgengebet, und ein zwölfjähriger Junge war einsam in einer großen, weiten Welt, und er war so klein und ängstlich, allein zu marschieren in dieser riesengroßen Welt. So fing ich an zu denken, was sie jetzt zu Hause sprächen, wenn sie mich vermissten, und dass ich mich doch hätte vom Vater verabschieden müssen. Aber wie hätte ich ihm denn das von Riffkele erklären sollen? Ach, Riffkele! Ja, was für Augen wird sie wohl machen, wenn sie mich sieht? Mein erster Satz wird sein: »Männer sind doch treu, und man steht nicht so schnell unter einem anderen Fenster mit einem anderen Jemand!« Und plötzlich wurde ich gestört. Ich hatte das Gefühl, als ob man nach mir riefe in dieser Weite. Und richtig, ich drehte mich um und sah von weitem einen ganz großen Kerl winken mit einem Stock und rufen und rufen. Nun bekam ich aber Angst und ging schneller und drehte mich um und sah, dass auch der Mann hinter mir schneller geht und schreit und ruft dabei! Jetzt aber weg, dachte ich, so eine weite, riesige Welt, und ein kleiner davongelaufener Junge und ein nachlaufender großer Kerl. Ich rannte mit aller Kraft und mein Verfolger kam auch schon näher und näher. Ich lief, und mein Herz lief, und der Horizont tanzte schon vor meinen Augen, und der Schweiß rann mir über den ganzen Körper. Und ich war schon atemlos und fühlte meinen Verfolger näher und näher, und ich schloss die Augen, und das Herz klopfte bis zum Hals, und der Kerl hinter mir ruft und schreit, und ich dachte: Wo, an welcher Stelle wird er dir zuerst weh tun, bevor er dich tötet? Und konnte nicht mehr und fiel und sah nur noch tausend blitzende Sterne in meinem Hirn tanzen und lag da, ohne was zu wissen.

Ich lag so ziemlich lange. Ich dachte, es wäre eine Ewigkeit, dann öffnete ich ängstlich die Augen und sah ein verschwitztes gutmütiges Bauerngesicht, und der Mann rüttelte mich und sagte: »Du bist ja ein kleiner Teufel, und sausen kannst du wie der Wind.« Und er lachte und wischte sich den Schweiß von der Stirn mit seinem Hemd und nahm sein Bündel, das er am Stock trug, und öffnete es, und ich beobachtete ihn ängstlich und misstrauisch. Und da packte er ein gutes, schwarzes Bauernbrot mit Brinzakäse aus, und er brach das Brot in zwei Teile und reichte mir die größere Hälfte und bat mich, mit ihm zu essen. Und ich aß, halb aus Furcht und halb aus Hunger, und er sagte scherzend, er bedaure, dass hier keine Schänke sei, er würde mir sonst noch einen Schnaps spendieren. Und wir aßen ruhig, dann sagte er: »Warum bist du eigentlich so gelaufen?« Und ich sagte: »Warum bist du mir nachgelaufen?« Und er: »Ich bin dir nachgelaufen, weil du davongelaufen bist.« Und ich sagte: »Ich bin davongelaufen, weil du mir nachgelaufen bist.« – «Ja, gehst du denn nicht nach Zaleszczyki?« meinte er. »Natürlich gehe ich nach Zaleszczyki.« – »Eben«, sagte er, »das habe ich doch gestern Abend in der Schänke gehört. Und da will ich doch hin zum Markttag heute. Da dachte ich mir, wir gehen zusammen und haben beide Gesellschaft.« Nun war auch das Frühstück beendet, und wir gingen beide los und unterhielten uns, als ob wir uns schon jahrelang kennen würden, und erzählten uns lustige Geschichten und lachten viel. Und gegen Mittag waren wir im Vorort von der Stadt Zaleszczyki, im Ort Dzworiesczka, von wo eine nagelneue Eisenbrücke über den Dnjestr nach Zaleszczyki hereinführte. Hier verabschiedeten wir uns herzlich, wie gute alte Freunde.

Mir gefiel die saubere, schöne Stadt, um die der Dnjestr eine Schleife machte, und die Menschen sahen aus und sprachen wie bei uns. Dann guckte ich mir die verschiedenen Bäckerauslagen an und verharrte vor einer Auslage, die mir besonders gefiel, und davor stand ein kleiner, runder Mann mit hellblondem Bart und gutmütigem, schmunzelndem Gesicht, und er beobachtete mich schon die ganze Zeit und sagte plötzlich zu mir: »Na, du bist ja kein Hiesiger. Dich sehe ich zum ersten Mal hier.« Und ich sagte, ich käme gerade von Horodenka und wäre Bäckergeselle und suchte Arbeit. Er aber lachte freundlich und sagte: »Du meinst wohl, du bist ein halber Geselle, denn du bist ja noch nicht ganz, du siehst aus wie ein Fuffziger«, und reichte mir die Hand zum Friedensgruß und ließ seine Frau allein am Stand und sagte: »Komm jetzt mit mir.«

Und er nahm mich in eine Trinkhalle und spendierte mir Brezeln und einen Schnaps, und mir wäre Milch viel lieber gewesen, aber ich hatte Angst, es zu sagen, denn ich wollte für erwachsen gelten. Und er fragte mich, wie lange ich schon Bäcker wäre und was ich könnte. Und ich sagte, er möge mich doch ausprobieren eine Nacht und selber urteilen. Und er schlürfte seinen Schnaps und beobachtete mich und sagte lachend: »Na, wenigstens bist du kein Prahler«, und brachte mich in die Bäckerei, und da waren vier Gesellen: ein alter siebzigjähriger Mann, Antosj, und einer mit einem langen, gepflegten Bart, Raffael, der Frau und Kinder hatte, und zwei unfreundliche Männer, und ich war der Fünfte, und der Chef selber arbeitete nachts auch mit und beobachtete mich und ließ mich verschiedene Sachen tun, wie Semmelteig kneten, Sauer für das Brot anrühren, Brot werken, und als es zum Kaisersemmelnklopfen und Kipfeldrehen kam, sah ich ihn zufrieden schmunzeln, denn darin war ich schon zu Hause der Flinkeste. Und nach der Arbeit, als ich frühmorgens das Gebäck zum Stand brachte, ging er plötzlich neben mir und sagte: »Komm, trink einen mit mir, wir müssen geschäftlich miteinander sprechen.« Und dann sagte er: »Ich weiß, ich kann dich ganz billig mieten bis Ostern, und sag mir nicht, was du verlangst; ich zahle dir nämlich denselben Lohn, den der Raffael mit dem langen Bart und den drei Kindern hat. Du kriegst einen Gulden fünfzig die Woche, mit Kost und Quartier, und bleibst bis Ostern. Abgemacht?« – »Abgemacht«, sagte ich glücklich und schlug ein. Und sah mich schon Ostern zu Hause, ausgeputzt in einem blauen Anzug mit Streifen, neuen Schuhen mit Gummirädchen und Geschenken für Mutter und die kleineren Geschwister, denn nun war ich selber ja schon ein großer Bruder für sie und erwachsen und allein in einer fremden Stadt, wohin ich meiner »Liebe« nachlief. Und Menasche Strum sagte plötzlich: »Na, Fuffziger, woran denkst du jetzt?« Und ich antwortete etwas verlegen: »An zu Hause.« Und er sagte: »Na, geh schlafen, und sollst dich hier auch zu Hause fühlen.« Und ich tat es.

Und wie die neue Heimat mich aufnahm und wie ich diejenige fand, um deretwillen ich hergekommen, erzähle ich später.

19
Die Fremde ist kalt – aber lehrreich

Nun war ich allein auf mich angewiesen; ich brauchte nicht mehr Vater, Mutter, älteren Geschwistern zu gehorchen, niemand stellte Forderungen, ich war niemandem verantwortlich, aber es war auch niemand da, um mich zu beschützen.

Dem Bäcker Menasche Strum hatte seine Frau sechsmal geboren, und er hatte sich sechsmal einen Jungen gewünscht und hatte sechs Mädchen. Er war ihnen ein guter Vater, aber er war unglücklich, keine Söhne zu haben, und er hatte mich gern vom ersten Augenblick und nahm mich überall, sogar ins Gebetshaus, mit. Erstens aber wurde es langweilig für mich, mit ihm herumzuziehen, zweitens bekam ich immer Sticheleien von den anderen Gesellen zu hören, dass ich mich »lieb Kind« beim Chef machte, und drittens war die hagere, immer kränkliche Bäckersfrau eifersüchtig auf mich; sie behauptete, ihr Mann hätte mich lieber als seine eigenen Kinder, nur weil die Armen Mädchen wären. Sie war geizig und sparsam, und er war großzügig und ein Verschwender. Er trank immer in den verschiedenen kleinen Kaschemmen, und wer gerade in der Nähe war, wurde eingeladen, denn so leidenschaftlich gern er auch trank, so konnte er keinen Tropfen zu sich nehmen, wenn er allein war. Wenn er einen Schnaps wollte, musste er erst einen Mittrinker finden, und am liebsten lud er alle, die in seiner Nähe waren, ein. Manche Schlauköpfe wussten das und folgten ihm schon, wenn er in eine Kneipe ging, und standen dann so in seiner Nähe, und wenn er dasselbe Gesicht fünf- bis sechsmal am Tage sah, sagte er gewöhnlich einladend: »Oh, komm, trink doch einen Schnaps mit mir, dich habe ich ja schon Jahre nicht gesehen.« Dieser Menasche Strum liebte ganz arme Leute, besonders Bettler. Er hatte jeden Freitagabend und Sonnabend ein Dutzend und mehr Bettler an seinem Tisch, und es wurde gut serviert und gut gegessen. Unter den Bettlern waren Leute, die weit in der Welt herumgekommen waren und sehr gut erzählen konnten. Diese Bettler fühlten sich ganz zu Hause bei ihm. Sie benahmen sich nicht, als ob sie Gäste wären, als ob man ihnen einen Gefallen erweisen wollte, sondern sie dachten und glaubten, mit ihrer Annahme der Gastfreundschaft dem Gastgeber eine Gelegenheit zu geben, gute Werke zu tun, auf dass seine Sünden getilgt würden, und dass er sich dafür einen guten Sitz im Paradies sichern könnte. Es wurde auch von irgendeiner großen Sünde gemunkelt, die Menasche Strum begangen haben sollte. Man erzählte von einer fernen armen Verwandten, die bei ihm in Stellung war, und die dann vier Monate nach der Hochzeit ein Kind gebar, und dass er dann ihrem Mann und ihr samt dem Kind Schiffskarten kaufte und sie nach Amerika schickte. Die Leute pflegten zu sagen: »Ja, ja, der Menasche Strum ist ein großzügiger Mensch, seinen Verwandten gibt er vier Monate nach der Hochzeit Kinder und den armen Bettlern gibt er zu essen.«

Ich fing an, mich nach Riffkele umzugucken. Denn schließlich war sie ja der Hauptgrund meiner Flucht von zu Hause und meines Hierseins. Aber ich konnte niemanden nach ihr fragen. Es vergingen viele Wochen, bis ich mich an die neue Umgebung gewöhnte, bis ich mich einarbeitete. Endlich erfuhr ich, dass im Hause eines Bäckergesellen von einer anderen Bäckerei sich junge Burschen und Mädchen trafen, und dass seine Frau Channe Kozak mit ihren jungen, lachenden, frechen Augen und ihrem etwas verwelkten Gesicht, ihrer frechen blonden, dreistöckigen Frisur das Haus leitete. Sie schenkte Bier und Schnaps aus und servierte sonstige Leckerbissen.

Ich machte die Bekanntschaft dieses Mannes und er lud mich auch ein. Ich kam nun in sein Haus, und da waren lauter Burschen, so um die Zwanzig und älter, und Mädels, und Channe

Kozak, die Frau des Bäckers, war das Zentrum und die »Klatschsparkasse« und half kuppeln und brachte Leute auseinander, und alle erzählten ihr alles, und sie mischte sich in alle Angelegenheiten. Sie wusste auch schon von mir und machte mir Vorwürfe, dass ich erst so spät zu ihr käme, und gab mir zu verstehen, dass sie gerne Freundesdienste leiste, aber sie müsste ja erst Beweise meiner Freundschaft haben. Ich kam nun jede Woche, spendierte einen Teil meines Lohnes und sparte und kaufte ihr dann Stoff für ein Kleid, und dann bestellte sie mich wochentags und hatte mit mir ein langes Gespräch über Riffkele. Sie sagte, ich sei doch noch so klein und Riffkele sei älter, und sie wüsste auch nicht, ob ich es ernst nähme mit meinem Nachkommen und so, und so lange Zeit sei verflossen, und Riffkele gehe jetzt mit Max Kutscher, der »Locke«. Max hatte eine Kalesche auf Gummirädern und fuhr Offiziere spazieren oder brachte sie zu ihren Mädchen oder fuhr sonst Leute zur neu eröffneten Bahnstation. Max war neunzehn Jahre alt, untersetzt und breitschultrig, hatte ein kaltes, freches Gesicht, war auffallend knallig angezogen, mit der Mütze tief im Na-cken, und ein Bündel dichter schwarzer Locken fiel ihm immer über das rechte Auge, was ihm den Beinamen »Locke« einbrachte. »Ja«, sagte sie, »Max Locke meint es sehr ernst mit Riffkele, und da wird es sehr schwer sein, sie ihm auszuspannen, wenn's überhaupt möglich ist.« Sie ließ mich gar nicht zu Worte kommen und entwikkelte einen Plan, damit ich sähe, dass sie meine aufrichtige Freundin sei. Wir müssten versuchen, erst die Freundschaft von der »Locke« zu gewinnen und dann erst mit ihm darüber sprechen. Denn die »Locke« ist ein »guter Bruder«, und für einen Freund ist er bereit, seinen Kopf zu geben. Sie gab mir den Rat, nun auch der »Locke« ein Geschenk zu kaufen, um ihn erst weich zu machen, und dann ihn Sonnabendfrüh bei ihr zu einem Schnaps und Frühstück einzuladen und so ihn erst richtig kennen zu lernen und für mich zu stimmen. Meinen Wunsch, mit Riffkele selber zu sprechen, lehnte sie glatt ab, denn das würde ja die gefürchtete »Locke« von vornherein gegen mich einnehmen, und alles wäre verloren ...

»Alles wäre verloren«, überlegte ich und dachte an die Gespräche vor dem Fenster in Horodenka, an die Flucht, an zu Hause, an den Vater, den ich ohne Abschied verlassen hatte, und mir wurde ganz jämmerlich zumute, und Tränen würgten mich, und sie fragte mich, wie alt ich sei, und ich machte mich drei Jahre älter und ließ mir einen Schnaps geben und trank wie ein Erwachsener, ging in die Bäckerei zurück, konnte zu niemandem sprechen und fühlte die Fremde in meinem Bauche und konnte nicht essen, legte mich auf den Ofen schlafen und träumte von Teufeln und bösen Geistern. Ich sah Raffael, den älteren Gesellen, wie einen Beelzebub, dann kam Channe Kozak und die Frau vom Bäcker und die sechs Töchterchen, und alle kreischten und tanzten und waren Hexen, und ganz Zaleszczyki sah aus wie ein Hexenkessel und sogar Menasche Strum selber steckte seinen Kopf in ein Riesenfass Schnaps und hatte zu seinem blonden Bart auch noch Hörner und lachte mich aus und sagte: »He, du Fuffziger, wir alle hier sind verkappte Teufel, wir haben dich nur aus Spaß hierher gelockt von Horodenka.« Und plötzlich kam die »Locke« auch als Teufel und saß auf seinem Pferd, das eine wilde Mähne hatte und einen langen Schweif, und ich wurde an diesen Schweif festgebunden, und er galoppierte auf dem Marktplatz mit mir herum, und ganz Zaleszczyki lachte und kreischte, und Riffkele war ganz wild und zeigte mit den Fingern auf mich und schrie laut: »Er ist ja so klein und erst zwölf Jahre alt und möchte schon ›Liebe spielen‹.« Und dann fiel ich vom Ofen und hatte eine zerschlagene Stirn, und die anderen Gesellen erwachten und fragten mich, ob ich verrückt sei, so aus dem Schlafe zu brüllen, und die Beulen auf der Stirn wurden mir mit einem Messer eingedrückt, und ich arbeitete dann die Nacht durch, ohne zu sprechen.

Viele Wochen vergingen, und Channe Kozak, die Kupplerin, traf mich auf der Gasse und erzählte mir, die »Locke« käme diesen Sonnabendmorgen, und es wäre doch so lustig jetzt bei ihr, warum ich eigentlich wegbliebe. Und ich hatte wieder Geld gespart und kaufte Channe Kozak einen türkischen Schal für

Vier Fünfzig, das waren gerade drei Wochen Lohn. Und Sonnabendmorgen war ich wieder bei Channe. Die Stube war vollgepackt. Ich aß und trank, ohne dass es mir schmeckte, und die »Locke« kam, und ich hatte Herzklopfen, und ich wollte weggehen, und die »Locke« sprach mich plötzlich an: »He, du von Horodenka, ich höre, bist ein ›guter Bruder‹. Komm, trink einen Schnaps mit mir!« Und er bestellte zwei Schnäpse und ich bestellte zwei, und alles fing an, sich in meinem Kopf zu drehen, und ich wusste nicht, was mit der »Locke« zu sprechen, und plötzlich erschien Riffkele und streifte mich mit einem Blick und bekam einen roten Kopf, und ich bekam Herzklopfen, und die »Locke« schaute auf seine Uhr und sagte ganz frech zu ihr: »He, du, ich hab' das nicht gerne, wenn man zu spät ist«, und er reichte mir die Hand zum Abschied und ging, und Riffkele gleich hinter ihm her und warf mir einen Blick zu und wurde wieder rot. Nach einer Weile ging ich zum Dnjestr und war krank und übergab mich und ging in die Bäckerei und lag den ganzen Tag auf dem Ofen, und die Einsamkeit und Fremde krochen in mir herum wie Eiszapfen, und ich fror auf dem heißen Ofen.

Die nächste Woche riet mir Channe Kozak, nicht den Mut zu verlieren und der »Locke« nun auch ein Geschenk zu kaufen. Und sie ging mit mir in ein Geschäft und half mir, eine lange, schöne Peitsche mit elfenbeinernem Griff auszusuchen, die vier Wochen meines Arbeitslohnes kostete, sechs Gulden. Wir gingen beide zu seinem Halteplatz, wo mehrere Wagen und Kutscher standen, und er fand großen Gefallen an meinem Geschenk und prahlte vor den anderen Kutschern, was für einen guten Freund er in mir habe, und zwinkerte ihnen zu, und der krumm-mäulige Jakim sagte zu mir: »He, du, für so eine Peitsche kann ich dir zehn Weiber verschaffen.« Und die »Locke« fuhr ihn böse an: »Halt deine krumme Fresse«, und Jakim meinte: »Man wird doch noch Spaß machen dürfen!«

Und die »Locke« zwinkerte ihm wieder mit einem Auge zu und sagte: »Ja, aber nicht mit meinen Freunden.« Und er nahm mich auf die Seite, legte seinen Arm um mich, und sagte, er wolle mich Freitagabend irgendwohin mitnehmen und mir nun auch einen Freundesdienst erweisen. Dann kamen zwei junge Offiziere, setzten sich in seinen Wagen und nannten zwei Mädchennamen. Dann lachten sie alle, und die »Locke« knallte mit meiner Peitsche und fuhr davon und rief mir noch zu: »Freitagabend bei Channe Kozak.« Und ich wartete Freitag bei Channe Kozak, und sie sagte zu mir, zweideutig mit den Augen zwinkernd: »Siehst du, was ich für dich tue? Heute Abend wirst du dein Ziel erreichen.« Und ich schämte mich, zu fragen, was für ein Ziel, aus Angst, für nicht erwachsen zu gelten, und die »Locke« kam, und wir aßen und aßen, und er fragte mich, ob ich ihm drei Gulden leihen könnte, und ich konnte. Und er zahlte Channe Kozak einen Gulden fünfzig für zwei Glas Bier, und es wurde Mitternacht, und er ging mit mir über den Marktplatz zum Apotheker Kalmus und ging durch die Hintertür mit mir hinein, und wir saßen in der Küche und warteten.

Und ich hörte zwei Menschen im Nebenraum lachen und sprechen und scherzen und spielen, einen Mann und eine Frau, und dann öffnete sich die Tür, und Riffkele kam heraus mit einem Nachthemd ohne Ärmel, und ihr Gesicht war rot, und das rötlich-braunseidene Haar war unordentlich und zerzaust, und die »Locke« sagte schroff: »Komm, mach dich fertig!« Und da entdeckte Riffkele plötzlich mich in einer Ecke hockend und wurde knallrot und schrie: »Nein, nein! Nein! Nicht mit ihm! Nicht mit ihm!« Und weinte, und die »Locke« sagte: »Du tust, was ich dich heiße, du Stück Fetzen, zieh dich an!« Und Riffkele lief zurück, von wo sie gekommen, und ich fühlte mich bersten vor Wut und Scham und Verzweiflung, und sprang auf und spuckte der »Locke« ins Gesicht und zitterte und schrie nur: »Schwein! Schwein! Schwein! Du niederträchtiges Schwein!« Und schlug auf ihn los. Plötzlich bekam ich einen Schlag mit einem Eisenring über meinen Schädel, und ich taumelte, und noch einen Schlag, und jetzt fühlte ich nur eine heiße angenehme Suppe über meinen Kopf und mein Gesicht rinnen, und tausend kleine Blitze sah ich vor meinen Augen tanzen und schlief ein und wusste gar nichts mehr.

Und als ich aufwachte, wusch mir der Apotheker Kalmus mit Watte und Spiritus meine Wunden auf dem Kopf und im Gesicht und verband mich und bat mich, doch ja nicht zu erzählen, dass es in seinem Haus geschehen sei, und ich könnte jeden zweiten Tag kommen, und er würde mich auch umsonst kurieren. Und ich versprach es und ging durch die Nacht nach Hause und fühlte mich um viele Jahre älter und mein Herz war zerrissen, ein Teil beklagte mich und ein Teil beruhigte mich, und eine kalte, fremde Einsamkeit klapperte mit meinen Zähnen.

Am nächsten Tag ging ich nicht auf die Straße, und in der Bäckerei erzählte ich, dass besoffene Soldaten mich überfallen hätten, und die Leute meinten, ich könnte von Glück sagen, denn manchmal schlügen sie einen richtig tot.

Ich ging nicht mehr zu Channe Kozak und ich suchte auch nicht mehr nach Riffkele.

Eines Tages kam Menasche Strum mit einem jungen Mann nach Hause, der ein Paket Bücher unterm Arm hielt, und der Bäcker sagte, dass dieser junge Mensch nun seine kleinen Mädchen unterrichten werde. Er war ein russischer Student mit dem Namen Czerniakoff, der seine Heimat verlassen hatte, um hier zu studieren. Dieser Czerniakoff zeigte ein starkes Interesse für mich. Er ging mit mir spazieren, stellte mir tausend Fragen und ließ mich auch fragen. Und er gab mir kleine, dünne Büchlein zu lesen, die ich nicht verstand, und erzählte mir Sachen, die mir unglaublich erschienen, aber sehr lustig anzuhören waren. Am lustigsten war das mit dem Himmel, von dem er mir einreden wollte, dass jeder Stern so groß sei wie unsere Welt, und die Sterne wären auch am Tage da, aber wir könnten sie nicht sehen wegen der Sonne, und dass wir uns drehen wie ein Karussell, ohne dass wir Kopfschmerzen kriegen, und dass die Welt in Millionen Jahren erschaffen wurde und nicht in sechs Tagen. Und viele andere Sachen, die ich ihm glatt nicht glaubte, denn er war ja ganz gescheit und gutmütig, aber sicher nicht gescheiter als mein Vater und Schimschale, der Milnitzer. Jedenfalls hatte er eine warme Stimme und gutmütige Augen und trug eine schöne breite, herunterhängende Schleife, und es war viel angenehmer, mit ihm zu sprechen und ihm zuzuhören, als zu Channe Kozak zu gehen und Schnaps zu trinken, von dem man Kopfweh bekam, sich übergeben musste und für den man das schwer verdiente Geld loswurde.

Ich fing an zu sparen, und der Winter kam, und eines Tages tauchte mein Vater auf. Plötzlich stand er in der Bäckerei vor mir, und ich reichte ihm die Hand mit dem traditionellen Gruß: »Friede mit Euch«, und Vater nahm meine Hand und guckte mich ernst und groß an und antwortete: »Mit Euch Friede.« Dann sagte er, meine Hand in seiner haltend: »Ich hab' gehört, du hast dich hier bis Ostern vermietet?« Ich: »Ja, Vater.« Er: »Du bleibst auch bis Ostern?« Ich: »Ja, Vater.« Vater, immer noch meine Hand in seiner haltend, sagte: »Mein Sohn, ich weiß es ganz genau, dass du, wenn du in meinem Alter sein wirst, viel gescheiter sein wirst als ich. Aber heute bin ich doch noch gescheiter als du. Willst du mir versprechen, wenn du wieder von zu Hause weg willst, dich mit mir zu beraten?« Ich: »Ich verspreche es dir, Vater.« Er: »Und ich verspreche dir auch, dich nicht zurückzuhalten.«

Und nun gingen wir spazieren, und Vater berichtete, wie alles zu Hause aussehe, und von den Nachbarn, und dass dieser und jener wieder Horodenka verlassen hätte. Dann erzählte er mir, dass mein Chef ihn zu Mittag eingeladen hätte, aber er könnte die Einladung doch nicht annehmen, weil ich bei ihm arbeitete. Und genauso, wie ich mich mit meinem Freunde Mojsche Mendel vor der Flucht beraten hätte, hätte ich es doch auch mit ihm tun können. Es wäre ihm sicher lieber, mich studieren zu lassen, aber wenn er schon so arm wäre und ich als junges Kind bei fremden Leuten arbeiten müsste, so sollte ich doch das Gefühl haben, dass er mir nicht nur Vater, sondern auch ein richtiger Freund wäre. Jetzt gingen wir in ein Restaurant, und ich bestellte Schnaps und Bier und ein gutes Essen.

Und die Leute kamen, begrüßten meinen Vater und lobten mich in seiner Gegenwart. Und eine Bettlerin kam herein, die mich von der Bäckerei kannte, und erkundigte sich, ob das mein Vater wäre. Und dann zahlte ich und wir gingen.

Vater sagte dann zu mir: »Siehst du, mein Kind, das war nun die erste Mahlzeit, die du deinem Vater gegeben hast, und bist noch nicht einmal dreizehn Jahre alt, und ich fahre jetzt weg mit einem guten Gefühl: Kannst dich Gott sei Dank selber ernähren, bist gescheiter als dein Alter, und wenn du zu Ostern nach Hause kommst, möchte ich mit dir zum Weisen von Czortkow gehen, der um diese Zeit in Horodenka zu Besuch sein wird, auf dass er dich segnet.« Dann brachte ich Vater zum Schlitten, mit dem er gekommen war, und die anderen Passagiere warteten schon auf ihn, denn sie wollten noch vor dem Abend zu Hause sein. Wir gingen aber zu Fuß bis zur Brücke, und ich kaufte noch für Mutter einen dicken, warmen Schal und ein schönes seidenes Kopftuch und versprach, Ostern zu Hause zu sein. Vater erzählte noch, dass der ältere Bruder Leibzi, der jetzt in Stanislau bei der Artillerie diente, auch auf Urlaub komme, und bei der Dzworiesczka-Brücke nahmen wir Abschied wie zwei gleichaltrige Männer, wie zwei gute Freunde, und mein Herz war angefüllt mit Stolz und Freude und Glück über den Besuch meines armen, geliebten und klugen Vaters.

Am nächsten Sonnabendnachmittag saß ich vor meiner Bäckerei, da kam plötzlich die Bettlerin mit ihrem Mann und ihrem Jungen, der in meinem Alter war, und sie fragte mich, ob mein Vater schon weg wäre, und fing an zu tratschen und zu klatschen, und ihr Bettlermann lächelte zustimmend. Sie zog über meinen Vater her und schimpfte und kritisierte, dass er mich in der Fremde so schwer arbeiten ließe. Sie wären nur Bettler, aber ihr Söhnchen in meinem Alter ginge noch in die Schule und hätte runde rote Backen und zarte Hände und sähe gut und gepflegt aus, und ich sollte mich doch im Spiegel ansehen, mit meiner Bäckerblässe und den riesengroßen Bäckerfüßen und den breiten, plumpen Bäckerhänden, und sie zeigte mir, was für zarte Händchen ihr Sohn hatte im Vergleich zu meinen Pratzen. Und der Bettler lächelte, und ich fühlte mich beschmutzt und stand auf und ging weg und dachte: »Warum hast du ihnen nicht geantwortet, dass du lieber Tag und Nacht noch hundertmal schwerer arbeiten würdest, als dass du deine Eltern für dich betteln gehen ließest, und dass du lieber noch zehnmal so große Füße und Hände hättest als so ein halbidiotisches Gesicht wie ihr blödes Söhnchen ...«

Aber immer fielen mir die guten Antworten erst nachher ein, und ich ärgerte mich darüber und ärgerte mich, dass ich mich ärgerte. Aber die Hände, die großen Hände habe ich mir oft angeguckt. Ja, die großen Hände, das hat gesessen, jahrelang, jahrelang.

Wochen später suchte mich Channe Kozak wieder auf und erzählte mir strahlend, dass die »Locke« mit Riffkele Schluss gemacht hätte, und es hieße, dass sie irgendwo nach Czernowitz ginge, in so »ein Haus«. Dann berichtete sie, dass die »Locke« sein Benehmen sehr bereue und gesagt hätte, ich wäre ein richtiger »guter Bruder«, weil ich ihn nicht verklagt hätte, und er habe für den Sonnabend ein großes Frühstück bei ihr bestellt, das er selber zahle, und er möchte sich mit mir vor gemeinsamen Freunden aussöhnen und sich bei mir entschuldigen. Dann redeten mir die anderen Bäckergesellen auch zu, das doch anzunehmen, denn alle wüssten ja schon sowieso vom ganzen Vorfall. Und Sonnabend nahmen mich die Bäcker und die Freunde von der »Locke« zu Channe Kozak, und wir saßen an einem gedeckten Tisch und aßen und tranken, und die »Locke« saß an meiner Seite, und nach einigen Schnäpsen fühlte ich plötzlich, wie ich blass wurde und zitterte, und ich dachte an das Erlebte in der Küche und an Riffkele und an die Erniedrigung und an die Schmach, die »Locke« mir angetan, und ohne ein Wort zu sagen, hob ich mein schweres Bierglas und schlug ihm damit mit voller Kraft ins Gesicht, und es wurde mir leichter, und ich sagte: »So, das ist der Ausgleich. Jetzt kannst du mich wieder schlagen.« Und er warf sich auf mich, und die anderen trennten uns, und die »Locke« wurde gewaschen und verbunden, wie ich damals vom Apotheker Kalmus. Dann war alles ruhig, und jetzt söhnten wir uns aus, die Leute zwangen uns, uns die Hände zu reichen, nach einer Weile ging ich dann heim.

Seit diesem Tag habe ich Channe Kozak gemieden und die »Locke« gemieden und den ganzen Kreis. Ich ging mehr mit dem russischen Studenten Czerniakoff, der mir wie ein älterer Bruder wurde, und dem erzählte ich dann auch alles, und er hörte immer voller Teilnahme zu und sagte eines Tages zu mir: »Siehst du, dein Vater kann dich nicht in die Schule gehen lassen, aber wenn du über alles nachdenkst, was dir hier passiert ist, wirst du mehr lernen als mancher Doktor. Denn das Leben ist hart und erbarmungslos, aber es lehrt auch und formt und knetet, wie du deinen Teig knetest. Du hast in diesem Jahr in der Fremde mehr gelernt als mancher Student in zehn Jahren in der Schule. Riffkele und die »Locke« und die Bettlerin, alle haben dich geschlagen, aber du bist doch schon heute mehr als alle drei zusammen. Und eines Tages wirst du viel wichtigere Dinge im Leben entdecken und an diese Dinge hier nicht mehr denken.«

Dann kam die Zeit vor Ostern, und ich kaufte mir ein neues Gewand mit einem Hemd und Kragen und einer breiten Künstlerschleife in rot mit schwarzen Tupfen, wie Czerniakoff, und kalbslederne Schuhe mit Gummirädchen, und fuhr heim mit starkem Herzklopfen und dachte, ob wohl viele mich und meine rote Schleife und die Gummirädchen so beneiden werden, wie ich vor einem Jahr den Rosenkranz um seine Gummirädchen beneidet hatte? ...

Merkwürdiges Gefühl: Man will nicht nur das Ersehnte haben – man möchte auch darum beneidet werden!

20
Neugierde

Der russische Student Czerniakoff, der mir im Laufe der Zeit Freund und Lehrer wurde, kam kurz vor Ostern und erzählte mir, dass er nun in eine große Stadt ginge, wo mehrere Freunde aus seiner Heimat studierten, aber er könnte mir nicht sagen, wohin. Dann musste ich ihm versprechen, darüber zu schweigen, und er erklärte mir, dass er einer Gemeinschaft, einem Kreis von Freunden angehörte, die sich zur Aufgabe gestellt hätten, das russische Volk aufzuklären und ihm zu helfen, seine Leiden zu lindern.

Dieser Organisation gehörten nicht nur die armen, einfachen Leute aus dem Volk an, wie Arbeiter in den Städten und Dorfbauern, sondern auch große Gelehrte und Dichter und Studenten und Professoren, und viele von ihnen schmachteten in den Gefängnissen oder wurden nach Sibirien verschickt. Einige entkamen und lebten jetzt im Ausland und setzten dort ihre Arbeit fort. Sie druckten Bücher und Broschüren und Zeitungen, die man nach Russland hineinschmuggelte, in denen die Wahrheit über das Zaren-Joch stand und die Menschen gelehrt wurden, es zu bekämpfen. Er erzählte mir, dass es auf der ganzen Welt solche Leute gäbe und man träfe sich an verschiedenen Orten und man bespräche verschiedene Pläne, wie die Lage des armen Volkes in Russland und auch in anderen Ländern zu verbessern sei. Aber das alles sei geheim, und er kenne mich nun schon so lange und hätte kein Wort mit mir darüber gesprochen, bevor er nicht mein volles Vertrauen gehabt hätte. Und eines Tages, so glaubte er, wenn ich in größere Städte käme, würde ich von anderen viel mehr über diese Sache erfahren.

Dann war er plötzlich verschwunden, ohne ein Wort mit anderen Leuten zu sprechen oder sich zu verabschieden. Und ich bewahrte sein Geheimnis für mich und führte in Gedanken lange Gespräche mit ihm. Und Zaleszczyki war plötzlich leer und langweilig ohne ihn.

Ich fing an, mich aufs Nachhausefahren vorzubereiten und kaufte Geschenke ein: für die Mutter eine Bibel in Jiddisch, für den Vater einen Stock und »Achtundvierziger«-Tabak, für die zwei kleinen Schwesterchen Matele und Ljubiczka bunte Kleidchen und Glasperlen, für das achtjährige rothaarige Senderl ein Paar hohe Schaftstiefelchen. Mir selber ließ ich einen blauen Anzug mit Streifen machen, dazu einen blauen Hut, die flatternde rote Künstlerschleife mit schwarzen Tupfen à la Czerniakoff und kalbslederne Schuhe mit Gummirädchen. Ich verpackte alles sorgfältig in ein neues Holzköfferchen, mit grünen und roten Blumen bemalt.

Dann kam der Tag der Abfahrt. Ich mietete mir einen Platz auf einem Passagierwagen, der nach Horodenka ging, und Menasche Strum, der in diesen Tagen sehr beschäftigt war, fand doch noch Zeit, mich zu einem Schnaps einzuladen, und sagte mir lauter nette Sachen. Unter anderem, dass ich jederzeit zurückkommen könnte, er würde mich immer aufnehmen, mit einem besseren Gehalt sogar.

Und nun fuhren wir denselben Weg zurück, den ich vor zehn Monaten zu Fuß gewandert war und kamen an die Stelle, wo der gutmütige junge ukrainische Bursche hinter mir herrannte, mich zu Tode erschreckte und mir dann Brot und Käse gab. Noch einmal dachte ich nun an Riffkele, der ich nach Zaleszczyki nachgelaufen war, und an die »Locke« und an Channe Kozak, die Kupplerin, und an den guten und ernsten Czerniakoff und führte mit allen Abschiedsgespräche. Dann stellte ich mir die Gesichter der Meinen daheim vor. Wie sie mich wieder aufnehmen würden?

Und plötzlich war ich in Horodenka und sah die Stadt mit dem Marktplatz, mit der Kirche, an deren Kuppeldach noch immer zwei Ziegelsteine fehlten, und erblickte lauter bekannte

Gesichter. Und sie grüßten alle freundlich, und ich hatte starkes Herzklopfen und stand plötzlich in unserer Stube und unterdrückte ein Weinen, denn ich war ja schon dreizehn Jahre alt und erwachsen. Und die Nachbarn kamen, und die kleinen Geschwister zeigten ihnen mein buntes neues Holzköfferchen, und ich war ihr großer Bruder jetzt.

Und ich packte die Geschenke aus und hatte für alle fünf kleinen Geschwister persönliche nette Sachen. Besonders die zwei kleinen Schwesterchen Matele und Ljubiczka knutschten mich ab und freuten sich über ihre Kleidchen und Glasperlen und bewunderten alles an mir und alles, was ich mitbrachte. Und mein älterer Bruder Leibzi stand da in seiner braunen Artillerie-Uniform mit den glänzenden Messingknöpfen. Er war jetzt größer und breiter als der Vater. Und wir zwei, die nicht nur Brüder, sondern richtige Freunde waren, freuten uns besonders, und er erzählte, dass er bereits eine Stellung in Stanislau für mich hätte, bei einem Bäcker, und wenn sein Urlaub zu Ende sei, könnte ich gleich mit ihm mitkommen. Und Vater kam hinzu und meinte, erst müsste ich anfangen, *Tfilim* zu legen, und er möchte mit mir zum Weisen von Czortkow gehen, der zum zweiten Teil des Osterfestes in Horodenka sein werde. Und ich könnte dann später allein nach Stanislau fahren.

Währenddessen verteilte ich meine Geschenke. Die Mutter weinte vor Glück über die Bibel und meinte, ich müsste ihr daraus selber vorlesen. Vater rauchte sich gleich eine Zigarette an von dem mitgebrachten »Achtundvierziger«-Tabak und sagte, er schmecke so gut, dass er nun verstünde, wie angenehm es sein müsse, reich zu sein. »Oder«, sagte ein Nachbar, »solche Kinder zu haben wie du!«

Als ich jetzt die eleganten kleinen Schaftstiefelchen für den achtjährigen Bruder Senderl auspackte, wandten sich plötzlich einige ab. Und die Mutter schluchzte schon ganz laut, und ich guckte mich um und sah keinen Senderl. Und Vater beruhigte die Kleinen und sagte: »Kinder, bitte nicht die Feiertage zerstören! Mein Sohn«, sagte er dann zu mir, »es hat dem Lieben Gott gefallen, deinen Bruder Senderl in den Himmel zu nehmen, gerade um die Zeit, bevor ich dich in Zaleszczyki besuchte. Aber ich wollte dir in der Fremde mit dieser Nachricht nicht das Herz beschweren.« Später erfuhr ich dann den ganzen Vorfall.

In unserer Gegend lebte der alte Lazar Kukuck. Ein merkwürdiger heiterer Greis. Man wusste nie, von wo er auftauchte und wohin er verschwand. Man verehrte ihn bis an die Grenze der Furcht. Er pflegte zu allen Leuten »Du« zu sagen und zog in der Gegend herum, ausfindig zu machen, wo sitzen gebliebene arme alte Jungfrauen wären, um sie zu verheiraten. Er lebte von Suppe und Milch und Grieß, war immer heiter und lächelte mit seinem Vogelgesicht und seinem zahnlosen Mund, trug immer einen bündelartigen Sack auf dem Rücken, den er nie öffnete. Er pflegte scherzhaft zu behaupten, er wäre schon wieder ein Kind, denn er hätte schon längst seine hundert Jahre hinter sich, und jeder Tag, den er jetzt lebe, sei ein Geschenk vom Lieben Gott selber. Denn der Herr ließe ihn hier nun herumwandeln, um noch ein bisschen Ordnung auf dieser Welt zu machen, denn es ginge doch nicht an, dass arme alte Mädchen keine Männer kriegten. Er lächelte immer glücklich und zufrieden, und von seinem zahnlosen Vogelgesicht war beinahe nichts zu sehen. Der zarte tabakgelbe Bart wuchs ihm direkt unter den Augen, und die buschigen, herunterhängenden Brauen reichten bis zu den Barthaaren, und dazwischen blinzelten zwei lustige kleine Mausäuglein hindurch.

Wenn er eine arme alte Jungfer entdeckte, pflegte er erst mit ihr zu sprechen wie ein eigener Vater und sich zu erkundigen, ob sie heiraten wollte und was für einen Mann er für sie finden könnte. Dann ging er von Stadt zu Stadt in der Umgebung, zu reichen und wohlhabenden Leuten, um Geld zu sammeln. Er bettelte nicht. Er besteuerte die Leute. Er sagte gewöhnlich zu so einem großen Getreidehändler: »Höre mal, du, hast du nicht gerade fünfhundert Sack Weizen nach Wien geschickt?« Kam die Antwort »Ja«, dann verlangte er hundert Kronen. Antwortete der Mann »Nein«, sagte Lazar Kukuck: »Aha, dann wirst du wohl bald so eine Ladung Weizen verkaufen«, und bestand auf seinen hundert Kronen.

Die Leute mochten ihn und verhandelten mit ihm. Er bekam gewöhnlich die Hälfte oder ein Drittel des geforderten Betrages, bis er so auf diese Weise einige Hunderter gesammelt hatte. Dann schaute er sich um nach einem alten Junggesellen, nach einem geschiedenen Mann oder Witwer mit Kindern und brachte auf diese Weise eine arme alte Jungfrau unter die Haube.

Eines Tages kam er zu uns und sagte zu Vater: »Aaron, ich habe die letzte Jungfrau verheiratet und möchte bei dir sterben.« Er schickte nach dem Gemeindevorsteher, dem Totengräber, dem Tischler, dem Steinmetz, bezahlte seinen Platz auf dem Friedhof, bestellte einen Sarg nach Maß, bestellte einen Grabstein mit Inschrift, wählte vier Sargträger aus, zu denen sich der Gemeindevorsteher, Vater und zwei andere fromme Leute anboten, öffnete zum ersten Mal sein Bündel, das er immer mit sich trug und da waren seine Totenkleider drinnen mit dem Gebetsmantel und sogar ein Säckchen Palästina-Erde. Er besprach alles freundlich und gewichtig und verabschiedete sich von allen, wie vor einer weiten Reise. Und er legte sich ins Bett und in drei Tagen war er tot.

Bei der Beerdigung vermisste man das Säckchen Palästina-Erde. Einer lief heim, es zu holen, und fand zu seinem großen Schrecken den kleinen Senderl damit spielen. Nun gab es da einen Aberglauben: Wenn jemand mit einem der Gegenstände, die zu einer Leiche gehörten, spielte, hätte er in ganz kurzer Zeit dem Toten ins Jenseits zu folgen. Gleich auf dem Friedhof entstand ein Geraune und Geflüster, dass der kleine Senderl mit dem Säckchen Erde gespielt hätte. Und es verbreitete sich über das ganze Städtchen. Nachbarn kamen, bedauerten die abergläubische, ängstliche, kleine Mama, die voller Misstrauen und Scheu den Jungen anguckte. Die anderen Kinder wurden plötzlich fremd und ängstlich und hörten auf, mit ihm zu spielen, und erzählten ihm, warum. Alle guckten auf ihn wie auf das nächste Opfer, das bald Lazar Kukuck ins Jenseits zu folgen habe. Das Kind wurde melancholisch und weinte und jammerte im Schlaf und saß am Tage schweigsam in den Ecken herum, aß nichts und fing an abzumagern. Nach einigen Wochen bekam es hohes Fieber, wurde krank und starb.

So war meine Heimkehr vollkommen zerstört. Niemand beachtete meinen blauen Anzug mit Streifen, meine rote Künstlerschleife mit den schwarzen Tupfen. Auch meine Gummirädchen an den kalbsledernen Schuhen machten keinen Eindruck, denn nun konnte man auch schon in Horodenka solche Gummirädchen kaufen, und die meisten trugen schon welche. Unter den vielen Soldaten, die auf Urlaub nach Hause kamen, war auch Srul Gloger. Er diente bei den Kaiserjägern und trug eine eng anliegende dunkle Uniform mit grünen Aufschlägen und einen steifen Hut mit schwarz-blauen Federn wie ein Gendarm. Es waren an die zwanzig Soldaten in Urlaub, und sie waren eine Sensation, denn sie sahen alle großartig aus und dienten bei verschiedenen Regimentern und trafen sich immer und erzählten sich gegenseitig lustige Soldatengeschichten und kauften sich zusammen Wein und Fässchen Bier und tranken jeden Tag in einem anderen Haus.

Eines Tages hieß es dann plötzlich, dass der Rabbi aus Czortkow käme. Und da waren zwei große Synagogen nach ihm benannt, und seine Anhänger, alt und jung, zogen sich bunte Soldaten-Uniformen an und mieteten Wagen und Pferde, und alles wurde bunt geschmückt, sogar die Pferde bekamen rote, grüne, gelbe und weiße Wolle in die Mähnen und Schweife geflochten, und die Kinder bekamen Knarren und Trompeten und Pfeifen, und die bunte, laute Maskerade fuhr dem Rabbi entgegen. Am lustigsten waren die alten Männer mit ihren weißen Bärten und bunten Husaren-Uniformen. Alles vergaß den Alltag, vergaß alle Sorgen, war in frommer, wilder Ekstase. Der Rabbi wurde eingeholt und von den tanzenden und singenden Begleitern in die Stadt gebracht. Er nahm Quartier im größten Gasthaus, bei Herrn Kugelmaß, und das Haus war von nun an Tag und Nacht vollgepackt innen und umlagert von draußen.

Eines Tages war es soweit, dass auch Vater mit mir empfangen wurde. Ich war schon in der Stube, wo der zarte, bleiche Rabbi mit seinem dünnen blonden, seidenhaarigen Bart saß. Ich sehe noch seine schmalen, langen, dünnen Hände auf dem Tisch ruhen. Und vor ihm stand der reiche Holzhändler Srul Dicker, nach dem wir kommen sollten. Und Herr Dicker sagte: »Rabbi, vor einer Woche noch war ich der reiche Srul Dicker mit dem größten Holzlager in der Umgebung, und ein Feuer kam und verbrannte alles, und alles löste sich in Rauch auf. Ich habe nur noch ein Hemd am Leibe.« Und der große Mann mit dem dichten roten Bart hatte Tränen in den Augen und sagte: »Rabbi, ich kann Euch nicht einmal die kleinste Gabe bringen, ich bin der Ärmsten einer!«

Und der Rabbi lächelte und sagte leise: »Höre, Srul Ben Hersh, Feuer kommt von Gott und Wasser kommt von Gott, und Seine Wege sind geheimnisvoll, und wir sollen alles hinnehmen, wie es sich schickt. Aber wo einmal eine Quelle war, kommt sie immer wieder.« Und er streckte seine weiße schmale Hand aus nach einer großen Silberschale, die vor ihm stand und voll war mit Geld und Banknoten, die die vorigen Besucher gebracht hatten. Er nahm, soviel er fassen konnte, von den Banknoten, ohne zu zählen, und sagte: »Nimm es, Srul Ben Hersh, nimm es, es ist gesegnet und wird dich wieder aufrichten.« Herr Dicker nahm das Geld, und kaum hatte er den Tisch verlassen, stürzten sich schon auf ihn der Bankier Jungermann und die anderen reichen Kaufleute, und alle erbaten von ihm eine Banknote vom gesegneten Geld als Abschlusszahlung von den Krediten, die sie ihm einräumten für die kommenden großen Geschäfte. Und in ganz kurzer Zeit war Herr Dicker noch reicher als zuvor.

Dann wurde Vater mit mir empfangen. Vater legte einen Zettel auf den Tisch, der die Wünsche mitteilte, die ihn zum Rabbi führten. Der Rabbi las langsam und schaute mich dabei etwas besorgt und prüfend an und sagte: »So, Jessaja Ben Aaron, du trägst den Namen des freundlichen Szajko Rozum?« »Ja«, sagte der Vater, »hat er nicht seine Augen, Rabbi?« – »Ja, er hat genau seinen Blick«, sagte der Rabbi und fixierte mich etwas misstrauisch, nur jetzt ein bisschen neugieriger. »Du wirst dreizehn, mein Sohn, und warst schon ein Jahr in der Fremde und gehst wieder in eine andere Stadt«, sagte er, auf den Zettel schauend, den ihm Vater vorgelegt hatte. »Jessaja Ben Aaron«, seufzte er jetzt etwas gewichtig, »der Herr soll dich segnen und vor Neugierde bewahren. Du siehst, mein Kind«, sagte er, »der Schöpfer der Welt hält alle Geheimnisse in Seiner Ewigkeit verschlossen, und Menschen können nur das erfahren und begreifen, was ihnen angenehm ist. Und Er liebt es nicht, wenn Menschen zu neugierig sind. Sogar *Mojsche Rabejnu*, als er einmal zwischen Gold und Feuer wählen sollte und neugierig nach dem Gold griff, wurde von einem Engel zum Feuer gestoßen, und er verbrannte sich die Zunge und musste sein ganzes Leben lang lispeln. Merke dir, mein Sohn, mit zu viel Neugier verbrennen sich sogar große Menschen die Zunge, und der Schöpfer bewahre dich davor und möge dich segnen, auf dass dein Vater viel Freude an dir erlebe!« Und er berührte mit seiner kühlen zarten Hand meinen Kopf und sagte: »Amen«, und Vater und ich wiederholten »Amen« und wurden entlassen.

Dieser Segen aber ging nie in Erfüllung. Der Hauptcharakter meines Wesens war und blieb Neugierde. Neugierde auf allen Gebieten: Aus Neugierde erschreckte ich die Kinder am Kreuzweg, wenn wir nachts aus den *Cheder* gingen. Aus Neugierde klebte ich Schimschale dem Milnitzer seinen Bart mit Wachs an den Tisch. Aus Neugierde stand ich vor Riffkeles Fenster und lief ihr bis nach Zaleszczyki nach. Aus Neugierde versteckte ich mich im Gebüsch am Fluß, um den Mädchen beim Baden zuzusehen. Aus Neugierde schloss ich immer Wetten mit mir selber ab. Aus Neugierde lauschte ich dem russischen Studenten Czerniakoff, wenn er über Sterne und Welten erzählte. Aus Neugierde wollte ich jetzt nach Stanislau gehen!

Und siehe, er, der Rabbi, weiß, was in mir vorgeht, und segnet mich und mahnt mich, nicht neugierig zu sein. Und in mir ist alles durcheinander, und ich schwöre im Stillen, die Neugierde in mir zurückzudrängen. Aber sie, diese Neugier, hat mich nie wieder verlassen. Ich musste immer an sie denken, und so sehr ich auch hoffte und betete, dass der Segen des Rabbi in Erfüllung gehen möchte, so saß sie doch, während ich betete und hoffte, in meinem Herzen, nistete sich in meinem Hirn ein, stand vor meinen Augen, flüsterte mir in die Ohren, wuchs mit mir Jahr um Jahr und wurde stärker und breiter als mein Körper, größer und tiefer als meine Sehnsucht. Bis ich es dann aufgab, sie wegzuwünschen. Und so blieb sie bei mir und mit mir, ohne mich für eine Sekunde zu verlassen, und ich sagte mir, dass doch wohl nicht alle Wünsche und Segnungen in Erfüllung gehen könnten. Und ich gewöhnte mich an sie und befreundete mich sogar mit ihr und behielt sie bis heute, wo ich sie für mein Leben nicht mehr missen möchte.

Einige Tage später verließ ich Horodenka leichten Herzens. Die ganze Familie, die Nachbarn und die Freunde brachten mich zur neu eröffneten Bahnstation. Und als der Zug sich in Bewegung setzte, sah ich Vaters braune Augen sich mit Wasser füllen, und zwei große Tropfen rollten über sein Gesicht in den Bart. Ich sah Vater zum zweiten Mal weinen und zum letzten Mal in meinem Leben.

Auch dieser Wunsch des Rabbis, dass Vater viel Freude an mir erleben sollte, ging nicht in Erfüllung. Denn er starb einige Jahre später, ohne dass ich ihn jemals wieder gesehen hätte. Möge die Erde ihm leicht sein, denn dieses Leben war schwer genug für ihn.

21
In der Fremde ist es gut, einen grossen Bruder zu haben

Die Erlebnisse in Zaleszczyki, mein letzter Besuch in Horodenka, das Schicksal meines kleinen Bruders Senderl, der dem alten Lazar Kukuck ins Jenseits folgen musste, der Segen des Weisen von Czortkow, der mich vor Neugierde bewahren sollte, des Vaters letzter Abschiedsblick mit den zwei Tränen, die ihm stumm in den Bart rollten, und die Reise nach Stanislau, alles das lag auf meinem Herzen wie ein unsichtbarer Sack mit Steinen. Mein einziger Trost war mein Bruder Leibzi, der hier in Stanislau bei der Artillerie diente und mir die Adresse vom Bäcker Pietrogradski in der Zosina-Wolja-Gasse zurückgelassen hatte, wo ich schon erwartet wurde. Stanislau war die nächstgrößte Stadt nach Lemberg. Da fuhr schon eine elektrische Bahn in die Vororte, da war die Garnison vom Achtundfünfziger-Infanterie-Regiment, da waren auch Ulanen und Dragoner stationiert und das Artillerie-Regiment, bei dem mein Bruder diente.

Das Städtchen sah aus wie ein Puppenheim. Es gab schöne mehrstöckige, weiße Häuser und Anlagen und Gärten und Blumen und Baum-Alleen, einen sauberen, großen Marktplatz und reiche Geschäftsauslagen; und abends brannten die elektrischen Lampen, und es war hell wie am Tag, nur viel fröhlicher. Die Hauptstraße, die Promenade, hieß auf einer Seite die Linie A und auf der anderen Seite die Linie B. Da traf sich das junge Volk. Geputzte, hübsche Mädchen gingen mit Studenten und geschniegelten Offizieren schnatternd und lachend auf und ab. Da gab es Kaffeehäuser mit Musik und eine Passage, wo man sich traf, und Restaurants. Da war Fülle und Lustigkeit und lachende Begeisterung. Da gab es Tanzsäle und Vergnügungslokale, da gab es hundertmal mehr Leute als im Horodenkaer »Spaziergarten«. Nur war alles frecher, freier, leichter; es steckte an, jeder lachte und scherzte und hatte seine Rendezvous. Man sprach polnisch und deutsch und ukrainisch und jiddisch, und alle benahmen sich so wichtig, und alle waren so geschäftig und aufgeregt. Und um zehn Uhr gingen die Lampen plötzlich aus und der Spuk war vorbei, und die Linien A und B wurden leer. Alles räumte die Straßen. Nur hie und da sah man noch ein verspätetes Pärchen oder eine einsame Droschke. Und an manchem Haustor stand ein Soldat mit einem Dienstmädchen, und sie guckten sich um, ob sie beobachtet würden, und wenn niemand zusah, dann fassten sie sich an und küssten sich, und wenn jemand kam, standen sie wie ertappte Diebe, verlegen und schweigend.

Ich fragte Leute, wo die Zosina-Wolja-Gasse wäre, und sie musterten mich misstrauisch und frech. Ich erfuhr dann später, dass in dieser Gasse nicht nur die Artillerie-Kaserne war und die Bäckerei von Pietrogradski, sondern der größte Teil der Gasse war voll von Hurenhäusern und Huren, und es schickte sich nicht, nach ihr zu fragen. Bis mich dann ein halbbetrunkener Soldat mitnahm und sagte: »Komm mit mir, vielleicht werden wir noch Schwäger heute.« Unterwegs wurde ich oft von fremden Mädchen angesprochen; ich wusste schon, was sie meinten, dachte an Riffkele und meine Schwester und schämte mich für sie.

Nun sah ich die große Dampfbäckerei von weitem. Ich ging hinein und fragte einen grauhaarigen, gut aussehenden Mann mit gestutztem Spitzbart nach Herrn Pietrogradski, und er antwortete stolz: »Jawohl, der bin ich selber.« Ich sagte, ich sei der Bäckergeselle, den der Artillerie-Soldat schicke. Er musterte mich von Kopf bis Fuß, rief seine Frau, eine etwas hinkende, aber hübsche Person, und dann kamen noch zwei Gesellen herein, aber man konnte sehen, dass sie die eigenen Söhne des Meisters waren. Dann tauchte noch eine kleine, etwa zehnjährige Göre und ein fetter Junge in meinem Alter auf; er war Gymnasiast, denn er trug an seiner Uniform drei Silberstreifen. Alle fixierten mich voller Misstrauen mit ihren frechen Blicken, tuschelten, lachten und beguckten sich mein Köfferchen mit den grünen und roten Blumen. Und ich fühlte mich durchlöchert von ihrem Spott. Plötzlich sagte Herr Pietrogradski: »Hast du Hunger?« – »Ja«, sagte ich. »Das glaube ich, das sieht man dir ja an«, antwortete er und alle lachten über den gelungenen Witz. Er meinte dann, sich an die anderen wendend: »Es ist nur die Frage, ob du auch arbeiten kannst.« Die Frau sagte mit einem Vorwurf, als ob ich sie schon oft im Leben angelogen hätte: »Sag mal, wie kommt es, dass so ein großer, breiter Soldat einen so schmächtigen, kleinen Bruder hat?« Ich wurde rot und verlegen und schämte mich wegen meiner Kleinheit, freute mich aber, dass auch ihnen mein großer, starker Bruder aufgefallen war. Dann sagte der Bäcker: »Gut, du wirst hier eine Woche probearbeiten, dann werden wir ja sehen.« – »He, du Doktor«, wandte er sich zum fetten Gymnasiasten, »zeig' ihm seinen Salon zum Schlafen, wo er seinen eleganten Blumenkoffer unterstellen kann.« Der Fettkloß antwortete glatt: »Nein, ich will nicht. Soll es jemand anders tun.« Der Alte fing an, seinen Hosenriemen zu lösen und brummte: »Ich will dich lehren ›ich will nicht‹, du fette Qualle«, aber die hinkende Bäckerin keifte ihren Mann auf Polnisch an, damit ich's nicht verstehen sollte: »Verstehst du nicht, du Grobian, dass er das nicht tun kann. Er ist doch Student und es schickt sich nicht für ihn.« Der ältere der beiden Söhne legte die eine Hand an die Hüfte wie ein Mädchen und hielt die andere gespreizt ans Gesicht und sagte in hohem Falsett: »Ach nein, die Studenten riechen Rosen und scheißen in die Hosen.«

Ich musste plötzlich laut auflachen, denn alles war so neu und komisch für mich. Aber das fette Gymnasiastenklößchen zischte mich an und verbot mir, zu lachen. Die Mutter umarmte ihn und streichelte ihn mit seiner formlosen, fetten Fresse wie ein Brustkind, beruhigte ihn und warf mir einen gehässigen Blick zu. Der ältere Sohn sagte: »Komm mit mir, Kleiner, ich will dir deinen Palast zeigen.« Er führte mich durch die Hintertür, dann auf den Hof in eine Mehlkammer und sagte: »Die sind ja alle verrückt; am besten ist's , nicht auf sie zu achten. Ich bin ihr eigener Sohn und kann sie nicht leiden. Ich war auch schon ein Jahr in Lemberg und will wieder weg. Der Alte ist von Russland und benimmt sich wie Nikolai selber; sie wieder möchte, dass wenigstens einer Doktor wird, damit sie was zum Prahlen hat. Nun studiert der Bengel. Sie verwöhnt und verhätschelt ihn, dass der fette Ballon eines Tages noch platzen wird. Komm gleich mit, heute gibt es geräucherte Brust und der geizige Herr hält sie in seinem Geldschrank verschlossen. Nachher musst du Holz hereinbringen, den Ofen heizen. Ich zeig' dir dann, wo alles ist.«

Wir kamen in den Laden, der Alte schnitt schon Scheiben von einer geselchten Brust. Man konnte sich Gebäck nehmen, soviel man wollte. Ich nahm die mir gereichte Portion, ging in die Mehlkammer in meine Ecke, wo ich mich auf einem halben Sack Mehl niederließ, und verzehrte mein Abendbrot allein wie ein kleines fremdes Hündchen. Guckte mir mein Köfferchen an, das eben ausgelacht worden war, und ich fühlte Mitleid mit dem geblümten kleinen Ding aus Zaleszczyki, das meine beiden kleinen Schwesterchen Matele und Ljubiczka mit so viel Zartheit und Liebe gestreichelt hatten. Und das kleine Kästchen lächelte mich an mit seinen roten und grünen Blumen, als ob es mich erinnern wollte an das kluge ukrainische Sprichwort: »Jeder Hund ist ein Herr auf seinem Hof.«

Dann wurde ich zur Arbeit gerufen. Die schläfrigen, gähnenden Gesellen, die gerade aufgeweckt worden waren, waren schlechter Laune, nicht ausgeschlafen, musterten mich mit ironischen Blicken. Besonders einer, der Jojne Burlak hieß, etwa vier bis fünf Jahre älter als ich. Ein ungeschlachter, grober Kerl. Er war gleich frech und fragte mich, von wo ich wäre. Als ich Horodenka nannte, lachte er und meinte, das wäre ja das Nest, wo die Ziegen auf den Dächern grasten. Und die andern, müde wie sie waren, schmunzelten ihm Beifall zu.

Die Arbeit in der Bäckerei war eingeteilt zwischen dem Helfer, der den Ofen bediente, dem Weißmischer, der den Semmelteig zuzubereiten hatte, und dem Schwarzmischer, der das richtige Gefühl für den Sauer und den Roggenteig haben musste. Dann gibt es die Arbeiter, die Brote werken, Semmeln rollen, Kipfel drehen, Kaisersemmeln klopfen, Kranzsemmeln flechten. Zum Schluss gibt es das *Jidl*. Meine Arbeit hier war die des *Jidl*. Das *Jidl* ist der Handlanger. Warum die österreichischen Bäcker den Handlanger, der die schmutzigste und schwierigste Arbeit zu verrichten hat, *Jidl* nannten, das ist ihr Geheimnis. Das *Jidl* musste alle bedienen. Es hatte das Holz zu bringen, es zu spalten, Öfen zu heizen, Wasser heiß zu machen, die Mehlsäcke hereinzuschleppen, Mehl zu sieben, Sauer für den Teig anzurühren, die Bretter mit dem rohen Gebäck hinauszutragen in die Kühle, dass es nicht übergärte, es dann zum Ofen zu bringen, das fertige Gebäck wegzutragen. Alles schnell und flink. Wenn nach einer Nacht Arbeit alles fertig war und alle sich ausruhen durften, hatte das *Jidl* die Tröge abzukratzen, die Waagen zu reinigen, die Teigschneidemaschine zu putzen, zu ölen, die Bäckerei zu fegen, alles blitzblank zu machen, dann wieder Holz zu bringen, Wasser aufzustellen ...

Wenn die andern vierzehn Stunden arbeiteten, arbeitete es sechzehn; wenn die andern, wie hier bei Pietrogradski, sechzehn Stunden arbeiteten, hatte das arme *Jidl* mindestens achtzehn Stunden zu tun. Und da noch verzögernde Gänge hinzukamen, arbeitete ich achtzehn bis zwanzig Stunden am Tag und fiel hin auf die Fliesen der Bäckerei, erschöpft wie ein Toter, und es war schwer, meine jungen Knochen wieder aus dem Schlaf zu rütteln. Erst wurde ich beim Wecken unfreundlich angefasst, dann wurde ich gerüttelt und geschüttelt. Das taten immer die anderen Gesellen, die ihren *Tankel* oder Sauer anzurühren hatten. Dann versuchten sie es mit Stößen und Schlägen. Am meisten Spaß machte es dem Jojne Burlak, mich mit einer Feder in der Nase zu kitzeln oder einfach mit einem Stück Holz zu stoßen. Aber ich war halb tot, und mein Körper gewöhnte sich an die Belästigungen und schlief weiter. Dann hatte der Jojne noch eine lustige Idee: mich mit Wasser zu begießen. Und das wirkte. Ich sprang dabei immer erschrocken auf, war unglücklich und schläfrig und sehnte mich nach dem Freitag und Sonnabend, wo ich dann zwanzig Stunden schlafen konnte. Nach einer Woche wurde ich als *Jidl* fest angestellt.

Meinen Bruder traf ich außerhalb der Bäckerei oder in seiner Kaserne, und ich legte ihm immer meinen Lohn in die Tasche, weil ich das Geldausgeben nicht wichtig fand. Denn erstens brauchte ich ja nichts, und zweitens war ich sehr glücklich, ihm zu helfen. Denn wir waren ja Freunde und nicht nur Brüder. Unter den Gesellen war es dieser Jojne Burlak, der mich vom ersten Augenblick an verfolgte und quälte. Jetzt war er noch wütender, denn ich hatte denselben Lohn wie er, und obwohl kleiner und jünger, war ich doch ein besserer und schnellerer Arbeiter, und die andern Gesellen und die zwei Söhne von Pietrogradski, die auch Lohn bekamen wie einfache Arbeiter, neckten immer den Jojne deswegen. Und er hasste mich und schlug mich, wo er nur konnte, nannte mich das »kleinstädtische Schweinchen«, denn er war von der großen Stadt Kolomea und ich nur von Horodenka. Aber die anderen machten sich auch deshalb über ihn lustig, denn ich konnte lesen und schreiben, und er war ein Analphabet. Sein größtes Vergnügen war, mich zu »wecken«. Er pflegte extra dafür aufzustehen, um das zu genießen. Er dachte sich immer neue Sachen aus: Er nahm Ruß und schmierte mein Gesicht schwarz an, dann hielt er mir Mund und Nase zu, so dass ich nicht atmen konnte. Nach einiger Zeit legte ich mich einfach auf den Bauch. Dann kitzelte er mich mit einem Stroh hinter den Ohren, aber am liebsten begoss er mich mit einem Eimer kalten Wassers. Ich hatte mich auch schon an die vier bis fünf Stunden Schlaf gewöhnt und tat meine Arbeit schnell und flink, und alle waren zufrieden.

Nun geschah etwas Außergewöhnliches: Es wurde in Stanislau zum ersten Mal ein Bäcker-Verein organisiert. Und da ich von der Baron-Hirsch-Schule her lesen und schreiben konnte, jiddisch, ukrainisch, ungarisch, polnisch und sogar deutsch ein bisschen, was ein große Ausnahme war bei den Bäckern der damaligen Zeit, wurde ich zum Sekretär des Vereins gewählt. Unser erster Ofenarbeiter, der kleine, sehr gescheite Schimele Ruskin, hatte mich selber vorgeschlagen. Schimele war etwa vierzig Jahre alt, glatt rasiert, konnte selber weder lesen noch schreiben, hatte aber einen sehr wachen und gescheiten Kopf. Er verachtete den Jojne Burlak und nahm immer Partei für mich, ohne dass es viel genutzt hätte. So eine Bäcker-Arbeitsnacht ist lang, und da spricht man viel, wenn man zusammen die Semmeln und Kipfel und Kaisersemmeln macht. Jetzt wurde Jojne von den andern noch mehr geneckt; er war aus der Großstadt Kolomea und schon so lange in Stanislau, und der kleinstädtische kleine *Jidl* wurde mit solchen Ehren ausgezeichnet, wurde in den Vorstand des Vereins als Sekretär gewählt. Aber Jojne Burlak machte mir das Leben immer schwerer. Ich nahm alles still hin, ohne Proteste, schämte mich, das alles meinem Bruder zu erzählen, vor dem ich selbstständig und männlich erscheinen wollte. Ich dachte mir: Der wird doch eines Tages müde werden, mich zu quälen, und mich in Ruhe lassen.

Abgesehen von alldem war ich sehr fromm. Wenn ich die Arbeit beendete, legte ich meine *Tfilim* mit den Gebetsriemen an, stellte mich in meine Ecke beten und versank in Andacht und erzählte alles meinem Schöpfer, was ich meinem Bruder verschwieg. Ich weinte immer still und schüttete ihm mein Herz aus. Und so wurde es mir auch leichter, alles zu ertragen. Keiner von den anderen Gesellen, auch nicht die Söhne Pietrogradskis, beteten. Sie machten sich über mich und meinen »Fanatismus« lustig. Hier aber war ich unverletzbar. Hier konnte mich niemand treffen, im Gegenteil: Sie taten mir alle sogar ein bisschen leid. Ich brauchte nur an meinen Vater oder an Schimschale den Milnitzer, oder an den Weisen von Czortkow zu denken, und aller Spott und Hohn verflogen wie Seifenblasen. Auch der kleine Schimele Ruskin war auf meiner Seite. Er sagte, er wäre dagegen, dass ein Rabbi ihn zwingen sollte, zu fasten und zu beten. Er täte es einfach nicht. Aber wenn jemand in seinem Herzen fromm empfände, hätte kein Mensch ein Recht dazu, ihn zu stören.

Aber der Jojne Burlak, dieser gefühllose Halunke, war anderer Meinung. Als ich eines Tages so ganz versunken in meiner Andacht war und mein Herz dem Herrn ausschüttete, bekam ich plötzlich eine *Matschke* ins Gesicht gefeuert. Eine *Matschke* ist in der Bäckersprache ein leerer Mehlsack, getaucht in Wasser, dann in Ruß. Es tut nicht nur weh, es verdreckt das Gesicht mit Mehl und Ruß und Wasser und verklebt die Augen und ist auch eine Demütigung. Man schluckt mit dem Schmutz noch die Schmach und die Schande und den Spott. Alle lachten darüber, bis auf Schimele Ruskin, den es ekelte. Ich schwieg und betete weiter und fragte stumm in Gedanken den Lieben Gott, ob es Ihm denn recht wäre, was Jojne mir antäte, gerade wenn ich Ihn preise. Und ich hatte das Gefühl, als ob Er mir antwortete, dass es doch nur eine Prüfung wäre, denn wen Er liebe, den prüfe Er immer. So wurde ich frommer und versank immer mehr und suchte und fand Trost im Gebet. Schimele Ruskin rückte immer mehr vom Grobian Jojne ab und beeinflusste so auch die anderen Gesellen, und sie kritisierten ihn, dass er sich an einem Schwächeren vergriff. Aber er, statt aufzuhören, wurde immer frecher und niederträchtiger.

Eines Sonnabends ging ich mit meinem großen Bruder auf der Linie A spazieren, und entgegen kam uns Schimele Ruskin. Wir blieben stehen und sprachen. Und Schimele war überrascht zu erfahren, dass ich einen großen, starken Soldatenbruder hätte. Gleich nahm er den Bruder zur Seite und sprach mit ihm allein, ohne mich. Ich sah nur nach einiger Zeit, wie mein Bruder kreidebleich wurde und Schimele die Hand gab und sagte: »Ich danke Ihnen, danke für alles!« Dann ging der Bruder mit mir allein, sprach erst über andere Dinge und fragte mich plötzlich, ob es denn wahr sei, dass Jojne Burlak mich schlüge. Ich schämte mich und versuchte zu leugnen. Dann fragte er: »Würdest du unseren Vater auch anlügen? Ich bin dein älterer Bruder, und hier in der Fremde bin ich dir an Vater statt! Hat Jojne dich geschlagen, oder hat Schimele Ruskin mich angelogen!« Ich gestand dann die ganze Wahrheit.

In der selben Nacht noch, um drei Uhr, als wir alle an der Trogtafel beim Kipfeldrehen standen, erschien plötzlich mein Bruder und sagte sehr freundlich: »Guten Abend, Bäcker!« Alle antworteten. Dann sagte er: »Welcher hier ist der Jojne?« Und Jojne rief laut und keck: »Ich, Soldat, was möchten Sie?« Und mein Bruder sagte: »Ich möchte dir sagen, du Schwein, in meiner Soldatensprache, dass der kleine Szajko hier, den du immer schlägst, mein Bruder ist.« Und knallte ihm eine rechts und eine links und noch eine links und noch eine rechts und noch eine und noch eine! Und Jojne hielt sich das Gesicht mit beiden Händen zu, bekam noch einen Faustschlag an den Kopf, taumelte zur Wand und schwieg. Die Arbeiter guckten sich das alles schmunzelnd an, und Schimele Ruskin sagte: »Jojne, wir haben dich immer gewarnt.« Mein Bruder sagte jetzt: »So, du Dreckskerl, ich gehe jetzt und rate dir, ihn nur noch einmal anzurühren, dann schicke ich dich in einem Sarg deiner Hurenmutter als Geschenk nach Kolomea, deiner Großstadt!« Und ging. Alles schwieg in Spannung. Ich war am meisten aufgeregt. Denn so gut es mir auch ums Herz war, so stolz und dankbar ich an meinen Bruder dachte, so zitterte ich doch im Stillen, was jetzt passieren würde. Alle schwiegen und arbeiteten weiter. Auch Jojne und ich arbeiteten. Plötzlich schrie er mich wild an: »He, du! Warst du krank, mir nicht zu erzählen, dass du hier einen Bruder bei der Artillerie hast?« Die Artillerie-Kaserne war direkt neben der Bäckerei, und die anderen lachten ihn plötzlich aus, und Schimele Ruskin keuchte und quietschte vor Vergnügen und sagte: »Ach du, Jojne, bist nicht nur ein schlechter, bist auch ein blöder Kerl! Warum hätte er dir das erzählen sollen, wo doch sein Bruder es dir in seiner Soldatensprache so deutlich und vor Zeugen persönlich mitteilen konnte!« – »So ein feiges Schwein«, sagte der älteste Sohn des Bäckers, »nicht einmal den Versuch gemacht hat er, sich zu wehren. Aber einen kleinen, hilflosen Jungen schlagen, das konnte er!« Dann waren alle still, und die Arbeit ging weiter, als ob nichts passiert wäre.

Mein Peiniger Jojne hat mich seit dieser Nacht nie wieder

angerührt. Nicht im Ernst und nicht im Spaß. Und ich erlebte so in der Fremde, wie gut es doch ist, einen großen Bruder zu haben, der einen beschützt.

22
Chajachett

Jojne Burlak verließ die Bäckerei, und ich bekam seine Arbeit, die viel leichter war, und ein anderes *Jidl* wurde eingestellt und rackerte sich an meiner Stelle ab.

Die Arbeitsverhältnisse wurden immer unerträglicher, und Schimele Ruskin, der Vorsitzende des Vereins, sagte, wir müssten der großen Organisation, der wir angehörten, berichten. Er diktierte mir lange Briefe an die Wiener Gewerkschaftszentrale über unsere Verhältnisse und eines Tages kam ein Gewerkschaftsvertreter aus Wien. Der Gewerkschaftsvertreter, ein früherer Bäckergeselle, erklärte, dass es nur ein Mittel gäbe: gemeinsam Forderungen stellen, verhandeln und sehen, was dabei herauskäme, und falls kein Entgegenkommen von der anderen Seite gezeigt würde, dann die Anwendung der stärksten Waffe der Arbeiter – Streik.

Das war ganz was Neues für uns. Er erzählte dann vom Kampf der Arbeiter in den großen Städten Europas und nannte den Streik die letzte heilige Waffe. Denn er wäre die Waffe der Solidarität, der Freundschaft, der Zugehörigkeit, des Stolzes und des Selbstbewusstseins der Arbeiter, die zwar arm sind, aber eine Moral haben, die höher zu bewerten ist als der Reichtum der andern. Wir Jungen waren einfach begeistert. Dann besprach man verschiedene Forderungen, wie bessere Löhne, kürzere Arbeitszeit, hygienische Verhältnisse und Nichtschlagen von Jugendlichen. Alles wurde aufgeschrieben, ein Streik-Komitee wurde gewählt, die Forderungen wurden den Bäckermeistern überreicht, und wir sollten in drei Tagen Antwort bekommen.

In der ersten Nacht nach der Übergabe der Forderungen kam Pietrogradski, der Chef, in die Bäckerstube und lachte über unseren Verein und unsere Forderungen, neckte die Arbeiter, machte Witze über alles.

Die Bäckermeister lehnten in Bausch und Bogen alles ab, ohne sich überhaupt auf Verhandlungen einzulassen. Und plötzlich waren wir alle im Streik! Wir trafen uns jeden Tag. Und es verging eine Woche nach der andern. Die Bäckereien arbeiteten, die Meister selbst, deren Weiber und Kinder, Leute von der Straße und einige Streikbrecher – unter ihnen war auch Jojne Burlak. Die älteren Arbeiter verloren bald den Mut und wurden ängstlich, ihre alten Posten zu verlieren. Die Weiber kamen in das Vereinslokal, wütend und aufgehetzt von den Zwischenträgern, nannten die kleine Unterstützung »Bettelei«, beschimpften die Streik-Leitung, holten ihre Männer heim und machten ihnen die Hölle heiß. Nach fünf bis sechs Wochen waren einige von ihren Weibern so weit beeinflusst, dass sie schlapp machten und einzeln wieder zur Arbeit zurückkehrten. Die Moral bekam einen Riss. Der Mann aus Wien hielt Beruhigungsreden, die nicht wirkten, sprach von Entgegenkommen, von Vergleichen. Aber die Bäcker lachten weiter über den Streik. Nach und nach gingen immer mehr zur Arbeit zurück, unter den selben schlechten Bedingungen. Der Gewerkschaftsführer reiste wieder nach Wien, und alle, die in der Streik-Leitung gewesen waren und die in den Versammlungen gesprochen hatten, und alle, die sonst im Verdacht standen, für den Streik zu sein, wurden gemaßregelt, ausgesperrt und nicht wieder angestellt.

Es war eine große, ernste Niederlage. Schimele Ruskin war der Einzige, der nicht den Kopf verlor. Er meinte, dass auch ein verlorener Streik zu Gunsten der Arbeiter ausgewertet werden könnte. Wenn man aus den begangenen Fehlern lernt, gewinnt man den nächsten oder den übernächsten, denn den letzten Streik *müssten* die Arbeiter gewinnen. Das wäre ein Gesetz. Ich verstand ihn nicht ganz, aber es tat mir wohl, ihm zuzuhören und zu glauben, was er sagte. Nach einiger Zeit verließ er die Stadt und ging nach Lemberg.

Ich war nun ausgesperrt und arbeitslos. Zum ersten Mal in meinem Leben. Ich ging zum Bahnhof, half den Passagieren ihr Gepäck tragen, wurde von den Berufsträgern verjagt, schlief in den Wartesälen, wurde von den Hütern des Gesetzes aufgestöbert, verhaftet, wieder entlassen, gehetzt, getrieben. Es war Winter. Die eisige Kälte drang durch mein dünnes Zeug, der Schnee knarrte unter meinen Füßen. Unendlich lang sind die Nächte für den ausgesperrten Jugendlichen, wenn in ihm Kälte und Einsamkeit und Hunger und Neugierde und sexuelles Erwachen durcheinander kreisen. Unbestimmt, unsicher, noch nicht denkfest, mit bleischweren Gefühlen schleppt er sich herum. Solche Nächte sind quälende Ewigkeiten. Ich traf verschiedene Deklassierte auf meinen Wegen. Sie erzählten, dass man in Stanislau wegen Schlaf sich keine Sorgen machen müsste. Man brauche nur in ein Bordell zu gehen, sich im Wartezimmer in eine Ecke zu setzten und könne so die Nacht schlafend in einer warmen Stube verbringen.

Eines Nachts ging ich mit Herzklopfen in die Zosina-Wolja-Gasse. Ein Haus stand hier neben dem andern. Da war ein Lärm, ein Durcheinander, ein lebendiger Fleischmarkt. Alte Männer, Gymnasiasten, Soldaten, einzeln und in Gruppen, gingen ein und aus. Alle taten geheimnisvoll wie Diebe. Man ging erst gleichgültig, dann plötzlich drängten sie sich und schlüpften hinein in so ein Haus. Ich schlenderte, meiner täglichen Hetzjagd und des Herumirrens müde und unglücklich, um so ein Haus herum. Und da kam plötzlich eine Gruppe Männer, und ich mischte mich unter sie und schlich hinein mit ihnen – und war drinnen, im Puff des Herrn Kimmele.

Kimmele war etwas größer als ein Liliputaner, hatte aber außergewöhnlich breite Schultern, sah aus wie ein Riesenwürfel, mit seinem dichten, nach oben gedrehten Schnurrbart und seinem Stiernacken; er schrie mit seiner fetten Stimme seine Gäste an, als einer Krach machen wollte: »Hier benimmt man sich anständig, man nimmt ein Mädel und zahlt und geht. Und wer frech wird, kann ein Messer zwischen die Rippen kriegen!« Es wurde ruhig, und Kimmele ging mit einer viereckigen Flasche Schnaps zum Hintergrund, wo eine Treppe zum ersten Stock führte.

Es saßen da acht bis zehn Mädchen, einige ganz jung und müde und verlegen. Einige älter, mit bemalten knallroten Wangen, und alle trugen ganz kurze Röcke, dass man über den Strümpfen ihre Schenkel sehen konnte und weiter hinauf. Ich setzte mich in eine Ecke und beobachtete, wie einer der Gäste sich erhob und auf ein Mädchen zeigte. Sie stand ebenfalls auf und bekam von einer vollbusigen und breithüftigen Dame mit einer dreistöckigen, roten Haarfrisur und einem Schlüsselbund einen Schlüssel und ein Handtuch. Der Gast gab ihr Geld und folgte dem Mädchen. Ein anderer tat dasselbe, dann ein dritter und vierter. Das erste Mädchen kam dann zurück, rauchte sich eine Zigarette an. Einige gingen, andere kamen. So wiederholte sich immer dasselbe.

Und wie ich draußen vor Kälte gezittert hatte, so zitterte ich hier vor einer dumpfen Aufregung. Aber ich kuschelte mich in meiner Ecke zusammen und schlief ein. Gegen Morgen wurde ich von der rothaarigen Dame mit der dreistöckigen Frisur geweckt. Das Haus wurde geschlossen. Und ich ging in die kalte, schneidende Winterluft hinaus, fror und biss die Zähne zusammen, war gebrochen von Kälte und Hunger und Einsamkeit. Ich war ausgesperrt aus der ganzen Welt. Keine Bäckerei, keine Arbeit, kein Bruder, kein Schimele Ruskin. Nur Scham und Fremde und Verzweiflung. In diesem Zustand konnte ich weder zurück nach Hause, noch nach Lemberg gehen, wo ich schon zwei Brüder hatte. So verstrich ein Tag nach dem andern. Ich trieb mich herum wie ein heimatloser Hund. Und am Abend schlich ich wieder um das Puff herum, und wenn eine Gruppe zu Herrn Kimmeles Haus kam, mischte ich mich wieder unter sie und verkroch mich wieder unauffällig in meiner Ecke und schlief ein. Und so vergingen viele Tage und Nächte.

Nach einer solchen Nacht, gegen Morgen, wurde ich wieder von der roten, dreistöckigen Frisur geweckt. Diesmal zart, wie von einer Mutter. Ich erschrak, und sie streichelte meine Stirn und sagte: »Jingele, was sitzt du hier herum schon so viele Nächte, schlafend?« – »Ich habe keine Arbeit und kein Heim, anderswo zu schlafen.« Sie schaute mir freundlich in die Augen, bedauerte mich und fragte mich aus, wie das alles gekommen sei, und von wo ich wäre. Und sie hatte Tränen in ihren großen gutmütigen Kuhaugen, nahm vom Schlüsselbund zwei Schlüssel und sagte, einer wäre vom Haus in der Zosina-Wolja-Gasse 26, derselben Gasse also, und der zweite von der Stube gleich gegenüber, wenn man das Haustor öffnete. Sie wohne da, ich solle hingehen und mich dort schlafen legen. Dankend nahm ich das an und fand das kleine Haus einige Quergassen weiter, öffnete die Stube, in der ein Bett stand, eine Truhe, ein Tischchen mit Petroleumlampe und ein Stuhl. Das Zimmer war so klein und niedrig, dass diese paar Möbelstücke es vollständig ausfüllten und man sich kaum umdrehen konnte vor Enge. Ich legte mich auf die Truhe und schlief ein. Später kam dann meine Wohltäterin, Chajachett hieß sie, brachte frische Semmeln, und ich stand auf, spaltete Kleinholz. In der Hauswand vor dem Eingang war eine kleine Kochgelegenheit. Ich machte Kaffee, deckte das Tischchen, servierte Frühstück und putzte dann ihre und meine Schuhe.

Sie erzählte mir gleich am ersten Tag, dass sie von Jassy in Rumänien war, wo sie eine unglückliche Liebe mit einem »Zwölfer« hatte. Die »Zwölfer« dort waren zwölf Brüder, große, gefürchtete Schläger, vor denen Jassy so zitterte wie die Leute in Horodenka vor den Glogers. Aber die »Zwölfer« waren Christen und sie war eine Jüdin. So wurde sie von ihrer Familie verstoßen, weil sie mit einem *Goj* ging, und er wurde von seinen Brüdern verfolgt und geschlagen, weil er es mit einer Jüdischen trieb. Sie wohnten zusammen an der Peripherie der Stadt und hatten bereits ein kleines Mädchen. Eines Nachts kam er angetrunken und zerschlagen nach Hause, bedrohte und beschimpfte sie und sagte: »Siehst du, du Judenhure! Deinetwegen haben mir die Brüder diese Lektion erteilt.« Sie antwortete: »Und alles das für nichts. Es hätte sich gelohnt, wenn du mich wenigstens liebtest!« Er wurde jetzt ganz wild in seiner Trunkenheit, nahm das große Küchenhackmesser und brüllte und belegte sie mit den schmutzigsten Schimpfnamen, hielt seinen Daumen auf den Tisch und fluchte und schrie: »Sag's noch einmal, sag's noch einmal du Hurenvettel, dass ich dich nicht liebe!« Und sie schrie in ihrer Verzweiflung: »Nein! Nein! Nein! Du liebst mich nicht! Du liebst mich nicht!« Und er hieb sich mit aller Wucht mit dem Hackmesser den Daumen ab und lief blutend davon. Sie wickelte den abgehackten Daumen in Watte, kaufte einen Tiegel mit Spiritus und legte den Daumen hinein; den Tiegel mit dem Daumen hatte sie in ihrem Kissen und zeigte ihn mir.

Ihr Kind gab sie dann zu armen Leuten in Pension und ging nach Stanislau in ein Hurenhaus. Hier war sie die Beschließerin und leitete Herrn Kimmeles Haus. Sie verdiente genug Geld, um ihre kleine Sonjitschka zu erhalten, die jetzt schon zehn Jahre alt war, in die Schule ging und nicht wissen durfte, dass ihre Mutter in so einem Haus lebte. Sie weinte bei dieser Erzählung bittere Tränen. Ich war verlegen und tröstete sie mit den billigen Geschichten, die ich aus den Schundromanen kannte. Es imponierte ihr, dass ich lesen und schreiben konnte, und sie bat mich, gleich einen Brief an ihre zehnjährige Sonjitschka zu schreiben. Ich verfertigte einen herzzerreißenden, schwülstigen Brief, ein Gemisch aus den vielen Briefstellern, die ich auswendig konnte, und aus dem Schundroman von einer unglücklichen Prinzessin, die als Stallmagd Qualen durchmachte, und eines Tages dann doch noch von einem edlen Prinzen erkannt und erlöst wurde. Sie war ganz begeistert und bat mich, heute Abend etwas früher mit ihr ins Puff zu gehen und den Brief den anderen Hurenmädchen vorzulesen. Ich tat es und die meisten Huren weinten vor Rührung.

Von da an habe ich jeden Abend den Mädchen aus billigen Romanen vorgelesen. Wenn dann später Gäste kamen, ging ich gewöhnlich heim, legte mich auf die Truhe schlafen und wenn Chajachett nach Hause kam, war ich schon ausgeschlafen, stand auf, spaltete Holz, bereitete das Frühstück, bediente sie, putzte die Schuhe, und wir plauderten, oder ich las ihr vor, bis sie einschlief. Am Tag schlenderte ich umher, und am Abend war ich wieder im Puff. Eines Tages sagte sie zu mir, ich solle doch nicht die ganze Nacht auf dem harten Koffer schlafen. Ich könnte doch so lange in ihrem Bett liegen, bis sie käme, und dann später auf den Koffer gehen. Und so war es einige Wochen.

Eines Sonntagnachts blieb ich mit ihr und den Mädchen sehr lange auf, und als man gerade schließen wollte, gegen Morgen, erschien ein völlig betrunkener Dragoner, schimpfte und polterte, zerschmetterte die Gegenstände mit dem Säbel, packte ein Mädchen an den Haaren, und als Chajachett sie befreien wollte, vergriff er sich an ihr. Alles kreischte und flüchtete sich in die Ecken. Im Nu war ich auf einem Tisch hinter ihm. Kochend vor Wut sprang ich ihn an, riss ihn zu Boden, schlug auf ihn ein mit Fäusten und Absätzen, packte den Säbel, mit dem er zuvor herumgefuchtelt hatte und zerbrach ihn überm Knie. Er lag da wie ein Haufen Dreck! Ich zog ihn an den Beinen hinaus, weit weg in den Straßengraben. Die Haustür wurde verriegelt. Das Ganze dauerte keine drei Minuten. Der Chef des Hauses, Herr Kimmele, kam vom ersten Stock herunter, wo er wohnte, hatte eine Flasche Schnaps in der Hand und sagte: »Ich hab' schon alles gehört. Hier, trink einen mit mir!« Und er füllte zwei Teegläser mit Schnaps und bot mir eins an. Ich nahm das Glas und sagte: »Prosit, Herr Kimmele!« Er aber meinte: »Wenn du mir noch einmal ›Herr‹ sagst, schmeiß ich dir die Flasche an den Schädel, du Hurensohn. Du sagst ›du‹ zu mir. Wir sind Freunde.« Und wir kippten beide die Gläser in einem Zug. Dann schenkte er zwei andere Gläser voll und gab auch Chajachett und den Mädchen zu trinken. Chajachett brachte Leckereien als Imbiss und Kimmele sagte: »Weißt du, du Hurensohn, ich liebe solche mutigen Kerle wie dich«, griff in die Tasche, warf mir einen Gulden zu mit der Bemerkung: »Hier, kauf dir Tabak!« Und Chajachett sagte stolz: »Oder ein neues Buch, er kann ja lesen und schreiben und liest uns immer vor, wenn keine Gäste da sind.« – »Hier, noch einen Gulden«, rief er, »und sei hier jeden Abend! Du wirst hier nichts verlieren!«

Am nächsten Tag, so gegen zwölf, als die Mädchen in der Hurengasse sich gegenseitig besuchten, hieß es, dass ich, einer allein, mehrere Soldaten verprügelt hätte. Gegen zwei Uhr waren es schon zwanzig und gegen fünf war es eine ganze Bande von vierzig bis fünfzig Kerlen, die ich meisterhaft, mit raffinierten Kunstgriffen, einen nach dem andern zerschlagen und hinausgeworfen hätte. Gegen Abend kamen Mädchen und Zuhälter von anderen Häusern, sich das »Wunder« anzusehen, den Kerl, der allein eine ganze Schwadron Dragoner überwältigt hatte. So wurde ich über Nacht berühmt und ein Held. Für die zwei Gulden kaufte mir Chajachett einen Rock und eine Mütze. Sie legte wohl noch etwas dazu, kämmte mir eine freche Locke an die rechte Stirnseite und klebte sie mit Pflaumensaft fest, setzte mir die Mütze schief ins Genick, dass man ja die Prachtlocke deutlich sah und bedauerte nur, dass mir noch kein Schnurrbart wuchs. Aber, meinte sie, wenn ich erst anfinge, mich rasieren zu lassen, käme auch der Bart. Als ich mich so im Spiegel betrachtete, fühlte ich mich verwegen und kräftig. Kimmele schenkte mir noch einen Schlagring aus Stahl, so einen, wie ich ihn einst von der »Locke« in Zaleszczyki über meinem eigenen Schädel gespürt hatte. Beim Gehen fing ich an, meinen Oberkörper hin- und herzuwiegen, wie es Kimmele tat. Ich straffte meine Muskeln und musterte misstrauisch die Gäste, wie ein Wachhund, jeden Augenblick bereit, einen anzuspringen und meinen Schlagring und meine Kräfte auszuprobieren. Abends aß ich immer mit den Mädchen und Chajachett und wurde eine Art Hausherr-Stellvertreter. Las auch weiter vor und schrieb nicht nur für Chajachett die Briefe, sondern auch für die anderen Mädchen, bekam auch bezahlt dafür oder hier und da ein kleines Geschenk.

Ich kannte nun alle Geheimnisse und fühlte mich ungeheuer überlegen und stark und gefährlich und verwegen und wartete mit Spannung auf die nächste Prügelei.

Eines Morgens kam Chajachett nach Hause; als ich wie gewöhnlich ihr Bett verlassen wollte, um meinen alten Platz auf dem Koffer einzunehmen, sagte sie nur: »Ach, bleib doch liegen.« Und sie zog sich aus und legte sich zu mir ins Bett.

Und als die Zeit zum Frühstückmachen kam, ließ sie mich nicht aufstehen, kroch selber aus dem Bett und deckte mich erst zart und sorgfältig zu.

Sie spaltete Holz und sie machte Feuer –

Sie deckte den Tisch und sie bereitete das Frühstück –

Sie putzte unsere Schuhe und sie bediente mich –

Denn nun war ich der Mann – ihr Mann!

Und sie war meine erste Frau.

23
THEATER

Ich lebte nun mit Chajachett, saß in den Nächten im Puff, las den Hurenmädchen vor und schrieb ihre Briefe. Unter den jungen Mädchen war eine Kleine, die Sosja aus Zaleszczyki, deren Vater ich sogar kannte. Sie war sechzehn Jahre alt, sah aber noch jünger aus. Hatte aschblondes Haar und ein schlankes Körperchen wie ein Junge, mit großen blaugrünen melancholischen Augen. Sie war von zu Hause durchgebrannt, als ihr Vater ihr eine böse Stiefmutter heimbrachte, die sie immer schlug und an den Haaren zauste. Sosja nahm mich mehr in Anspruch als die anderen Mädchen. Sie schüttete mir ihr Herz aus. Sie war sehr unglücklich in diesem Haus und vertraute mir an, dass sie eines Tages nach Lemberg durchbrennen würde, um wieder »anständig« zu werden und als Dienstmädchen in Stellung zu gehen. Sie bat mich, ihr Lesen und Schreiben beizubringen, und zahlte mir dafür fünf Kreuzer die Stunde und machte mir kleine Geschenke. Einmal überraschte sie mich mit einem halben Dutzend Taschentücher, denen sie meine Anfangsbuchstaben mit roter Seide aufgenäht hatte. Ein andermal war es ein geblümter Schlips.

Als Chajachett diese Beziehung merkte, hörte sie auf, mit mir zu sprechen. Ich wurde auch verschlossen. Sie verließ ihre Stelle bei Kimmele, und jeden Nachmittag gegen vier Uhr zog sie sich auffallend an, einen viel kürzeren Rock als sonst, malte sich die Wangen rot, nahm einen großen Schlüssel in die Hand und ging auf die Straße. Abends, gegen zehn Uhr ungefähr, kam sie heim und hatte immer Geld.

Eines Tages forderte sie mich auf, mit ihr zu gehen. Sie führte mich in ein Geschäft, kaufte mir einen neuen Anzug, zwei Hemden und einen knalligen Schlips. Als wir nach Hause kamen, fragte ich sie, was das alles bedeutete. Es war das erste Mal seit Wochen, dass ich sie anredete. Da explodierte sie plötzlich wie ein Vulkan, weinte und schrie: »Glaubst du, ich habe es nicht gesehen, dass diese syphilitische Hure, diese Sosja, dieser stinkige Fetzen, dich mir abspenstig machen will?«, packte eine Schere und zerschnitt Sosjas Taschentücher und Schlips. »Ich kann dir selber Sachen kaufen! Ich kann mit meinem Arsch in einer Stunde mehr verdienen als sie in einem Monat! Ich habe dir geholfen, als du keinen Platz zum Schlafen hattest! Ich bin deine Geliebte und ich weiß, was du brauchst!« Fiel mir um den Hals, küsste mich ab und weinte und schluchzte. Das graue Elend überkam sie: Sie hätte niemanden auf dieser Welt, heulte sie, und sie wollte alles für mich tun, nur verlassen sollte ich sie nicht! Mir gefiel das alles nicht. Ich fühlte mich plötzlich unbehaglich, gebunden, verpflichtet. Ich schimpfte sie aus, sagte ihr meine Meinung. Da fing sie zu lachen und zu weinen an, durcheinander, und schrie: »Ja! Ja! Ja! Schimpf mich doch aus! Schlag mich doch! Ich weiß, dass du stark bist! Zeig mir doch, dass du ein Mann bist! Mein Mann! Mein Geliebter! Damit ich Angst vor dir habe und dich fühle! Wenn ich aber erfahre, dass du dich noch einmal mit dieser billigen Hure abgibst, steche ich ihr die Augen aus, begieße sie mit kochendem Öl und gehe selber ins Wasser!« Das machte mich ganz unglücklich, und ich streckte mich aufs Bett, schwieg zu alledem und wollte schlafen. Sie beruhigte sich dann auch, entschuldigte sich wegen ihres Geschreis, zog ihren kurzen Rock an, bemalte sich die Wangen, streichelte mich noch, deckte mich behutsam zu, küsste mich, bat mich, zu schlafen und alles zu vergessen, nahm den großen Schlüssel und ging, wie jeden Tag um dieselbe Zeit, auf die Straße.

Ich lag da mit einem beklommenen Gefühl. Alles ging mir durch den Kopf. Chajachetts Ausbruch – jetzt dachte ich auch an Sosja, das unschuldige, kleine Hurenmädchen, das mich plötzlich an Riffkele erinnerte, hatte ein scheußliches Gefühl einerseits, andererseits fühlte ich mich geschmeichelt. »So also«, dachte ich, »die kleine Sosja liebt dich auch. Du bist ein Mann. Zwei Frauen kämpfen bereits um dich, bist nicht mehr so hilflos wie bei Channe Kozak in Zaleszczyki.« Blätterte in meinem neuen Briefsteller. Eine Müdigkeit überfiel mich, ich versuchte, Vergleiche anzustellen, wie es noch vor einem Jahr um mich bestellt gewesen war und wie sich das alles verändert hatte, und ich fiel in einen leichten Schlaf.

Ich sah mich ausgeputzt in meinem neuen Anzug auf der Linie A und B spazieren gehen – es war aber auch der »Spaziergarten« von Horodenka – und alle, die Mädchen von Horodenka, Zaleszczyki und der Zosina-Wolja-Gasse von Herrn Kimmeles Haus mit Sosja und Chajachett mit der hohen, dreistöckigen Frisur und den Schlüsseln an der Hüfte, kamen mir entgegen und lächelten mir freundlich zu – und Channe Kozak kam gelaufen und erzählte mir, dass Riffkele nun Tag und Nacht nach mir weine und alles bereue und so unglücklich sei –; ich lief zu Riffkele, nahm sie in meine Arme und vergab ihr alles und sagte: »Männer sind doch treu.« Und sie lachte unter Tränen ihr klingendes Lachen und nannte mich wieder »Zerrissenes Mützchen« – und mein Bruder Leibzi war auch da – und wir kauften drei riesengroße Schiffskarten und fuhren nach Amerika – und ich buk wieder Brezeln und knusprige Salzstangen – und Riffkele befühlte immer meine Muskeln und zeigte meinem Bruder, wie kräftig und erwachsen ich schon wäre – und erzählte ihm von den vielen Soldaten, die ich geschlagen, und dass ich sogar die »Locke« und Jojne Burlak verprügelt hätte.

Ich erwachte, als Chajachett nach Hause kam. Seit diesem Tag war in mir etwas Fremdes Chajachett gegenüber. Wir lebten zwar friedlich, schliefen im selben Bett, waren freundlich zueinander, es war aber mehr ein Nebeneinander.

So vergingen einige Wochen, bis eines Nachts jemand ans Fenster klopfte und kurz hustete. Es war mein Bruder Leibzi. Ich erkannte ihn, noch bevor er meinen Namen rief. Ich antwortete ihm aufgeregt, sprang aus dem Bett – Chajachett erschrak. Ich erklärte ihr, dass es mein älterer Bruder wäre, schlüpfte ganz schnell in meine alten Sachen. Chajachett starrte mich die ganze Zeit mit aufgerissenen Augen an.

Ich verschwand, ohne Lebewohl zu sagen, und stand plötzlich in der Nacht neben meinem großen Bruder. Er war angezogen wie ein Herr, in einem dunklen Anzug, kurzer Überzieher, trug einen steifen Hut und einen Spazierstock, und wir gingen, ohne zu sprechen, zum Bahnhof. Er musterte mich nur ein paar Mal von der Seite und fragte mich scherzend, warum ich mich denn so in den Hüften wiege. Ich wurde verlegen, dachte an Kimmeles Gang und schritt wieder normal. Am Bahnhof angelangt, nahm er, ohne mich zu fragen, zwei Fahrkarten nach Lemberg und stellte fest, dass der Zug erst in einer halben Stunde abfuhr. Wir setzten uns in den Wartesaal, wo ich noch vor zwei Monaten eine Stunde Schlaf hatte stehlen wollen und dafür verhaftet worden war. Er kaufte Salami und Brezeln und Bier und erzählte, dass er Schejndele, die jüngste Tochter des Szajko Rozum, heiratete, dessen Namen ich trüge. Und ich wäre jetzt nicht nur sein Bruder, sondern auch sein Schwiegervater. Und wir lachten beide und bestiegen den Zug nach Lemberg.

Jetzt fing er an, vom anderen Bruder zu erzählen, der auch eine liebe Frau hätte und schöne, große Kinder, die alle polnisch sprächen und in die Schule gingen, und dass er und der ältere Bruder mit Obst handelten, und es ginge ihnen sehr gut. Dann erzählte er, dass er Schimele Ruskin in Lemberg getroffen, dass er ihm vom verlorenen Streik berichtet hätte, und dass Schimele in der neu eröffneten elektrischen Bäckerei bei Tabaczynski arbeitete, und dass auch für mich dort Platz wäre. Jetzt dachte ich plötzlich daran, was alles nach dem verlorenen Streik passiert war, wie ich mich herumgetrieben hatte in den Nächten, und wie ich mich zuerst im Puff eingeschlichen und wie Chajachett mir dann geholfen hatte, wie sie mir ihre kleine Stube angeboten, wie sie mir mit ihren großen traurigen Augen heute nachgestarrt, und dass ich mich von ihr nicht einmal verabschiedet hatte. So hätte ich nicht weglaufen sollen, dachte ich. Das hat sie wirklich nicht verdient.

Plötzlich waren es nicht mehr Telefonstangen und Bäume, die an unsern Fenstern am Zug vorbeisausten. Es waren Häuser. Und mein Bruder zog den Mantel und Hut an und sagte: »So, wir sind gleich da.« Und wir fuhren ein in die große Bahnstation Lemberg-Lwow, die Hauptstadt von Galizien.

Da ist ein Riesenlärm und Geschrei. Hunderte von Menschen steigen aus und ein, drängen sich, rufen Gepäckträger mit Wagen und Koffern. Lokomotiven atmen, pusten, blasen, quietschen, pfeifen. Menschen in allen Richtungen sausen geschäftig – und da!, mitten in diesem Durcheinander, nähert sich eine Gruppe, lacht und winkt und kommt uns entgegen. Es ist mein älterer Bruder Abrum, auch elegant angezogen, mit Frau und erwachsenen Kindern, Leibzis hellblonde Schejndele ist auch da. Alles überfällt mich, knutscht mich ab. Abrums Kinder nennen mich Onkel. Schejndele nennt mich Tatku, Väterchen. Es entsteht ein Kampf zwischen den Schwägerinnen, beide wollen, dass ich bei ihnen wohnen soll. Ich höre in diesem Lärm Abrum eine Bemerkung zu Leibzi machen, dass ich wie ein ausgelaugter Hering aussähe, ob ich denn in einem Fass gelegen hätte? Leibzi antwortet schmunzelnd: »Nein, er hat neben einem Fass gelegen.« Dann einigten wir uns, dass ich abwechselnd jeden Monat bei einem andern Bruder wohnen sollte, aber den ersten Monat bei Leibzi, da er noch keine Kinder hatte. Vom Bahnhof gingen wir alle in ein gutes Restaurant und der ältere Bruder bestellte ein wunderbares Essen: Gefüllte Fische und Gänsebraten. Wir aßen und tranken wie die ganz reichen Leute in Horodenka an den höchsten Feiertagen.

Am nächsten Tag kam Schimele Ruskin und nahm mich mit in die elektrische Bäckerei zu Tabaczynski. Ich wurde angestellt mit zwei Gulden fünfzig die Woche, und jeden Tag ein Brot mit zwölf Semmeln. Am selben Tag noch ging Leibzi mit mir in ein Geschäft. Wir kauften Stoff für einen Anzug und Überzieher auf Abzahlung. Nach einer Woche war ich angezogen wie noch nie in meinem Leben! Ich bekam einen neuen Haarschnitt. Die Locke an der rechten Stirnseite, die mir Chajachett immer mit Pflaumensaft angeklebt hatte, wurde geopfert und den wiegenden Gang aus den Hüften legte ich auch ab. Ein neuer Mensch in einer neuen Stadt, in einer neuen Umgebung, beginnt ein neues Leben.

In der Zwischenzeit wurde mir Lemberg gezeigt mit der hellen, sauberen, breiten Hauptstraße, der »Kazimierzowska«, mit den großen Geschäften mit den Glaswänden, mit der langen Bahnstraße, wo kleine Waggons, von Pferden gezogen, auf Schienen fuhren, mit Trambahnen in den anderen Straßen. Juden mit langen Bärten und hohen Zylindern standen an der Börsenecke und sprachen von großen Geschäften. Auf den Bürgersteigen und an den Ecken boten Leute Obst an. An einer solchen Ecke hatten auch meine Brüder ihren Obststand. Man sah Plakate mit Anpreisungen von verschiedenen Seifen, von Kathreiners Malzkaffee, von Restaurants und einem Zirkus mit tanzenden Pferden, einer polnischen Oper, von ukrainischen Spielen und jiddischen *Broder*-Sängern. Und die vielen Marktplätze! Besonders der eine vor der Schule, wo Leute alles durcheinander kauften und verkauften: Bücher und Fische und Schnürsenkel und Piroggen, Fleisch, roh und gekocht, Butter, Käse, Eisen, Spiegel, Brot, Kleider, *Kwas*, Anzüge, Suppen, junge Hunde, Katzen, Kinderspielzeug – alles durcheinander! Jeden Tag derselbe große Lärm, und so sehr ich von allem beeindruckt war, so erinnerte mich doch alles an Horodenka. Viel größer – verzehnfacht – verhundertfacht, aber keine Überraschung, kein Wunder. Der Unterschied zwischen dem Dorfe Werbiwizi und dem Städtchen Horodenka war viel größer als der Abstand vom Städtchen Horodenka zur Hauptstadt Lemberg.

Aber eines Abends gingen wir ins Theater. Und hier war plötzlich das, was mit nichts vergleichbar war von allem, was ich bis jetzt gesehen, gehört und erlebt hatte. Denn hier entdeckte ich eine ganz andere, eine mir unbekannte, eine neue Welt. Schon die Vorbereitungen! Das »Gehen« ins Theater! Wie sie alle von Gimpel, dem Direktor, sprachen. Wie wir in die Jagiellonna-Gasse einbogen, auf den kleinen Hof kamen, die vielen strahlenden Gesichter – alle sahen so feiertäglich aus. Die Brüder kauften an einem kleinen Fensterchen Karten, trafen Freunde und Bekannte. Einfache Menschen wie sie selber. Ich wurde mit ihnen gleich bekannt. Und alle sprachen von den Spielern, von ihren letzten Rollen. Was für ein Gesicht Schilling machte, als Guttman ihm das und das sagte – wie der alte, taube Rosenberg den andern die Worte von den Lippen ablese – von Kalischs Ben Ador und von Zuckermanns Bar Kochba – wie die Fischler Gift trank als die Waise Chasja – wie Frau Rosenberg sie an den Zöpfen festbindet und schlägt – wie Palepade lachte – und wie die Karlick tanzte – und dass der ernste Mellitzer beim Spielen vom »Wilden Menschen« wirklich verrückt geworden war und in ein Irrenhaus musste. Und dass die Fischler mit einem großen Doktor verheiratet wäre, aber beim Spielen der Waise Chasja vergisst sie ihren Reichtum und weint echte bittere Tränen. Jeder wusste etwas anderes zu erzählen. Jeder begeisterte sich an dem Gesehenen und Gehörten.

Ich verstand kein Wort von alledem. Ich wusste nur eins: Genauso sprachen die frommen *Chassidim* in Horodenka über die heiligen Wunder-Rabbis. Kein Mensch sprach hier vom Wochentag, von Arbeit, von Geschäften, nicht einmal von der eigenen Familie. Ich beneidete alle um ihre Teilnahme, um ihr Wissen, und meine Neugierde kitzelte mich irgendwo in der Herzgegend.

Dann klingelte es lange und mahnend und rufend, und alle fingen an, gehorsam ins Haus zu gehen. An den Türen standen Männer, ließen sich die Karten zeigen, einige wiesen Plätze an – sie waren sogar nummeriert. Das Haus war hell erleuchtet. Wir saßen in der dreizehnten Reihe. Vor uns Menschen, hinter uns Menschen. Es war schon vollgepackt, und noch mehr kamen, lachend, grüßend, winkend. Es klingelte ein zweites Mal. Das Geräusch im Haus wurde noch lauter, die Türen wurden zugeknallt. Viele standen noch und sprachen mit den Nachbarn. Dann klingelte es zum dritten Mal. Es wurde ruhiger. Ganz vorne, wo die Ersten saßen, war auf der Stoffwand ein Mann aufgemalt, der nur ein Fell umhatte und auf einer Hirtenflöte spielte, und eine beinahe nackte, volle Frau, deren Busen nur von Haaren halb verdeckt war, lauschte seinem Spiel. Ein

Gongschlag ertönte plötzlich, die Lichter gingen aus, es wurde finster im Saal. Unten, an der Stoffwand, brannten plötzlich Lichter. Ein zweiter Gong schlug – von irgendwo ertönte Musik – im Saal ist es jetzt schon ganz still – ein dritter Gongschlag – mein Herz schlägt zum Zerspringen vor Erwartung! Jetzt rauscht die Stoffwand in die Höhe. Es sitzen auf zwei hohen Leiterstufen, die mit bemalten Wolken umstellt sind, Mädchen in hellblauen langen Hemden, als Engel verkleidet, mit großen Flügeln an den Schultern. Ein bisschen zu große Engel – aber ich glaube schon, dass es Engel sind. Sie singen, dass sie den Menschen nur zum Guten raten – und jetzt erscheint der leibhaftige Teufel! Knallrot angezogen – und hinkt – hat richtige Teufelshörner am Kopf und erzählt lustig und frech, wie langweilig es auf der Erde ist, spricht gemeine, aber doch sehr kluge Sachen. Dann hören wir Gottes Stimme, die einen frommen *Thoraschreiber*, Herrschale Dobrowner, lobt. Und der Leibhaftige lacht knarrend dem Lieben Gott ins Gesicht und schließt mit ihm eine Wette ab, dass er diesen frommen *Thoraschreiber* mit Geld und Reichtum verführen und verderben kann. Und dann sinkt die Stoffwand herunter.

Welch eine Welt! Welch eine Pracht! Das ist ja hundertmal aufregender als der aufregendste Traum! Mir rinnt der Schweiß von der Stirn! Was wird jetzt passieren? Mein Bruder Leibzi schaut mich mit fragendem Lächeln an. Ich kann kein Wort sprechen. Da, jetzt! Ein Gongschlag! Wieder finster. Die Stoffwand geht hoch. Da ist eine einfache, arme Stube, wie ich sie schon hundertmal gesehen habe, wie ich sie von zu Hause kenne, aus den Hintergassen. Es ist Winter, ein Fenster ist mit Fetzen verstopft, das andere mit einem alten Kissen. Man kann direkt den Wind draußen pfeifen hören. Auf dem Tisch liegt eine aufgerollte *Thora*, zugedeckt. Ein alter Großvater macht lustige Bemerkungen, spielt mit einem Enkelkind, einem großen Mädchen schon, eine Frau sitzt da, schält Kartoffeln, hat Zahnweh und kann über die Witze des Alten nicht lachen. Nachbarn kommen – man spricht über Herrschale Dobrowner, den *Thoraschreiber*, über den vorhin im Himmel der Teufel mit dem Lieben Gott eine Wette abgeschlossen hat.

Die da ahnen nicht, was wir wissen. Sie erzählen, dass Herrschale ins Bad gegangen ist, um sich zu waschen, bevor er das Wort *Adonaj* niederschreibt und den letzten Satz in der *Thora*. Und jetzt kommt er selber: Ein armer, aber bildschöner, zarter Mensch mit einem edlen, blassen Gesicht, sieht aus wie der Weise von Czortkow. Jetzt wäscht er sich seine schönen schmalen Hände, setzt sich, ohne ein Wort zu sagen – alle warten in Spannung. Er schreibt den letzten Satz, spricht den Segen, alle gratulieren. Es wird sehr fröhlich, man fordert ihn auf, auf seiner Geige zu spielen. Es ist in dieser Armut so friedlich, alle sind so freundlich und lieb zueinander. Plötzlich klopft es! Die Tür geht auf, ein starker Wind – und herein kommt der Teufel selber, der von vorhin, vom Himmel, aber jetzt als Mensch verkleidet, als Reisender, und nennt sich Mazik. Aber ich erkenne ihn sofort an der frechen Lache, an der schneidenden Stimme. Er handelt mit Lotterie-Zetteln, sagt er. Natürlich nur eine Ausrede! Herrschale Dobrowner lächelt – er kauft nicht! Selbstverständlich nicht! Er hat ja auch keinen Pfennig Geld! Aber dieser Mazik mit seiner teuflischen Zunge redet ihm doch so einen Zettel ein, drängt ihn ihm direkt ohne Geld auf! Macht zu allem sehr freche, aber sehr kluge Bemerkungen. Und als es am spannendsten wird, lacht er laut und knarrend, und wieder geht die Stoffwand herunter! Die andere Welt ist wieder zugeschlossen.

Um mich herum ist ein Lärm. Alle reden so fachmännisch durcheinander, als ob sie dazugehören. Ich wiederhole die Vorgänge und Gespräche von vorhin in Gedanken. Wieder ein Gongschlag, und wieder finster im Saal, und die Stoffwand ist wieder oben. Die Stube ist jetzt hell und reich. Der arme *Thoraschreiber* hat also in der Lotterie gewonnen! Ist fein angezogen, und der Teufel ist mit ihm und flüstert ihm niederträchtige, falsche Ratschläge zu. Der edle *Thoraschreiber* lässt sich beeinflussen. Sie beschließen, eine Gebetsmantel-Fabrik zu gründen. Der arme, edle Mensch von vorhin ist nun reich und benimmt sich schlecht zu seiner Frau, zu seinen Freunden, zu seinem Vater, wie es die Reichen sogar in Horodenka getan haben. Pfui! Jetzt beschließt er sogar, sich von seiner netten Frau scheiden zu lassen. Der Teufel redet ihm ein, er solle seine Nichte heiraten. Der alte Großvater und die anderen, die zu Anfang fröhlich und glücklich waren, sind jetzt ganz unglücklich und traurig in dieser reichen Stube. Dann wieder ein Einschnitt. Jetzt begeht er einen Fehler nach dem andern, eine Dummheit nach der andern! Ich möchte ihm zurufen, er solle doch nicht den Teufelsratschlägen folgen! Dabei ist er doch ganz gescheit! Gott! Wie ist das möglich? Wie kann so ein kluger Mensch so blöd sein? Dann wieder eine Unterbrechung.

Wir gehen an die frische Luft für eine Weile. Ich bin fieberhaft aufgeregt und wütend auf diesen frechen Mazik. Diesen Verderber! Am liebsten möchte ich ihm mit dem Schlagring eins ins Gesicht geben! Dann ruft die Klingel. Wir gehen hinein und es wird fortgesetzt. Und jetzt passiert ja ganz was Schreckliches: In der Fabrik, die Herrschale mit dem Teufel in Compagnie führt, hat das Rad einer Maschine dem Sohn seines besten Freundes, Chazkel Drachme, den Arm abgerissen, und er liegt im Sterben! Jetzt aber öffnet der Freund seinen Mund und sagt ihm deutlich seine Meinung! Was für ein guter Mensch er früher gewesen und was er jetzt geworden sei! Wie er seinen Vater, seine Freunde früher behandelt hat und wie er sie jetzt behandelt! Wie er in seiner Armut friedlich mit seiner Frau gelebt und als reicher Mann sie einfach hinausgeworfen hat! Wie dieser Reichtum ihn verdorben hat und ob er denn so viele Untaten verantworten kann? »Ja«, antwortet Herrschale, aber doch schon etwas betreten, »jeder Mensch ist für seine Taten verantwortlich und es wird wohl alles auf meine Rechnung kommen!« Da ruft sein alter Freund mit herzzerreißender Stimme, einen blutbefleckten Gebetsmantel zeigend: »Deine Rechnung ist falsch! Für so viele Untaten kann kein Mensch zahlen! Denk an deine verstorbene Frau! Deinen Vater! Deine Freunde! Und hier ist ein Gebetsmantel aus deiner Fabrik! Ein Produkt deines falschen Reichtums und deines Freundes! Dieser Gebetsmantel ist getaucht in Blut und Tränen meines Sohnes! Hier! Schreibe ihn auf deine Rechnung!!!«, und wirft ihm den Gebetsmantel ins Gesicht und verlässt ihn! Das ganze Haus tobt wie ein Sturm! Rast! Klopft in die Hände! Trampelt mit den Füßen! »Bravo Drachme! Bravo Rosenberg! Gut gegeben! Recht hat er! Gott segne ihn dafür!!!« Und ich schreie und freue mich mit allen mit und fühle eine große Erleichterung.

Die Begeisterung für den abgegangenen Freund und der Lärm dauern sehr lange, und der Reiche sitzt jetzt ganz geknickt da und schweigt. Seine junge Frau kommt herein, wahnsinnig geworden, wohl aus schlechtem Gewissen und Langeweile, sagt unverständliche Worte, etwas wegen der Geige, die verstummt ist, und geht. Alles ist drunter und drüber! Jetzt nimmt er seine Geige, die er, seit er reich geworden, nicht berührt hat, fängt an, sehr traurig zu spielen, und dazwischen immer sich selbst anzuklagen, sieht alle Fehler ein und bereut tief, nimmt den blutbefleckten Gebetsmantel, den ihm der Freund ins Gesicht geworfen, weint und schluchzt bitterlich. »Die Rechnung ist zu groß«, gibt er zu, macht einen Knoten und hängt sich am Geldschrank auf. Der Teufel erscheint, ist wütend über die verlorene Wette – und alles ist aus!

Welch eine Welt! In drei kurzen Stunden ein ganzes Leben! Mehrere Leben! Welch eine große, wirkliche, überwirkliche Wirklichkeit! Wir armen Leute leben und sterben, und es zieht sich so von Generation zu Generation! Die Armen bleiben arm, die Reichen bleiben reich, die Schlechten schlecht, die Guten gut! Hier aber, vor deinen Augen, in drei kurzen Stunden, verändern sich Menschen und Welten und das ganze Leben! Welch ein zauberisches Wunder!!! Es geht mir noch nicht alles in den Kopf! Wie unwichtig erscheint mir aber plötzlich alles, was ich erlebt habe! Es dauert schon viele Jahre und ich bin noch immer am Anfang. Alles hat sich so langsam und quälend hingezogen. Hier aber, in gezählten drei Stunden, werden gute Menschen schlecht, arme Menschen reich, junge Menschen alt, den Schlechten wird heimgezahlt, die Guten werden belohnt! Diese Gerechtigkeit! Dieser

Ausgleich! Diese klugen Gespräche! Dieses herrliche Leben! Ja, sogar das Sterben ist hier wunderschön!!!

Das ist die Welt, wo ich hingehöre! Hier will ich leben, hier will ich sprechen, schreien, spielen, erzählen von meiner Neugierde, von meinen Träumen! Von meiner Sehnsucht! Im Stillen bei mir bin ich eisenfest entschlossen, diesen Weg zu gehen! In diese Welt einzudringen! Ich weiß noch nicht, wie ich es anstellen werde, da hineinzukommen, aber eines ist mir schon jetzt klar: dass keine Macht der Welt im Stande sein wird, mich davon zurückzuhalten oder mir den Weg in diese Welt zu versperren!

Hier müsste man meinen Vater mit Jus Fedorkiw über Gott sprechen lassen, und Rachmonessl und Gottzumdank zeigen. Wie Rachmonessl in den Brunnen fällt und Gottzumdank Rachmonessls Grab zudeckt und selber dabei erfriert! Schimschale der Milnitzer, den großen Weisen, der betteln ging, müsste man hier zeigen, und Menasche Strum, den gutmütigen Säufer, und Riffkele, wie wir vor dem Fenster stehen, wie ich ihr nachlaufe, und wie sie dann von der »Locke« verführt wird, und vielleicht noch, wie ich sie wieder treffe! Hier könnte man auch zeigen, wie Jojne Burlak mich quält, und wie mein Bruder ihn verprügelt. Aber ich möchte dabei nicht ich, sondern mein Bruder sein! Hier kann man ja alles erzählen und zeigen und fühlen, und die andern fühlen alles mit und nehmen an allem teil, und niemand ist allein hier in dieser Welt! Und alles geht vor sich und passiert an einem Abend, in drei Stunden! Ein ganzes Leben! Und morgen wieder ein anderes Leben, andere Menschen!

Auf dem Heimweg und am nächsten Tag wiederholte ich schon die Vorgänge. Herrschale Dobrowners Gespräche, Chazkel Drachmes große Rede mit dem blutbefleckten Gebetsmantel. Besonders gelang mir das freche Lachen von Mazik, dem Teufel. Mein Bruder Leibzi bewunderte mein Gedächtnis. Er erzählte dem andern Bruder, dass er dieses Spiel schon mehrere Male gesehen, ohne sich ein Wort gemerkt zu haben. Am nächsten Tag ging ich wieder zu Gimpel ins Theater, sah ein anderes Stück, und es war ganz genauso aufregend.

Dann ging ich schon allein und im Geheimen jeden freien Abend und auch an den Nachmittagen hin. Wenn ich am Tage arbeitete, ging ich nachts, wenn ich nachts arbeitete, ging ich an den Nachmittagen. Ich ging immer auf die Galerie, den billigsten Platz, und da war es auch am schönsten. Da traf ich gleichaltrige junge Menschen, die dieselben Gedanken und dieselbe Sehnsucht hatten wie ich. Wir führten lange Gespräche und ich freundete mich auch mit einigen an. Unter ihnen waren der lange Wolf, Iziu Wandel und Schlüsselberg. Wir gestanden uns unsere Geheimnisse, wir wollten alle denselben Weg gehen. – Einige von ihnen kannten sogar einige von den Spielern persönlich. Nur Schlüsselberg wollte kein Schauspieler werden. Er sagte aber, dass sich niemand so gut dafür eigne wie ich, nachdem ich ihm einmal die Drachme-Rolle vorgebrüllt und das Teufelslachen vorgedröhnt hatte.

Zwischen Schlüsselberg und mir entstand eine große Freundschaft. Er hatte volles Verständnis für meinen Entschluss, in diese Welt einzudringen, und er befestigte und bestärkte mein Vorhaben mit seiner tiefsten Überzeugung, dass ich dorthin gehöre. Wir gingen immer zusammen ins Theater und waren auch sonst jede freie Stunde zusammen. Sein Vater hatte selber eine große Bäckerei, und damit wir uns öfter sehen könnten, verschaffte er mir bei ihm eine Stelle.

Eines Abends ereignete sich im Theater etwas sehr Aufregendes. Es wurde das Spiel »Chasja, die Waise« gezeigt. Chasja ist aus einem ukrainischen Dorf, jung, gesund, sehr hübsch und sagt allen gerade ins Gesicht, was sie denkt. Ihr armer Vater bringt sie in die Stadt zu ihren reichen Verwandten, wo sie als Dienstmädchen schwer arbeitet und alle bedient. Sie verliebt sich in den Sohn des Hauses, einen Taugenichts. Jetzt putzen sich alle und sind sehr aufgeregt. Sie gehen ins Theater. Da sieht Chasja, wie der Sohn des Hauses, den sie liebt, eine goldne Brosche stiehlt und sie versteckt! Die Tante braucht die Brosche und alle suchen herum. Es ist ein großes Durcheinander. Der Verdacht fällt auf Chasja. Die böse Tante fragt nun Chasja, ob sie weiß, wo die Brosche ist. Sie sagt: »Nein!« –

»Schwöre bei deiner toten Mutter, dass du es nicht weißt.« Chasja will nicht bei ihrer toten Mutter schwören. Die Tante ist jetzt fest überzeugt, dass Chasja den Diebstahl begangen hat, packt sie an ihren zwei blonden Zöpfen, bindet sie damit ans Bett an und ruft: »Wo ist die Brosche?« Und Chasja sagt: »Ich weiß nicht!« Und jetzt knallt ihr die Tante eine rechts und eine links und wiederholt dieselbe Frage und bekommt dieselbe Antwort und schlägt immer wieder auf die arme Waise ein. Chasja kniet, festgebunden an ihren Zöpfen, sieht dabei ganz stolz aus und nimmt die Schläge hin. Das Haus ist sehr erregt. Und wir hassen alle die Tante und fühlen mit Chasja. Jetzt brüllt die Tante lauter: »Wo ist die Brosche? Wo ist die Brosche?«, und ohrfeigt dabei die arme Waise ununterbrochen. Und einer, der in meiner Nähe auf der Galerie steht, zieht einen Revolver aus der Tasche und schreit lauter als die beim Spiel: »Bestie! Bind' ihr sofort die Zöpfe los, oder ich knall' dich nieder wie einen Hund!!!«

Die auf der Bühne hören zu schlagen auf. Im Haus ist ein riesen Durcheinander. Alle wenden sich zu meinem Nachbarn, einem etwa zwanzigjährigen verwegenen Burschen, der den Revolver wieder weggesteckt hat, kreidebleich ist und zittert vor Aufregung.

Die Stoffwand war schon längst unten. Im Saal wird es hell. Gruppen zanken, schreien, diskutieren durcheinander, der junge Mensch ist verschwunden! Vor der Stoffwand steht jetzt der arme Vater der Chasja, Motje Schtrachl – er heißt sonst Jidl Guttman –, und hebt die Hand hoch. Nach und nach wird es ruhiger und er fängt sehr leise zu sprechen an: »Meine geliebten Zuhörer, darf ich was sagen?« Einige klatschen in die Hände, einige schreien: »Sprich, Guttman, sprich Motje! Ruhe! Ruhe!« Es wird ganz still nach und nach. Und er fängt wieder an: »Meine lieben Freunde, es ist mir sehr schwer, aus dem Charakter herauszukriechen, aber ich muss doch einige erklärende Worte sagen.« Und er sprach gütig und leise wie ein Vater, der Kindern was erklärt: »Ihr wisst ja, dass Madame Fischler verheiratet ist mit dem Doktor Fischler und bis hundertzwanzig Jahre, Gott sei Dank, Vater und Mutter hat. Aber die Kunst will es, dass sie heute Abend eine Waise ist. – Ihr wisst ja, dass Madame Rosenberg unberufen sechs Kinder hat und die beste Mama der Welt ist mit einem goldenen Herzen – aber die Kunst will es, dass sie heute die böse Tante ist und Madame Fischler schlägt. Ich selber bin Vorsteher der Bnaj Jakob Synagoge – aber die Kunst will es, dass ich heute Abend Motje Schtrachl, der arme Vater von Chasja, bin. So könnte ich alle Beteiligten aufzählen, was sie wirklich im Leben sind, und was sie für die Kunst sein müssen. Jeden Nachmittag gegen fünf Uhr könnt ihr uns alle sitzen sehen im »Cafe Abbazia«, und wir sind die besten Freunde. Sogar unsere Kinder sind befreundet. Besonders befreundet aber sind Madame Rosenberg und Madame Fischler. Nun wird so ein junger Mensch aufgeregt, der sicher ein gutes Herz hat, aber doch das alles nicht wissen kann, und droht mit einem Revolver. Nun frage ich euch: Ist das recht?«

»Nein!«, schreit das Haus, »werft ihn hinaus! Bravo, Guttman! Bravo, Fischler! Bravo, Rosenberg!« Immer neue Ausrufe und neues, tosendes Klatschen. Der alte, arme Vater, der Spieler und Synagogen-Vorsteher Jidl Guttman, hebt wieder die Hand, und es wird wieder ruhig: »Na«, sagt er, »sollen wir weiterspielen?« Und wieder ein Donnern im Saal und eine Zustimmung und ein Jubel! Und es wird wieder finster, und das Spiel fängt wieder an, wo es aufgehört hat. Chasjas böse Tante, Madame Rosenberg, die selber eine Mutter ist mit einem goldenen Herzen, fragt noch einmal Chasja, die Waise, die sonst Frau Dr. Fischler ist und Gott sei Dank Eltern hat: »Wo ist die Brosche?« Und sie antwortet noch lauter und kräftiger als zuvor: »Ich weiß es nicht!« – »Was, du weißt es nicht?«, sagt die böse Tante, und die gute Mama Rosenberg packt die Waise Chasja, Frau Dr. Fischler, an den Zöpfen, bindet sie wieder ans Bett, genau wie vorhin, und schreit drohend: »Wo ist die Brosche?«, und Frau Doktor, Chasja, die Waise, schreit: »Ich weiß es nicht!« Und sie, die Tante Rosenberg, knallt ihr wieder eins rechts und eins links! Und Chasja schreit wieder stolz und laut:

»Ich weiß es nicht!«, und es knallen wieder und wieder Ohrfeigen rechts und links!!!

So wurde heute die zarte, bildschöne Frau Dr. Fischler wegen eines aufgeregten jungen Menschen, der sicher ein gutes Herz hat, zweimal geschlagen! Arme Frau Dr. Fischler!

Aber, dachte ich, der Kunst wegen lohnt es sich sogar, zwanzigmal sich schlagen zu lassen. Und es war ein herrlicher Abend!

24
Ein Hund, ein Karren und eine Frau

Unter meinen Theatergalerie-Bekannten wurde mir Schmiel Schlüsselberg ein Freund. »Ein Freund sein« war schon als Kind ein heiliger Begriff für mich. Unser Vater sprach sehr oft mit uns belehrend darüber. Er erklärte uns, dass einen Freund zu haben oder jemandem ein Freund zu sein, ein großes Glück sei. Freundschaft ist etwas Heiliges und hat eigene Gesetze und reicht weiter denn Verwandtschaft und Familie, pflegte er zu sagen. Denn in eine Familie wird man hineingeboren, aber Freunde findet man. Familie ist wie Erde. Man lebt da, und sie nährt einen, aber Freundschaften sind wie Diamanten und Goldadern und andere Schätze tief in der Erde verborgen und selten, und nur die ganz Glücklichen finden manches Mal so eine Goldader, so eine Freundschaft. Und es macht glücklicher, Freundschaft zu geben als zu empfangen. Aber das Höchste ist, wenn eine Freundschaft sich das Gleichgewicht, die Waage hält. Vater hielt den Christen Jus Fedorkiw für seinen Freund, der ihm näher war als seine Glaubensgenossen, die zum selben Gott beteten, sich derselben Sprache bedienten und dieselben Sitten und Gebräuche wahrten. Als Beispiel führte er auch die Beziehungen zwischen uns Geschwistern an. Wir achteten die Erwachsenen und gehorchten ihnen, aber die meisten waren uns »Geschwister«. Zwischen manchen von uns aber waren richtige Freundschaften, wie zwischen dem Ältesten, Schachne Eber, und dem komischen Jankel, oder zwischen Leibzi und mir. Ich hatte immer eine Freundschaftsbeziehung. Erst war es Leibzi, dann war es Czerniakoff in Zaleszczyki und Schimele

Ruskin in Stanislau. Aber zu all denen schaute ich empor, denn sie waren älter. Hier hatte ich zum ersten Male einen gleichaltrigen und gleichwertigen Freund. Und obwohl ich von einem kleinen Städtchen kam und Schlüsselberg ein Großstadtkind war, war ich der Führende und Gebende. Denn er war einsam und unglücklich und melancholisch zuweilen, und ich wurde für ihn, was Czerniakoff für mich gewesen war.

Seine Lage war auch eine sehr traurige. Er verlor sehr früh seine Mutter. Und sein Vater, ein wohlhabender und kräftiger Mann zwischen Fünfzig und Sechzig, brachte ihm dann eine Stiefmutter ins Haus, die halb so alt war wie der Vater und gut seine Tochter hätte sein können. Herr Schlüsselberg, der zu den Arbeitern und Angestellten streng und hart war und immer fluchte und schimpfte, war in seinem Hause schweigsam, weich und ängstlich. Er rauchte stets eine große Zigarre, wie ein kleiner Schornstein. Diese Zigarre tanzte immer in seinem Maul herum, wenn er schimpfte. Er sprach die Leute nie beim Namen an. Wenn er einen Gehilfen weckte, damit er den Ofen heizte, brüllte er für gewöhnlich: »Hej, du Bastard, bist du taub? Kannst nicht hören, du Hurensohn? Es ist doch schon sechs Uhr! Ofen heizen, du Hund, verfluchter! Worauf wartest du, grindiger Krüppel!« Oder wenn der Hausdiener und Kutscher anspannen sollte, hörte man ihn über den Hof schmettern: »Hej, du krummer Hund, Kanaille! Willst du nicht einspannen? Schau, wie er die lahmen Knochen bewegt! Das Gebäck in die Restaurants gebracht und zum Bahnhof, du räudiges Tier! Von wo, wie ich hoffe, man dich als Leiche zurückbringt, du blinde Bestie!« Piotr, der Einäugige, lächelte zu alledem, und Schmiel erzählte mir, dass er schon acht Jahre bei ihnen in Stellung war und an all diese Flüche gewöhnt.

Die Bäckerei lag auf dem großen Hofparterre, und die Wohnung lag gegenüber der Bäckerei im ersten Stock und hatte einen Balkon, auf dem Herr Schlüsselberg meistens mit seiner Zigarre im Gesicht stand und von wo er seine Befehle in den Hof hinunterbrüllte, wie ein Kapitän bei stürmischer See auf einem untergehenden Schiff. Sobald aber sein junges zerzaustes

Weib auftauchte, wurde er still. Denn zu Hause brüllte *sie*. Sie war eher eine hübsche Person, aber nie richtig angezogen. Sie latschte immer in ihren Pelzpantoffeln herum, und alles hing lose an ihrem breithüftigen und vollbusigen Körper, und irgendwo fehlte immer ein Knopf, und an den verschiedensten Stellen konnte man Teile ihres Körpers durch Schlitze und Ritze hervorleuchten sehen. Sie war stinkfaul und kaute ununterbrochen, machte aber den Eindruck, als ob sie immer beschäftigt sei. Sie hörte nur zu kauen auf, wenn sie schimpfte. Denn beides, essen und fluchen, konnte sie nicht. Er konnte schimpfen und rauchen, wobei die Zigarre das Tanzen gelernt hatte. Sie saß manchmal breitbeinig auf der Treppe des Balkons und kaute. Die Gesellen erzählten, sie trüge nie Höschen wie andere Frauen. Auf dieser Treppe saß sie auch an den Sonn- und Feiertagen in feinen, seidenen Kleidern mit viel Schmuck, schaute vor sich hin und kaute. Die Gesellen meinten, sie traue sich nicht, mit dem Schmuck über die Straße zu gehen, aus Angst, jemand würde ihn ihr wegnehmen. Aber auch zum Schmuck, zu den seidenen Kleidern, trug sie ihre Pelzpantoffeln und kaute. Sie kaute wie ein Wiederkäuer, wie eine richtige Kuh.

Da war auch ein kleines Mädchen von etwa sechs bis sieben Jahren im Haus, das sie ihrem zweimal so alten Ehegemahl geschenkt hatte. Das Kind war bildschön, hatte aber einen kindlichen Tick, das gute: Es tat nämlich genau das Gegenteil von alledem, was man von ihm verlangte. Wenn man dem Kind sagte: »Geh' doch auf die Straße, mit den Kindern spielen«, so kroch es in sein Bettchen. Wenn man es bat, im Haus zu bleiben, lief es davon. Wenn man ihm verbot, Streichhölzer anzuzünden, wurden die nächsten Tage nur Streichhölzer abgebrannt. Wenn es ein Glas hatte und man es bat, aufzupassen, schon fiel das Glas auf die Erde in Scherben. Wenn man ihm Essen gab, spuckte es alles aus. Wenn man ihm verbot, warmes Gebäck anzurühren, stand es vor dem Ofen und aß so lange heiße Semmeln, bis es Bauchweh bekam. Jetzt hatte es eine Schere nicht nur entdeckt, sondern probierte sie auch aus.

Handtücher, Tischtücher, Kleider, Anzüge, Vorhänge, alles musste plötzlich daran glauben.

Die Mutter prügelte oft das kleine Geschöpf, dass es weinte. Dem Alten kniff das Kind in die Beine, spuckte ihm in die Suppe, das Süße, Kleine, konnte auch, wenn alle bei Tisch saßen, plötzlich, wenn ihr nichts mehr einfiel, einfach mitten in der Stube Pipi machen! Vater aber durfte das Kleine nicht anrühren – und sprang gewöhnlich auf, lief auf den Hof, brüllte sinnlos seine Leute an, machte seine Zigarre im Maul tanzen. Die Frau brüllte dann im Haus, schlug auf das Kind ein, vergriff sich an dem Stiefsohn und fluchte und schimpfte, bis schließlich Nachbarn kamen und Vorübergehende stehen blieben.

In diesem Durcheinander, in dieser Hölle lebte mein Freund Schmiel. In unserer freien Zeit gingen wir zusammen ins Theater, am liebsten zu ganz traurigen Stücken, wo es nur so wimmelte von armen, einsamen Waisen und bösen Stiefmüttern. Und wir weinten und schluchzten mit den leidenden Geschöpfen und hassten die schlimmen Stiefmütter und die schwachen Väter, die ihre Kinder einem fremden, bösen Weibe auslieferten. Aber da, in der höheren Welt, auf der Bühne, war mehr Gnade und Gerechtigkeit. Da geschah immer etwas Gutes, etwas Schönes für die Leidenden und Unschuldigen. Sogar wenn alles schief ging, gab es große, erhebende Momente für die »Guten« und Strafe für die »Schlechten«.

Eines Tages sah ich von der Bäckerei aus das kleine wilde Rickele auf dem Hof stehen, und es schaute mich mit seinen großen, schwarzen Kirschaugen fragend an. Da sagte ich zu ihr: »Rickele, du darfst nicht in die Bäckerei!« Und schon war sie drinnen und schaute mich trotzig und herausfordernd an. »Hier«, sagte ich, »da sind heiße Semmeln, friss!« Das Kind schaute mich böse an und sagte mit verbissenem Schnäuzchen: »Nein!« Dann gab ich ihr ein Glas und sagte freundlich: »Hier, Rickele, zerbrich; zerbrich es doch!« Da nahm das Kind das Glas und stellte es behutsam weg, und wir schauten uns schmunzelnd in die Augen wie zwei alte Pferdediebe. »So«, sagte ich, »jetzt bleibst du hier bei mir in der Bäckerei«; darauf verschwand sie wie ein Luftzug. Ich erzählte das meinem Freund, und er probierte dasselbe mit seinem wilden Schwesterchen aus, und von nun an konnte er vom Kind alles haben und alles mit ihm tun. Er brauchte nur das Gegenteil von ihm zu verlangen. Sie begriff es auch und fand viel Spaß an dem verderbten Spiel.

Mit der Stiefmutter konnte man solche Spielchen nicht erfinden. Aber etwas musste auch da geschehen! Gewöhnlich war es so: Wenn der Vater mit der zerzausten Dame in Frieden lebte, wurde mein Freund gescholten und gequält und geprügelt. Sobald aber durch irgendeine Kleinigkeit der Hausfrieden zwischen ihnen gestört wurde und sie miteinander Krach hatten, vergaß man ihn. Da musste man sich also was ausdenken, diesen Frieden zu stören. »Man muss ein Haar in dieser Friedenssuppe finden«, sagte ich eines Tages zu meinem Freund. »Ja, Suppe«, lachte plötzlich mein Freund. »Vater isst so gerne Suppe«, fügte er nachdenklich hinzu. Und morgen, Freitag, sollte der Schauspieler Heymann aus Amerika als »Wilder Mensch« auftreten, und da wir nur hingehen konnten, wenn das liebe Elternpaar Krach hatte, was lag näher, als frühmorgens, wenn die Stiefmutter aus der Küche herauslatschte, eine Hand voll Salz in die Suppe zu tun. Man wird ja sehen, was daraus wird!

Am nächsten Morgen flüsterte mir mein Freund nur zu: »Es ist geschehen!« Es kam die Mittagszeit, und ich stand in der Bäckerei am Fenster, gespannt wie im Theater! Aber diesmal war Herr Schlüsselberg der Intrigant! Wie wird er also ›spielen‹, dachte ich. Und wirklich, da ging es auch schon los: Der Alte kostete den ersten Löffel und verzog das Maul. Noch glaubte er nicht recht, dass so viel Salz in einer Suppe sein könnte. Mein Freund war sehr verschwenderisch gewesen. Beim zweiten Löffel sprang der Alte auf, hustete, nahm seinen vollen Suppenteller und schleuderte ihn auf den Hof. Und jetzt fing das bekannte Konzert an! Mein Freund wurde vergessen, und abends gingen wir zum »Wilden Menschen«, einem traurigen Stück, und wir dachten an die Suppe und lachten an falschen Stellen, so dass die Galerie-Besucher uns verhauen wollten, und wir verließen das Theater, ohne zu wissen, ob der Gastschauspieler Heymann ein wirklich großer Schauspieler war oder nur ein »Bluff«.

Den Salztrick haben wir noch einige Male angewandt, bis die zerzauste Stiefmutter das kleine Rickele so verhauen hatte, dass wir Mitleid mit dem Kind bekamen, denn es war ja so unschuldig, wie nur Kinder es sein können. Und wir gaben diesen Trick auf. Dann gab es noch einige Male Krach wegen salzlosen Essens.

Dann zog wieder Frieden im Haus ein, der wieder ein Fluch für meinen Freund wurde. Die Schikanen fingen von neuem für ihn an, und jetzt wurde er auch meinetwegen verfolgt und geschlagen, dass er sich mit mir, der nur in Stellung bei seinem reichen Vater war, »herumtrieb«.

Wir trafen uns nur noch außerhalb der Bäckerei und unsere Freundschaft wurde immer inniger. Eines Tages kam die »Zerzauste« in die Bäckerei und verlangte von mir, ich solle für sie einkaufen gehen, was ich glatt ablehnte, denn es gehörte nicht zu meiner Arbeit. Da fing sie gleich zu keifen und zu fluchen an: »Ich werde dir schon zeigen, einer Herrin nicht zu gehorchen, du Strolch!« Ich gab es ihr ordentlich zurück, in einem Gemisch von dem, was ich von ihr dachte und was ich im Theater bei solchen Auseinandersetzungen gehört hatte. Es war ein langer Kauderwelsch-Monolog, der mit dem Satz endete: »... und eine Herrin sind Sie überhaupt nicht! Sie tragen nicht einmal Hosen, Sie Schlumpen!«

Darauf hob sie ihre Röcke hoch in ihrer Rage und zeigte, dass sie *doch* Hosen trage. Alle acht Gesellen fingen laut an, sie auszulachen, und sie rannte keifend und heulend davon, stieß auf meinen Freund auf dem Hof, der sich das Lachen auch nicht verkneifen konnte, zog einen ihrer Pelzpantoffeln aus und hieb fürchterlich auf ihn ein. Jetzt kam der Alte heim, dem sie auch Krach schlug, worauf er mir mit Ende der Woche kündigte. Ich hatte mit meinem Freund eine Beratung und wir planten Rache.

Am nächsten Tag saß der Schlumpen auf der Treppe des Balkons und nähte mit einer gebogenen Sackleinwand-Nadel den Pelzpantoffel, den sie tags vorher über meines Freundes Haupt zerfetzt hatte. Diese wunderbare Sackleinwand-Nadel sollte unser Schicksal werden.

Ich ließ meinen Freund diese Nadel und auch den Pantoffel vom Bett stehlen. Und nachts, als alle schliefen, half ich ihm, diese Nadel durch die Sohle desselben Pantoffels, mit dem sie ihn verprügelt hatte, von außen nach innen durchzustecken. Wir taten es sehr sorgfältig, sodass mehr als die Hälfte der Nadel, etwas schief, auf ihren warmen Fuß wartete, wie das Häkchen in der Mausefalle auf sein Opfer wartet.

Diese Nacht haben wir beide nicht geschlafen. Und wirklich, frühmorgens ging alles nach Plan. Unser Schlumpen wachte auf, murrend und schimpfend wie gewöhnlich und schlüpfte, noch halb verschlafen, mit ihren Füßen in die molligen Pelzpantoffeln. Und da! Wie Butter rutschte die klug präparierte Nadel in ihr warmes Fleisch, bis ein Knochen Widerstand leistete. Ein langer, gellender Schrei weckte Haus und Nachbarschaft. Dieser Schrei war beinahe so echt wie der der Schauspielerin Fischler in einem Stück, wo sie ihr Kind tot vorfindet. Der Plan war geglückt! Ein Arzt wurde geholt, die gute Nadel, die sich so wohl in ihrem Fleisch fühlte, musste wieder heraus, hatte aber genug angerichtet, dass die Dame für längere Zeit im Bett blieb. Ich habe sie nie wieder gesehen. Denn wir beide hatten nun beschlossen, durchzubrennen.

Herr Schlüsselberg sammelte die ganze Woche die Losung in seiner Brieftasche und freitagnachmittags pflegte er meinen Freund mit dem Geld zur Bank zu schicken, und dieser brachte ihm dann später die Bestätigung. Das war so eine Tradition. Und wir beschlossen, die Tradition einmal nur zu brechen und uns mit dem Gelde auf und davon zu machen. Aber es waren zu große Summen – so zwischen vier- und sechstausend Kronen. Und wir wussten, dass der geizige Alte für solch eine Summe alles in Bewegung setzen würde, um uns wieder einzufangen. In einer Woche waren ein paar Feiertage, und die Summe an diesem Freitag war nur achthundertdreißig Kronen, und auf solch eine Gelegenheit warteten wir schon seit Wochen. Jeden Freitag hatten wir drei Hemden und zwei Anzüge übereinander angezogen. Erstens wollten wir immer vorbereitet sein, und zweitens wollten wir keine Köfferchen, keine Bündel, keine Pakete mit uns schleppen. Soviel wusste ich schon aus Erfahrung, dass auf einer Flucht so ein Paket oder Bündel nicht nur eine Belastung ist, sondern ein eigener Verräter und Spion. So ein Paket oder Bündel in deiner Nähe oder in deiner Hand schielt immer andere Leute an und flüstert ihnen zu: »Seht doch, seht! Ich gehöre zu jemandem, der auf dem Marsch ist, jemandem, der sich zu bewegen wagt, der aus dem Geleise gesprungen ist! Jemandem, der seine Stelle wechselt und davonläuft! Schaut euch doch meinen Besitzer genau an! Wie bleich er ist, wie unsicher, wie verdächtig! Fragt ihn doch, wohin er wandert und warum!« Du kannst so einem Bündel nicht das Maul verbieten, da gibt's nur ein Mittel: einfach nicht mitnehmen! Keine Belastungen, keine Spione, keine Verräter!

Jetzt standen wir in einem halbdunklen einsamen Haustor, und ich zählte mit zitternden Händen fremdes Geld, das ich mir aneignen sollte. Wie klebrig, wie ekelhaft so ein Geld sich anfühlt! Na, Gott sei Dank, ich habe es ja nicht »gestohlen«. Mein Freund »nahm« von seinem eigenen Vater, was er sowieso mal später geerbt hätte – er beerbte ihn nur ein bisschen früher. Nein, nein, nein, redete ich mir und meinem Freund ein: Wir sind keine Diebe! Also, die Hände in die Hosentaschen, ein unbekümmertes Gesicht aufsetzen und zum Bahnhof, zwei Fahrkarten nach Krakau kaufen, lächelnd, unauffällig, als ob ich's täglich getan hätte. Aber der Zug ist noch nicht eingefahren, wir haben ein kleines Stündchen zu warten. Also warten wir. Scheußlichste, widerlichste Wartezeit! Aber keine Unruhe zeigen.

Wir drücken uns unauffällig durch die Bahnhofsräume. Der große Frontwartesaal wird renoviert, kein Mensch drinnen. So schlüpfen wir hinein. Sieh da, durch das Fenster – da kommt ja Herr Schlüsselberg mit der tanzenden Zigarre im Mund! Er sieht wütend aus und schimpft mit sich selber. Ich bemerke am Eingang zwei hohe Leitern. »Rauf auf die Leiter!«, zische ich meinem Freund zu. Und ich flog auf die andere – und nach einigen Minuten sehe ich mit halbgeschlossenen Augen von schwindelnder Höhe den Alten hastig im leeren, unordentlichen Raum sich umgucken und verschwinden. Und später sehe ich durchs Fenster ihn in eine Droschke steigen und davonfahren. Wir runter von den Leitern und, zum Platzen aufgeregt, am Kartenknipser vorbei zu den Gleisen. Der Zug fährt ein. Ich flüstere meinem Freund, der grün-gelb ist und zittert, zu: »Lächle, lächle doch, sei lustig, denke doch an den Komiker Schilling in all seinen Rollen!« In einigen Minuten waren wir im Zug nach Krakau, beide in einer Toilette, von innen eingeschlossen. Unsere Namen wurden auf dem Perron mehrere Male ausgerufen. Jedes Mal gab es uns einen Ruck. Aber ich sagte »Schilling« und sah das mit Schweißperlen bedeckte, fahle Gesicht meines Freundes sich mit einem Leichenlächeln schmücken. Ich grinste über seinen Ausdruck, doch meine Angst war mindestens ebenso groß. »Aber«, dachte ich zugleich, »er denkt, ich habe keine Angst.« Und das gab mir Kraft und Überlegenheit, an mich zu halten.

Als der Zug in Bewegung war, ging jeder von uns in ein anderes Abteil, damit wir nicht zusammen gesehen würden. In Przemysl wurden unsere Namen wieder ausgerufen, aber jetzt mechanisch und gleichgültig. Dann kam Okocim, später Tarnov. Unsere Namen wurden nicht mehr ausgerufen. Vor Krakau besuchte ich sein Abteil und steckte ihm einen Zettel zu, er solle mir nur mit den Augen folgen und erst beim Verlassen der Bahnsperre draußen auf mich warten. Er wartete also schon vor dem Bahnhof auf mich und wir fielen uns in die Arme, als ob wir uns jahrelang nicht gesehen hätten. Jetzt schlenderten wir durch die alten Krakauer Gassen, bis wir ein Gasthaus entdeckten, wo wir Essen und heißen Tee bestellten und übernachteten.

Am nächsten Morgen dachten wir, in Lemberg zu sein, nur in einer anderen Straße, so ähnlich kamen uns die Menschen

Mit der Mutter, Galizien 1915

Zu Besuch bei den Brüdern in Lemberg (Granach rechts), 1915

Im Ersten Weltkrieg (Granach rechts sitzend). Granachs handschriftlicher Vermerk auf der Rückseite des Fotos: »Die Dame ist die Schwester von einem dieser Gruppe oder allen!«

Mit seiner späteren Frau Martha in Graz, 1914

Mit Sohn Gad, Berlin, 1919

Mit Sohn Gad, Berlin, 1925

Als Judas in dem Stummfilm »INRI«, 1923

»Klub 1926«, Amnestiekundgebung (links oben: Erich Mühsam, Alexander Granach, E. Gumbel, Victor Fraenkl; sitzend: Heinrich Mann, Dr. Freymuth), 1927

Die Theatergruppe »Habima« aus Tel Aviv auf Deutschland-Tournee, Leipzig, 1927 (Granach links)

Mit Theaterkollegen auf Sylt, 1928

Berlin, 1929

In dem Film »Kameradschaft«, 1931

Im Hof der Berliner »Volksbühne«, 30er Jahre

Erste Amerikareise, 1931

30er Jahre in Berlin

Zu Besuch in Kolomea, 1930

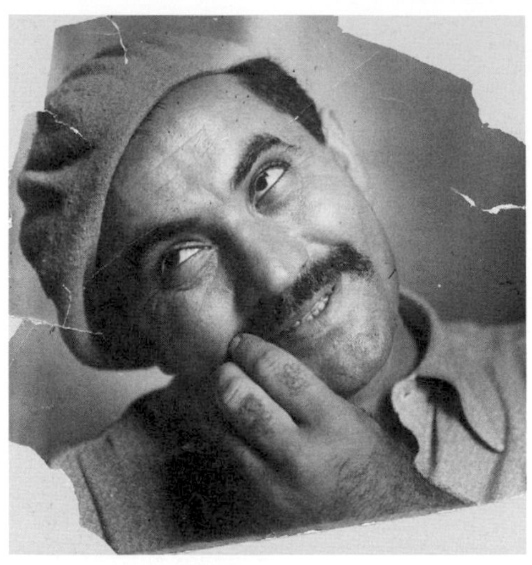

»Herzlichst Dein alter gebrechlicher aber auf keinen Fall zerbrechlicher Vater Alex. Am 10. 1. 34« (Widmung auf der Rückseite des Fotos, das Alexander Granach in der Filmrolle eines Fremdenlegionärs zeigt.)

Alexander Granach als »Macbeth«

Am Strand von San Francisco mit dem Schriftsteller und Rabbiner Emil Bernhard Cohn, ca. 1940

In Amerika, 40er Jahre

und das Getriebe vor. Wir machten die Bekanntschaft des Hausdieners dieses »Hotels«, eines Burschen in meinem Alter, der gern und viel schwatzte. Er hielt uns für russische Flüchtlinge, denn es war nach 1905, und eine endlose Kette von russischen Emigranten, Studenten und Intellektuellen strömte über die Grenzen ins österreichische Galizien, um dann nach Wien, Berlin, Paris oder London zu gelangen. Er prahlte, dass er einen eigenen Trick hätte, Leute über die deutsche Grenze zu schmuggeln, aber es kostete hundert Kronen pro Kopf. Wir taten sehr unbekümmert und luden ihn zu einem Bier ein und erzählten, dass wir als Österreicher nicht die Absicht hätten, nach Deutschland zu gehen, sondern nach Wien. Dann prahlte er mit seinem Trick. Leute, die ihm das Schmuggelgeld im Voraus zahlten, nehme er nach Oderberg, und dort sei eine kleine Holzbrücke, die zum deutschen Grenzort Annaberg führe. Dort muss man den Eindruck machen, dass man in Oderberg arbeitet, und zahlt drei Kreuzer fürs Passieren der Brücke, um das gute Bier in Annaberg zu trinken. Es leuchtete uns vollkommen ein. Und am nächsten Morgen waren wir beide in Oderberg und sahen nachmittags Arbeiter den Weg zur kleinen Brücke nach Annaberg gehen. Wir mischten uns unter sie und zahlten je drei Kreuzer an einen Zivilgrenzwächter und waren plötzlich in Annaberg, in Deutschland!

Das österreichische Geld wurde in deutsche Mark umgewechselt. Wir kauften zwei Fahrkarten nach Berlin, kauften auch Nadel und Zwirn, und während wir auf einem Feld auf den Zug warteten, nähte ich mir das Geld in meine Brusttasche ein, und wir ließen nur eine kleine Summe für Wegzehrung draußen.

Abends, in Breslau, holte uns ein Gendarm aus dem Wagen und wollte uns, da wir keine Papiere hatten, verhaften. Da aber fingen wir beide fürchterlich zu weinen an. Es war nicht nur die Angst vor dem strengen Gendarmen. Wir fühlten uns plötzlich so elend in dieser finsteren Fremde und hatten Heimweh und schluchzten verzweifelt. Ein paar Leute sammelten sich um uns, waren anscheinend gerührt, ein barscher Kondukteur mit einem gutmütigen grauen Schnauzbart kam hinzu. Der Zug pfiff, er rief: »Einsteigen, einsteigen, weiterfahren!« Dann, zum Gendarmen gewandt, sagte er: »Mensch, bist wohl nie als Junge durchjebrannt, wa? Oder jlaubste, die haben jemanden umjebracht? Meiner ist vorije Woche auch davonjelaufen!« Der Gendarm drehte sich um und der Kondukteur schnauzte uns an: »Einsteigen, Lümmels!« Und wir rein in den sich schon bewegenden Zug. Und kamen um Mitternacht am Schlesischen Bahnhof in Berlin an.

Der Schnauzbart kam noch einmal vor dem Aussteigen ins Abteil und beschrieb uns eine Herberge in der Nähe des Bahnhofs, wo wir übernachten könnten. Wir fanden einen dunklen Platz in diesem Haus, wo mehr als hundert solcher »Gäste« wie wir, verschiedenen Alters, auf Pritschen nebeneinander lagen und ein nächtliches Schnarchkonzert veranstalteten. Wir beschlossen, dass einer schlafen und der andere wachen sollte, wegen des in der Brusttasche eingenähten Schatzes. Mein Freund schlief sofort ein und schon gegen fünf Uhr war großes Aufstehen. Mein Freund und ich verließen als Erste das Nachtasyl und standen zitternd und frierend auf der Schlesischen Straße, Berlin O. Es war neblig und halbdunkel. In unfreundlichen hohen, schwarzen Häusern gingen Lichter an und aus. Berlin, dieser Koloss, fing an, sich die Augen zu reiben und aufzustehen.

Das erste, was wir auf der einsamen Straße sahen, war ein Karren auf zwei Rädern, voll beladen mit Weißkohl, und vorne war ein großer Hund eingespannt, dem die Zunge aus dem Maul heraushing, und neben dem Hund war ebenso eine Frau eingespannt, die an der Deichsel zog.

Ein Karren, ein Hund und eine Frau.

Das hat sich mir eingeprägt im Gedächtnis wie ein Symbol des sich abrackernden deutschen Volkes.

Ein Karren, ein Hund und eine Frau.

25
Die ersten Schritte in Berlin

So kam ich, sechzehnjährig, mit meinem gleichaltrigen Freund Schlüsselberg nach Berlin. Horodenka, Zaleszczyki, Stanislau, Lemberg hatte ich beschauen, beobachten, entdecken können, ich hatte Eindrücke registriert, Vergleiche angestellt. Hier kam ich nicht in eine Stadt. Hier kam eine Stadt über mich. Hier fühlte ich mich überfallen, attackiert, nach allen Seiten gerissen von einem neuen Rhythmus, neuen Menschen, einer neuen Sprache, neuen Sitten und Gebräuchen. Ich musste an mich halten, Augen aufreißen, Muskeln anspannen, um nicht überrannt, nicht zermalmt, nicht zerquetscht zu werden. Die Theater-Sehnsucht mit den vielen Plänen, da hineinzukommen, war im Hintergrund verschwunden. Jeder Tag gebar seine eigenen Forderungen: arbeiten, essen, wohnen, Miete zahlen. Ich hatte gar keine Papiere, nur ein kleines Büchelchen, eine Legitimationskarte: Ich war Mitglied der österreichischen Bäcker-Gewerkschaft. Also war mein erster Gang zum Gewerkschaftshaus, Engelufer 12, dort zum Bäcker-Nachweis. Und siehe da, man wird als Kollege, als Genosse angesprochen. Die Menschen sind sehr freundlich, und niemand ist überrascht, dass zwei Handwerksburschen aus dem Österreichischen auf der Wanderschaft sind und sich bis Berlin durchgeschlagen haben. Ich bekam Auskunft, eine Wartenummer des Nachweises, eine geldliche Unterstützung und Ratschläge wegen Schlafstelle und Essen. Als wir das Gewerkschaftshaus verließen, beneidete mein Freund mich um mein Handwerk, um mein Fach, das mir in dieser fremden Welt, in dieser wilden Stadt eine Aussicht auf Arbeit, auf unabhängiges Leben bot. Das war auch eine ganz große Sache für mich. Berlin! Es war, als ob ein Riese mich freundlich anlächelte, ja, ich hatte Angst. Dieser Riese flößte mir Respekt ein – aber Engelufer 12 war freundlich, nannte mich Kollege, Genosse und reichte mir die Hand. Mein Herz füllte sich mit Selbstvertrauen und an diesem Tag habe ich mich wirklich in Berlin verliebt.

Wir bestiegen eine Elektrische und fuhren zwei Stunden durch ein Häusermeer zu irgendeiner Endstation und zurück, ohne auszusteigen, immer vorne beim Fahrer, und bekamen einen vagen Begriff von etwas sehr Großem und Fürchterlichem, das einen doch freundlich aufzunehmen schien. Nach Beendigung unserer Fahrt sahen wir in einer Kutscherkneipe schön belegte Brote im Fenster, mit Zungenwurst, mit Schmorbraten und Stückchen Gelee und mit Schweizer Käse. Zehn Pfennig das Stück. Wir gingen hinein und bestellten eins, und ein dicker Wirt mit rundem Kahlkopf und großem Schnurrbart musterte unsere gierigen Augen und fragte: »Klappstulle?« Und ich sagte: »Ja.« Mein Freund guckte mich fragend an. »Was ist das?« Währenddessen strich schon der Wirt ein anderes Brot mit Fett und legte es über das belegte Brot, schnitt es in der Mitte durch und reichte es uns. Und ich sagte: »Siehst doch, Klappstulle!« Und wir aßen zum ersten Mal Klappstullen und tranken eine Molle dazu. Kinder, war das großartig! Eine Klappstulle! Eine Klappstulle mit Zungenwurst, und noch eine mit Braten, und eine mit Käse! Die weite Fahrt, das gute Essen, Brot mit Butter und Fleisch dazu, Brot mit Belag und Bier, und die Aussicht auf Arbeit! Den möchte ich sehen, der dabei nicht jauchzt vor Glück! Ja, den habe ich gesehen. Der saß vor mir. Mein Freund hatte plötzlich Heimweh und weinte. Als wir in Berlin angekommen waren, hatte mein Freund nach Hause geschrieben. Ich tat es nicht. Ich wollte erst schreiben, wenn es mir gut ginge. Nun hatte er von seinem Vater den ersten Brief, in dem er ihn beschwor, nach Hause zu kommen, er werde ihm alles verzeihen und sogar Geld zur Heimfahrt senden. Er legte auch an mich einen höflichen Brief bei. Er, der mich nie gemocht hatte, schrieb an mich wie an einen erwachsenen Mann, ich möge ihm doch seinen Sohn zurückschicken. Ich fühlte mich geschmeichelt und verantwortlich.

Es vergingen Wochen, unser Geld war fast verbraucht. Ich wanderte jeden späten Nachmittag zum Engelufer. Da wurden immer Nummern ausgerufen für feste Stellen oder Aushilfe. Eines Tages rief der Mann im Arbeitsnachweis eine Hilfe in einer jüdischen Bäckerei in der Grenadierstraße aus, wo Bedingung war, dass man *Barches* flechten konnte. Er rief sehr viele Nummern aus, die diese Kunst nicht verstanden. Dann wurde meine Nummer ausgerufen und ich nahm die Arbeit an. Man erklärte mir, wie ich in das Scheunenviertel käme, und plötzlich war ich mitten in Berlin in einer Gegend wie Lemberg. Lothringer Straße, Schönhauser Tor stieg ich aus. Grenadier-, Dragoner-, Mulackstraße, Ritterstraße, Schendelgasse – da gab es noch keinen Bülowplatz, keine Volksbühne. Kleine, enge, finstere Gässchen mit Obst- und Gemüseständen an den Ecken. Frauen mit bemalten Gesichtern, mit großen Schlüsseln in den Händen strichen herum, wie in der Zosina-Wolja-Gasse in Stanislau oder in der Spitalna in Lemberg. Viele Läden, Restaurants, Eier-, Butter-, Milchgeschäfte, Bäckereien mit der Aufschrift »*Koscher*«. Juden gingen umher, gekleidet wie in Galizien, Rumänien und Russland. Die keine Geschäfte hatten, handelten mit Bildern und Möbeln auf Abzahlung. Man ging hausieren mit Tischtüchern, Handtüchern, Hosenträgern, Schnürsenkeln, Kragenknöpfen, Strümpfen und Damenwäsche. Andere wieder gingen von Haus zu Haus, alte Kleider kaufen, die dann Großhändler aufkauften und an die Alte Heimat lieferten. Die meisten aber in dieser Gegend waren Arbeiter und Arbeiterinnen, die in den Zigarettenfabriken Manoli, Garbaty oder Muratti beschäftigt waren.

Da war auch ein reges gesellschaftliches Leben. Die Frommen hatten verschiedene Gebetshäuser, nach ihren Sekten, nach ihren Rabbis benannt. Da gab es Zionisten aller Schattierungen, da gab es Sozialrevolutionäre, Sozialisten, den »Bund« und Anarchisten. Es gab auch Theater und Sänger. Im Königs-Café in der Münzstraße trat der Komiker Kanapoff auf. Und das Restaurant Löwenthal in der Grenadierstraße, nahe der Münzstraße, hatte eine Bühne und spielte Theater. Da traten kleine Schauspieler und Statisten auf von den guten Theatern in Russland, Rumänien, Galizien und priesen sich mit Riesenlettern und Klischees auf den Plakaten als berühmte internationale Stars an.

Mein Freund und ich mieteten uns eine Schlafstelle in der Lothringer Straße am Schönhauser Tor, wo wir acht Schlafburschen in einem Zimmer schliefen. Ich bekam Arbeit bei Scholem Grünbaum in der Grenadierstraße und fühlte mich bald zu Hause in diesem Berlin. Mein Freund bekam auch eine Stelle bei einem Althändler, der einen Trödelkeller hatte, und alles, was er kaufte oder verkaufte, hatte mein Freund aufzuschreiben. Er war ein älterer Mann, europäisch gekleidet, der mit Tochter, Schwiegersohn und Enkelkind zusammenlebte. Eines Tages kam mein Freund zu mir, kreidebleich und verstört, und erzählte mir, dass der alte Mann sich mit ihm im Keller immer einschließe, ihn küsse und betaste und verlange, auch er solle ihn anfassen. Das war schon ein paarmal geschehen. Mein Freund hatte erst gedacht, es sei nur so ein großstädtischer Scherz, aber der Alte würde immer zudringlicher. Jetzt weinte und schluchzte mein Freund, er habe solche Angst vor diesem Menschen, und es ekle ihm vor alledem. Heute bekam er auch noch einen neuen Brief von seinem Vater, der ihn wieder anflehte, doch nach Hause zu kommen. Die ganze Flucht samt dem mitgenommenen Geld sei längst vergessen. Als Zeichen der Versöhnung schickte er ihm jetzt neues Reisegeld. Er hatte auch wieder einen Brief an mich beigelegt, in dem er mich bei meinem Vater beschwor, ich möge ihm doch seinen zarten, hilflosen Sohn wieder nach Hause schicken. Mein Freund machte alles von mir abhängig, und ich kam mir plötzlich erwachsen und überlegen vor und schickte einem besorgten Vater einen mit Heimweh erfüllten Sohn zurück, in dessen Augen Berlin in einem alten Mann verkörpert war, der sich vor ihm entblößte und ihn küsste wie ein Mädchen. »Nein«, sagte er, »in so einer Stadt kann man ja nicht leben.«

So fuhr er heim. Und da Berlin mich in dieser Beziehung in Ruhe ließ, blieb ich gerne da.

Ich war jetzt allein und fing an, Bekanntschaften zu machen. Ich ging oft zu Herrn Löwenthal ins Theater, wo ein Herr Bleich mit Frau und Töchtern und Schwiegersöhnen ehrliches, aber schlechtes Theater machte, richtige Schmiere. Da gab es alle zwei bis drei Tage ein neues Stück, aber wenn man genau aufpasste, konnte man sehen, dass es immer dasselbe Stück war. Es hieß immer Drama mit Gesang und Tanz. Ich ging oft hin, sah manchmal dieselben Stücke wie in Lemberg, stellte Vergleiche an, kritisierte, traf natürlich junge Leute auf der Galerie wie in jedem Theater, und wir schimpften erbarmungslos über die schlechten Stücke und das schlechte Spiel und gingen doch wieder hin. Manchmal kamen auch Gäste, großartige, wilde Schauspieler, die Guttentags aus Rumänien, oder die Schitjiks aus Polen, oder Gäste aus Amerika. Sie stellten dann eigene Truppen zusammen und spielten in den Sophien-Sälen, in den Blumen-Sälen (später Resi), in den Wilhelm-Sälen oder im Prater-Theater in der Kastanienallee. Ich ließ keine Vorstellung aus.

Eines Tages stieß ich auf einen kleinen blassen Menschen mit langem Haar und Künstlerschleife, der auch über das schlechte Spiel und die billigen Schundstücke schimpfte, und wir lernten uns kennen. Er hieß Schidlower. Wir freundeten uns an und kamen oft zusammen. Er war der erste Schauspieler mit gesellschaftlich-kulturellem Verantwortungsgefühl, der mir begegnet ist. Er sah im Theater nicht nur eine Unterhaltungsstätte, wo Leute über billige Witze lachen, sondern wollte, dass es die Nachfolge der Gebetshäuser und Kirchen antrete. Die Bühne ist höher als der Saal, damit sie die Menschen über den Alltag erhebt, sie im Geiste erhöht, sie feiertäglich stimmt. Deshalb könne er diese Schundstücke in diesen Berufs-Theatern nicht spielen und möchte lieber mit jungen Menschen und einfachen Arbeitern, die denselben Glauben haben, »bessere« Stücke aufführen. Er nahm mich als Freund auf und führte mich in einen Kreis von russischen Zigarettenarbeitern aus den Manoli-, Garbaty- und Murattifabriken ein. Dieser Kreis bestand aus teils verheirateten, teils unverheirateten Männern und Frauen, alle viel älter als ich. Die meisten von ihnen waren 1905 aus Russland geflohen und ich bekam Erzählungen und Broschüren darüber zu lesen. An Abenden oder an Sonntagen wurde gemeinsam gelesen und diskutiert, und da habe ich Worte und Begriffe gehört, die ganz neu für mich waren. Ich war fromm erzogen, mit großer Ehrfurcht vor Gottes Welt. Die Reichen, die sich dieser Welt bemächtigten, bedauerten oder verachteten wir mehr, als dass wir sie hassten. Aber diese Leute waren ganz anderer Meinung. Sie behaupteten, dass die Ordnung dieser Welt eine ganz unordentliche wäre und dass man da vieles ändern müsste. Nur über das »Wie« war man sich nicht einig. Man müsse lernen, sich bilden, verschiedene Bücher über diese Fragen lesen und diskutieren. Ich konnte noch nicht mitsprechen. Ich habe nur zugehört und Fragen gestellt. Es wurde zusammen gegessen bei den verschiedenen Kameraden, und alle haben beigesteuert, geholfen zu kochen, abzuwaschen, zu bedienen. Es war sehr heimisch und lustig. Einige waren immer arbeitslos, aber man wirtschaftete zusammen. Es herrschte die Meinung, dass man sich nur nicht zu sehr ausbeuten lassen solle von den Arbeitgebern, und lieber keinen Sonntagsanzug haben, als die ganze Woche arbeiten. Denn, so behaupteten sie, an jeder Mark, die man erarbeitet, verdient jener fünfundzwanzig. Wenn man also zwei Mark die Woche weniger macht, schädigt man den Fabrikanten um fünfzig. Und diese Genugtuung entschädigt einen für den Sonntagsanzug.

Als ich in Berlin ankam, hatte ich beschlossen, nicht nach Hause zu schreiben, bevor ich wüsste, dass ich auf dem richtigen Weg sei. Als ich eines Tages das zu wissen glaubte, setzte ich mich hin und schrieb meinem Vater einen Brief. Ich sagte, dass ich mich sündig vor ihm fühle, weil ich bisher nicht geschrieben hätte. Und nun teilte ich ihm mit, dass ich beschlossen hätte, einer Sehnsucht zu folgen, von der ich zuvor nicht hätte sprechen können; aber jetzt, da ich bereits den Weg zu meinem Ziel wisse, wolle ich ihm sagen, dass ich beabsichtige, Schauspieler zu werden. Vom Vater kam dann folgender Brief: »Sohn meiner, du schreibst, dass du dich mir gegenüber versündigt fühlst; ja, mein Sohn, du hast recht, aber ich bete und faste für dich jeden Montag und Donnerstag und bin sicher, dass der Herr diese Sünde dir nicht anrechnen wird, da du ja nicht aus Übermut mich kränktest, sondern weil du, wie du schreibst, mein teurer Sohn, einen neuen Beruf wählst, neue Wege gehst. Ich kenne deinen neuen Beruf nicht und unter unseren Verwandten und Bekannten hat keiner so einen Beruf gehabt. Deshalb aber verstehe ich, dass das ein neuer Weg ist. Und da ich weiß, dass neue Wege schwer gangbar sind, so wünsche ich dir Kraft und Mut, ihn zu beschreiten. Ich selbst bin krank und würde dich gern sehen. Sollte mir das nicht mehr vergönnt sein, so wisse, dass meine Hoffnungen und Wünsche immer mit dir sind auf dieser oder auf jener Welt. Meine Segnungen sollen dein Herz wärmen in alle Ewigkeit. Dein Vater.«

Einige Zeit später bekam ich die Nachricht von meinem ältesten Bruder, dass unser geliebter Vater gestorben sei. Das hat mich sehr erschüttert. Ich ging in den Tempel, das Totengebet zu sprechen. Mein neuer Kreis fühlte mit mir, aber einer machte eine gottlose Bemerkung, was mich tief verletzte. Ich bat sie, doch den Lieben Gott aus dem Spiel zu lassen, und nun entstanden große, ernste Diskussionen, und man beschloss, jeden Sonntag in die Freireligiöse Gemeinde zu gehen. Da hielten unter anderen Boelsche und Dr. Bruno Wille mit seinem langen, gepflegten, schönen Bart Vorträge über den »Menschen in der Natur« und über »Gott im Menschen«. Das war aufregend und neu für mich und speiste meine durstige Seele.

An den Abenden gingen wir in die Freie Hochschule, wo lehrreiche Vortrags-Zyklen über Weltliteratur, Drama, Theater und Kunst abgehalten wurden. Bevor ich mich umsah, gehörte ich einer anarchistischen Gruppe an. Wir hießen »Arbeiterfreund« nach der damals in London erscheinenden Zeitung gleichen Namens, die vom rheinländischen Nichtjuden Rudolf

Rocker in jiddischer Sprache herausgegeben wurde. Durch diesen Kreis lernte ich später Kropotkin lesen und Bakunin, John Most und Nietzsche. Später sogar »Der Einzige und sein Eigentum« von Max Stirner. Wir waren etwa vierzehn bis sechzehn Menschen, und unser Lehrer und Leiter hieß Moritz Riebler. Er konnte die schwierigsten Fragen beantworten, griff in Diskussionen ein, erklärte, analysierte die kompliziertesten Probleme – lächelte dabei, wenn eine schwierige Unterhaltung sich irgendwo zu verlaufen drohte. Er nahm die Unterhaltung in die Hand, wie ein großer Bruder sein kleines Schwesterchen, und führte diese Diskussion auf den von ihm vorgesehenen sicheren Weg zurück. Und war doch ein einfacher Zigarettenarbeiter bei Manoli in Pankow. Ich habe ihn verehrt und geliebt, denn ich habe sehr viel von ihm gelernt. Viele Jahre später entdeckte dieser internationale Anarchist sein nationales Herz und wurde Zionist.

Der ganze Kreis bestand aus Ausländern und durfte damals in Berlin keinerlei politischen Organisationen angehören. Um auf breitere Kreise zu wirken, um diesen »weltumstürzenden« Plänen eine breitere Basis zu geben und die Ideen des Nichtjuden Rudolf Rocker unter das jüdische Volk zu bringen, wurde beschlossen, einen ›harmlosen‹ Theaterverein zu gründen. Der Berufsschauspieler Schidlower wurde zum Regisseur ernannt und wir gründeten den Theaterverein »Jacob Gordin«. Jacob Gordin lebte damals in New York, machte dort Theater mit großen Schauspielern wie Jacob Adler, David Keßler, Madame Lipzin, und war bereits Verfasser von siebzig Dramen und sehr »revolutionär«. Er war für die Armen und gegen die Reichen. Für die Huren und gegen die feinen Damen. Für die Waisen und Bastarde und gegen die ehelich Gesicherten. Er war auch für mich, und ich lernte mit großer Begeisterung die Helden seiner Stücke auswendig.

Unser Verein wuchs, bekam immer mehr Mitglieder. Wir veranstalteten Vorträge, Unterhaltungsabende, gemütliches Beisammensein bei Kaffee und Kuchen, mit Tanz und Rezitationen. Der kleine Schidlower leitete diese Abende. Ich bekam

Gedichte von Rosenfeld, Edelstadt, Bowshor, Gustav Herwey und anderen. Alle diese Gesänge waren Anklagen gegen die Reichen und Feinen, und Hymnen für die Armen und Unterdrückten. Wenn die Leute auf so einem Abend bei Kuchen und Kaffee plauschten und tanzten, zerstörte ich ihnen ihren Spaß und ihre Gemütlichkeit mit diesen wilden Wein- und Lachgedichten. Ich brüllte diese Balladen mit einer Vehemenz, dass sie sich die Trommelfelle hielten. Ich nahm alles sehr ernst, und an gewissen Stellen des Vortrags warf ich mich auf den Boden und wälzte mich in Krämpfen und Tränen und schluchzte so verzweifelt und echt, dass die Leute mit mir Mitleid bekamen und sagten, ich sei ein »Künstler«. Und das glaubte ich ihnen glatt, aber verschwieg meine heimliche Sehnsucht, selber Schauspieler zu werden. Um so mehr genoss ich es, wenn so eine der älteren verheirateten Frauen – denn mit Mädchen in meinem Alter hatte ich nie Kontakt – mir zuredete, es doch zu versuchen, Schauspieler zu werden. Ich ließ mir gern zureden und war dankbar, und aus dieser Dankbarkeit entstanden Freundschaft und Liebe.

Unterdessen studierte Schidlower den ersten Akt des Theaterstücks »Familie Zwei« von David Pinsky ein. Es ist ein jüdisches Familienbild aus dem alten Russland während eines Pogroms. Alle Schattierungen des Volkes sind in diesem Bild vertreten: Der alte Großvater, ein Prediger, geißelt und mahnt seine Leute, nur am alten Glauben festzuhalten, denn alles gehe doch die Wege, die der Herr vorgezeichnet hat. Der Vater, ein Krämer, ist nur um sein Geschäft besorgt. Ein Sohn ist Zionist und mahnt zur Rückkehr ins Gelobte Land, einer Assimilant und predigt die Verschmelzung und Auflösung in andere Völker. Einer ist Sozialist und glaubt, dass nur seine Ideale im Stande sind, arme Menschen und unterdrückte Völker zu befreien. Dieser Sohn heißt Rubin, den spielte ich. Das war meine erste Rolle. Alles um mich herum wurde plötzlich unwichtig. Tag und Nacht in der Bäckerei, bei der Arbeit, auf der Straße wurde nur noch an Rubin gedacht. Nein, nicht *an* Rubin, sondern *als* Rubin! Als Rubin gegessen, als Rubin geschlafen, als

Rubin aufgestanden, als Rubin gestritten, als Rubin diskutiert. Wen ich gerade erwischte, der musste über sich einen Rubin-Sturzquell, eine Rubin-Lektion ergehen lassen. Die Proben waren aufregend, mit Dynamit geladen. Jeder Satz wurde hundertmal durchgebrüllt, durchgewispert, durchgelacht, durchgeweint. Dabei war Rubin keine so große, keine so wichtige Rolle – aber die größte, die wichtigste für mich in dieser Welt. Ach was, die ganze Welt war unwichtig, war nur ein Behelf, ein Requisit für Rubin, hatte sich nur um Rubin zu drehen.

Ganz einfach war das auch nicht. Obzwar wir einfache Arbeiter-Dilettanten waren, war doch schon die Atmosphäre von richtigem Theater da. Gegenseitiger Neid, Missgunst, Klatsch, Intrigen. Ich hatte plötzlich Freunde und Feinde. Die Freunde ermutigten, aber die Feinde kritisierten, hielten sich die Ohren zu, wenn ich brüllte. Da gab es Kräche, Auseinandersetzungen bis zur Prügelei. Sie wussten nun, dass ich Schauspieler werden wollte, und einer, ein Herr Urich, der mit Bildern hausieren ging, ein geleckter Junge mit billigen, falschen Ringen an den Fingern, erklärte, dass man zum Künstler wie zu allem anderen in dieser Welt geboren wird. Man wird als Kaiser, als Musiker, als Dichter, als Schauspieler geboren. Das alles setzte er lang und breit auf einer Probe auseinander, einige stimmten ihm zu und musterten mich dabei ironisch. Ich war schwer getroffen. Mein Rubin war verletzt. Wir waren beide verwundet. Aber in der Gruppe war ein älterer, stiller Mensch. Er hieß Herschel Simmenhaus, und er sagte mir immer, falls ich irgendwelche Schwierigkeiten hätte, sollte ich zu ihm kommen. Ich ging also zu meinem Freund und schüttete ihm mein Herz aus. Er lächelte gütig und gab mir »Sechsundzwanzig und Eine« zu lesen und sagte: »Der Verfasser ist ein ehemaliger Bäcker und nennt sich selber Maxim Gorki. Gorki heißt ›bitter‹. Kannst dir vorstellen, was er alles hat durchmachen müssen, um ein Dichter zu werden.« Ich verschlang die Erzählung, in der eine echte Bäckerei ganz realistisch, ganz nah beschrieben ist, und diese Erzählung heilte mein gekränktes Herz wie Balsam. Ich zog den klaren Schluss für mich: Wenn ein Bäcker ein Dichter werden kann, warum soll dann ein anderer Bäcker kein Schauspieler werden können. So hat dieser Gorki, dieser »Bittere«, eine süße Stärke in mich gepflanzt, die alle meine Kritiker aus meiner Phantasie verdrängte. Ich ließ mein Haar lang wachsen, kaufte mir eine Pelerine und einen breiten, schwarzen Hut, wie Maxim Gorki. Ich habe diesen Namen wie etwas Heiliges in mein Herz geschlossen und trage ihn mein ganzes Leben mit mir herum – wie Schimschale den Milnitzer, wie meinen Vater.

Eines Abends stand ich plötzlich auf der Bühne – ein Erlebnis, das mich nie verlassen hat. Nie zuvor hatte ich meinen Körper so gespürt. Ich fühlte meine Fingerspitzen und meine Kopfhaut. Meine Zehen und mein Herz, besonders aber meinen Magen. Meine Mitspieler waren nicht mehr private Feinde und Freunde, sondern richtige Verwandte, Familie: Großvater, Vater, Mutter und Geschwister. Dann kam vom vollgepackten Saal der Zuschauer ein Etwas, das schwer zu beschreiben ist: Es war, als ob von ihren Blicken und Ohren, von ihrem Atem und ihrer Aufmerksamkeit eine elektrische, unsichtbare Kraft ausging, die mich durchdrang, die mich stärkte, die in mich hineinströmte und verstärkt wieder aus mir herausklang. Der Schauer, der mich beim ersten Theater-Sehen so gepackt hatte, überkam mich nun aus ganz anderen Quellen, hypnotisierte und fesselte mich. Ich hatte es also gekostet, geschmeckt, und jetzt erst kam der große Hunger, der große Durst: Theater, Theater, Theater. Die anarchistische Gruppe, die glaubte *mit* Theater spielen sich zu tarnen, wurde für mich eine Tarnung *fürs* Theater spielen. Alle waren spielfreudig und unser Regisseur fing an, ganze Stücke aufzuführen. Die meisten waren von Gordin. Ich spielte einmal einen grobschlächtigen Schlosser, ein andermal einen edlen Menschen. Einmal einen Alten, einmal einen Jungen. Gute und Schlechte, Normale und Verrückte, Priester und Zuhälter, Heilige und Verbrecher. Und war erst achtzehn Jahre alt.

Eines Abends spielten wir das in einem früheren Kapitel beschriebene Stück »Gott, Mensch und Teufel«. Der Regisseur spielte den edlen *Thoraschreiber*, Rosenzweig den Chazkel Drachme. Ich spielte den Teufel. In einem knallroten Kostüm, mit Hörnern, mit blassgeschminktem Gesicht, tiefgezogenen Furchen an der Stirn, Nasenwurzel und Mundwinkeln, mit angegrauten Schläfen und pechschwarzem Spitzbart, mit rollenden Augen, knarrender Lache und Hinkefuß. Das war eine Wonne. Ich habe mich gebadet in Spielfreudigkeit und Schweiß. Nach der Vorstellung war ich erschöpft wie eine Sau, die vierzehn Ferkel geworfen hat. Ich war schon abgeschminkt, der Spitzbart verschwunden, die Falten weggewischt. Da kam hinter den Kulissen hervor ein großer, eleganter Herr in einem Gehrock und Herzl-Bart, der Truppe gratulieren. Er fragte nach dem Schauspieler, der den Teufel dargestellt hatte. Als ich ihm vorgestellt wurde, glaubte er an einen Schauspieler-Scherz, war aber noch mehr begeistert, als er mein Alter erfuhr, und bestellte mich am nächsten Tag zu sich in die Klopstockstraße. Ich sah da zum ersten Mal ein Atelier mit Bildern und Radierungen. Er stellte mir seinen Assistenten und Schüler Joseph Budtko vor, der gleich mit mir ein heimisches Jiddisch sprach. Da sagte der feine Herr mit dem Herzl-Bart: »Sehen Sie, Budtko ist Maler, und Malerei spricht alle Sprachen. Aber als Schauspieler sind Sie mit Jiddisch zu sehr begrenzt. Lernen Sie doch Deutsch und werden Sie deutscher Schauspieler!« Da sprach dieser Mann etwas aus, was schon lange meine heimliche Sehnsucht war. Er gab mir Empfehlungen an Fritz Engel und Emil Milan. Emil Milan, einer der größten Meister des Wortes zu dieser Zeit, nahm mich als Freischüler auf und wurde mein Lehrer für deutsche Schauspielkunst. Der Mann aber, der mir diese wichtigste Verbindung meines Lebens hergestellt hat, war der Radierer Hermann Struck. Hermann Struck reichte mir, einem fremden Bäckerjungen, als Erster eine helfende Hand und öffnete so für mich das Tor einer neuen, großartigen Welt, die sonst für uns »arme Leute« hinter Schloss und Riegel verrammelt bleibt. Als ich mich bei ihm damals bedankte, sagte er lachend: »Wissen Sie, wenn Sie mal ein berühmter Schauspieler werden, erwähnen Sie mich in Ihren Memoiren.«

Was hier mit Dank und Segen und einem offenen Brief geschieht.

»Liebe große, einflussreiche Herren!

Wenn ein hilfloser Proletarierjunge über euren Weg läuft, mit einer Sehnsucht, in irgendeiner Form künstlerisch sich mitzuteilen, denkt an den Spaß, den Hermann Struck beim Lesen dieser Zeilen hat, und helft! Helft! Denn ihr pflanzt dadurch Liebe und Dankbarkeit in eine Welt, die es wahrhaft nötig hat!

Meine Liebe und Dankbarkeit strömt heute aus vollem Herzen zu ihm, zu Hermann Struck.«

26
Das Wort

Als ich zu Emil Milan mit meiner Struck-Empfehlung kam, war er sehr freundlich, aber er packte gerade. Er war im Begriff, zu verreisen. Zuerst wollte er auf eine Vortragstour, dann in die Ferien. Jetzt war Mai, er käme im August zurück, nahm meine Adresse, er wolle mir dann schreiben, und verabschiedete mich. Das gab mir einen Schlag ins Gesicht. Meine Hoffnungen, die schon ganz hoch in den Wolken waren, mussten wieder in die dunkelste Kellerecke meines verbitterten Herzens zurück. Es war ja nicht die erste Tür, an die ich klopfte, die man mir öffnete und wieder vor der Nase zuknallte. Ein gedemütigtes, heimatloses Hündchen, schlich ich davon und war überzeugt, dass das so eine andere vornehme Art sei, sich Leute abzuwimmeln. Meinen Entschluss aber, deutscher Schauspieler zu werden, gab ich trotzdem nicht auf und fing an, für alle Fälle mein Leben umzuorganisieren. Erstens musste ich mein Fach wechseln. Abends, wenn alle Leute ins Theater, zu Vorträgen gingen, musste ich in die Bäckerei. Ich hasste die Bäckerei noch aus anderen Gründen: Da war diese Bettlerin in meinem Gedächtnis, aus Zaleszczyki, die vor vielen Jahren etwas in mich gepflanzt hatte von »großen« Händen und »großen« Füßen, und das saß in mir und wurmte. Im Laufe der Zeit bekam ich noch den Bäckerstempel, die Bäckerbeine, X-Beine. So sehr ich überzeugt war, in mir das Zeug zum Schauspieler zu haben, so sehr fürchtete ich doch im Stillen, dass diese Bäcker-Abzeichen, diese großen Hände und Füße und die X-Beine mich an meiner Laufbahn hindern würden. Hatten doch die meisten Schauspieler kleine, zarte Hände und Füße. Manchmal dachte ich, dass es vielleicht die Leute doch nicht merken würden, und wer weiß, vielleicht wird es da Rollen geben mit großen Händen und Füßen, denn meine X-Beine wollte ich mir gerade brechen lassen – das hatte ich schon lange vor. Jedenfalls musste ich dieses Bäckerfach wechseln. Du verlierst leichter eine Arbeit, als du eine findest. Nach langem Suchen fand ich doch eine neue Stelle in einer Grammophontrichter-Fabrik. Da wurden Blechgrammophontrichter hergestellt und mit verschiedenen Farben gefärbt. Da war auch eine Abteilung, wo alte Grammophontrichter gewaschen wurden und neue gespritzt. In diese Waschabteilung kam ich. Die Dinger wurden über Nacht in Fässern mit Lauge gelassen und am nächsten Tag gewaschen. Dazu trug man Gummihandschuhe. Wenn so ein Gummihandschuh einen kleinen Riss bekam, verbrannte man sich ganz ordentlich die Hände. Nach einigen Wochen hatte ich mir die Hände so oft verbrannt, dass ich darin eine neue Gefahr für meine geplante Laufbahn sah. So gab ich auch dieses Fach auf. Der Kampf ums Dasein in einer neuen Heimat ist sowieso schwer. Aber dieser Kampf, gepaart mit einem Lebensplan, mit einer Sehnsucht, ist noch schwerer.

Nach einiger Zeit fand ich wieder Arbeit, diesmal in einer Sargfabrik. Hier hatte ich Särge zu beizen und zu polieren, mit einer braunen Beize und Lack, und bekam bald gelbbraun dunkle und in den Handflächen fast schwarze Hände, die mit keiner Seife rein zu kriegen waren. Darunter habe ich auch gelitten, war aber an den Abenden frei, konnte Deutsch lernen, verschiedene Kurse an den Freien Hochschulen belegen, ins Theater gehen, Theater-Vereine besuchen, wo ich alles, was ich auswendig lernte, an den Mann bringen, das heißt, den Leuten bei Kaffee und Kuchen vordeklamieren durfte. Ich konnte schon damals Berns »Deklamatorium« von vorn und von hinten auswendig. Das Leben zu dieser Zeit war für mich wie ein Fluss: Ich wurde getrieben, getragen, hin und her gewirbelt, verhatschte mich irgendwo an einem Ufer, blieb hängen, kleben, wurde apathisch, hoffnungslos. Bis dann wieder eine Strömung kam, mich losspülte und weitertrug.

So fiel eines Tages der »Pojaz« von Karl Emil Franzos in meine Hände. Dieser »Pojaz« berauschte und begeisterte mich. Von einer Seite stärkte mich Maxim Gorkis Beispiel und jetzt kam hier der »Pojaz«. Kam er doch aus meiner Gegend. Ich sah plötzlich Städte und Dörfer, Menschen aus meiner Heimat. Dieser Junge im Buch wollte ja auch Schauspieler werden. Er hatte ja dieselben Sorgen, dieselben Pläne, dieselbe Sehnsucht, dieselben Schwierigkeiten. Er sah auch ein Theaterstück, das ihn aufregte und erschütterte, und verglich die fremdländischen Figuren in diesem Stück mit denen seines Dorfes, seiner Heimat. Her mit dem Stück! Ich stürzte mich darauf, las es, verschlang es, nein, es stürzte sich auf mich und verschlang mich. Es war der »Kaufmann von Venedig«. Es war Shylock:

»Hat nicht ein Jude Augen, Hände, Gliedmaßen, Sinne, Neigungen, Leidenschaften, mit derselben Speise genährt, denselben Waffen verletzt, denselben Mitteln geheilt, gewärmt und gekältet mit eben dem Sommer und Winter wie ein Christ? Wenn Ihr uns stecht, bluten wir nicht? Wenn Ihr uns kitzelt, lachen wir nicht? Wenn Ihr uns vergiftet, sterben wir nicht? Und wenn Ihr uns beleidigt, sollen wir uns nicht rächen?«

Ich wälzte mich in Tränen, bejammerte und beklagte den Shylock und war verzweifelt. S-h-y-l-o-c-k, sagt das Buch, heißt S-h-a-y-e, Yesejah, mein Name also, ein naher, ein intimer Mensch, Shylock und der Pojaz und ich wurden eins. Nein, waren nur noch ich. Denn nicht nur die reale Erfahrung erlebte ich, alles Gelesene nahm ich als persönliche Erfahrung, als persönliches Erlebnis. Nur gefiel mir nicht, dass Shylock so verrückt nach seinen Dukaten war. Ich stellte mir vor, dass mein Vater, wenn meine Schwester ihm das angetan hätte, was Jessica dem Shylock, sicherlich nicht so gejammert hätte nach dem Geld, und niemals wäre er auf den Gedanken gekommen, bei einem Herrn Antonio, auch wenn er sein Feind gewesen wäre, ein Pfund Fleisch ausschneiden zu wollen. So ignorierte ich Shylocks Schlechtigkeit und hielt mich mehr an seine Leiden und Schmerzen. Ich lernte gleich den großen Anklagemonolog auswendig und probierte ihn im Theaterverein

»Concordia«. Warum dieser Verein »Concordia« hieß und was »Concordia« heißt, weiß ich noch heute nicht. Ich wills aber später im Wörterbuch nachsehen. Aber den Mitgliedern der »Concordia« gefiel es sehr, und Freunde und Freundinnen diskutierten mit mir lange darüber und ermutigten mich. Ich polierte weiter meine Särge in der Kanonierstraße und kam nicht von der Stelle. Ich wurde immer trauriger und verzweifelter, hatte Anfälle von Weltschmerz und bildete mir ein, dass niemand so einsam sei, so leide wie ich. Auf der anderen Seite fing ich an zu glauben, dass ich was Besonderes sei und wurde eingebildet und größenwahnsinnig. Dazu kamen noch Schwierigkeiten mit Mädchen, Freundschaften mit verheirateten Frauen. Ich war beides zugleich: größenwahnsinnig und kleinheitswahnsinnig. Ich habe gelitten und Leiden verursacht, wieder gelitten, dass ich Leiden verursachte, kam mir edel vor, genoss die Leiden. In mir war alles durcheinander, wie ein Paprikagulasch mit Pflaumenkompott zusammengekocht. Ich war ganz unten.

Eines Tages sah ich große Plakate, die ankündigten: »Vortragsabend Emil Milan. Programm: ›Bahnwärter Thiel‹ von Gerhart Hauptmann.« So, dachte ich, natürlich, es ist ja längst August. Er ist schon seit langem da. Er hat andere Sorgen, als an mich, den x-beinigen Bäcker, den Grammophontrichter-Wascher, den Sargpolierer mit den gebeizten Händen zu denken. Jedenfalls will ich ein Billet kaufen und mir den Vortrag anhören. Es waren ja noch sechs Tage Zeit. Ich wohnte in der Jacobi-Kirch-Straße und arbeitete in der Kanonierstraße. An der Ecke, wo ich wohnte, war eine Litfaßsäule, und gegenüber der Sargfabrik auch eine. Jeden Morgen machten sich die beiden Plakate über mich lustig, verhöhnten mich: »Du Idiot, du größenwahnsinniger Misthaufen! Du hast dir eingebildet, mit diesem Stuckbrief, mit diesem Wisch, den Vogel abgeschossen zu haben? Nun hast'n Vogel, Mensch!« So viel Berlinerisch konnt' ich schon. »Vogel« und »Manoli«, beides hieß »verrückt«. Wenn doch schon dieser Abend vorbei wäre und diese Plakate überklebt, damit ich's wieder vergäße. Ich hatte doch schon alles vergessen gehabt, bevor diese teuflischen Plakate erschienen waren.

Nun kam der Tag des Vortragsabends – ich sprach zu keinem Menschen darüber. Ich wollte allein hingehen, meine Scham und meine Niederlage einsam schlucken. Es war Sonnabend. Ich kam um die Mittagszeit nach Hause, wusch mich. Da klingelte es plötzlich – ein Rohrpostbrief! Eine zarte, kleine, strenge Handschrift, wie gestochen. Absender, auf schönem blauen Kuvert gedruckt: Professor Emil Milan, Sybelstraße 12, Charlottenburg. Inwendig ein paar Zeilen: »Mein lieber Herr Granach, entschuldigen Sie, dass Sie so spät von mir hören. Hier sind zwei Karten für heute Abend. Besuchen Sie mich nach dem Vortrag in meiner Garderobe, damit wir die Zeit bestimmen, wann wir zu arbeiten anfangen. Herzlichen Gruß. Ihr Emil Milan.«

Ich las den Brief einige Male zwischen zitternden Fingern, bis ich mich einfach aufs Bett legte und mich ordentlich ausschluchzte und ausweinte vor Glück. Dann fuhr ich zur Prenzlauer Allee, da hatte ich eine mütterliche Freundin, Frau Baum, schüttete ihr erst mein volles Herz aus, und abends gingen wir zum Vortragsabend in den Bechstein-Saal. Da war ein merkwürdiges Publikum: Pfarrer, Schauspieler, Rechtsanwälte, Regisseure, die meisten seine Schüler und Verehrer. Milan kam heraus, im Frack, wurde stürmisch begrüßt, sein Gesicht war braun gebrannt und strahlte, blondes Haar und Spitzbart etwas angegraut. Auf dem Podium stand nur ein bequemer Stuhl. Er setzte sich langsam und ruhig da hinein, neigte sich etwas vor, legte die Fingerspitzen aneinander, es wurde ganz ruhig – aber er wartete noch immer, und in einer Totenstille, dass man seinen eigenen Atem hören konnte, fing er an, die Geschichte vom Bahnwärter Thiel zu erzählen. Keine Spur von Deklamation, von Theater, es floss nur so, er erzählte ein ganzes Buch auswendig. Wie Jus Fedorkiw dem Vater eine Geschichte erzählen würde. Er sprach zum Publikum mit einer Einfachheit, wie Schimschale der Milnitzer einst zu uns Kindern gesprochen hatte.

Als es zu Ende war, jubelte ihm das Publikum zu. Er kam immer wieder heraus. Dann standen alle auf und klatschten ihm eine gute Nacht zu. Nachher ging ich mit Herzklopfen in seine Garderobe. Da waren ein Priester, einige Herren und Damen. Er stellte mich ihnen schon als seinen Schüler vor. Alle tranken Champagner. Ich bekam auch ein Glas, das erste in meinem Leben. Eine Dame hieß Johanna Burckhardt, die bestellte er mit mir zusammen zu sich, morgen, Sonntag, um elf Uhr.

Am nächsten Tag war ich schon um zehn Uhr in der Sybelstraße 23 und schlenderte eine Stunde vor diesem Haus auf und ab, die länger war als ein Menschenleben. Um elf Uhr waren wir da. Ohne viel Umschweife fing ich an, ihm vorzusprechen: Shylock, Franz Moor, Belsazar – ich war aufgeregt und dampfte wie ein Ofen.

Er guckte mich an, lächelte erst – dann legte er die Hand um mich, sprach sehr ermutigende Worte, etwas von Temperament – Organ – Gefühl, und fing plötzlich furchtbar zu lachen an. Ich war verletzt – er merkte es, beherrschte sich, erklärte, ich wäre ein großes Talent, aber »die arme deutsche Sprache«, und lachte wieder laut und herzlich, wie über einen gelungenen Witz. Dann wischte er sich die Tränen und sagte ernst: »Sehen Sie, Sprache kann man lernen, aber die anderen Sachen, die Sie haben, nicht«, und wandte sich an Johanna Burckhardt, seine Schülerin, die mich in Deutsch unterrichten sollte. Er selber wolle mir zwei Stunden die Woche geben, was 200 Mark im Monat ausmachen werde. Ich verdiente bei meinen Särgen ungefähr 60 und wurde kreidebleich und traurig. Er merkte es, fing an, mich auszufragen, was ich mache, ob mir meine Eltern kein Geld schickten, warum ich denn immer die Hände versteckte – ich pflegte meine Hände zu verstecken, weil ich glaubte, dass sie zu groß seien, und weil sie jetzt von der Beize und dem Lack dunkel gefärbt waren.

Mir war nun schon alles gleich, und ich erzählte ihm offen, wie es um mich bestellt war. Siehe da, das aber begeisterte ihn. »Das ist ja großartig!«, rief er, »großartig!« und rückte zwei Schiebetüren zu einem anderen Zimmer auseinander. Da waren einige Herren, die ich gestern in seiner Garderobe gesehen hatte, darunter der freundliche Priester, und unser Professor redete sie in Begeisterung: »Was für eine magische Kraft die deutsche Kunst hat, dass sie solche Kinder aus weiter Ferne anzieht, die sich hier beim Särgepolieren quälen und kämpfen« – er zeigte ihnen meine von Beize und Lack durchgefressenen Hände. Alle waren begeistert. Er sprach: »Jawohl, mein Galizier, du wirst mein Freischüler, und Sie, Fräulein Burckhardt, werden ihn auch unentgeltlich unterrichten, nicht wahr?« Und Fräulein Burckhardt versprach es. Alle gratulierten, und trunken von meinem ersten großen Erfolg verließ ich sie und fuhr mit der Stadtbahn zum Alexanderplatz, lief dann schnell zur Prenzlauer Allee und teilte mein Glück mit meiner mütterlichen Freundin.

Das Thermometer stieg. Ich nahm einen neuen Anlauf. Neue Hoffnungen erfüllten mein Herz. Zweimal die Woche ging ich zur Burckhardt. Jeden Sonntag war ich bei Milan. Emil Milan wurde für mich ein neuer, ein deutscher, ein christlicher Schimschale der Milnitzer.

Er gab mir nicht nur Unterricht, sondern auch seine Anzüge, die er nicht brauchte, sein Schuhzeug, seine Wäsche. Er verbot mir, Landsleute zu sehen, ich sollte nur deutsch sprechen, und bald fing ich an, in meiner neuen Sprache zu denken und zu träumen. Wo ich stand, wo ich ging, lernte ich Vokabeln, Gedichte, Monologe, Rollen auswendig. Er gab mir einen ganzen Zettel klassischer und moderner Literatur und die Bücher dazu – auch waren die kleinen Reclam-Heftchen billig zu kaufen.

Ich polierte weiter meine Särge, und die Arbeiter mochten mich und nannten mich »kleener Polacke«. Das war aber nicht gehässig. Die Berliner nannten jeden Fremden einen »Polacken«.

Der Meister, der die Fabrik leitete, hieß Lembke. Er hatte einen rotbraunen Kaiser-Wilhelm-Bart, nach beiden Seiten gekämmt. In der Mittagspause kam er einmal in meine Ecke, sah mich meine Klappstullen mit dem Zanger-Monolog aus

»Traum ein Leben« verschlingen, setzte sich zu mir, öffnete sein Frühstückspaket und sagte: »Na, kleener Polacke, immer fleißig, wa? Wat studierst du denn so de janze Zeit, wa?« Als ich ihm alles erklärte, sagte er: »Ha'k mir jlech jedacht, das de Künstler wirst. Ick wer' dir wat sajen«, murmelte er kauend, »du machst jetzt den Mittelsarg. Wenn de dir an den jrossen einiebst, kannste Akkord arbeeten und verdienst den halben Tag jenau so ville wie jetzt den janzen Tag – und hast vill mehr Zeit zum Studieren und kannst dir noch längere Haare wachsen lassen.« – »Ach, Meister Lembke«, sagte ich, »Sie sind ja wie ein Vater zu mir.« – »Nischt zu machen, Junge, hast ja vill zu lange Haare vor mir«, und lachte herzlich, versetzte mir noch einen Rippenstoß und sagte: »Also, Montag jeht's mit Akkord los, an dem jrossen Sarj.« Und die Mittags-Sirene blies ein langes Amen in meine Ohren.

Nun arbeitete ich halbe Tage und verdiente beinahe genauso viel. Und bei Aschinger konnte man für 25 Pfennig ein Paar Würstchen mit Kartoffelsalat essen, dazu den Salat mit Essig und Öl und Mostrich nach Herzenslust strecken und Brötchen, so viel man wollte, darin tunken; ich habe es manchmal zu einem halben Hundert gebracht. Und in der Gormannstraße war eine Kochschule der Jüdischen Gemeinde. Dort konnte ein Student für zehn Mark im Monat zwei Mahlzeiten am Tag bekommen und die rothaarige Rosa servierte unendliche Portionen Gemüse nach. Besonders hat das gute Erbsenpüree mit geschmorten Zwiebeln darüber geschmeckt. Da aßen angehende Philosophen und Dichter und Musiker. Man aß um die Wette die nachservierten Gemüseportionen und war lustig. Wie die das mit den zehn Mark im Monat liefern konnten, ist mir bis heute noch ein Rätsel.

Trotz Milans Gebot, der Sprache wegen meine Landsleute zu meiden, konnte ich doch nicht ganz mit ihnen brechen. Bei Milan und der Burckhardt war ich demütig und bescheiden, zu demütig, zu bescheiden. Aber mit meinesgleichen konnte ich mich gehen lassen, war schon frech, renommierte. Natürlich schmeichelte es meiner Eitelkeit, dass ich anfing, aus ihnen herauszuwachsen, sie zu überflügeln. Ich führte eine Art Doppelleben.

Bei Milan und der Burckhardt empfing ich, wurde beschenkt und diente, ich brauchte also einen Ausgleich: meinesgleichen. Ich war auch nie, was man so eine verschlossene Persönlichkeit, einen Einzelgänger, einen Eigenbrötler nennt. Ich liebte immer Menschen, viele Menschen. Ich ging gern zu großen Versammlungen, marschierte gern in Demonstrationen mit, saß gern im Theater, im Kino, im Zirkus, beim Rennen. Überall, wo viele Menschen waren, war ich auch gern dabei. Mehr noch als die Veranstaltungen, als die Massenredner, als die Schauspiele regen mich die Menschen auf. Viele Menschen regen mich auf, regen mich an, machen mich glücklich, heben mich, erheben mich bis zur Ekstase. Nein, als ein Adam zu leben, wäre nichts für mich, besonders wenn die Eva immer irgendwo davonläuft und Äpfel stiehlt. Wenn ich unter vielen Menschen bin, ist auch meine Neugierde wach und mobilisiert. Und Neugierde ist mein sechster Sinn oder, nach dem Essen und Lieben, der dritte Trieb.

Das war die Zeit, in der ich alles durcheinander las: Nietzsche und Hauptmann, Kropotkin und Dostojewski, Arzibashev und Stirner, Gorki und Scholem Alejchem, Strindberg und Tolstoj, deutsche Klassiker, französische Romane, alles durcheinander. Und alles, was ich las, nahm ich nicht nur sehr ernst, ich versuchte, es nachzuleben: Nachdem ich Raskolnikoff verschlungen hatte, war keine alte Frau, keine alte Tante vor mir sicher. Ich bin überzeugt, wenn meine wackelige Suppentante, die mich mal eines Diebstahls verdächtigte, in meiner Nähe gewesen wäre, beide wären wir draufgegangen: sie durch mich und ich durch den Henker. Als ich Max Stirner gelesen hatte, wurde ich ein »Herrenmensch« und für meine Umgebung eine Gefahr und ein Alpdruck.

Mein Freund Schidlower hatte zwei Schwestern, die, wie er selber, mit dem Leben nicht fertig werden konnten. Sie waren aber überzeugt, dass ihr kleiner, verwachsener Bruder ein Genie wäre. Ein Jammer, dass er nie zur Geltung kommen, nie

Erfolg haben würde! Denn Erfolg haben nur die »Bösen«, die »Tüchtigen«, die »Oberflächlichen« – das hatte ihnen ihr Bruder beigebracht und daran glaubten sie. Nach meinem neuen Anlauf trübte Neid unsere Freundschaft. Man gab das nicht zu. Nur fielen hier und da kleine Sticheleien. Die älteste Schwester war schon sehr »älter« und ein bisschen verdorrt. Sie hatte eine Haut, die weder gelb noch braun, noch weiß, noch sonst von irgendeiner Farbe war, aber alles zusammen gab einen harmonischen Schmutz. Dazu hatte sie ein falsches Gebiss, von einem falschen Zahnarzt, falsch eingesetzt. Wenn sie sprach, wackelte es, und wenn sie sich aufregte und in Zorn geriet, was oft geschah, wollte das falsche Gebiss immer aus ihrem falschen Maul herausspringen. Sonst aber war sie gesund. Sie hatte noch eine Eigenschaft, die gut zu den andern passte. Sie wusste alles besser als andere Leute. Da war keine Theorie, kein Gegenstand, kein Gespräch, worin sie nicht alles besser wusste und immer das letzte Wort behielt. Nur *eine* Sache ließ sie gelten: Das war ihr Bruder. Er war das Genie der Familie, das war klar, das stand fest, darüber waren sich alle einig – in der Familie. Die Ursache seiner Misserfolge sah sie in seiner Genialität und in seinem dicken Weibe, die ihm jedes Jahr ein Mädchen gebar. Fünf quietschende, vergnügte Geschöpfe liefen schon herum in diesen zwei engen Stuben in der Greifswalder Straße 12, Hof 3, Treppen links. Die Dicke glaubte natürlich auch, dass ihr schwächlicher Mann was Besonderes wäre, und sah schon an ihren Kindern ererbte Eigenschaften ihres großen Vaters. Die Arme arbeitete auch schwer dafür und ernährte allein die ganze Familie. Sie war aber ganz vergnügt und zuversichtlich, denn sie glaubte, dass die Welt doch eines Tages die Talente ihres genialen Mannes, oder mindestens der Kinder, anerkennen würde.

Die jüngere Schwester meines Freundes war kurzsichtig, trug Augengläser, vergötterte ihren Bruder und verzog immer einen Mundwinkel zu einem ironischen und selbstzufriedenen Lächeln. Zu Diskussionen pflegte sie immer ganz rätselhafte, zweideutige Bemerkungen zu machen. Wenn einer etwa tiefschürfend behauptete, dass »die Sterne herumsausen im Raum von einem ewigen Nichts ins andere«, dann lächelte sie verständnisvoll und sagte leise: »Ach so – so ganz einfach – von einem Nichts ins andere Nichts – aha.« Oder wenn einer über Raskolnikoff sagte, dass er die alte Frau aus einer tiefen Güte erschlagen habe, meinte sie: »Einfach so – aus Güte – ach so – aha«, und verschwieg in einer bedeutenden Weise ihre geheimnisvollen Gedanken. Sie war Wäscheschneiderin, saß immer an der Maschine, hatte eine blasse Stirn und lächelte ein trübes, mattes Lächeln wie ein alter Chinese. Diese beiden armen Mädchen mochten mich nicht und das beruhte auf Gegenseitigkeit. Sie beneideten mich im Namen ihres Bruders. Sie versetzten mir immer Sticheleien, und ich rächte mich, indem ich sie als Versuchskaninchen für das gerade Gelesene benutzte. Ich war selber damals weich und empfänglich wie eine warme Wachsplatte. Alles, was ich gehört, gesehen und gelesen, probierte ich an meiner Umgebung aus. Nach Stirners »Der Einzige und sein Eigentum« versuchte ich diese Theorie an den Mädchen. Ich tyrannisierte sie, sagte ihnen Hässlichkeiten ins Gesicht, war frech – ein kleiner »Herrenmensch« in der Westentasche. Aber nach Kropotkins »Gegenseitige Hilfe in der Natur« war ich wieder einsichtig und hilfsbereit. Nach Arzibashevs »Ssnanin« wurde ich ausschweifend und ein kleiner Hurenbock. Nach dem »Werther« vergaß ich alles, bekam Weltschmerz und spielte mit Selbstmordgedanken. Nach einer ernsthaften Tolstoj-Erzählung wurde ich wieder besonnen und umgänglich. In jeder Stimmung aber ärgerte ich diese Mädchen. Ich wusste schon ganz genau, dass es eine böse Spielerei war, aber ich ärgerte sie, um sie auf diese Weise für ihren heimlichen Neid zu strafen.

Nach und nach ließ ich meinen alten Kreis doch fallen und wuchs langsam in die neue Umgebung hinein. Ich traf Schüler der Burckhardt und Emil Milans, und wir waren auf allen Galerien der Berliner Theater zu Hause und begrüßten unsere Lieblingsschauspieler mit lautem Applaus und Herausrufen. Bei den Premieren brüllten wir uns heiser, bis unsere angebeteten Künstler durch die eiserne Tür herauskamen und uns dankbar anstrahlten. Von den 40 bis 50 Berliner Theatern waren wir auf drei konzentriert: das Königliche Schauspielhaus, das Lessingtheater und Max Reinhardts Deutsches Theater.

Wir lasen die Kritiken nach einer Premiere und stimmten nicht immer mit ihnen überein. Wir identifizierten uns mit unseren Schauspielern, trösteten sie in Briefen, wenn sie zu schlecht wegkamen, und sagten auch den Kritikern in anonymen Briefen unsere Meinung. Wenn so ein Theater ein Massenstück aufführte, meldeten wir uns bei den jeweiligen Statistenführern und machten mit. Reinhardt begeisterte damals Berlin mit der sensationellen Ödipus-Aufführung im Zirkus Schumann, wo es nach Kunst und Pferdeäpfeln roch. Da brauchte man Volk, viel griechisches Volk. Und wir gingen zu Plüschke, und er bildete Gruppen, und wir durften in den Proben herumsitzen und aus der Nähe unsere Götter bei der Arbeit bewundern. Reinhardt, diese kleine, schmächtige Gestalt, kam auf die Proben wie ein großer General auf ein Schlachtfeld. Er hatte ein Katheder, das er bestieg, und um ihn herum saß der Stab: der Maler Stern, der Beleuchter Hoffmann, der Inspizient Nester, der Requisiteur Lauch, dann die Regisseure Joseph Klein, Berthold Held, Wilhelm Prager, Richard Ordynski, Blumenreich und viele mehr. Er sprach leise seine Anordnungen, und die Regisseure schossen herum und führten bis aufs Jota seine Befehle aus. Wir waren in Gruppen eingeteilt, die Gruppen waren nummeriert, und nach einem Zeichen sauste die bestimmte Gruppe aus einer bestimmten Richtung zum großen Tor und schrie erst leise, dann lauter, bis zum verzweifelten Geschrei: »Hilf uns, König; König, hilf uns! Hilf uns, Ödipus!« Dann nur noch: »Hilf, Ödipus, König, hilf uns!« Und Moissi kam heraus und sagte mit seiner melodisch-italienischen Stimme, die männlich und süß war: »Ihr Kinder, was soll mir euer Knien vor meines Hauses Tür ...?« Wir haben uns unsere Knie wundgeschlagen beim Hinwerfen und gebrüllt und echte Tränen geweint. Wir waren verzweifeltes griechisches Volk, denn wir spürten den Ernst und waren bezaubert von der künstlerischen Luft, die um dieses Genie Reinhardt wehte. Abgesehen davon bekamen wir eine Mark oder Freikarten fürs Deutsche Theater oder die Kammerspiele.

Im Königlichen Schauspielhaus hatten wir das nicht. Da waren mehr Schauspiel-Beamte. Alle gingen wie auf Kothurnen und sprachen schön, zu schön, zu getragen und machten Gesten, wie nie ein Mensch sie machen würde. Und der Statistenführer Ulich ließ uns kleine Zettelchen unterschreiben und er steckte unsere Mark ein. Denn es sei ja eine Ehre, auf der Bühne des Königlichen Schauspielhauses zu stehen, meinte er. Aber Plüschke bei Reinhardt zahlte uns ehrlich die Mark aus, und wir hatten noch die Freude, in Reinhardts Nähe zu sein.

Ins Lessing-Theater bin ich nie eingedrungen, da war alles im Hause selbst. Doch hatten wir dort zwei Schauspieler, die wir für die größten Berlins hielten: Albert Bassermann und Oskar Sauer. Aber genauso, wie die Schauspieler im Königlichen Schauspielhaus zu unnatürlich waren, waren die im Lessingtheater zu natürlich. Man hustete, spuckte, kratzte sich, machte Riesenpausen – eine Vorstellung sah da immer aus, als ob man zufällig in ein fremdes Haus hineingekommen und Zeuge peinlichster privater Auseinandersetzungen wäre. Man war ein bisschen unangenehm berührt. Aber Albert Bassermann und Oskar Sauer waren doch die Größten ihrer Zeit. Reinhardts Theater war zwischen diesen beiden. Es war natürlich und doch nicht alltäglich, es war feierlich und doch ohne falsches Pathos, es war Theater, romantisches, poetisches Theater.

Ich war schon zwei Jahre bei Milan und brannte darauf, auf den Brettern zu stehen. Manche meiner Freunde gingen zu Agenten, sprachen da vor und wurden in kleine Städte engagiert, um dieselben Rollen zu spielen, die wir von unseren Lieblingen in Berlin gesehen hatten. Ich beneidete sie und ging dann heimlich auch zu den Agenten. Ich hatte schon ein Repertoire von zwanzig Rollen einstudiert; ich sprach meinen Franz Moor, meinen Mephisto und Shylock, und manche dieser Theaterdirektoren wollten mich bald nach Cottbus, bald nach

Chemnitz, bald nach Beuthen engagieren. Das gab mir eine neue Hoffnung. Aber ich wagte nicht, ohne Milan Beschlüsse zu fassen, ein Engagement anzunehmen, einfach durchzubrennen. Denn nach seinem Unterricht wusste ich noch nicht, wieviel ich schon konnte, aber ich wusste, wieviel mir noch fehlte, wieviel ich noch zu lernen hatte. Doch zitterte ich vor Gier, losgelassen zu werden, hatte ich doch schon Theater gekostet und brannte darauf, endlich in meiner erworbenen Sprache mich selber auszuprobieren. Ich schüttete der Burckhardt mein Herz aus. Und siehe da, sie hatte volles Verständnis für mich und versprach mir, mit Milan zu sprechen.

Eines Tages ließ mich Milan einen ganzen Vormittag vorsprechen, ohne mich zu unterbrechen, ohne mich zu verbessern, und hatte dann mit mir eine lange, ernste Unterhaltung. »Ja«, sagte er schmunzelnd, »die Burckhardt hat mir dein Herz ausgeschüttet. Sieh mal, mein Junge, ich weiß genau, dass du ein wildes Füllen bist, ein Urkomödiant, und am liebsten in der Provinz in irgendeinem Stall dich austoben, dich ausbrüllen möchtest. Für gewöhnlich ist das auch sehr gut, aber für dich zu gefährlich. Du verschmierst dort für ewige Zeiten deine natürliche Begabung. Du musst noch eine Aufsicht haben. Ich gehe jetzt sowieso auf meine Vortrags-Tour für mindestens vier Monate, möchte dich aber noch für einige Zeit unter meinen Augen haben. Das Beste wird wohl sein, ich schicke dich zu Max Reinhardt. Dort kannst du dir erst einmal in der Schauspielschule mit jungen Menschen deine Hörner ablaufen – und dann werden wir ja weitersehen. Was hältst du davon?« Was ich davon hielt! Ich war knallrot, hatte Herzklopfen, stammelte unverständliche Dankesworte. Währenddessen hatte er schon den Telefonhörer in der Hand und sprach mit dem Deutschen Theater, und in drei Tagen war großes Vorsprechen, und ich wurde dorthin bestellt. »Na, du kleener Galizier«, sagte er, »mach' mir keine Schande und werd' mir nicht größenwahnsinnig. Das ist eine Krankheit. Die meisten Schauspieler neigen dazu. Die aber bleiben immer Durchschnitt. Ein Mann erreicht nur dann etwas wirklich Großes, wenn er die Sache, der er dient, höher stellt als seine persönliche Eitelkeit. Die Sache ist immer wichtiger als der Mann selber. Ein Mann vergeht, aber die Sache bleibt. Unsere Sache ist es, der Kunst zu dienen, dem Wort des Dichters, dem Wort Shakespeares, dem Wort Goethes; wenn du erstmal den Geschmack am Wort erlebst, wirst du glücklich sein, zu dienen. Na, Hals- und Beinbruch. Denk' darüber nach« – und er verabschiedete mich.

Ich dachte darüber nach – pflegte nicht auch mein alter Lehrer Schimschale der Milnitzer im kleinen Städtchen Horodenka über die Heiligkeit des Wortes zu sprechen? Ja, er meinte aber das Wort in der Heiligen Schrift. Mein neuer Lehrer, Emil Milan, in dieser großen europäischen Welt meinte das Wort in der Dichtung, das Wort im Theater – ich dachte lange darüber nach und bin noch heute damit nicht fertig.

27
Name ist nicht Schall und Rauch

Als ich ins Deutsche Theater kam, waren mehrere hundert junge Menschen versammelt, die alle in die Schauspielschule aufgenommen werden wollten. Alle standen in Gruppen, mit leuchtenden, fragenden, neugierigen Augen, sonntäglich angezogen, aufgeregt, redend, gestikulierend. Junge Menschen mit Träumen und Zielen, mit der Hoffnung, dass sich die Tore zum Tempel der Kunst ihnen öffnen, dass sie über die erste Schwelle in eine neue Welt, in die Theaterwelt, hineinschreiten werden. Aber im Foyer der Kammerspiele war die erste Barriere errichtet. Da waren Tische und Stühle aufgestellt für die Prüfungskommission. Diese fremden Menschen haben zu entscheiden, wer würdig und auserwählt ist, einzutreten durch die lichten Tore, und wer als unwürdig wieder zurückgestoßen werden soll in den grauen Alltag unter die Millionen Unbekannter der kleinbürgerlichen Welt mit den langweiligen Berufen. Am *Jom Kippur*, dem großen Versöhnungstag, wird im Himmel entschieden über Leben und Tod, wer durch Feuer, wer durch Wasser, wer durch Pest und andere Schrecknisse umkommen soll. Aber *Jom Kippur* ist jedes Jahr, und ein ganzes Leben lang kann jeder jedes Jahr eine Chance haben, sich dort etwas Gutes auszubitten. Hier aber ist man nur einmal im Leben! Hier sitzen Menschen wie du, mit zwei Händen und Beinen und Augen, und entscheiden über dich, ob du ein Recht hast, zu träumen, zu hoffen, zu streben, Recht zu einer menschlichen Tätigkeit, zu einem ersehnten Beruf, wie ihn die meisten aus der Kommission selber ausüben. Um die Tische saßen Schauspieler, Regisseure, Dramaturgen. Da saß die kleine, zierliche Gertrud Eysoldt, die Kluge, die hie und da Artikel über Theater schrieb. Da saß der breitschultrige Eduard von Winterstein mit dem Monokel im Auge, der beste Darsteller von Freunden. In jedem Stück, wo Moissi oder Bassermann einen Freund hatten, war es Winterstein, der beste Kent im »Lear« und der treueste Horatio im »Hamlet«. Jahre später, als ich mich mit seinem Sohn Gustav anfreundete, überzeugte ich mich davon, dass er diese Rolle nicht spielte; er war es. Er hatte eine gütige Seele und einen geraden Charakter, wie Kent und Horatio. Ein zuverlässiger, wahrhaftiger Freund – er war es wirklich. Ein großartiger Mensch.

Da saß der Komiker Viktor Arnold, ein kleiner, dicker, schrulliger Mann, der als George Dandin echte Tränen mit dem Publikum vergoss – er weinte aus Leid und das Publikum vor Freude und Lachen. Ein ewiger Schauspieler mit der genialen Clownsmaske. Da saßen die Regisseure Felix Holländer, Joseph Klein, Richard Ordynski, Albert Blumenreich. Die Dramaturgen Arthur Kahane, Heinz Herald, Baron von Gersdorff und Berthold Held, der Leiter der Schule, der Sprechmeister des Theaters und Reinhardts Assistent. Reinhardt selber war nicht da. Das Vorsprechen dauerte einige Tage. Von den drei- bis vierhundert Vorsprechern sollten nur hundert aufgenommen werden. Von den hundert wurden nach einem halben Jahr wieder sechzig entlassen, und vierzig bleiben dann zwei Jahre auf der Schule, zahlen 1200 Mark im Jahr und kommen als fertiggebackene Schauspieler heraus.

Diese Vorsprecher waren schon eine merkwürdige Erscheinung. Viele junge Menschen schreiben schmelzende Gedichte, verfertigen wilde Dramen, wo in jeder Szene mindestens zwanzig Morde vorkommen, malen und pinseln herum, aber mehr oder weniger versteckt, geheim. Aber zum Theater wollen viel mehr und merkwürdigere Käuze. Die meisten Galerie-Besucher werden oder wollen Schauspieler werden, aber auch andere. Was tut ein Schauspieler? Er spricht. Sprechen kann ja jeder, so denken sie. Und viele kommen mit dieser Idee zum Vorsprechen. Da gibt es die bewährten Vereinsspieler, die sich für Schauspieler halten. Da gibt es alte, ewig verkrachte Studenten, entlassene Offiziere der Armee, die einmal ihr Ehrenwort gebrochen, Bummelanten, sie alle suchen Zuflucht beim Theater – weil man da spät aufstehen kann. Da gibt es Töchterchen aus guten Häusern, die bei allen Geburtstagen und sonstigen Familienfestlichkeiten Gedichte aufsagen und von Tanten und Verwandten ermutigt und angehalten werden, die Theaterlaufbahn einzuschlagen, »Künstler« zu werden. Da gibt es verwöhnte Muttersöhnchen, denen man zu Hause in allem nachgibt, die noch nie im Leben ein »Nein« gehört haben – später gewöhnen sie sich daran. Sie glauben, dass auch die Kunst zu ihnen ja sagen wird. Darunter sind auch solche mit Herzklopfen und blassen Gesichtern, die aussehen, als ob in ihrem Innern die Posaunen des Jüngsten Gerichts blasen. Wenige kommen vorbereitet, wenige haben gearbeitet – an dem Stoff und an sich.

Diese Vorsprecherei ist für die Prüfungs-Kommission eine gute Unterhaltung. Es gibt nichts Komischeres, als wenn Menschen sich selber zu ernst nehmen. Manche reiten ihre Gedichte und Monologe herunter wie junge, wilde Kosakenpferde. Manche ahmen ganz frech in Tonfall und Geste ihre Lieblingsschauspieler nach. Andere sind einfach frech und schneiden Grimassen, wie sie es im Zirkus von den Clowns gesehen haben. Oder von den billigen Mimen, den Mimikverkäufern. Ein Mädchen sagte ein sehr langes Gedicht sehr langweilig, mit übertriebenen zierlichen Gesten auf, und als sie fertig war, strahlte sie die Kommission an und sagte: »Schön, nicht?« – »Schön auswendig gelernt«, sagte ein Herr der Kommission.

Einer deklamierte ein Gedicht von einem Henker, beugte sich zum Schluss über einen Stuhl und machte in Abständen unnatürliches Schluchzen mit den Schultern, stand dann kühl auf und sagte: »Ich kann aber auch komisch sein.« – »Das haben wir gemerkt«, sagte wieder einer von der Kommission, und alle lachten. Ein anderer wieder stellte sich den Kragen auf, beugte seinen Kopf vor, rollte finster die Augen und murmelte ganz gefährlich Franz Moors Wahnsinn. Bei einer Stelle zog er dann plötzlich ein richtiges Küchenmesser aus der Tasche – es war sehr lustig.

Ich wurde unter den Hundert als einziger Freischüler aufgenommen. Nach einem halben Jahr sollte das große Brackieren, das große Sortieren – das große und entscheidende Vorsprechen vor Reinhardt selber sein. Der Lehrplan bestand aus Stimmbildung; Gymnastik, hauptsächlich Fechten; Schminken, Diktion und Rollenstudium. An den Abenden machte ich auch Statisterei und bekam dafür dreißig Mark im Monat. Zum Sterben zu viel, zum Leben zu wenig. Da kam mir wieder mein altes Fach zustatten, und ich habe beim Bäcker ein- bis zweimal die Woche ausgeholfen und mich so ernährt. Das durfte aber niemand wissen, denn die übrigen Schüler waren alle aus guten, bürgerlichen Familien. Ich hatte das Gefühl, dass ich mich da in eine feine Gesellschaft hineingeschmuggelt hatte und jeden Augenblick erwischt und erkannt werden könnte an meinen großen Händen und X-Beinen und wieder hinausgeschmissen aus diesen vornehmen Kreisen, zu denen ich doch nicht gehörte. Auch mochte mich der Leiter der Schule nicht. Herr Held war aus Ungarn, sicher irgendwo in der Nähe meiner galizischen Heimat. Er fühlte sich wohl selber nicht ganz zu Hause in seiner Stellung. Er kleidete sich auch so, wie ein kleiner städtischer Gent sich vorstellt, dass die feinen Herren in Paris sich anziehen. Er trug meistens einen Cutaway mit weißen Gamaschen, hellen Handschuhen und ein Monokel am Band, das ihm herunterfiel. Dieses Monokel trug er nur, wenn er mit kleinen Schauspielern eine Umbesetzung probierte oder wenn er uns unterrichtete. Wenn er etwas erklären wollte, führte er immer sich selber als Beispiel an. Er sprach immer von sich selber zu uns. Aber wenn er um Reinhardt war, trug er nie das Monokel und selten die weißen Gamaschen, und er lächelte untertänig zu allem und sah aus wie ein verprügelter Hund. Sobald er aber, noch am selben Nachmittag, in die Schule kam, hatte er das Monokel und die weißen Gamaschen und das andere Gesicht wieder aufgesetzt, das hochmütige, das größenwahnsinnige. Er war ein verdrängter Schauspieler, ein Schauspieler, der nie Schauspieler wurde. Er war einmal mit Reinhardt in seinen Anfängen in der Provinz gewesen – deshalb bekam er auch diese Stellung, alle wussten es. Niemand mochte ihn als Lehrer. Man widersprach ihm nicht, man gehorchte ihm, aber er wurde nicht nur nicht verehrt, er wurde nicht anerkannt, nicht geliebt. Er merkte es nicht, dazu war er viel zu sehr von sich eingenommen. Solche Lehrer wissen niemals, wie sie von den Schülern beobachtet werden. Jede verlogene Geste und jedes dumme Wort wird registriert. Dieser Held war gar kein Held und niemand hielt etwas von ihm. Aber er war der Lehrer der Schule und vieles hing von ihm ab. So wurde er von den Schülern diplomatisch und psychologisch behandelt, anstatt umgekehrt. Da er selber ein Verbitterter, ein Zukurzgekommener war, warf er sich mit Genuss auf alles Unvollkommene, alles Unfertige. Er ermutigte nie, lobte nie das Positive, klammerte sich an das Negative. Er machte alles klein und nichtig. Besonders mich hatte er auf dem Korn. Sprach ich doch noch mit ausländischem Akzent. Und er ahmte mich nach, verhöhnte mich. Wenn er selber kein Jude gewesen wäre, hätte ich ihn für einen Antisemiten gehalten. Er war eben ein jüdischer Antisemit. Das sind die Schlimmsten; denn sie übertragen in ihrem Unterbewusstsein ihre eigene, persönliche Unzulänglichkeit auf ihr Volk, versuchen durch anschmeißerische Assimilation zu desertieren, bleiben irgendwo dazwischen kleben und hassen so sich selbst in ihrer Rasse.

Zu unserem Zwist hat auch die Schülerin Sonja Bogs mit den grünlich leuchtenden Augen beigetragen. Held pflegte nämlich mit seinen Schülern auch »privat« zu arbeiten. So plapperte hier und da ein Mädchen über diesen Lebemann aus der Schule. Die Sonja hatte ein freches Tatarengesichtchen und brachte gern Männer in Verlegenheit. Mir erklärte sie, sie täte es nur, um auf diese Weise die wedekindsche Lulu zu studieren, die damals neu war. Wir waren befreundet und sprachen über alles, natürlich auch über Held. So erzählte sie mir eines Tages, er habe sie zu sich bestellt. Ich war wohl eifersüchtig und schimpfte und warnte sie vor ihm. Da geschah es, als er sehr »nett« zu ihr werden wollte, dass sie ihn ablehnte und ihm ins Gesicht schrie: »Der Granach hatte doch recht!« Das erzählte sie mir noch am selben Tag. Ich erwartete also noch mehr Schikane. Und wirklich, an diesem Tag fragte mich plötzlich Herr Held in Gegenwart der Klasse, warum ich nicht besser angezogen in die Schule käme. Ich wurde rot und verwirrt, und der Mitschüler Wilhelm Murnau, der schon seinen Doktor hatte und viel Autorität ausstrahlte, sagte: »Aber Herr Held, vielleicht hat er nicht genug Geld.« – »Ja«, sagte Herr Held, »warum muss er dann durchaus Schauspieler werden?« – »Weil er Talent hat«, rief ihm Murnau lachend ins Gesicht und die ganze Klasse lachte mit. Der Lehrer Held fühlte sich von seinen Schülern verprügelt. »So«, zischte er gedehnt, ganz böse über seine eigene Bösartigkeit, »ich glaube es nicht.« Er zog sein Notizbüchlein aus der Westentasche, klemmte sich sein Monokel ins Auge. »Jedenfalls kann er nächste Woche Max nicht vorsprechen.« Er sprach von Reinhardt immer als Max, um so seine »Freundschaft« mit ihm zu unterstreichen. »Nein, er ist noch nicht so weit, bei mir hat er noch nicht genug gelernt – für mich hat er noch nicht genug Talent.« Da platzte ich aber selber vor Aufregung, und ermutigt durch die Klasse und Murnau, rief ich ihm laut zu: »Herr Held, nicht bin ich gekommen nach Deutschland und zu Sie, zu lernen Talent, ich bin gekommen zu lernen Technik, Technik, Technik!« Die Klasse brüllte vor Lachen und Held überbrüllte sie mit seinem sauren Gesicht: »Nicht zu Sie, zu Ihnen, zu Ihnen!« – »Ja, ja, das meine ich ja, zu Sie, zu Ihnen, zu Sie, zu Ihnen, Sie wissen ganz genau, was ich meine«, schleuderte ich ihm ganz frech zurück, auf die Gefahr, aus der Schule hinausgeschmissen zu werden. Das verbreitete sich wie ein Lauffeuer über den Hof des Theaters. Die anderen Regisseure, die den Held nicht mochten, sagten, es sei richtig, dass ich mich wehre. Die Schauspieler nannten mich »Technik« und lachten mir zu. Der Baron von Gersdorff, der Dramaturg und Repräsentant des Theaters war, nahm mich an dem Tag auf die Seite und hatte mit mir ein langes Gespräch.

Ich schüttete ihm mein Herz aus und er sagte: »Lassen Sie das meine Sache sein, Sie werden nächste Woche Herrn Reinhardt vorsprechen.«

Durch diesen Krach hatte ich also die Aufmerksamkeit auf mich gelenkt. Regisseure, Schauspieler, besonders die Schauspielschüler, waren plötzlich viel netter zu mir. Unter ihnen waren Conrad Veidt, Wilhelm Murnau, Lothar Müthel, Walter Storm und andere, die später berühmt wurden. Walter lud mich den kommenden Sonntag in das Haus seiner Eltern zum Mittagessen ein. Ich wohnte in einem Dachkammer-Zimmerchen für zwölf Mark im Monat, und die Nachbarn beschwerten sich über mein Lernen von Rollen. Es war ihnen eben zu laut. Ich habe immer meine Mitschüler beneidet, die in feinen Wohnungen lebten, in denen Plüschsofas waren und weiche Clubsessel. Nun nahm mich Walter zu seinen Eltern in so ein feines Haus Sonntag zu Mittag mit. Um elf Uhr war ich schon da. Sie wohnten irgendwo im Westen, vierzehn Zimmer. Wir saßen erst in seinem Kabinett und dann ging es zu Tisch. Die vielen Zimmer mit den roten Plüschsofas und geblümten Sesseln verwirrten mich. Ja, ich beneidete Walter sehr, dass er so fein wohnte, kleine, schmale Hände hatte und keine X-Beine. Er war ja auch elegant angezogen, trug Gamaschen an den Schuhen und klemmte sich manchmal ein Monokel ins Auge. Er sagte, ein Schauspieler muss Offiziere, Barone, Grafen spielen und muss sich an so feine Sachen gewöhnen. Bei Tisch saß sein wohlhabender Vater, Chef der Firma Storm & Co. vom Hausvogtei-Platz, die Mutter, ältere und jüngere Geschwister, der Kompagnon mit Familie, Onkel und Tanten, viele, viele Tanten.

Bei der Vorspeise fing man über Schildkrauts Scheidung zu sprechen an, bei der Suppe ging man langsam über zu Moissis Ödipus und zu seinen anderen Rollen, beim Gemüse war man schon bei Wegeners Mephisto, beim Fleisch langte man bei Bassermanns König Philipp an, und beim Kompott lachte man schon über Arnolds komische Thisbe im »Sommernachtstraum«. Als das gute Essen vorbei war, steckten sich die Herren große Zigarren ins Gesicht, und man brach auf und wanderte in die große Wohnstube mit den roten Plüschsofas und den geblümten Sesseln. Hier wurden wir aufgefordert, Proben unserer Kunst zu zeigen. – Wir legten los, schmetterten unser Repertoire herunter – einen Monolog nach dem anderen, ein Gedicht nach dem andern. Sie konnten nicht genug kriegen. Zum Schluss spielten wir die Pakt-Szene aus »Faust«. Walter den Faust, ich den Mephisto. Als alles vorbei war und Kaffee und Kuchen serviert wurden, fingen alle an, fachmännisch über Theater zu sprechen. Besonders die Tanten legten los. Eine von ihnen, die Tante Emma, die gesprächigste, beherrschte die Unterhaltung. Sie war so dick, dass sie sich kaum in so einen Sessel hineinzwängen konnte. Der schien von ihrer Fülle überzuquellen. Sie hatte einen Speckbeutel unter ihrem Kinn, der wackelte, hatte knallrote Wangen, und eine unabsichtlich-absichtliche blonde Haarsträhne fiel ihr immer über das Gesicht, über die Nase, und bei jedem zweiten, dritten Satz blies sie die Strähne in die Luft, und die Strähne verschwand für eine Weile und kam dann immer wieder an dieselbe Stelle zurück. Sie trug ein ausgeschnittenes violettes Kleid, durch das man mehr als den Ansatz ihrer weißen Brüste sehen konnte, die auf und ab wogten und wie zwei volle, große Kuheuter vom Körper abstanden.

Sie sprach vom Theater und den Schauspielern mit einer intimen, genießerischen Stimme wie von fetten Gänsegrieben. Ach, von Moissi wusste sie einfach alles: was er während der Vorstellung denkt, wie er schläft, was er gern isst und mit wem er Freundschaften hat. Von Bassermann wusste sie seine ganze Abstammung – dass seine Ahnen Weinguts-Besitzer waren, seine Beziehung zu Pferden und zur Musik und von seinem großen Roman mit Else Schiff. Sie wusste, dass Reinhardt die Else Heims bereits geheiratet hatte, und dass sie schon den Storch erwarteten. Ja, sie kannte sogar eine geschiedene Frau von Wegener persönlich, die ihr so interessante Sachen über das Bühnenvölkchen erzählte, dass man einfach nicht alles in Gesellschaft wiederholen konnte. Jetzt kam sie auf uns.

Walterchen, ach ja, der hatte schon als Kind so Kulleraugen gemacht, dass sie schon immer wusste, dass er ein Künstler wird. »Nur«, meinte sie plötzlich, zu ihm gewandt: »weißt du, Walterchen, du bist ja wirklich gut, aber siehst du, Herr Granach wirft immer so die Locken herum und ist so temperamentvoll, das ist künstlerisch. Du musst – wie soll ich dir das sagen – du musst dich eben auch mehr aufregen und mal die Haare schütteln, musst eben Herrn Granach etwas abgucken –, du bist immer so kühl, so gleichgültig, musst dich eben ein bisschen mehr aufregen.« Und guckte mich dabei strahlend an, mit einem feuchten Glanz in ihren Augen, und ich war verwirrt von ihrem Blick und von ihrem wogenden Busen. Walters Mutter warf ihr einen gehässigen Blick zu und zischte sie an: »Aber Emma, ich muss doch schon bitten ...« Tante Emma verstummte beleidigt und ihr Busen wogte schmollend. Die jüngeren Geschwister lachten. Ein Onkel fing an, von den zwei Reisenden im Zug nach Breslau zu erzählen. Alle lachten übertrieben, aber mehr über die Tante als über die dummen Witze. Walter verließ mit mir die Gesellschaft, und wir fuhren in meine Zwölf-Mark-Dachstube, und er schüttete mir da sein Herz aus.

Wie er unter dieser Familie leide, wie ihm alle das Leben schwer machen. An diesem Tage wurde mir klar, wie widerlich so eine Familie mit den Plüschmöbeln und Wanzen-Sofas sein kann. Jedes Polster ein Knüppel zwischen den Beinen, jede Gänsegrieben-Tante ein Hemmschuh auf dem Weg. Ich hatte keine Tanten und Verwandten, niemand half mir – aber niemand war mir auch im Wege. Niemand gab mir falsche Ratschläge; ich ging den Weg, den ich mir vorgezeichnet hatte, ich tat, was ich für richtig hielt. Es war ja manches Mal schwer. Ich fristete mein Dasein in dieser engen Dachkammer. Aber diese Dachkammer bedeutete Freiheit, Unabhängigkeit, und Walter mit Gamaschen und Monokel und Tanten und Wanzen-Sofas war in einem Gefängnis. Diese ausgleichende Gerechtigkeit tat mir sehr wohl. Ein paar Würstchen bei Aschinger am Sonntag mit dem mit Essig und Öl und Mostrich gestreckten Kartoffelsalat, mit den vielen, vielen Brötchen für fünfundzwanzig Pfennig war ja unvergleichlich mehr wert als die fünf Gänge in Walters Haus. Hatte auch tausendmal besser geschmeckt – diese Onkel und Tanten sind ja eine Katastrophe, eine Lebensgefahr! Achtung, wegbleiben!

Dann kam das große Vorsprechen bei Reinhardt. Ich war nicht vorgemerkt, aber Gersdorff sagte, ich sollte nur dabeisein. Ich stand im Foyer der Kammerspiele und beobachtete Reinhardt und seinen Stab, unter denen sich auch der Bruder Edmund befand, der geschäftliche Verwalter, der eigentliche Leiter des Theaters. Als die Schüler einer nach dem andern Revue passierten, sah ich plötzlich Gersdorff gebeugt in Reinhardts Ohr flüstern und beide guckten zu mir hinüber. Dann rief mich Gersdorff, stellte mich vor, und nach einigen Worten forderte man mich auf, vorzusprechen. Ich sprach Franz Moor und den ersten Schauspieler aus »Hamlet«. Man verlangte mehr und lächelte mir ermutigend zu. Nur Held saß da, hatte ein vermiestes Gesicht aufgesetzt und musterte mich mit gehässiger Verachtung. Ich legte jetzt mit dem Shylock-Monolog los. Ich sah und dachte nur an Held, und als ich zur Stelle kam:

»Wenn ihr uns stecht, bluten wir nicht?
Wenn ihr uns kitzelt, lachen wir nicht?
Wenn ihr uns vergiftet, sterben wir nicht?«,

schaute ich dabei zu Held hinüber, der Ausbruch galt ihm, war an ihn gerichtet, und alles kam persönlich, voller Schmerz und Verzweiflung, und Tränen rannen mir über das Gesicht. Ich war wirklich unglücklich und schrie meinen Schmerz in die Welt und vergaß alle, und als es vorbei war, schämte ich mich ein bisschen. Und da kam auch schon Reinhardt auf mich zu, sprach mit seiner merkwürdig gewogenen Stimme liebe, anerkennende Worte, fragte mich aus, von wo ich wäre. Als ich ihm meine Heimat nannte, sagte er zu seinem Stab: »Natürlich, ein Landsmann vom Bogumil Davidsohn«, drückte mir die Hand und lachte herzlich, dann zu Edmund gewandt: »Wir machen mit ihm einen fünfjährigen Vertrag«, und Edmund bestellte mich am selben Nachmittag noch ins Büro. Der Stab gratulierte, nur Held sagte: »Na ja, das Glück ist ein Schwein und sucht seinesgleichen.« Die Bemerkung konnte aber diese glücklichste Stunde meines Lebens nicht um einen Hauch trüben. Denn auf einen Vertrag vor Ablauf der Schule war ich nicht vorbereitet gewesen, das ging ja weit über alle meine Erwartungen. Am selben Tag noch zeichnete ich den fünfjährigen Vertrag: erstes Jahr 75 Mark im Monat, zweites Jahr 125 Mark im Monat, drittes Jahr 250, viertes 350, und fünftes 500 Mark im Monat. Ich wurde zum Sekretär des Theaters, Ottomar Keindl, bestellt und erhielt einige kleine Rollen in Stücken, die schon auf dem Spielplan waren.

Die Proben zum »Lebenden Leichnam« von Tolstoi fingen an, ich bekam die Rolle eines Kellners im neunten Bild, der zu sagen hat: »Ich weiß von gar nichts.« – »Ich weiß von gar nichts« ging mir die ganzen Tage und Wochen durch den Kopf. Ich kaute die Worte, die Silben – sie tanzten, diese Worte und Buchstaben, in meinem Hirn, selbst in den Träumen. Bald war mir klar, dass dieser Kellner mit seiner Bemerkung: »Ich weiß von gar nichts« die wichtigste Rolle im Stück ist. Denn der verzweifelte Fedja-Moissi in diesem Bild ist einsam, verlassen, auf die tiefste Stufe seines Lebens gesunken, der Spitzel will ihm den Rest geben und ruft mich als Zeugen auf – aber ich weiß von gar nichts. *Ich* weiß von gar nichts. – Ich *weiß* von gar nichts. – Ich weiß von *gar* nichts! Ich bin die einzige Rettung für Moissi-Fedja – ich liebe ihn ja, es ist mir schrecklich unangenehm, vom Spitzel gegen ihn als Zeuge aufgerufen zu werden. Ich muss das »spielen«, mit Herz und mit Wut, mit Gefühl und Protest – ja es war eine ungeheuer schwierige Aufgabe!

Die Proben kamen; ich saß da versteckt und beobachtete, wie Reinhardt mit den Schauspielern arbeitete: wie jede kleinste Geste, jede kleinste Tonschwingung, besprochen, festgelegt wurde, wie die Proben plötzlich heiß wurden und schöner waren als die Vorstellungen! Wie Reinhardt zuhörte – wie sein ausdrucksvolles Gesicht die Expressionen wiedergab – wie er

Stellen anfeuerte, andere wieder dämpfte. Wie die großen Schauspieler wie kleine Kinder seinen Worten lauschten, seinen Gesichtsausdruck studierten, an seinen Lippen hingen, Hilfe in seinen Augen suchten. Wie dieses gegenseitige Geben und Nehmen eine Luft, eine Atmosphäre schuf, dass man Zeit und Ort vergaß, wie sie sich berauschten und beglückten an des Dichters Gedanken und Worten und Situationen – und ich hatte das Gefühl: Ich bin ja auch dabei – ich atme ja mit ihnen dieselbe künstlerische Luft – das sind ja dieselben, von denen ich geträumt, die ich verehrt und geliebt habe – deren Bewegungen, Gesten und Stimmen ich von der Galerie in mich hineingesogen habe! Das ist ja Moissi mit der singenden, italienischen Stimme, der Südländer mit den großen, braunen Augen und jener melancholisch-lyrischen Kopfhaltung zur Seite. Er spricht ja im Leben genauso liebenswürdig und feurig wie in seinem Romeo, genauso melodisch und nachdenklich wie in seinem Hamlet. Das ist ja Papa Schildkraut mit dem schweren Atem und dem ewig gütigen, ewig gefühlvollen, ewig väterlichen Kalbsblick. Das ist ja der Bassermann mit der etwas belegten Stimme, mit jener süddeutschen einmaligen Klangfarbe, der bassermannschen Klangfarbe, der bassermannschen Technik, mit dem Körper einer jungen geraden Pappel und den blauen, sonnigen, strahlenden Augen! Das ist ja der saft- und kraftstrotzende Wegener mit dem frech-aggressiven Humor auch im Leben! Der Betrieb ist groß – in der Arena des Zirkus wird das »Mirakel« vorbereitet – in den Kammerspielen ein Strindberg, im Deutschen Theater der »Lebende Leichnam«. Es ist Frühling, sie stehen in Gruppen auf dem Hof, auf diesem unvergesslichen, unvergänglichen Hof vom Deutschen Theater. Die Proben haben noch nicht angefangen. Sie reden, unterhalten sich privat – ich schleiche mich an sie heran, um ihre Gespräche über ihren für mich so heiligen Beruf zu belauschen.

Ich höre – traue meinen Ohren nicht – sie sprechen genauso wie andere Leute. Wegener erzählt mit schnalzender Zunge: »Also, jestern Abend habe ich eine janz alte Pulle Burgunder in meinem Keller entdeckt, die hat wohl irgendwo mein Großvater versteckt behalten. Ich, nicht faul, schlag ihr den Kopf ab. Kinder, Kinder, Kinder ...« Und er riecht noch in Gedanken das Aroma nach. Bassermann ist in seinen Reithosen, mit Sporen, und erzählt begeistert von den guten Manieren seiner Lisa, der dreijährigen Stute. Die Eysoldt erklärt dem Moissi: »Also Alexander, das merk dir, die ersten Radieschen kommen gleich nach den Maiglöckchen und schmecken phantastisch – aber es gibt nichts Schmackhafteres im Frühling als die ersten neuen Kartoffeln mit Leinöl und Quark.« Schildkraut wieder behauptet: »Also Quark ist Quark. Es jibt nichts Schöneres in der Welt als ein richtiges Beinfleisch mit Dillsauce.«

Der Inspizient Noster klingelt, und die Proben gehen los, und nach und nach verschwindet Lisa, das Reitpferd, mit den Radieschen, vergessen wird der Burgunder mit dem Beinfleisch und der Dillsauce, weg sind die neuen Kartoffeln mit dem Leinöl und dem Quark. Und Goethe spricht, und Tolstoj, und Strindberg. Gedichtete Gedanken und Emotionen erfüllen das Haus, wollen Ausdruck, streben nach Fleisch und Blut. Schauspieler und Regisseur ringen um den Stoff wie Jakob mit den Engeln: Ich lasse dich nicht, du segnest mich denn. Reinhardts Regie-Buch liegt da, mit klaren Strichen und mit Plänen durchschossen, alles ist vorbereitet, vorgeplant – aber er nimmt auch von den Schauspielern an. Schildkraut, dieser emotionale, gefühlvollste aller Spieler, treibt ihm Tränen in die Augen. Wenn die Szene vorbei ist, lässt er festhalten, die anderen darauf eingehen. Bassermann kommt ganz vorbereitet, jedes Detail ist schon festgelegt, poliert, auf der ersten Probe. Reinhardt strahlt, ist entzückt. Aber sein bestes Instrument ist Moissi. Er spielt wie Paganini auf dieser Moissi-Geige! Jetzt wird der »Lebende Leichnam« probiert. Die hellblonde, knusprige, vitale Höflich ist Lisa – das ganze Ensemble ist dabei – da werden Photos aus Moskau plötzlich herumgereicht – Stanislawski hat dort dasselbe Stück um dieselbe Zeit aufgeführt. Die Proben schreiten vor, die Zeit wird immer kostbarer. Assistenten arbeiten mit kleineren Gruppen – mit einzelnen Schauspielern – es wird immer intensiver. Das Gerüst steht schon da, es wird noch gehämmert und geschliffen und gestrichen und weggeräumt – nirgends in der Welt ist Zeit so kostbar wie im Theater vor einer Premiere.

Reinhardt ist mit den Schauspielern wie verwachsen, wie verbissen sind sie ineinander – auch er arbeitet mit einzelnen –, niemand darf dabei zuschauen. Nur Murnau und ich verstecken uns auf dem Boden der Proszeniumsloge und beobachten, lauschen, sind Zeugen, wie Reinhardt mit seinen Spielern arbeitet. Da wird alles sorgfältig auseinander genommen, auseinander geschraubt, wie ein Uhrwerk von einem großen Meister: Jede kleinste Feder, jedes Schräubchen, jedes Rädchen wird erst untersucht, gebürstet, sauber geputzt, jede kleinste Idee, jede zarte Gefühlsregung und jede Tonschwingung untersucht, abgetastet, erklärt, besprochen, dann stückchenweise wieder zusammengesetzt, dann stimmt wieder eins zum zweiten, und ist wieder eine Uhr, ein Werk, und wieder klingt der große Moissi-Monolog – so wurde diese erschütternde Verteidigungs-Anklage-Rede vor dem Untersuchungsrichter geboren. Es werden die Gefühlsausbrüche der Höflich gedämpft, es wird die Zigeunerin Mascha angefeuert – jede Figur wird geknetet, geformt, eingeschmolzen ins Ganze. Reinhardt ist der große Töpfer und alle sind Ton in seinen Händen.

Und so kam diese große Premiere, und Plakate waren da am selben Tag, und mein Name stand gedruckt mit all den andern. Nicht wie heute, wo Stars riesige Lettern in Leuchtschrift kriegen, und die guten Schauspieler bleiben beinah unerwähnt. Nein, da waren die Rollen der Reihe nach aufgezählt, wie im Buch, nur war der Name des Spielers hinzugefügt. Meine kleinste Rolle war genauso angeführt wie die der Hauptdarsteller, in demselben kleinen, bescheidenen Druck. Da stand es: Ein Kellner, Jessaja Granach. – Ach ja, ich war sehr glücklich. Fast konnte ich's nicht begreifen. Dann, nach einigen Tagen, war mein Name geändert: Hermann Granach. Das gefiel mir nicht. Ich ging zum Sekretär des Theaters und protestierte – ich wollte nicht Hermann heißen. »Ja«, sagte der Sekretär, »aber Jessaja geht auch nicht. Für's Deutsche Theater klingt es zu jüdisch.« – »Das schon«, murmelte ich, »aber Hermann mag ich nicht. Ich will nicht Hermann heißen. Es liegt mir nicht.« – »Aber mein lieber Junge«, beschwichtigte mich der diplomatische Sekretär, »Sie nehmen alles zu ernst, zu wichtig. Glauben Sie mir, ein Name bedeutet gar nichts, Name ist Schall und Rauch.« – »Nicht mir«, meinte ich. »Na, wie wollen Sie denn heißen?« – »Stefan«, sagte ich. Er dachte nach und meinte: »Nein, das geht auch nicht. Stefan ist zu ungarisch wieder. Was halten sie von Alexander? Alexander Granach, da haben Sie vier ›A‹ in Ihrem Namen, Moissi hat nur zwei! Abgemacht?« – »Abgemacht«, schlug ich ein.

Und am nächsten Tag las ich schon an den Säulen meinen neuen Namen, mit den vier »A«. Vielfach viermal war mir gut ums Herz. Nach und nach habe ich mich an meinen neuen Namen auch gewöhnt – er gehörte ja zu meinem neuen Leben, zu meinem neuen Beruf, zum Theater. So gut ich konnte, habe ich auf ihn geachtet. Ein Name ist etwas sehr Wichtiges und nicht, wie der Sekretär meinte, Schall und Rauch. Nein, dieses Sprichwort stimmt ganz und gar nicht!

Name ist nicht Schall und Rauch!

28
Und das Krumme wird gerade

Der Weg des damaligen jungen Schauspielers in Deutschland führte nach Beendigung einer Schauspielschule oder privaten Unterrichts in ein kleines Provinznest oder eine Wandertruppe, »Schmiere« genannt. Da verzapfte man jeden Tag oder jeden zweiten, dritten eine Bombenrolle, bis man dann das Glück hatte, in eine etwas größere Stadt zu kommen, wo man schon ruhiger, sorgfältiger arbeitete, nur jeden vierten, fünften Tag oder gar jede Woche ein neues Stück. Nach langem Herumschmieren, wenn die Hoffnung und die Kraft und die Begabung nicht verbraucht waren, wurde man von einem Theaterleiter »entdeckt« und kam nach Nürnberg, Dresden, Königsberg, Stuttgart, München, Hamburg oder gar Frankfurt am Main. Das waren schon angesehene Kunstinstitute, städtisch oder staatlich subventionierte Theater, mit eigener Gesichtsprägung. Von diesen Städten erst konnte man für Berlin entdeckt werden. Berlin, die heißeste, kochendste Theaterstadt Europas, letztes Ziel und letzte Hoffnung aller deutschen Schauspieler. Wenigen Ausnahmen gelang es auch, in Berlin selbst, *ohne* »Umweg« über die »Provinz«, entdeckt zu werden. Da gab es für den jungen »Mimik-Verkäufer« zwei Möglichkeiten: Die Theater spielten sonntagnachmittags billige Volksvorstellungen, vor denen die großen Schauspieler sich drückten, teils war es ihnen auch wirklich zu viel, am Nachmittag den Franz Moor und abends Lear abzuziehen. Hier konnte der junge Schauspieler sich zeigen. Oder aber bei einer anderen Gelegenheit: Ein Spieler der ersten Besetzung wurde krank und sagte in letzter Minute ab. Dann hieß es »einspringen« und seinen Mann stellen. Jeder junge »Acher« hatte seinen Lieblingsschauspieler unter den großen Meistern, dem er nachzueifern trachtete, den er besonders liebte und verehrte, den er als sein Vorbild, seinen Lehrer ansah, und gerade dem wünschte der junge Mime im Geheimen eine kleine Krankheit – wenigstens eine Heiserkeit. Ich liebte Rudolf Schildkraut und Albert Bassermann besonders. Ich liebte und verehrte sie, wie ich meinen Vater und meinen Lehrer Schimschale den Milnitzer geliebt und verehrt hatte. Niemals wäre ich auf den Gedanken gekommen, meinem Vater oder meinem Lehrer Schimschale etwas Schlechtes zu wünschen. Hier stand ich aber jeden Abend in der Kulisse, bewunderte ihr »Genie«, ihre »Größe«, studierte ihre Bewegungen, Gesten, Betonungen, was so ein kleiner Seufzer, eine kleine Handbewegung aus einem Satz herausholte, wie eine Pause, ein Schrei, ein Verstummen einen Gedanken klarlegte, ein Gefühl lebendig machte. Ich verglich ihre Expressionen, wog sie gegeneinander, und im Stillen stellte ich mir vor, das alles ist ja großartig, aber es könnte noch anders ausgedrückt werden. Ich fand Stellen, in denen ich doch anders herausschreien, anders herausweinen, anders verstummen würde – ja, aber wann, wann? Da erwischte ich mich bei einem grässlichen und großartigen Gedanken: Es wäre wunderbar, wenn abends, fünf Minuten vor Beginn einer Vorstellung, einer dieser von mir heiß geliebten und verehrten Götter heiser würde, stockheiser. Die Vorstellung ist in Gefahr, abgesetzt zu werden. Ich, plötzlich, wie aus der Pistole geschossen, »springe ein«! Stehe auf der Bühne! »Rette die Vorstellung!« Bin zugelassen. Denn auf das Zugelassen-, auf das »Hineingelassenwerden« kommt es an! Eine Tür muss man einem öffnen! Gelegenheit muss man ihm geben!

Und so geschah es eines Sonntagnachmittags, dass der schärfste Chargenspieler heiser wurde; der schleichendste Brunnenvergifter, der leisetretendste Mörderspieler des Ensembles, der kühnste Mordbrenner und Augenroller des Theaters, Friedrich Kühne, war stockheiser, und ich sprang für ihn als Lucianus im »Hamlet« ein. Dieser Kühne hatte mir niemals etwas zuleide getan –

aber ich dankte dem Lieben Gott, dass er ihn krank, dass er ihn mir zuliebe heiser machte. Wünschte ich doch den von mir meist verehrten und vergötterten Spielern Katzen und Ratten im Hals, damit sie heimgehen oder im Bett bleiben, und ich dann »einspringen«, die Vorstellung »retten«, den Mephisto, den Franz Moor oder den Shylock »abziehen« konnte. Ich hatte Wunschträume, wie ich durch so ein »Einspringen« über Nacht aus der Dunkelheit des Unbekanntseins in das Licht der Berühmtheit hineinspringen würde. Aber auch in den kühnsten Träumen und Vorstellungen sah ich das große Hindernis: meine krummen Bäckerbeine, meine X-Beine! Und wirklich, an diesem Sonntagnachmittag hatte Kühne seine Ratte im Hals und ich meinen Lucianus im Bauch:

»Gedankenschwarrrz – giftwirrrksam,
handferrrtig – gelegene Zeit,
kein Wesen gegenwärrrtig,
du schnöderrr Trrrank
aus mitterrrnächtigem Krrraut,
drrreimal vom Fleische Hekates getaut,
dass sich dein Zauberrr,
deine grrrause Schärrrfe
sogleich auf dies gesunde Leben werrrfe!«

Jedes Wort hatte drei »R«, ein geschwungener, roter Spitzbart stach von den bleichgeschminkten Backenknochen ab. Es rollten die »R« auf der Zunge, es rollten die Augen, es krampften sich die Hände zum Mord! Das Giftfläschchen in des schlafenden Königs Ohr geträufelt, die Krone des Ermordeten aufgesetzt – der König schreit nach Licht, der Hof rennt in Panik durcheinander – Hamlet triumphiert!

Meine Rolle ist zu Ende. Ich zittere vor Aufregung. Ich habe in diese Sätze so viel Intensität, Kraft und Ekstase hineingelegt, dass ein reifer Schauspieler damit zwanzigmal den Lear hätte spielen können. Ich stehe in meiner Garderobe vor dem großen Spiegel. Alles klingt noch nach: Die Hände strecken sich noch krampfhaft nach der Krone, die Lippen flüstern noch einmal die Worte mit den vielen »R«, die Augen rollen in böser Mordabsicht – es ist jetzt leichter, richtiger, besser als vorher auf der Bühne. Das Nachklingen ist immer besser, wie immer nach einer Diskussion einem die besten Antworten einfallen. Plötzlich streifen meine Augen an dem anliegenden Trikot hinunter. Alles ist vergessen – da ist ja mein Hindernis! Da stehen sie, Knie an Knie gedrückt, die krummen Bäckerbeine! Was nützt alles Erleben, wenn zwei so krumme Zeugen vor der Welt mich verraten? Mit diesem Steckbrief werde ich keinen Schritt weiterkommen. Das ist eine Tatsache. Das ist klar. Und diese klare Tatsache macht mich verzweifelt.

Die Vorstellung ist zu Ende. Die meisten jungen Kollegen gratulieren, sind lieb zu mir. Nur ich weiß, dass es unmöglich war, kann aber keinem erzählen warum. Alle gehen eilig weg. Ich bleibe in der Garderobe zur Abendvorstellung. Der alte Garderobier Haltschke kommt. Er ist der Bankier der jungen Schauspieler. Er ist ein Wucherer. Er pumpt eine Mark und rechnet fünfundzwanzig Pfennig dafür. Haltschke ist klein und zahnlos, aus Ohren und Nasenlöchern wuchern ihm lange, schmutzige Haare. Er hat ein zugekniffenes böses Auge und eine wehleidige krächzende Stimme. Er legt immer aus für eine Stulle und ein Bier. Er zieht uns die Haut über die Ohren, der Haltschke. Am Gagentag steht er immer an der Kasse und die jungen Schauspieler sind ihm immer mehr als die Hälfte ihres Einkommens schuldig. Er dreht jeden Pfennig fünfmal um, bevor er ihn aus der Hand gibt. Er hält den Pfennig immer ganz nah an das zugekniffene Auge, der Wucherer. Aber er hilft in der Not.

Der Haltschke bringt mir jetzt eine Stulle, einen Korn und ein Bier. Ich verschlinge mein Mahl, strecke mich aufs Sofa und döse gleich ein und habe Gesichter – durcheinander – bis ich langsam in einen Traum hinüberschlummere und mich als Hamlet auf der Bühne sehe; die Bühne ist gleichzeitig eine Bäckerei, und mein schwarzseidenes Kostüm ist voll Mehl, und aus dem Publikum flüstern sie, ich soll mich doch vom

Garderobier abbürsten lassen. Und der Haltschke ruft aus der Kulisse mit seiner krächzenden Stimme: »Kann ich nicht machen, ich kann ihn nicht bedienen, er ist mir ja Geld schuldig.« Und die Semmeln im Ofen sind schon verbrannt, und die X-Beine sind mir zusammengebunden, und ich kann mich nicht von der Stelle bewegen. Und da ist auch ein Spital und ich klingele. Und mein Vater steht da und sagt: »Klingele nur, die machen dich gerade, alles Krumme kann man gerade machen«; und er selber drückt auf die Klingel, und ich höre es klingeln, sehr lange, und noch einmal, und ich öffne langsam die Augen und bin wach und weiß, dass der Inspizent die Abendvorstellung bereits einklingelt. Was wollte ich im Spital? Was wollte mein toter Vater? Er sah so freundlich aus und klingelte für mich.

Abends war der »Lebende Leichnam«. Ich spielte schon den Zigeunervater. Meine Frau war auch eine Anfängerin, ein dunkelbraun verbranntes, von Gesundheit strotzendes Mädel. Sie hieß Salka Steurmann. Unsere Tochter Mascha war zweimal so alt wie wir, ihre Eltern. Salka war aus meiner Heimat. Sie roch nach schwarzer Erde. Als unsere Szene zu Ende war, fragte ich sie, ob sie an Träume glaube. »Ja«, sagte Salka. »Mein toter Vater hat mich heute Nachmittag besucht.« – »Hat er dir Ratschläge gegeben?« – »Ja«, sagte ich. »Dann sprich mit niemandem darüber und befolge sie.« Ich habe ihrem Rat gehorcht und bis heute nie über meine Träume gesprochen. Jeden Abend stand ich auf der größten Bühne Deutschlands mit den besten Schauspielern des Landes, aber ich stand auf meinen krummen Bäckerbeinen. Jeder konnte es sehen, was ich heute im Spiegel sah. Aber was wollte mein Vater? Seit er tot ist, sah ich ihn zum ersten Mal im Traum. Er brachte mir eine Botschaft. »Niemandem erzählen, nur befolgen«, sagte meine junge kluge Landsmännin.

An dem Abend war mir klar, dass ich dieses letzte Hindernis nehmen musste. Diese krummen Beine muss man gerade machen. »Alles Krumme kann man gerade machen«, sagte mein geliebter toter Vater. Alles Krumme kann man gerade biegen, muss man gerade brechen können. In den nächsten Tagen suchte ich Spitäler und Kliniken auf. Ich klingelte. Ich ging in die Charité in der Nähe des Deutschen Theaters. Ich wurde da von Ärzten empfangen. Ich erzählte ihnen mein Problem. Sie hörten interessiert zu, sprachen von einem Risiko, von Courage und von Geld. Courage hatte ich, das Risiko wollte ich auf mich nehmen – aber kein Geld. Als ich wegging, folgte mir ein junger Arzt und bestellte mich in seine Privatklinik am Nollendorfplatz. Nollendorf-Sanatorium. Am nächsten Tag war ich da. Dr. Heimann, ein früherer Assistent von Professor Israel, und drei andere junge Ärzte empfingen mich. Sie ließen sich alles von mir erzählen, untersuchten mich, diskutierten dann miteinander, und nach einer längeren Weile meinten sie, dass die Operation gemacht werden könnte. Aber ich müsste unterschreiben, dass ich selber das Risiko übernähme, und die Operation würde dann nichts kosten. Nur müsste ich dann nach der Operation zwei Monate im Sanatorium in Gips liegen, und das koste allerdings zwölf Mark täglich, und das Geld dafür müsste ich eben aufbringen. Es winkte mir ein vorteilhaftes Geschäft, ein *Bargain*, eine *Mezzieh*.

Ich ging zum Baron von Gersdorff, der im Laufe der Zeit mein Beschützer geworden war, und packte alles vor ihm aus. Dieser Gersdorff war ein älterer Junggeselle, ehemaliger Gardeoffizier. Er stammte aus einer alten preußischen Adelsfamilie, deren Mitglieder seit vielen Generationen dem Offizierskorps angehörten. Gersdorff hörte mir lange zu, ließ sich den Namen des Arztes und der Klinik geben und bat mich, ihm Zeit zu lassen, um darüber nachzudenken. Nach einigen Tagen lud er mich nach einer Vorstellung zu sich ein und sagte unter anderem: »Sehen Sie, mein Freund, Sie kommen vom Osten und ich vom Westen. Sie stammen von alten, frommen Juden und ich von alten, frommen Preußen. Sie waren Bäcker und ich Offizier. Und doch haben wir beide etwas Gemeinsames: Wir lieben das Theater. Mit dem Unterschied, Sie haben viel Talent zum Schauspieler und ich nicht. Jetzt wollen Sie alles auf eine Karte setzen. Ich verstehe das sehr gut. Ich habe auch mal alles auf eine Karte gesetzt und flog aus meinem Stand heraus, was ich nicht wollte. Sie aber spielen Hasard, weil Sie aus Ihrem Bäckerstand herauswollen. Ich habe also mit Dr. Heimann gesprochen. Es ist eine schwierige Operation, aber er brennt darauf, sie zu machen. Sie sehen, jeder ist in seinem Fach ehrgeizig. Er erklärte mir aber, es wäre eine Fifty-Fifty-Sache. Ich würde mir das an Ihrer Stelle genau überlegen. Übrigens habe ich mit einem wohlhabenden Freund gesprochen, der den Aufenthalt in der Klinik übernimmt. Wenn Sie mal viel Geld verdienen, zahlen Sie es einfach zurück. Sie brauchen da gar kein Gefühl der Wohltätigkeit zu haben.« Ich habe es mir an Ort und Stelle überlegt, und es blieb ein Geheimnis zwischen Gersdorff und mir. Die Spielzeit war zu Ende, ich bekam eine sechswöchige Gage für die Ferien ausbezahlt. Als Erstes kaufte ich mir einen Revolver für den Fall, dass die Operation negativ ausfallen sollte. Das wusste nur ich, das erzählte ich nicht einmal Gersdorff, denn das war mein privatester Entschluss, damit wollte ich niemanden belasten. Ich spielte auf eigene Verantwortung Hasard mit meinem Leben.

Die Zeit kam. Gersdorff brachte mich in die Klinik, stellte mir seine Bibliothek zur Verfügung und ein sehr bequemes Lesepult, mit dessen Hilfe man in jeder Liegestellung das Buch immer vor Augen haben konnte. Nach zwei Tagen wurde ich in den Operationssaal gebracht. Dr. Heimann mit den drei ihm assistierenden jungen Ärzten war da. Sie unterhielten sich mit mir in einem sehr heiteren Ton über Theater, über die letzte Premiere, über Reinhardts Zirkus-Inszenierung, über meine Sehnsuchtsrollen, ja, sie forderten mich sogar auf, ihnen etwas vorzudeklamieren. Ich war sehr guter Laune – meine alte Neugierde machte mich ganz wach für die Vorgänge. Das Gefühl, dass hier jetzt bald etwas geschehen, dass das letzte Hindernis zu meinem selbstgewählten Weg weggeschafft, weggeräumt werden sollte, stimmte mich erregt und munter. Alles ging mir durch den Kopf: Mein Heimatdorf, mein Vater, der mich neulich im Traum besucht, Horodenka stand vor mir, alle Stationen des Lebens huschten vorüber, bis zum Theater, bis heute, bis jetzt. Gleichzeitig deklamierte ich Monologe aus verschiedenen Rollen. Die Ärzte waren auch erregt und aufgeräumt. Sie betrachteten mich wie hungrige Soldaten nach einem langen Marsch einen schmackhaften, dampfenden Braten oder wie ein ehrgeiziger Schauspieler eine fette Rolle. Sie freuten sich über den deklamierenden Patienten, der jetzt aufrecht saß und dem sie mit einer langen, dünnen Nadel in den Rücken, gerade ins Kreuz, hineinstachen und eine Flüssigkeit einspritzten. Dann standen sie herum und taten gar nichts, sie schienen auf etwas zu warten. Sie fragten und fragten, und ich plapperte und tat sehr unbekümmert. Aber weder sie noch ich waren bei dieser Unterhaltung – sie war mechanisch, diese Unterhaltung –, im Hintergrund lauerte eine kalte Spannung. Nach einer Weile fingen sie an, meine Beine zu betasten. Ich wunderte mich, ich sah sie meine Beine anrühren, und ich spürte nichts. Sie lächelten und versicherten mir, ich würde von nun an nichts, gar nichts spüren. Sie hießen mich selber meinen Unterkörper anfassen. Komisch, ich fasste etwas an, was zu mir gehörte, es war an derselben Stelle, ich sah *meine* Beine, ich fasste sie an und spürte nichts. Mein Unterkörper war gefühllos, war tot. Sie fingen an, die Stelle um das Knie mit einem Rasiermesser von den Haaren zu säubern. Ich spürte nichts. Sie wurden sehr geschäftig. Instrumente wurden herbeigeschafft, Meißel, Hammer, Messer.

Der Chefarzt machte an der linken Seite des einen Knies, eines fremden Knies, einen langen Schnitt. Ich spürte nichts. Nur so ein dumpfes Gerassel, wie wenn ich selber einen Karton durchschnitte. Es floss kein Blut, die offene Stelle sah rötlich aus – alles erinnerte mich an einen Schlächterladen. Da nahmen sie Hammer und Meißel und schlugen und hämmerten hart, sehr hart. Wie zäh so ein menschlicher Knochen ist! Sie arbeiteten schwer, oh ja, sie strengten sich an, sie vergaßen mich – es tat auch nicht weh. Plötzlich hielten sie ein; der Knochen war durch, war gebrochen. Jetzt erinnerten sie sich, dass dieser Knochen eigentlich mir gehörte. Sie guckten mich an, erkundigten sich nach meinem Ergehen und forderten mich auf, noch etwas vorzutragen. Ich hatte aber keine Lust mehr dazu, ich tat es nicht mehr. Ich spürte kalte Schweißtropfen an meiner Stirn und ein bisschen Einsamkeit ums Herz. »So«, sagte jetzt der Häuptling, der Fleischschneider und Knochenbrecher, »es ist geschehen«, hob mein totes Bein und bog es nach allen Seiten, wie einen fremden Knochen im Schlächterladen. »Wie wollen Sie es denn haben, etwas nach oben geneigt, als Kontrast zum vorigen X?« Und seine Assistenten lachten ihm Beifall über den charmanten Witz. »Machen Sie es mal schön gerade«, stieg ich in den Humor der Herren ein. Und mein Bein wurde sorgfältig gerade gezogen und gerade gelegt und mit nassen Gipstüchern umwickelt, in eine gerade Schiene getan und mit viel mehr Gips verpackt. Dann wurde ein Gewicht am Ende des Fußes angemacht und ein Gewicht an der Außenseite des Knies, um so das gerade Zusammenwachsen zu sichern. Ich bat sie jetzt, doch auch das andere Bein zu machen. Sie lachten und der Chef sagte: »Nein, mein Lieber, dieses Vergnügen erweisen wir Ihnen fünf Tage später.«

Ich wurde in den Krankensaal hinuntergebracht, wo ich mit noch drei anderen Patienten lag. Die Operation hatte über drei Stunden gedauert. Man brachte mir Erfrischungen, zu essen, aber ich konnte nichts anrühren. Ich versuchte zu lesen, konnte nicht, ich versuchte zu schlafen und konnte nicht. Ich dachte nur an das eben Geschehene. Ich dachte an die Art, wie diese vier Männer an mir gearbeitet hatten. In mir war es plötzlich so ruhig und still wie seit Jahren nicht. Ich dachte an mein Heimatdorf und Rachmonessel und Gottzumdank, ich dachte an den alten Jus Fedorkiw und meinen Vater, ich dachte an Horodenka und überlegte, ob wohl am Zwiebeldach der kleinen Kirche immer noch die zwei Ziegelsteine fehlten. Riffkele kam mir in den Sinn und Chajachett, die Theatergalerie in Lemberg und die Flucht. Ich dachte an Emil Milan und Gersdorff, und immer standen die vier Männer in Weiß vor mir. Jetzt dachte ich an meinen Revolver, der, eingewickelt in ein weißes Taschentuch, unter meinem Kopfkissen versteckt lag.

Ich streckte meine müde Hand nach ihm, tastete die Stelle ab – ja, er war da. Gott sei Dank!

Es vergingen viele langsame Stunden. Plötzlich spürte ich ein Kratzen in meinem Knie, etwas schabte mich da, etwas rasierte da – komisch … Dann spürte ich einen schmerzhaften Schnitt, dann einen Stoß, einen Schlag, einen Hammerschlag und noch einen und noch einen – ich schrie laut auf. Es schmerzte fürchterlich. Ich stöhnte und schrie. Mein Bein war aus der Betäubung erwacht. Es fing zu leben an und wahnsinnig weh zu tun. Jeden Hammerschlag, den ich zuvor gesehen und nicht gespürt, spürte ich jetzt, ohne ihn zu sehen. Die Knochen rebellierten in Schmerzen. Die Nacht kam und kaltes Fieber schüttelte mich. Die sanftäugige Schwester Maria gab mir etwas Beruhigendes ein und versuchte, mich zu trösten. Aber ihr Mitgefühl machte mich noch elender. Die anderen Patienten erwachten und ärgerten sich über die Störung. Ich beherrschte mich und sie schliefen wieder ein. Schwester Maria wachte an meinem Bett und lobte mich, dass ich mich zusammenraffte. Sie streichelte mich jetzt und flüsterte mir ins Ohr: »Sehen Sie, was Sie taten, war sehr tapfer. Jetzt müssen Sie aber auch die Zähne zusammenbeißen und nicht nachgeben. Es ist ja schon geschehen und wird bald vorüber sein.« Sie gab mir wieder etwas ein und es beruhigte mich wirklich. Am nächsten Morgen kamen die Ärzte, waren sehr lieb und lobten mich. Gersdorff kam. Sie erzählten ihm, mit wieviel Humor ich die Operation hingenommen hatte. Gersdorff drückte mir die Hand, fragte mich aus, und ich war gefestigt und sagte: »Ach was, es gibt ja keine körperlichen Schmerzen.« – »Das ist schön, dass sie so denken, Sie gesundes Karpaten-Pferdchen. Sie Romantiker! Sie sind wirklich beides«, lachte er, »ein Romantiker und ein Pferdchen, ein romantisches Karpaten-Pferdchen!«

Ich fing wieder zu essen und zu lesen an. Nur eine Sache quälte mich: Ich konnte nicht mehr aufstehen, ich konnte nicht mehr gehen, nur halb sitzen. Ich konnte nicht mehr auf die Toilette. Aber die Schwester war ja so taktvoll und lieb, dass ich nach einiger Zeit diese privateste Scham auch überwunden hatte.

Die vier Tage waren um, es kam der fünfte. Ich wurde wieder in den Operationssaal gebracht. Die Ärzte waren diesmal viel ruhiger und ich viel nervöser. Alles ging jetzt viel sachlicher vor sich. Sie forderten mich wieder auf, ihnen etwas vorzudeklamieren; so sehr ich auch wollte, ich konnte es nicht mehr. Ich versuchte zwar, auf ihre Bitte einzugehen und fing an, halblaut »Sein oder Nichtsein« zu rezitieren, dachte aber an den Revolver unter dem Polster und wurde traurig. Auch schloss ich diesmal die Augen und wollte sie nicht mehr an mir herumhantieren sehen. Ich war sehr geschwächt und kalter Schweiß feuchtete meinen Körper. Eine Schwester bemühte sich um mich, sie kontrollierte den Puls, gab mir etwas zu trinken und zu riechen. Diesmal ging alles viel schneller, aber mir dauerte es viel länger. Und dann war auch das andere Bein gebrochen und wieder mit Gipstüchern umwickelt, in eine Schiene getan, mit Gewichten behängt, wie das erste Mal. Ich wurde in das Krankenzimmer zurückgebracht und fühlte eine müde, seltsame Leere um mein Herz. Ich fühlte buchstäblich die Zeit sich bewegen, ich fühlte, dass ich älter wurde, ich spürte etwas in mir sich verändern, ich fühlte mich ernst und erwachsen werden. Ich spürte meine Adern, das Blut in ihnen und jeden Nerv in mir. Die Schwester Maria kam und trocknete mir den kalten Schweiß von der Stirn und schenkte mir stille, liebe Aufmerksamkeit und einen Ausdruck in ihren Augen, den ihre Berufspflichten nicht forderten. Ich bat sie, mir das Pult zurechtzustellen und fing zu lesen an. Es waren die dostojewskischen »Brüder Karamasow«. Ich las langsam und ruhig, dass die Menschen im Buch ganz plastisch vor mir standen, und kam zu der Stelle, wo der Sohn Iwan den eigenen Vater verprügelt, sich dann in eine Scheune verkriecht und sein verzweifeltes Herz seinem jüngsten Bruder Aljoscha ausschüttet und ihn fragt: »Wozu ist das alles nötig? Wozu ist das alles nötig?«

Ich hörte zu lesen auf, denn die Betäubung aus meinem Körper schwand, der Körper kam wieder zum Leben, und auch die

Schnitte und Hammerschläge der Operation wurden lebendig. Es hämmerte in meinen Knochen und in meinem Hirn: Wozu ist das alles nötig? Wozu ist das alles nötig? Mein Puls flog, mein Herz hämmerte laut. Die Schwester Maria brachte Abendbrot. Das Buch wurde mir weggenommen. Ich nahm den ersten Löffel Suppe und den zweiten, und die Hammerschläge in meinem Bein und Hirn tobten: Wozu ist das alles nötig? Und es spuckte aus mir die Suppe heraus, und es schüttelte und rüttelte mich, und Tränen würgten mich in der Kehle, und alles war dunkel um mich, und es weinte und fieberte aus mir: Wozu ist das alles nötig? Wozu ist das alles nötig?

Es dauerte nur einige Minuten. Die anderen Patienten, die sonst ungeduldig mit mir waren, schauten still und teilnahmsvoll zu mir herüber. Ein Strom hatte mich fortgerissen, aber sein Toben klang jetzt aus, und es beruhigte sich in mir. Maria saß an meinem Bett, streichelte mich zart. Ich schloss die Augen und schämte mich vor den anderen und vor mir selber. Aber es war mir jetzt wirklich leichter, als hätte ich eine Last abgeworfen, ich fühlte mich besser und ruhiger und stellte mich schlummernd und döste hinüber in einen wirklichen Schlaf.

Nachts erwachte ich, ein anderer Mensch. Als ich langsam die Augen öffnete, saß Schwester Maria noch immer da. Sie hatte Nachtwache. Sie schaute mich lächelnd an und flüsterte: »Geht's besser?« – »Ja«, sagte ich. »Ich wusste es«, sagte sie, und ohne jeglichen Übergang beugte sie sich über mich und küsste mich auf die Stirn. Darauf streckte ich meine Arme aus, zog sie an mich und sagte leise: »Küss mich, Schwester, küss mich, Maria!« Sie wehrte sich nicht, warf nur einen Blick durch den Raum, ob die anderen schliefen, und flüsterte: »Wenn du mir versprichst, weiterzuschlafen ...« Und sie küsste mich, nicht wie eine Schwester, sondern wie ein Mädel, wie eine richtige Frau, und ich trank mich satt an ihrer Wärme und an ihrem Mund, lange, sehr lange, bis ich trunken war von Küssen und Zärtlichkeiten, und es schmeckte noch langsam und süß nach, und sie deckte mich vorsichtig und zart zu, und ich schlief ein wie ein sattes Brustkind.

Am nächsten Tag kam Gersdorff und sagte: »Bist blass, Luise, wie eine Limonade.« – »Ja«, sagte ich, »ich muss mich korrigieren, es gibt doch körperliche Schmerzen.« Er erzählte mir, er habe bereits den Arzt gesprochen und der habe ihm versichert, dass die Operation hundertprozentig gelungen sei, und ich wäre der beste Patient, den es geben könnte.

Wochen vergingen. Ich fing an, zu genesen und mich zu langweilen. Gersdorff gab mir eine Aufgabe: Ich sollte ihm über jedes gelesene Buch einen Bericht schreiben, damit ich erstens beschäftigt wäre und zweitens mich in der deutschen Sprache übte. Aber das füllte mich nicht aus. Ich wurde ungeduldig und meine Langeweile nahm zu. Da lag mit mir ein etwas verwachsener junger Mensch, ein Klugscheißer und Besserwisser. Mit ihm diskutierte ich über Theater. Das heißt, wir zankten uns richtig und mochten uns auch sonst nicht gegenseitig. Er war auch neidisch, dass die Schwester Maria mir mehr Aufmerksamkeit schenkte als ihm. Er machte eines Tages eine patzige Anspielung wegen »Liebe«. Ich beschimpfte ihn und er verpetzte mich bei der Oberschwester Agathe, mich und die Schwester Maria. Die Oberschwester Agathe war eine Offizierswitwe, die bessere Tage gesehen hatte. Sie war ein alter, dürrer Beamtenbesen. Sie hatte einen dünnen, bösen Mund, war rechthaberisch und immer schlechter Laune. Sie kam eines Tages, als sich Maria über mich beugte und wohl küssen wollte, herein. Sie entließ Maria auf der Stelle. Mir machte sie einen Krach, nicht Marias wegen, sondern weil sie einen Tintenklecks auf meiner Bettdecke sah. »Sie werden diese Bettdecke bezahlen!«, schrie sie. »Ich werde dem Baron von Gersdorff die Rechnung schicken und ihm auch sonst mitteilen, wie Sie sich hier aufführen!«

Während sie noch schimpfte, nahm ich das Tintenfass, öffnete es langsam und goß es ruhig, tropfenweise auf meine Decke, glu-glu-glu-glu-glu, bis es ganz leer war und die Bettdecke ein lustiges geschecktes Aussehen bekam. »Ich kann mit meiner Bettdecke machen, was ich will.« Sie rief Gersdorff an, der gleich erschien und sich ganz und gar auf meine Seite stellte.

Die dünnlippige Oberschwester Agathe hasste mich. Ich versuchte, so gut ich konnte, diesen Hass zu nähren. Eines Tages band ich mir mit einer Schnur einen Suppenlöffel ans Bettende, und immer, wenn sie hereinkam, nahm ich den Löffel als Hörer und simulierte Telefongespräche. »Hallo«, rief ich in das Suppenlöffel-Telefon, »hier ist das Nollendorf-Irrenhaus. Nein, nein, nicht Sanatorium, Irrenhaus. Wie bitte? Die Schwester Agathe? Oh, sie ist ein lieber, zarter Mensch – oh nein. Wie? Im Gegenteil! Sie ist sehr nett zu den Kranken, besonders zu mir! Als neulich zufällig mein Tintenfass über die Bettdecke auskippte, hat sie kein Wort gesagt. Im Gegenteil, getröstet hat sie mich – oh ja, ich war sehr unglücklich darüber.« Sie rief den Chefarzt, der sich alles anhörte, lachte, mir zuzwinkerte und sagte: »Aber Schwester Agathe, er ist doch Schauspieler und muss sich doch in seinem Beruf üben, das dürfen Sie ihm nicht übel nehmen. Schließlich waren es ja seine Beine, die ich gebrochen habe, und nicht Ihre. Gönnen Sie ihm doch das bisschen Vergnügen ...«

Bald aber waren die zwei Monate um. Die Schienen wurden auseinander genommen, der Gips entfernt. Von den Bandagen befreit, sah ich plötzlich statt zweier krummer X-Beine zwei gerade, abgemagerte Dinger, die wie dünne Stöcke aussahen. Sie waren steif, ich konnte sie nicht gebrauchen. Sie konnten meinen Körper noch nicht tragen. Ich wurde in einen Vorort von Berlin gebracht, bekam Massagen um die Kniegelenke, die mehr weh taten als die Operation. Bald aber konnte ich stehen, stehen auf eigenen Beinen, doch nur mit Hilfe von Stöcken. Als ich die ersten Gehversuche machte, kam wieder mein Beschützer Gersdorff und gestand mir, wie er gezittert hatte. Es war doch sehr gefährlich gewesen. Die Ärzte hatten ihn ernsthaft gewarnt. »Ja«, sagte er, »was hätten Sie wirklich getan, wenn die Operation misslungen wäre?« Da zog ich den geladenen Revolver, der immer noch in ein weißes Taschentuch eingewickelt war, aus dem Versteck und übergab ihn ihm ohne ein Wort. Und er steckte die Waffe weg und sagte ganz nebenbei: »Ach, gut, dass Sie mir das Ding da geben. Sie haben doch sicher keinen Waffenschein. Ich will ihn an der Polizei-Fundstelle abliefern. Sie dummes Karpaten-Pferdchen!«

Nach drei Monaten konnte ich mich auf Stöcken ganz gut bewegen und nach einem halben Jahr ging ich wieder ins Theater. Ohne Stöcke, wie zuvor! Nur hatte ich jetzt gerade Beine. Das letzte Zeichen meiner Vergangenheit war wegoperiert. Das letzte Hindernis für meinen neuen Beruf war verschwunden. Die Freunde gratulierten und meinten, sie hätten nichts von krummen Beinen gemerkt. Tja! Möglich. Aber ich merkte es. Und ich glaubte, dass diese X-Beine mir im Weg waren. Musste ich doch immer an die Bettlerin in Zaleszczyki denken, die mir meine großen Hände und Bäckerbeine vorgehalten und sie mit den kleinen Händen und Füßen ihres Sohnes verglichen hatte. Ich sah in jedem jungen Kollegen ein zartes Söhnchen mit schmalen Händen und geraden Beinen. Die Hände haben mich bis jetzt nicht gestört, aber die Beine. Nun waren sie gerade gebogen. »Und das Krumme wird gerade«, hatte mein Vater im Traum vor der Operation zu mir gesagt. Ich habe ihm gefolgt. Der Revolver ist weg. Das Hindernis ist weg. Ich empfand eine große, friedliche Freude in meinem Herzen. »Und das Krumme wird gerade.« Jetzt wusste ich, dass nichts mehr in meinem Weg war, und mein Herz füllte sich mit Selbstvertrauen und Glück. Das letzte Hindernis war überwunden. Der Weg war frei.

Und das Krumme wurde gerade.

29
Schade um die schöne Welt

Ich kam mit meinen geraden Beinen ins Theater zurück. Alles hier weckte in mir die Vorstellung von einem reifen Weizenfeld mit einer wohlgeratenen Ernte in meiner weiten, flachen galizischen Heimat. Es war das Spieljahr 1913/1914, die Blütezeit der Reinhardt-Theater, der Höhepunkt in der Entwicklung dieses großen Künstlers. Schon die vorherigen Jahre hatten Aufführungen gebracht, die wie große Theater-Festivals waren. Nach dem »Ödipus« in der Arena des Zirkus Schumann kamen auf der Hauptbühne beide Teile »Faust«. Der zweite Teil wühlte Berlin auf. Die Vorstellung begann um halb sechs Uhr nachmittags und endete um halb ein Uhr nachts. Von acht bis neun war eine Pause und das Publikum ging Abendbrot essen. Und des Kaisers Kanzler, Bethmann-Hollweg, kam nachmittags ins Theater im Gehrock und nach der Pause erschien er im Frack. Nicht nur die Schauspieler, auch das Publikum wechselte das Kostüm. Die Hauptrollen waren in doppelter, ja in dreifacher Besetzung vorbereitet, wie bei einem Rennen: Falls einem Pferdchen was passieren sollte, war das andere bereit, weiterzulaufen. Die Presse war voll von kritischen und gesellschaftlichen Artikeln. Dann kam wieder in der Arena »Das Mirakel« und später die »Orestie«. Moissi-Orest wurde da von den griechisch-mythologischen Furien gejagt, er spielte mit weit ausladenden Alfresko-Gesten, unterstützt von einer chorischen Sprachgewalt, die den fünftausend Zuschauern das Gruseln beibrachte.

An den Nachmittagen berauschten sich Kinder und Erwachsene an Maeterlincks »Blauem Vogel« mit humperdinckscher

Musik, wo Brot und Zucker und Feuer und Katze und Hund wie Menschen sprachen und die Kinder in ihren Träumen begleiteten. Der süße Zucker brach sich einen Finger ab, das gute, treue Brot schnitt sich eine Scheibe aus dem Bauch, und beide nährten so die Kinder auf ihrer Wanderung. Die Kinder waren plötzlich im Himmel und fanden da ihre arme Mutter, die Silbergewänder trug. Die Mutter spielte Reinhardts damalige Frau, Else Heims, die gerade ihren Gottfried trug. Ist es ein Wunder, dass Gottfried so musikalisch ist? Humperdinck und Maeterlinck standen an seiner Wiege, nein, noch bevor er in der Wiege lag, ging ihr Tönen in ihn ein. Da gab es einen Moment, wenn der Junge die arme Mutter im Silbergewand im Himmel erkennt, ihr in die Arme fliegt und ausruft: »Mutter, ich glaube, ich bin im Himmel!« Und Else Heims, mit Gottfried unter ihrem Herzen, antwortet: »Mein Kind, der Himmel ist überall, wo zwei Paar Arme sich umschlingen.« Der hochschwangeren Mutter rannen Tränen über das Gesicht, die Schauspieler in den Kulissen weinten. Das war mehr als Theater.

Auf der anderen Ecke des Hofes, in den Kammerspielen, kamen neue Dichter zu Wort: Strindberg und Wedekind. Bei Strindberg kämpften die Geschlechter mit einer gedämpften, verbissenen Sprache, kämpften Mann und Frau. Misstrauen war der Hauptheld. Angeprangert wurde die bürgerliche Gesellschaft, die sich so gern mit Blauer-Vogel-Romantik in Illusionen einschläfern lässt. Mit neuen, harten Worten wurden die verlogenen Zusammenhänge der Gesellschaft analysiert, mit eherner Axt die faulen Wurzeln geschlagen. Wenn nach dem »Wetterleuchten« der Vorhang fiel, saßen sie da, die vornehmen Zuschauer, aufgeschreckt und minutenlang erschüttert, ohne klatschen zu können.

Zum ersten Mal kam hier der Dichter Wedekind zu Wort. Er schmetterte selber die Hauptrollen seiner Stücke ins Parkett. Wie ein fanatischer Prophet raste er über die Bühne und schoss seine Anklagereden in ein neugierig-aufgescheuchtes Publikum. In seinem Stück »Franziska« kamen zwei Rollen vor, die hießen »Schweine-Hund«. Die Schauspieler waren mit ihren

Armen Rücken an Rücken verschlungen, der eine trug eine Schweinemaske, der andere einen Hundekopf: Es waren die Zensur und die Kritik. »Schweine-Hund« grunzte und bellte in voller Empörung über die Schönheit, die in Gestalt eines nackten Mädchens auf die Bühne kam. Das Stück wurde verboten. Da war ein Schauspiel »Hidalla«, wo ein für Wahrheit und Schönheit kämpfender »Zwerg-Riese« von seinen Freunden und der Gesellschaft ausgebeutet, missbraucht, dann so in die Enge getrieben, gehetzt wird, dass er an einem Strick sich aufhängt, ohne Zeit zu haben, ihn »einzuseifen«. Da war auch das Stück vom »König Nikolo«, den seine Widersacher vom Thron stürzen und aus dem Lande vertreiben; er aber kehrt als wandernder Komödiant zurück und schreit seine eigene Geschichte auf dem Marktplatz unter Tränen aus, so aufrichtig und echt, dass er für den besten Clown erklärt wird. Sein Nachfolger, der ehemalige Schlächtermeister, erweist ihm die Ehre, ihn als Hofnarren zu engagieren.

Um dieselbe Zeit führte Reinhardt auf der großen Bühne seinen Shakespeare-Zyklus auf: »Lear« und »Hamlet« und die Lustspiele und die Königsdramen. Von diesem Reichtum im Theater lebten dann mehrere Generationen. Da waren mindestens hundert der besten Schauspieler der Zeit versammelt, an der Spitze Bassermann und Schildkraut, Moissi und Viktor Arnold, Wassmann und Abel, und die Frauen Else Heims, Gertrud Eysoldt, Tilla Durieux, Lucie Höflich, Camilla Eibenschütz und noch hundert dazu. Zur jungen Generation gehörten Ernst Lubitsch, Wilhelm Murnau, Fritz Kortner, Joseph Schildkraut, Conrad Veidt, der junge Dannegger und viele, viele andere. Wir, die Jungen, standen in der Kulisse und lauschten den Proben mit Enthusiasmus und Scheu und einer heiligen Andacht. Wir lauschten Reinhardt wie junge *Chassidim* ihrem Wunder-Rabbi lauschten. Aber nicht nur wir verehrten ihn so. Auch das Publikum, das Berliner Volk in dieser Kaiserzeit, bewunderte ihn aufs Höchste. Von Reinhardt nicht zu wissen, nicht zu sprechen, hätte als ungebildet gegolten. Wir Jungen waren mächtig stolz, Mitglieder seiner Bühne zu sein. Ja, es war illusorisches Theater, Feiertags-Theater, Genuss-Theater, im Gegensatz zu dem späteren politischen und Weltanschauungs-Theater. Es war die große Bau- und Bildungszeit in Deutschland. In Berlin im Parlament gab es schon viele Sozialisten. Arbeiter und Intellektuelle hatten schon die Volksbühne gegründet, die neue soziale Stücke aufführte. Der Dichter der armen Leute war schon entdeckt: Gerhart Hauptmann. Die schlesischen Weber rebellierten auf der Bühne, der Kaiser hatte seine Loge liquidiert, es wehte in der Luft ein progressiver Wind. Das Theater war Mittelpunkt der Zeit.

Im alten Café des Westens saßen Künstler, Philosophen, Politiker, Maler, Bohemiens, Jung und Alt durcheinander, und attackierten und kritisierten den »gemeinsamen Feind«, den schläfrigen Spießer, den verbohrten Kleinbürger. Franz Pfemfert gab seine aggressive unabhängige Zeitschrift heraus: die »Aktion«. Er schrieb seine frechen Leitartikel voll politischen Angriffs und druckte neue Dichter: Franz Werfel, Paul Boldt, Ernst Blass, Franz Blei, Richard Dehmel, Maxim Gorki, August Strindberg und viele mehr. Man saß an den Tischen des Cafés des Westens und diskutierte neue Richtungen in der Politik, und alle wussten, dass eine große Änderung kommen musste. Ich hatte ein Gefühl der Befriedigung – es hatte sich gelohnt! Das war schon eine andere Welt als am Trog stehen oder am Ofen in der Bäckerei. Wenn ich jetzt ein Trikot anhatte, sah ich meine geraden Beine und genoss sie. Ich genoss den Entschluss, sie zu brechen, ich genoss die gelungene Operation, ich genoss das wachsende Selbstvertrauen in mir und wusste, dass es jetzt ohne Hindernisse weitergehen würde. Ich hatte erst einen Zipfel meines Zieles erreicht, und doch erfüllte es mich schon mit Glück.

Auf der Bühne stehen war für mich dasselbe, was für meinen Vater der Gottesdienst war, – nur noch freudiger! Das Leben im Theater ist nicht nur farbenreich und abwechselnd, es ist lang. Man lebt ja viel länger als ein einfacher Sterblicher. Wie kurz und eintönig ist so ein gewöhnliches menschliches Leben im Vergleich mit dem eines Schauspielers! Wenn der Mensch das Glück hat, nicht an Masern, Pocken, Scharlach, Diphtherie, Typhus, Lungenentzündung oder gar Hunger früh zu sterben – kommt er in die Siebziger. Von der Geburt – hat er gar nichts. Da freut sich nur der Vater. Taufe, Verlieben, Verloben, Heiraten, Geburtstag, silberne, goldene Hochzeit – Beerdigung! Von der hat er wieder nichts mehr, denn den Leichenschmaus genießen nur noch seine Freunde. Aber so ein Schauspieler hat erstens Premieren! Das sind ganz große Feiertage! Das Entdecken eines neuen Dichters, eines neuen Stückes, oder gar im alten Shakespeare und Goethe was Neues herauszufinden – dann die vielen vielen Jahre, die ein Schauspieler in seinen Figuren leben kann. Zum Beispiel:

Lear ist . . . . 112 Jahre alt
Mephisto 50
Hamlet 30
Franz Moor 25
Shylock 60
Othello 40

Das macht zusammen 317 Jahre, die man glatt in einem Jahr als richtiger Schauspieler leben kann. Wenn man also dreißig Jahre schauspielert, lebt man 30.061 reiche Jahre statt erbärmlicher 70. Die ganze Welt rechnet etwa 5000. Ein Schauspieler kann also sechsmal so alt werden wie die chinesische Weltrechnung und fünfzehnmal so alt wie die christliche. Was spielt es da für eine Rolle, wenn man für 30.061 freudige Jahre arme 70 aufs Spiel setzt! Für meine gewagte Operation winkte mir jetzt ein dreißigtausendjähriges Reich entgegen! Ich hatte allen Grund, glücklich zu sein.

Als die historische Spielzeit 1913/1914 zu Ende ging, beschloss ich, eine Wandertour durch Deutschland zu machen, aus zwei Gründen: erstens, meine neuen Beine auszuprobieren, und zweitens, Land und Leute kennen zu lernen, meine neue Wahlheimat. Diese meine neuen Menschen zu studieren, die ich doch im Laufe der Zeit würde darstellen müssen.

Ich ging in Richtung Kassel, bis dahin hatte ich noch Geld. In Kassel war es zu Ende. Als wandernder Bäckergeselle pflegte ich in Bäckereien einzukehren, mein Losungswort zu sprechen und wurde von Fachgenossen immer unterstützt. Hier besuchte ich meine neuen Fachgenossen und war enttäuscht. Sie benahmen sich steif und hochmütig. In diesem Fach gibt es nur »Große«, die sich gern verehren lassen, und »Kleine«, die gern dienen. Keine Bäckerwärme, keine Solidarität. Ein herrlicher, großartiger Beruf, aber voll Missgunst und Neid und Gift. Von Kassel ab lebte ich ganz auf der Landstraße, die eine Welt für sich ist. Es war Sommer, man konnte im Heu schlafen, es gab Herbergen, man übernachtete und zog weiter. Ich fing an, »fechten« zu gehen, aber so aus Neugierde und Spaß, studienhalber, denn ich wusste ja, dass ich im August wieder meine Gage haben würde.

Im ersten Dorf bei Gießen kehrte ich ins Dorfgasthaus ein und fragte, ob ich auch ohne Geld zu essen haben könnte. »Na ja«, sagte eine abgerackerte Wirtin, »hier ist ein Schmalzbrot«. »Ich möchte aber Belag dazu haben«, sagte ich gutlaunig. »Hammer nicht«, war die Antwort. »Dann Grüß Gott«, und mit einem »Danke schön« verließ ich die Gaststube. Die paar Bauerngäste, die bei ihrem Bier drin saßen, schmunzelten. Als ich schon draußen war, klopfte einer ans Fenster, rief mich zurück und spendierte mir ein dickes Schinkenbrot mit einem Glas Bier. Nach einer kleinen Unterhaltung sagte er dann: »Nur, dass du nicht mal in deiner Heimat erzählst, dass ein deutsches Dorf einen hungrig vorbeiziehen lässt ...« Ich versprach ihm, die Wahrheit zu berichten.

In einer Nacht kam ich in ein kleines Städtchen – rannte gegen einen Polizisten und fragte nach Nachtlager. Er meinte, die nächste Herberge wäre im nächsten Ort, drei Stunden Marsch von hier. Ich war müde und es war schon Mitternacht. Ich bat ihn, mich zu verhaften, damit ich endlich schlafen könnte. »Ja«, sagte der schnauzbärtige Hüter des Gesetzes, »das kann ich nicht. Ist gegen die Vorschrift. Höchstens, wenn Sie sich schlecht aufführen oder mich belästigen, dann, tja, dann müsste ich Sie verhaften!« Darauf stieß ich einen lauten Schrei in die Nacht aus und packte ihn am Säbel. »Sie frecher

Kerl, kommen Sie mal mit, Sie sind verhaftet.« Nahm mich ins Stadtgefängnis in eine Zelle. Ich schlief sofort ein, und um sieben Uhr morgens brachte er mir einen Topf schwarzen Kaffee mit einem Stück Brot und wünschte mir Glück.

In Bad Nauheim war eine Luft, dass man sie nicht nur riechen, sondern anfassen konnte. Anfassen, anrühren, mit Nase und Gesicht und Augen. Es roch nach allerlei Blumen und Blüten und Gewürzen. Dichte Alleen, bunte Gärten, schattige alte Bäume – es war elf Uhr morgens. Ich stand vor dem großen Kurhaus mit einem Gartenrestaurant mit freundlich gedeckten Tischen, die direkt zum Essen einluden. Mein Magen war hungrig und meine Augen waren hungrig. Das Wasser rann mir im Munde zusammen bei dieser Aussicht auf Essen. Ich war bereit, jetzt für Essen alles zu tun. So eine gute Luft und eine farbige Landschaft und ein leerer Magen – komisch, ich war tothungrig und guter Laune zugleich. Ich sah einen großen, starken Herrn mit Cutaway und frisch rasiertem, rosigem Gesicht, mit einem dichten Wilhelm-Schnurrbart nach oben gedreht, der den Kellnern Befehle erteilte. Es waren noch keine Gäste da. Ich ging auf ihn zu. »Sie wünschen«, fragte der gestrenge Herr. Und ich erzählte ihm mit treuem Blick in drei Sätzen meine Lebensgeschichte: Schauspieler, gebrochene Beine, Studienwanderung, Hunger!!! Er rief einen Kellner, bestellte ein Mittagessen von fünf Gängen. Der Kellner fragte, ob ich Bier oder lieber Wein vorziehe, wenn Wein, weiß oder rot? Ich nahm Wein, Rotwein selbstverständlich! Ein festliches Mahl. Als ich fertig war, ging ich zu dem Mann im Cut, mich zu bedanken. »Na, schicken Sie mir mal ein paar Freikarten, und Hauptsache, dass es geschmeckt hat!«

Ich wanderte bis Lindau an die Schweizer Grenze, drehte um, traf auf der Landstraße Hamburger Zimmerleute, junge Handwerksburschen, andere wieder, die ihr Leben auf der Landstraße verbrachten und uns »Saisonwanderer« nur verachteten, durchgebrannte Muttersöhnchen und auch sonstige Wandervögel. Hier erfuhr ich zum ersten Mal, dass es so etwas gibt wie organisierte Homosexualität. Denn solche war auch auf der Landstraße und hatte immer Adressen von feinen Herrn in den verschiedenen Ortschaften. Ich schloss mich einer Gruppe von Handwerksburschen an, die nach Bayern ging, und kam nach München. Da waren plötzlich Plakate von der Ermordung des österreichischen Erzherzogs in Serbien. Österreich erklärte Krieg. Der alte Kaiser sagte: »Mir bleibt nichts erspart!« Die Stadt kochte vor Aufregung. Jede halbe Stunde gab es neue Extrablätter. Noten wurden veröffentlicht, die Kaiser und Könige Europas schickten sich Telegramme mit der flehentlichen Bitte, keinen Krieg zu erklären. Kein Mensch verstand etwas davon. Niemand wollte den Krieg und alle machten ihn. Ich ging in ein Theater, traf bekannte Schauspieler aus Berlin. Sie gaben mir eine Fahrkarte nach Hause. Berlin war besoffen vor Kriegsbegeisterung. Studenten und einziehende Soldaten, halb in Zivil, sangen Lieder. Der Kaiser am Schlossplatz rief: »Ich kenne keine Parteien mehr, nur Deutsche! Ich habe diesen Krieg nicht gewollt! Und jetzt wollen wir sie dreschen!« Ich verstand von dem allem nichts.

Ich kam ins Theater. Alles war durcheinander. Einige Schauspieler hatten schon ihre Uniformen an. Mein Freund Wangenheim hatte auch schon seine Uniform, und als ich ihn abends verlassen wollte, fragte er mich voller Misstrauen, ob ich denn eigentlich kein Spion sei. Plötzlich war ich ein Fremder. Mein bester Freund traute mir nicht mehr. Das Theater unterbrach die Proben – es sah aus, als ob der Strom des Lebens ins Stocken geriete, als ob das ganze Leben plötzlich aufhörte. Ich ging zum österreichischen Konsulat, wurde assentiert. Bekam eine Bestätigung, dass ich in die österreichische Armee einrücken musste, und einen freien Fahrschein in die Heimat.

Berlin wimmelte plötzlich von allerlei Nachrichten, Pantoffelpost, Gehörtem und Gesagtem, Spionagegerüchten. Zwei Nonnen wurden verhaftet – sie waren aber keine Nonnen, sondern verkleidete russische Offiziere, die den Kaiser umlegen wollten. Den Armen! Jeden Augenblick gibt es neue Extrablätter, neue Verordnungen. Da heißt es plötzlich, Belgien wolle Deutschland verraten. Aber die deutschen Armeen sind schon dort. Die Festung Lüttich wird vom General Emmich eigenhändig gestürmt. Die Zeitungen preisen Emmich in Gedichten:

»Da sprach der Emmich:
›Gottsakrament, das nemmich!‹«

Auch andere lustige Verse erschienen in den Zeitungen:

»Jeder Stoß ein Franzos,
jeder Schuss ein Russ,
Serbien muss sterbien.«

Ha, ha, ha, wie lustig. Ich war reisefertig und ging ins Theater, mich zu verabschieden. Mein Beschützer Gersdorff war schon bei Lüttich gefallen. Es erschütterte mich tief. Nun waren schon viele Schauspieler in Uniform. Reinhardt stand auf der Probe, ernst und besorgt. Da stürzte plötzlich der Komiker Viktor Arnold auf die Bühne, warf sich zu Reinhardts Füßen und weinte verzweifelt – der Komiker: »Herr Reinhardt, was jetzt, was nun? Die Welt wird zerstört, geht ja unter, diese schöne Welt, die Sintflut, Weltuntergang!« Der Komiker Arnold schluchzte und weinte, niemand konnte ihn beruhigen. Er wurde nach Hause gebracht. Als er allein war, zerschlug er eine Fensterscheibe und schnitt sich mit einem Glasscherben den Hals durch, verblutete und war tot.

Die Kaiser und Könige logen, als sie sagten, sie hätten den Krieg nicht gewollt! Sie haben ihn vorbereitet und gemacht und schickten ihre Völker, sich gegenseitig abzuschlachten. Hier war ein Komiker, ein Künstler, ein Mensch, der in seinem Innern das Grauen dieses Krieges ahnte. *Er* hat ihn *wirklich* nicht gewollt! Er konnte ihn wirklich nicht ertragen, diesen Krieg, und ist lieber gestorben, als in einer Welt zu leben, wo Menschen mit dem Glauben an Gott, mit den heiligen Büchern, mit großen Kulturschätzen keinen anderen Ausweg wissen, als sich gegenseitig Kugeln in die Hirne zu jagen und Bajonette in die Bäuche zu stoßen!

Der große Menschendarsteller, der lachende und andere lachen machende Komiker Viktor Arnold, verließ freiwillig solch eine Welt. Schade um den Künstler Viktor Arnold und schade um solch eine schöne Welt!

30
Beinahe ein Fremder in der eigenen Heimat

Mit Herzklopfen verließ ich jetzt Berlin gen Osten zu, von demselben Schlesischen Bahnhof, an dem ich vor Jahren angekommen war. Viel war geschehen in dieser Zeit, und schade, sehr schade, dass alles nun so unterbrochen wurde. Die Züge waren vollgepackt. Transporte kamen uns entgegen mit den berühmten Viehwagen, sechsundvierzig Mann oder acht Pferde, offene Loren mit Kanonen, mit Zeltbahnen bedeckt, mit lustigen Aufschriften und Karikaturen, über die niemand lachte. An Stationen wurden wir von solchen Transporten überholt, da wurden wir auch verpflegt. In jedem Städtchen, wo wir hielten, gab es solche Komitees; Damen servierten belegte Brote, Kuchen, Kaffee, Bier. Man rief sich optimistische Bemerkungen zu, jeder war ein Prophet, ein Alleswisser, ein Stratege. Jeder Zivilist wusste ganz genau über alle Einzelheiten Bescheid, wie und wo und wann wir siegen würden, die Feinde bekriegen, wie Deutschland im Handumdrehen die Russen, die Franzosen, die Engländer, die Gott strafe, in der Tasche haben und »über allen« sein werde.

Ich war ein Verbündeter, ein Österreicher. Man ließ mich gelten und nannte mich »Kamerad Schnürstiefel«, eine Anspielung auf die Salon-Eleganz der österreichischen Offiziere. Deutschland war kriegs- und siegestrunken. Die Zeitungen waren voll von Bildern, vom Kaiser und den Prinzen und Generälen. Alle waren überzeugt, dass dieser Feldzug ein Schnellzug, ein Spaziergang wird, der Feind in sechs Wochen vernichtet und zu Weihnachten jeder Deutsche seine fettgebratene

Gans im Topf haben wird und ein volles Bett Lorbeeren, um sich von diesem Krieg auszuruhen.

Als ich an die österreichische Grenze kam, war das Bild bereits verändert. Die feindlichen Armeen, genannt die »russische Dampfwalze«, waren schon im Osten eingebrochen. Wir fingen schon an – »aus strategischen Gründen« –, uns zurückzuziehen. Da waren schon Flüchtlinge von Haus und Heim vertrieben. Da gab es keine Kriegsbegeisterung. Soldaten und Zivilbevölkerung sprachen tschechisch, polnisch, ukrainisch, ungarisch, slowenisch, deutsch durcheinander – man verstand sich nicht so gut wie in Deutschland, war misstrauisch gegeneinander. Man erzählte sich, dass die tschechischen Frauen in Prag ihre Soldatenmänner aus den Zügen rissen, dass diese die Gewehre wegwarfen, erschossen wurden, ja, die Tschechen und Slowaken wollten plötzlich nicht für den netten alten Kaiser sterben, der doch selber gesagt hatte, ihm bleibe nichts erspart. Hier wären alle froh gewesen, wenn ihnen dieser Krieg erspart geblieben wäre. Da waren schon Verwundete von der russischen und serbischen Front. Die Letzteren erzählten, dass die Serben sie gar nicht freundlich aufgenommen hätten. Sogar von Frauen seien sie aus den Häusern mit kochendem Öl begossen und von Greisen und »tückischen Kindern« aus dem Hinterhalt überfallen worden. »Tückische Kinder«, ja, so etwas gab es auch. Die Soldaten gaben aber zu, dass die Serben ungeheuer tapfer waren.

Bei der Abfertigungsstelle ging es so vor sich: Man wurde gefragt, wer schon gedient hatte und wer nicht. Der »Gediente« bekam einen Fahrschein und musste in die Garnison seines Regiments einrücken. Der Nichtgediente kam gleich an Ort und Stelle in ein Sammellager, wo er abgerichtet wurde, und so begann für ihn sofort das »lustige« Soldatenleben. Ich merkte plötzlich, dass ich in der Klemme war. Soldat sein, an die Front gehen, eventuell fallen, darauf war ich ja gefasst – denn auch hier kitzelte mich meine Neugierde – schließlich waren es ja Millionen, die dasselbe Schicksal erwartete. Aber zuerst wollte ich doch die Heimat sehen – die kleine Mama, das Dorf, das

Städtchen, vierzehn Jahre war ich weg von zu Hause – ob wohl die zwei Ziegelsteine immer noch an der Kuppel der kleinen Kirche fehlten? Und ich hatte nicht »gedient«, ich Armer! Wie wäre es mit einer kleinen Lüge, he? Sie haben ja diesen Krieg nicht gewollt; ich habe ihn auch nicht gewollt. Auf eine kleine Lüge mehr oder weniger kommt es also nicht an. Das alles ging mir durch den Kopf, als ich in der Schlange stand vor der Abfertigungsstelle. Plötzlich fragte mich ein wohlgenährter Feldwebel: »Habens gedient?« – »Jawohl, Herr Feldwebel«, war die Antwort. »Wo?« – »Infanterie-Regiment 24, Kolomea.« Und schon hatte ich einen Fahrschein Richtung Kolomea und konnte abtreten. Ich ging zum Bahnhof und nahm die Route über Prag. Ich wollte sehen, was die Tschechen tun. Aber niemand rebellierte da. Sie riefen »*Nazdar*« und gaben uns zu essen. Ich wurde an den Stationen frei verpflegt, war ein freier Mann mit freier Fahrt, der, bevor er für seinen alten Kaiser fallen ging, noch einmal seine Heimat sehen wollte. Ich war sehr aufgeregt. Je östlicher ich fuhr, um so trauriger wurde alles. Ich kam nach Lemberg. Drei meiner Brüder waren schon Soldaten. Zwei schon an der Front und einer, der Schabse, mit dem ich zusammen in die Schule gegangen war, war eben eingerückt. Ich besuchte ihn in der Kaserne. Er schlief gerade; als ich kam, sprang er auf, guckte mich halb schläfrig und vorwurfsvoll an, wie er es immer getan hatte, als wir noch in die Schule gingen, wenn ich etwas angestellt hatte. »Da bist du ja. Wo warst du denn die ganze Zeit?« Dann weinte er plötzlich und sagte: »Ach, ich habe zwei so süße kleine Mädchen, die sind mit der Frau in Kolomea. Ich weiß gar nicht, was die ohne mich machen werden. Nur um sie tut es mir Leid.«

Wir gingen dann mit der anderen Schwägerin und dem älteren Bruder und ihren erwachsenen Kindern zum Friedhof, den Vater besuchen, der an einer Operation in meiner Abwesenheit gestorben war. Da sah ich das Stück Erde, wo mein Vater lag, und konnte es nicht begreifen und hätte so gern in seine gütigen, treuen Augen geschaut und ihm alles erzählt. Das war mir versagt. Der, den ich am meisten liebte, war nicht mehr da. Ich fuhr dann weiter nach Kolomea, wo mein Regiment lag. Aber ich stieg nicht aus. Ich fuhr bis Horodenka. Mein Städtchen. Heimat.

Die Deutschen in Berlin hatte ich sehr hässlich über Galizien sprechen hören. Rumänien, Bulgarien, Ungarn, Serbien, Montenegro – kein Mensch nahm Anstoß, wenn man diese Balkanländer nannte. Aber wenn das Wort »Galizien« fiel, rümpften nur alle die Nasen. Ich betrachtete jetzt aus der langsam sich bewegenden Lokalbahn diese fette, schläfrige Erde. Ich verschlang die Pracht dieser satt-grünen Hügel, dieser kleinen, geschlängelten Flüsse, dieser Seen und verträumten Wälder. Alles war jetzt viel schöner noch als damals, und diese Menschen im Zug! Sie hatten eine breite Ruhe und Neugierde beim Anblick eines Fremden. Wie wohltuend klangen mir jetzt das heimische Ukrainisch der Dörfler und das Jiddisch der Städter! Ich hatte Herzklopfen bei dieser Begegnung. Sie fragten und ich erzählte von Berlin. Sie wollten alles wissen, wie so eine weite Welt aussieht, wovon die Menschen da leben, wie dort die Erde beschaffen ist und die Preise, und ob so ein Kaiser sich wohl nie mit seiner Frau zankt, und was solche Kaiserkinder wohl am Sonntag zu essen bekommen. Breithüftige, vollbusige Mädchen mit verschämt glühenden Augen und einer Gesichtsfarbe wie aus heimischem Kornteig – sie waren sicher noch Kinder, als ich wegfuhr – lächelten mich fragend an. Das ist ja Ogno, die letzte Station vor Horodenka. Bald sieht man schon die ersten Bauernhäuschen, dann von weitem das Gut Komaschkan – jetzt, da! Horodenka-Mjesto: Stadt Horodenka! Heimat!

Die kleine Bahnstation sieht noch kleiner aus. Der Fuhrmann Kopalle Zankie steht da mit seinem Einspänner, mit dem er die Leute für fünf Kreuzer in die Stadt hineinfährt. Wie damals vor vielen Jahren, als ich zum ersten Mal das Städtchen verließ. In seinem braun-rötlichen Bart sind graue Haarsträhnen hinzugekommen. Die Fuhre ist schon voll, und er ist der Erste, der mich erkennt. Plötzlich umringen mich alle, reichen mir die Hand. Von meinen Verwandten ist niemand da. Ich habe mich nicht angekündigt. Kopalle umarmt mich wie einen

Bruder und ruft zu seinen Passagieren auf dem Wagen: »Kinder, ihr müsst alle runter. Ich muss ihn allein in die Stadt hineinfahren. Allein, oben auf dem Sitz.« Und wir fuhren los, und Kopalle setzt fort: »Sollen sie sehen von den Obergassen, soll der Bankier Jungermann sehen, dass man auch von den Untergassen groß werden kann.« Ich will bei ihm sitzen und den braunen Kastanier treiben. »Oh nein«, spricht er weiter, »du sitzt wie ein großer Herr, oben, ganz allein, und gezahlt wird auch nicht. Ich will dich zu deiner Mama bringen – auf dieses gute Werk habe ich schon lange gewartet. Ja, ja, wir haben gehört, bist ein berühmter Mann in der weiten Welt. Oh jawohl, ein angesehener Gast«, und er knallte laut mit der Peitsche, dass die Leute sich umguckten, und er winkte und rief: »Wisst ihr, wer das ist? Das ist Jessaja Aarons, der Granach aus Deutschland – die ganze Welt hat er bereist.« Ich zitterte, musste an mich halten vor Aufregung. »Hast du ihnen wenigstens mal erzählt von uns, dass wir auch Menschen sind, wir hier in Horodenka?« Horodenka! Da ist schon die dichte Kastanienallee, der Marktplatz, und mein erster Blick späht zum Zwiebeldach der kleinen schmucken Kirche – und da! Wirklich! Gott sei Dank – die zwei Ziegelsteine fehlen ja immer noch! Ach Gott, wie haben mich diese Ziegelsteine da oben, wo die Eulen nisten, die ganze Zeit in der Fremde begleitet! Heimat! Heimat, mit den zwei fehlenden Ziegelsteinen.

Kopalle bringt mich zu meinem Onkel. Mutter war wieder verheiratet, und er wollte nicht, dass ich gleich den Mann sehen sollte, der nun an meines Vaters Stelle war. Ich dankte ihm dafür. Ich wollte ihn auch nicht sehen. Das Haus beim Onkel war bald vollgepackt. Wodka wurde gereicht, Hering, schwarzes Brot, es wurde heiter, man überschüttete mich mit Fragen. Ich, nicht faul, redete durcheinander über alles, was ich wusste, und über alles, was ich nicht wusste. Da kommt sie ja gelaufen, die kleine Mama, trocknet sich noch die Hände mit der Schürze, wie sie es immer getan hat, guckt mich gar nicht an, packt mich in die Arme, küsst mich und hält mich lange, und jetzt, wie ein kleines Mädchen, das mit seinem großen Bruder stolziert, guckt sie sich um, nimmt Gratulationen und Neckereien entgegen. »Riffke, der ist ja größer als du.« – »Ach«, lacht sie, »meine sind alle größer als ich.« – »Den wievielten Sohn gibst du jetzt dem Kaiser, Riffke?«, fragt einer wieder. »Bist auch Soldat«, sagt sie, »so, dann den vierten, Gott sei Dank.« Und trinkt einen Schnaps und plaudert und lacht, und alle reden durcheinander und stellen immer neue Fragen, und es vergeht vielleicht eine halbe Stunde, und die Kleine hält mich noch immer in den Armen, und jetzt schaut sie mir in die Augen und wird ganz ruhig und ganz traurig, und zwei Tränen rollen ihr übers Gesicht, und sie fängt leise zu schluchzen an, dann lauter und lauter, bis sie einen ganz verzweifelten Ausbruch bekommt. Ich kann sie kaum beruhigen. »Mama, Mama, du warst doch erst so lustig, was fällt dir denn ein!« – »Kind, meines, Söhnchen«, schluchzt sie, »ich erkenne dich nicht. Ich erkenne dich schon wieder nicht!« Und weint leise. Was heißt: schon wieder nicht?

Nachts schlief ich in der Küche bei einer Tante, deren Tochter Channa ich schon immer mochte. Als ihre Mutter eingeschlafen war, kam sie zu mir und sagte plötzlich ganz vertraut: »Du, du weißt, ich habe dich immer gemocht. Mir kannst du es ja erzählen. Es wird wie vergraben sein, ich spreche mit keinem Menschen darüber! Auf Ehrenwort! Es bleibt zwischen uns. Sage mir die Wahrheit: Warst du es, oder warst du es nicht?« Darauf erfuhr ich folgende Geschichte:

Vor drei Jahren kam ein Zirkus ins Städtchen und dabei war ein junger Komödiant meines Aussehens. Meine kleine Schwester Matele stand da herum die ganzen Tage und guckte ihn immer an, er wohl sie auch, denn sie war sehr hübsch, vierzehn Jahre alt, und er siebzehn. Sie guckten sich so tagelang in die Augen und lächelten und guckten, bis meine kleine Matele ihn fragte: »Sag mir doch bitte, seid Ihr nicht vielleicht mein Bruder Jessaja?« – »Aber ja, natürlich bin ich Euer Bruder Jessaja«, antwortete der Komödiant.

Die Kleine lief jetzt nach Hause zur Mama und erzählte ihr, ich wäre im Zirkus, wollte mich ihr aber nicht zu erkennen geben; endlich hätte ich's ihr aber gestanden, dass ich doch ihr Bruder wäre. »Nicht zu erkennen geben?«, rief die kleine tapfere Mama voll Erregung und lief zu diesem treulosen Sohn. Ein Tumult entstand, Nachbarn, Verwandte, junge Burschen, die mit mir zusammen in die Schule gegangen waren, liefen hinter ihr her. Ein Riesenhaufen umlagerte den Zirkus. Die kleine Mama schrie und weinte, die Leute unterstützten sie und schimpften: »So eine Gemeinheit, so eine Treulosigkeit, so eine Hartherzigkeit! Ein Sohn will sich seiner eigenen Mutter nicht zu erkennen geben!« Die Burschen wollten mir mit einer Tracht Prügel das Gedächtnis auffrischen. Der junge Komödiant war kreidebleich. Nein, er sei es nicht, er habe nur gescherzt, er sei es ganz und gar nicht, rief er. »Hier, hier, diese Brüste haben dich gesäugt«, schrie verzweifelt die kleine Mama. Gendarmen kamen, verhafteten den falschen Sohn mit dem Direktor, der dem Bürgermeister persönlich Papiere zeigte, dass er diesen Jungen vor zehn Jahren in einem Findelhaus erstanden habe, aus einer Gegend des weiten Ungarnlandes. So endete die Geschichte.

Als der Zirkus aber Horodenka verließ, war die ganze Stadt recht überzeugt, ich wäre es doch gewesen, und so blieb es. Als ich jetzt meiner Kusine auf Ehrenwort versicherte, dass ich es nicht war, sagte sie: »Gut, ich will dich nicht mehr fragen. Ich hätte von dir die Wahrheit erwartet. Ich weiß, du warst es. Sonst würdest du jetzt nicht so beharrlich leugnen.« Auch die Mama glaubte, dass ich es doch war. Denn als ich dann ins Dorf zu meinem ältesten Bruder ging, begleitete sie mich und hatte mit mir ein ernstes, mütterliches Gespräch: »Siehst du, mein Kind, ich will nicht weiter in dich dringen. Du bist ja schon erwachsen, und du musst am besten wissen, was du tust. Aber auch die anderen Jungens, die Horodenka verlassen haben, kommen einer nach dem anderen zurück, heiraten und werden ernst. Sogar Edziu Grünberg, der Sohn vom Schmied, der Wildeste von allen, der die ganze Welt bereist hat – er war sogar in Czernowitz – ist nach Hause gekommen, hat geheiratet und hat sogar schon zwei liebe Kinder. Und du? Du wirst mal, Gott behüte, von so einem Pferd herunterfallen, dich beschädigen, und was hast du dann davon? Versprich mir doch wenigstens, nach dem Krieg diese Zirkus-Geschichte aufzugeben und ein ernster Mensch zu werden, zu heiraten, Kinder zu kriegen. Ich möchte so gern auch bei dir kleine Enkelchen sehen.« Ich habe ihr alles versprochen.

Jetzt besuchte ich mein Heimatdorf Werbiwizi, wo mein ältester Bruder genauso lebte, wie mein Vater gelebt hatte. Seine Frau hatte ihm auch in der Zwischenzeit ein Haus voll Kinder geboren, und er selbst sah jetzt genauso aus wie mein Vater und hatte einen ältesten Sohn, der genauso aussah wie er selbst damals. Und der Sohn führte das Haus bei ihm als Vater-Stellvertreter, wie er es einst bei uns getan hatte. Am ersten Abend war die Stube voll mit Bauern. Ich wurde mit Fragen überschüttet und erzählte wieder ganz lange Geschichten. Am nächsten Tag war ich schon kein Gast mehr und arbeitete einfach mit, als ob ich jahrelang zum Haus gehört hätte. Ich knetete mit den Füßen schwarze Erde mit Wasser und Stroh und half den Stall reparieren. Die Kinder waren um mich den ganzen Tag und bestürmten mich mit Fragen über meinen neuen, sagenhaften Beruf, und ich erklärte ihnen ausführlich, was Theater wäre, mit Beispielen und Inhaltsangaben von verschiedenen Stücken, und sie begriffen alles und waren sehr begeistert. Am besten gefallen hat ihnen die Geschichte vom Mohren von Venedig, wo sie schwankten mit ihrem Mitgefühl, bald für Othello, bald für Desdemona.

Abends saßen wir alle in der Stube und die Schwägerin meinte: »Du erzählst den Kindern den ganzen Tag von diesem Theater. Ich bin auch nicht die Blödeste auf der Welt, kannst mir auch mal so eine Geschichte erzählen, oder lieber so ein Kunststück zeigen, erzählen kann ja jeder, zeigen, lass sehen, was ist es!«

Ich nahm ein spitzes Messer in meine rechte Hand, schloss die Augen, murmelte etwas für mich, hielt meine Linke in der Luft und fing an zu erklären: »Siehst du, Schwägerin, meine linke Handfläche? Siehst du da ein Loch?« – »Nein, kein

Loch«, sagte sie, halb amüsiert und doch gespannt. »Also«, setzte ich fort, »ich werde jetzt bis drei zählen, dann steche ich das Messer durch diese Hand durch, dann fliegt das Messer durch das linke Auge, dann durch das Fenster, dann kommt es ruhig durch die Tür herein und legt sich selber auf den Tisch. Hokus, Pokus, Komgalamora, Kontrawango, Tschinda, Dagora, eins, zwei, drei ...« – »Halt, nein, nein, nein«, schrie meine Schwägerin furchtbar erregt. »Ich will es nicht sehen und ich will es nicht wissen, und schon gar nicht in meinem Haus.«

Die anderen lachten erst, aber sie verbat sich das und schaute mich dabei voll Misstrauen an, wie einen fremden Hexenmeister und Zauberer. Mir gefiel es, in ihren Augen als solcher zu gelten, und zweideutig sagte ich: »Ach, ich bin etwas müde heute und werde diese Nacht lieber im Heuhaufen in der Scheune schlafen.« Ich habe an ihrem Blick gesehen, dass sie sowieso mit mir nicht unter einem Dach geschlafen hätte.

So gegen drei Uhr nachts, als ich im tiefsten Schlaf lag, weckte mich jemand sehr vorsichtig. Es war die kleine Donia, zwölfjährig, vor Gesundheit strotzend. Sie ritt besser einen Gaul als ihre älteren Brüder. »Was ist, mein Kind?« – »Ach, Onkel, ich konnte nicht schlafen, und da du morgen schon abfährst, möchte ich dich noch was fragen.« Meine Augen gewöhnten sich an das Halbdunkel und Donia meinte: »Bitte, Onkel, sag mir doch die Wahrheit: Wenn Mama dich nicht unterbrochen hätte, wäre das Messer wirklich durch deine Handfläche geflogen, dann durch das linke Auge, dann durchs Fenster und wäre dann wie ein Mensch langsam durch die Tür hereingekommen und hätte sich selber auf den Tisch hingelegt?« – »Was glaubst du, Donia? Wäre das geschehen?« – »Das ist's ja, warum ich nicht schlafen kann. Ich kann's mir einfach nicht vorstellen.« – »Da hast du aber Recht, mein Kind. Unter uns gesagt, ich kann's mir auch nicht vorstellen.« »Hast einfach aus Spaß die Mama zum Besten gehalten, weil sie dich nicht mag?« – »Ja, wegen heute Mittag, als sie deinem großen Bruder ein halbes Glas Wodka versteckt gegeben und mir nicht.« – »Soll ich dir jetzt eins bringen, mit einem Stück

Honigkuchen?« – »Du willst wohl meine Freundschaft erkaufen, mich bestechen, dass ich dir nie solche Geschichten erzähle?« – »Ja, und weil ich dich mag, dich wirklich gern habe, Onkel.« Und verschwand.

Ich bin sicher, wenn es nicht dunkel gewesen wäre, hätte ich sie erröten sehen, denn ihre Stimme klang wie ein Erröten. Sie brachte gleich ein Wasserglas Wodka und Honigkuchen, und wir saßen da, lustig plaudernd, und es fing an zu tagen. Der Bruder stand jetzt auf, die Kuh zu melken, und Donia erzählte ihm die ganze Geschichte mit dem Zauber, und er molk die Kuh und lachte laut, dass die Kuh ihren Kopf nach ihm drehte und sich wunderte mit ihren großen Augen über ihren lachenden Melker. Aber wir konnten ihr das alles nicht erklären, denn sie hätte genauso wenig von all dem verstanden wie ihre Schwester, meine Schwägerin. So fuhr ich am nächsten Tag ab und ließ zurück eine gute, wissende Nichte und eine böse, unwissende Schwägerin, die bis heute sicher noch nicht erfahren hat, was Theater ist, die Arme.

Ich kam jetzt nach Kolomea, um mich bei meinem 24. Regiment zu stellen. Aber es war gerade abgezogen. In den Dörfern der Umgebung hatte man schon russische Patrouillen gesehen. Die österreichische Armee zog sich zurück. Pantoffelpost brachte stündlich neue Aufregungen. Der wohlhabende Teil der Bevölkerung war schon längst ins Innere Österreichs geflohen. Am nächsten Tag hieß es: Der Feind kommt. Aber kein Mensch kam.

Den folgenden Tag hörte man Artillerie und Gewehrknattern, aber von weitem. Bald sah man Rauch aus den nahen Dörfern aufsteigen. Es brannte schon irgendwo in der Vorstadt und am Bahnhof. Ich ging auf dem Markt neben dem Rathaus langsam an den Häusern entlang – alte Neugierde. Weit und breit kein Mensch zu sehen. Plötzlich, auf dem Trottoir wie aus der Erde geschossen, ein schwitzender Kosak auf einem Pferd, und hält schon den Stutzen auf mich gerichtet, und hat selber eine ängstliche Stimme und fragt: *»Soldate jestj«* – »Soldaten sind da?« – »Nein«, sage ich sehr zuvorkommend und freundlich. Er sieht ja aus wie der Schauspieler Paul Wegener als Holofernes. Er galoppiert davon, und ich rannte in das nächste Haus, guckte durch das Fenster auf den Marktplatz. Derselbe Kosak kommt mit vier anderen zurück, langsam spähend auf dem Trottoir, an den Mauern der Häuser. Jetzt kommt aus einer anderen Richtung wieder so eine Gruppe. Und von links eine und von rechts eine – und bald galoppiert eine größere Abteilung in die Stadt auf den Marktplatz! Im Rathaus wird plötzlich eine weiße Fahne sichtbar. Einige Kosaken springen von den Pferden, gehen ins Rathaus hinein, und die russische Fahne wird aufgezogen. Dann kommen langsam andere Truppenteile. Wir waren besetzt. Ich war in Feindesland.

Es war September 1914. Ich wohnte bei meiner Schwägerin, der Frau des Bruders, den ich in Lemberg in der Kaserne getroffen hatte. Wir gewöhnten uns bald an die Russen, nur nicht an den Hunger. Da ging ich wie aus Spaß zu dem benachbarten Bäcker und sah, dass ich noch sehr gut mein altes Fach konnte. Ich ging arbeiten und ernährte so meines Bruders Frau mit ihren zwei Kindern und mich. Jetzt wusste ich, dass der Krieg nicht nur Reinhardts Theater-Ernte zerstört, sondern auch meine Entwicklung unterbrochen hatte. Dazu hätte ich mir wirklich nicht die Beine brechen lassen müssen! Aber, dachte ich, es fallen ja schon jeden Tag tausend Soldaten, und mehr noch werden zu Krüppeln geschossen – es ist doch gut, dass ich noch nicht unter ihnen bin. Derweilen lebe ich, und wenn eines Tages alles vorbei ist, gehe ich wieder meinen Weg. Ja, Hauptsache man lebt. Dann hat man auch Hoffnungen und Aussichten. So ein toter Soldat hat weder das eine noch das andere. So beschloss ich, zu leben und die Entwicklung abzuwarten. Wie gut, dass ich meinen alten Beruf hatte. Das war ja wie ein Kapital. Schließlich war meine Ausfahrt ins Theater ein Abenteuer. Wenn aber das nackte Leben dir die Kehle zuschnürt, ist es gut, Widerstand zu leisten, eine Reserve zu haben. Mein Bäckerhandwerk war meine Reserve, mein Kapital. Weltkrieg: Armeen ziehen ab, andere ziehen ein, Generäle machen Pläne, Städte wechseln ihre

Besitzer, aber Brot brauchen alle. Ich backe Brot, ernähre fremde Menschen und mich und warte ab – beinahe schon ein Fremder in der eigenen Heimat.

31
Schöne Aussichten für den armen Mann

Die Kriegsfront verschob sich immer mehr nach dem Westen. Die Russen waren schon in Lemberg, Przemysl war belagert. Wir waren russisches Hinterland. Dieselben Mädchen, die früher den österreichischen Offizieren auf den Trottoiren zugelächelt hatten, lächelten jetzt den russischen zu. Das Leben florierte weiter.

Einige Unternehmungen bekamen sogar einen Aufschwung: Restaurants, Kaffeehäuser, besonders Bordelle waren vollgepackt. Auch die Bäckereien arbeiteten mit Volldampf. Sie lieferten Brote an die russische Armee und machten gute Geschäfte. Das Leben war zwar beschränkt, es gab strenge Verordnungen, schwere Kontributionen, hier und da wurde ein Jude durchgepeitscht oder aufgehängt wegen angeblicher Spionage – aber alles ging weiter.

Der Winter kam. Der galizische Winter, da die Erde sich einen dicken weißen Mantel anzieht, um die Bäume und Saaten gegen die bitteren Ostwinde zu schützen. Die Jugend rodelte und schlitterte wie jedes Jahr. Die Luft war schneidend kalt, der Schnee knarrte unter den Füßen – in solcher Zeit ist es beinahe ein Genuss, in einer warmen Bäckerei zu arbeiten.

Eines Tages weckte mich der Bäcker, ich möchte doch mit ihm zu einem Kosaken-Regiment eine Summe von mehreren hundert Rubeln kassieren gehen. Der zahlende Feldwebel sei besoffen und habe ihn hinausgejagt, und an einen Offizier wollte er sich nicht wenden, da er sich mit ihnen weder russisch noch deutsch verständigen könne. Er versprach mir einen Teil der Summe, falls es mir gelingen sollte, das Geld für das gelieferte Brot zu bekommen.

Wir kommen ins Büro zum Feldwebel – da ist ein Gelage und Gejohle. Wir werden mit besoffenen Witzen empfangen und hinausgeschmissen. Auf dem Heimweg sagt der Bäcker: »Na ja, das muss man als Geschäftsunkosten verrechnen. Wir haben ja sonst ganz schön an ihnen verdient. Es ist nicht so schlimm.« In mir erwachte plötzlich ein sportlicher Eifer, diesen Kampf um die Bezahlung des Brotes auf eigene Faust aufzunehmen. Ich ging nochmals in die Kaserne zurück – allein, ohne jemandem etwas davon zu sagen. Die besoffenen Soldaten begossen mich mit Wodka und jagten mich mit ihren *Nagaikas* hinaus, ich bekam auch einige Striemen über Schädel und Rücken, lief über den Kasernenhof und einem alten Offizier in die Arme, dem ein anderer Offizier gerade die abmarschbereite Truppe meldete. Ich hatte eine kurze Lederjacke an und Wickelgamaschen, sah also halb militärisch aus. Ich stellte mich stramm vor den alten Offizier und meldete ihm kurz und in deutscher Sprache den Vorfall. Dem alten Soldaten gefiel die Geschichte. Es schien ihm auch zu imponieren, dass ich deutsch zu ihm sprach, denn er antwortete in fließendem Deutsch: »Gut, mein Sohn, du wirst gleich für dein Brot bezahlt bekommen.« Im Nu war der verdutzte Feldwebel da. Der Oberst schimpfte ihn zusammen, auch wegen seines besoffenen Zustandes, und an Ort und Stelle bekam ich fünfhundertvierzig Rubel ausbezahlt. Ich bedankte mich strahlend beim Oberst und verschwand.

Ich ging heim mit einer Tasche voll Geld und zwiespältigen Gedanken. Auf dem Marktplatz traf ich den Bäcker, und wir gingen einen Schnaps trinken, um – wie er meinte – unsere Niederlage zu feiern. »Sie scheinen abzuziehen«, sagte er, »bald kommen die Unsrigen, dann sind wir Soldaten.« – »Und dann werden *wir* irgendeinem Bäcker irgendwo das gelieferte Brot nicht bezahlen wollen«, philosophierte ich und bestellte noch einen Schnaps, und wir lachten beide nachdenklich. »Wieviel hättest du mir denn gegeben, wenn ich dir das Geld einkassiert hätte?«, fragte ich meinen Trink-Kumpan und Arbeitgeber. »Die Hälfte«, sagte er und leerte das Glas. Ich bestellte den dritten Schnaps und sagte: »Prost! Nicht mehr, he? Wo ich für dein Scheißgeld mein kostbares Schauspieler-Leben aufs Spiel gesetzt habe!« Wir waren plötzlich beide in guter Laune. Er dachte wohl an die vielen Tausend, die er verdient hatte, und ich an die Summe in meiner Tasche. »Weißt du«, sagte er, das Glas zwischen den Fingern streichelnd, »nur weil du ein Künstler bist und weil das Geld sowieso schon verloren ...«, denn jetzt sahen wir durchs Fenster die abmarschierende Truppe, »... nur deshalb hätte ich dir von der Summe vierhundert, ja sogar fünfhundert gegeben.« Und wir nippten an unserem vierten Glas Wodka. »Hand darauf«, sagte ich, »oder ist es nur leeres Gerede?« – »Hier meine Hand«, antwortete er. Und der Wodka lachte schon aus uns beiden, und ich nahm vierzig Rubel aus der Tasche, legte sie vor ihm auf den Tisch und war ein ehrlicher Mann. Er war verdutzt, guckte mich überrascht an – aber das Versprechen und die gegebene Hand – es war ja eine klare Abmachung, und ein Geschäft ist ein Geschäft.

Plötzlich hatte ich Geld, mietete mir eine leere Bäckerei, kaufte Mehl und eröffnete mit meiner Schwägerin ein eigenes Geschäft.

Eines Tages hieß es, die Unsrigen kommen, und es spielte sich dasselbe Schauspiel ab: Die Vororte fingen zu rauchen an, man hörte Kanonendonner immer näher kommen, dann Gewehrknattern – eines Morgens waren die Russen weg. Die österreichische Vorhut war plötzlich da und gleich darauf die Armee. Die Russen-Fahne am Balkon des Rathauses wurde verbrannt, man küsste sich mit den Soldaten und tanzte auf den Straßen. In den nächsten Tagen war nur ein sichtbarer Unterschied: Die Russen hatten Juden aufgehängt als österreichische Spione, und die Österreicher fingen an, Ruthenen, die sie Moskophile nannten, als russische Spione aufzuhängen. Welche Armee auch kam, Menschen wurden gehängt. Bald waren Plakate angeschlagen und forderten Militärpflichtige auf, sich zu melden. Ich ging hin und war plötzlich Soldat. Kein Mensch fragte oder interessierte sich, woher man kam, wo man die ganze Zeit gewesen war. Sie waren einfach froh, neues Kanonenfutter zu kriegen. Wir kamen in ein Sammellager. Dann wurden wir in die Waggons mit den berühmten sechsundvierzig Mann oder acht Pferden verladen und ins Innere Österreichs verschoben. Erst kamen wir ins Salzkammergut, dann in die Steiermark, nach Mitterndorf. An einem regnerischen Märztag 1915 marschierten wir ins Städtchen ein. Ein unliebenswürdiges Wetter und eine unfreundliche Bevölkerung empfing uns. Wir waren das 24. Infanterie-Regiment aus Kolomea. Es bestand aus Juden und Ukrainern, Ruthenen genannt. Da war kein Dorf in Ostgalizien, wo die österreichische Armee nicht einige Bauern aufgehängt hätte. Die Stimmung unter den Leuten, besonders der Intelligenz, war schlecht. Ich freundete mich mit dem Einjährigen Babiuk an, dem Sohn armer Bauern aus einem Dorf bei Kolomea. Die steiermärkische Bevölkerung war mehr als unliebenswürdig zu uns. Als wir über den kleinen Marktplatz kamen, stand eine Gruppe von wohlgenährten Bürgern dort, und einer sagte: »Schaut euch doch diese verlumpte Bande an, die sind schon so lange bei uns und immer noch nicht die Läuse losgeworden. Die brauchen wir wirklich nicht!« Babiuk sagte zu mir: »Hörst du, wie die über uns sprechen? Aber zum Krepieren für sie sind wir gut genug.« Das war die Stimmung in der österreichischen Armee: Die Tschechen hassten die Österreicher, die Österreicher hassten die Tschechen, die Ukrainer, die Kroaten, die Slowaken, die Polen, die Juden! Die Ungarn wieder hassten alle zusammen. Es gab keine Freundschaft unter diesen Völkern. Ein Gemisch, ein Durcheinander, sogar unter den Offizieren. Keine gemeinsame Sache, kein gemeinsames Ideal. Dieser Krieg hätte dem alten Kaiser wirklich erspart bleiben sollen.

Wir wurden eingekleidet und die Abrichtung begann. Unser Kommandant war ein aktiver Offizier, Oberleutnant Steinitz. Als er hörte, dass ich Schauspieler sei, ließ er mich kommen, unterhielt sich mit mir über Theater, Schauspieler, Literatur. Er war ein interessanter, gebildeter Mann, in die Reserve versetzt, und machte sich auch nicht viel aus dem Krieg. Er ließ mir gleich eine neue Uniform geben und lud mich am Abend in die Offiziersmesse ein. Nach dem guten Essen habe ich vorgetragen, die Leute unterhalten. Manche Herren hatten ihre Frauen mit. Es war da sehr gemütlich. Sie waren alle nett zu mir und Steinitz hatte einen richtigen Narren an mir gefressen. Am nächsten Tag bestellte er mich zum Rapport, ließ mich für das künstlerische Einjährig-Freiwilligen-Recht einreichen. Ich sollte in Wien eine Prüfung an der Akademie für Musik und darstellende Kunst ablegen. Es dauerte lange, bis die Antwort kam. In der Zwischenzeit machte er mich zum Instruktor; ich wurde Gefreiter, dann Korporal. Ging dann nach Wien, machte die Prüfung, wurde Einjährig-Freiwilliger. Warum Freiwilliger? Jedenfalls hatte ich ein großartiges Leben! Unser Kader kam dann nach Ungarn, nach Devavanja und Szolnok Megye. Vom Bataillons-Kommando wurde eine selbstständige Abteilung von Einjährigen, die zu Offizieren ausgebildet werden sollten, aufgestellt, Steinitz wurde ihr Kommandant. Da genoss ich schon die Privilegien der höheren Klasse: besseres Wohnen, besseres Essen, bessere Behandlung – anders als die einfachen Armee-Soldaten, die gleich nach sechswöchiger Schindung, Abrichtung genannt, ins Feld mussten. Einige wehrten sich auch, gebrauchten verschiedene Tricks, um nicht so schnell an die Front zu kommen. Besonders beliebt war der mit den Zigeunerinnen, die außerhalb des Ortes hausten. Da konnte man schon für eine Krone sich einen großartigen Tripper holen und ging für vier Wochen ins Spital nach Nagy-Varad. Für zwei Kronen gab es einen Weichen Schanker, mit dem man mindestens sechs Wochen im Spital blieb. Wenn man aber mehr spendierte, konnte man sich eine echte Syphilis einhandeln, und der »Heldentod« wurde auf unabsehbare Zeit hinausgeschoben.

Eines Tages wechselte das Kommando, die Einjährigen-Abteilung wurde aufgelöst und wir kamen alle nach Österreich-Schlesien, nach Freudenthal. Da wurde ich in eine Marschkompanie eingeteilt, feldmäßig ausgerüstet, und Anfang 1916 ging ich an die italienische Front. Beinahe ein Jahr hatte Steinitz mich bewahrt, mir den Heldentod nicht gegönnt. Mit mir ging Jurko Slezak, ein junger *Huzul,* ein Ukrainer aus den Karpaten. Er meinte, in vier Wochen würde er sowieso ins Feld kommen, er ginge etwas früher, um mit mir zusammen zu sein, denn wir mochten uns beide sehr. Slezak war schon dreimal verwundet, hatte sogar einen Daumen verloren, aber er war unverwüstlich. Er war groß und stark. Wie ein Riese überragte er unseren Zug. Ein Karpatenbauer, ein *Huzul,* wie man sie dort nennt. Stämmig und fest wie ihre alten Buchen. Dabei hatte dieser Slezak ein scheues Lächeln wie ein kleiner Junge. Er hasste, wie jeder gute Soldat, das mechanische Exerzieren, und ich gab ihm immer »Kasernendienst«, sodass er zu Hause bleiben konnte. Die Abteilung begriff das auch, denn er war der einzige von uns, der schon »draußen« gewesen war. Er war so gerührt von meinem Gerechtigkeitssinn, dass er freiwillig mit mir an die Front ging, und ich wieder war so gerührt über seinen Entschluss, dass ich mich in seiner Nähe zu Hause fühlte wie bei einem großen Bruder.

Wir kamen nach Tirol, hinter Innsbruck, in Reserve. Die mechanischen Kriegsübungen wurden immer schwerer und die Verpflegung immer schlechter. Besonders ungenießbar war das Brot. Das bestand aus einer undefinierbaren Mischung. Es fiel immer auseinander – wir mussten es gleich in unsere Mütze nehmen – und war klebrig und schmeckte wie Sägespäne. Wir konnten jeden Tag in den Schützengraben kommen, hatten die schweren Übungen, und die Leute hungerten. Ein galizischer Mensch mit Sägespänebrot ist ein verzweifelter Mensch. Jeder Soldat hatte in seinem Rucksack die eiserne Ration. Das war so getrockneter Zwieback und einige Fleischkonserven, die alle paar Tage kontrolliert wurden.

Eines Tages waren die eisernen Rationen weg. In ihrer Verzweiflung hatten die Burschen sie einfach verschlungen. Das geschah an einem Sonnabend. Für Sonntag kam der Befehl, statt in die Kirche zu gehen, den ganzen Zug »anbinden«. Das »Anbinden« war eine berühmte Strafe in der österreichischen

Armee und sah so aus: Der Mann wird an einem Pfahl oder Baum auf einen Block oder Schemel gestellt, seine Arme werden ihm nach rückwärts verschlungen, mit einem Strick an dem Baum oder Pfahl hoch angebunden. Der Block oder Schemel wird nun unter seinen Füßen weggestoßen, die Fußspitzen berühren kaum die Erde, da hängt er, Symbol menschlichen Leidens. Das Anbinden wird nach Stunden berechnet. Aber dem stärksten Kerl kommt schon nach einer halben oder ganzen Stunde das Blut aus Nase und Mund – er wird ohnmächtig. Sanitäter stehen da, nehmen den Blutig-Ohnmächtigen ab, gießen ihm Wasser ins Gesicht, und sobald er wieder bei sich ist, setzt der Feldwebel, Symbol des Schinders, die Prozedur fort. Damit wollten sie den Krieg gewinnen! Jeder Soldat hoffte, so bald wie möglich an die Front zu kommen und endlich mit einem weißen Taschentuch sich zum Feind hinüberzustehlen, um diesen Schikanen zu entgehen. Das war schon 1916 die Stimmung in meinem Regiment. Nicht einmal ein Hund ist einem Herrn treu, der ihm nichts zu fressen gibt und ihn noch dazu andauernd prügelt.

Eines Tages erschien ein altes, klappriges Männlein in Generalsuniform – es sah aus wie aus der Mottenkiste. Das Bataillon stand da zur Inspektion, und das zittrige Männlein hielt eine patriotisch-senile Rede, sagte unter anderem: »Unser Landesvater, der gütige Kaiser, schläft Tag und Nacht nicht, aus Sorge für euch, seine Kinder, ja, für die er immer betet. Und er erwartet, dass, wenn ihr den Katzelmacher erwischt, ihr ihm ordentlich das Bajonett in den Bauch hineinstecht und es dabei noch einige Male umdreht.« – »Dann anbindet, du dummer Arsch!«, entschlüpfte es einem Landsturm-Mann, der dreimal in Ohnmacht gefallen war, als er am Pfahl hing, und jetzt noch vor Erregung zitterte. »Was hat er gesagt?«, fragte das Männlein aus der Mottenkiste. »Zu Befehl, Exzellenz, er ließ seine Majestät hochleben«, antwortete schnell unser Hauptmann Weigel, ein etwas rundlicher Reserve-Offizier, Rechtsanwalt in seinem Zivilleben, der so die peinliche Situation rettete. »Brav, brav, seine Majestät, der allerhöchste Kriegsherr, lebe hoch, hurra, hurra, hurra.« Und das Bataillon schrie plötzlich lachend dreimal hurra und die Inspizierung war zu Ende.

Die Tiroler Bevölkerung betrachtete uns, wie wir in Horodenka die Russen betrachtet hatten: Wir waren Fremde für sie, eine Besatzungstruppe. Viele versuchten schon jetzt, nach der Schweiz zu desertieren, wurden eingefangen, standrechtlich erschossen oder unter Bewachung an die Front geschickt.

Eines Tages hieß es: Abmarsch, wir werden eingesetzt. Wir kamen an den rechten Flügel der italienischen Front, an einen Berg, Monte Lemerle genannt. Die Italiener hielten den Berg und wir sollten ihn »nehmen«, wir sollten die Bajonette in ihren Bauch stecken und sie einige Male umdrehen – aber ein Regiment nach dem anderen verblutete sich da. Wir schlossen an in einem Wald und wurden da einem Hauptmann Czerny übergeben. Er war ein kleiner, strammer Mann, mit mehreren Auszeichnungen schon, sprach mit tschechischem Akzent und war im ganzen Regiment berüchtigt als ein Schinder und Leutequäler. Er ließ die Zugskommandanten und Chargen antreten und hielt eine schneidige, etwas besoffene Ansprache. Die Zugskommandanten hatten sofort einige Gewehrgriffe zu kommandieren, um ihn so von ihrer Forschheit zu überzeugen und das Menschenmaterial sehen zu lassen. Ein Leutnant Schalk aus Graz, der seit Beginn des Krieges im Schützengraben gewesen war, schon eine weiche Birne hatte und immer müde lächelte, konnte überhaupt kein lautes Kommandowort aussprechen. Czerny putzte ihn zusammen in Gegenwart der Leute, nannte ihn *Tachenierer,* Dreckhaufen, Schlappschwanz. Einen anderen Offizier mit jüdischem Namen nannte er *Matze*-Leutnant, ließ ihm vom Hornisten die *Reveille* ins Ohr blasen, um ihn aufzuwecken, denn nach seiner Meinung schlief er noch.

Als ich dann ein paar Kommandos von mir gab – es ist wahr, ich tat es ein bisschen theatralisch, ich spielte ein bisschen, ich fasste ja damals alles wie eine Rolle auf –, fragte er plötzlich: »Hören Sie mal, Sie Scheißzugsführer, was sind Sie denn in Zivil?« – »Melde gehorsamst, Herr Hauptmann, Schauspieler.« –

»Was sind Sie? Ein Schauspieler, ein Herr Versteller, ein Clown, ein Theaterlump?«, tobte er, als ob ich ihm sein einziges Kind ermordet hätte. Er scheint Theater und Schauspieler nicht besonders zu mögen, dachte ich. Er brüllte aber weiter: »Sie Komödiant Sie, in Zivil machen Sie sich lustig übers Militär, spielen einen Obersten mit einer roten Nase, jetzt wollen Sie hier Reserve-Offizier werden? Einen Dreck werden Sie werden, solange ich Hauptmann bin!« Er schrie und tobte, und ich stand stramm vor ihm, guckte ihm gehorsam in seine kleinen tanzenden, frechen Augen und dachte: »Das ist eine Rolle, das ist eine Rolle, Junge, Junge, Junge, dich möchte ich mal spielen.« Plötzlich platzten einige Schrapnells über unseren Köpfen – ein Artillerie-Einschlag unweit von uns, direkt in eine sitzende Gruppe, und noch einer, und noch einer. Der Wald war von der feindlichen Artillerie entdeckt worden. Es knallte ununterbrochen, und Rauchsäulen stiegen wieder und wieder auf. Leute schreien, verkriechen sich. Der Hauptmann Czerny aber flucht noch immer übers Theater. Wir waren die Einzigen, die noch standen. Er musterte mich scharf und prüfend. Ich stehe stramm und rühre mich nicht von der Stelle. Ich will ihm zeigen, dass ein Schauspieler und ein Jude kein Feigling ist. »Abtreten«, brüllte er und verschwand selber. Ich lief zu einem winselnden Mann aus meinem Zug, der verzweifelt meinen Namen rief. Da, hinter einem Felsen liegt er, voll Blut und Dreck, die eine Hand an einer Seite des Körpers, und röchelt: »Da, da, da, hilf mir doch, hilf mir!« Ich machte den Rock auf – ein Geschoss-Splitter hat ihm die Rippen an einer Seite aufgerissen. Blutig-Klebriges dringt aus dem Körper, und ich versuche mit meiner nackten Hand, es zurückzuhalten – es quillt über. Ich schreie nach Sanitätern. Immer neue Einschläge. Unweit von uns wird ein kleines Eselchen, das mit zwei *Menage*-Kesseln umhängt ist, vom Luftdruck eines Einschlags in die Höhe gewirbelt und mit zerschmetterten Knochen und der Soldaten-Suppe unter einem Schutthaufen vergraben. Ich halte immer noch meine Hand an die offene, nasse Stelle eines warmen Körpers, der schon tot ist. Nach einiger Zeit hört die

Schießerei auf. Sanitäter kommen jetzt, nehmen dem Toten die Erkennungsmarke ab und legen einen Haufen Fleisch und Knochen mit verglasten Augen, der vor einer Stunde noch ein lebendiger, gesunder Mensch gewesen ist, auf eine Tragbahre. Die war gleich voll Blut und Schmutz. Ich habe mit meiner Hand wochenlang nichts anfassen können.

Das war unser erster Tag an der Front, noch bevor wir den Feind getroffen hatten, um ihm das Bajonett im Bauch umzudrehen, wie der klapprige General aus der Mottenkiste uns vom alten Kaiser aufgetragen hatte. Das ging ja gut los. Während unser eigener Hauptmann uns beschimpft und bespuckt wie Kindesmörder, tötet der Feind schon von der anderen Seite. Wir waren in der Mitte. Das waren ja schöne Aussichten für den armen Mann.

32
Sollen die Menschen sehen, was es für Menschen gibt

Bei diesem Monte Lemerle hieß es plötzlich »Vorwärts!«. Kein Mensch wusste, wohin. Man schleppte sich, man ging, man trottete wie das Vieh. Es war ein Chaos und Nacht. Da lag ein stinkiger Berg, ein toter Gaul, Verwundete lagen da und stöhnten um Hilfe, konnten weder sterben noch sich bewegen, da trat man in etwas hinein, eine weiche Masse, die früher mal ein Mensch war. Gruppen kamen uns entgegen, eigene Verwundete und Gefangene. Je näher man zur Linie kam, umso weniger Offiziere sah man. Sie verkrochen sich immer in Kasernen und die Unteroffiziere waren die Kommandanten. Am frühen Morgen waren wir in einem Ort am Abhang dieses Berges, und es sah aus, als ob die Leute in letzter Minute ihre Häuser verlassen hätten. In einem Haus war ein gedeckter Tisch mit einem nicht zu Ende gegessenen Mahl, da war ein Schlafzimmer mit feinen seidenen Betten. Mein Freund Jurko Slezak rief: »Seht doch, seht, was es alles in der Welt gibt, so feine Sachen!«, und ließ sich die Hosen herunter und benutzte so ein feines, seidenes Bett. Später entdeckte er auch einen Uhrenladen, füllte sich seinen Rucksack. Bald aber wurde der Ort wieder mit Artillerie belegt und der Befehl kam »Zurück!«. Wir liefen und gingen in einer wilden Unordnung, vermengten uns mit einem anderen Regiment, dem Einundvierzigsten aus Czernowitz. Da, wusste ich, diente auch mein jüngster Bruder. Plötzlich Maschinengewehrgeknatter von den Flanken, Salven von der Mitte; wir warfen uns in den Dreck und krochen auf dem Bauch nach rückwärts so gut wir konnten. Da, Czernys

Stimme. Er flucht und rast wie bei einem Manöver: »Feige Mamaliga-Bande! *Huzulen*, blöde, Karpatenvieh, der Schlag soll euch treffen, schießt doch, schießt, ihr Hunde! Wo sind die Herren Feiglinge, diese *Matze*-Leutnants, wo ist der Clown-Zugsführer?« – »Hier, Herr Hauptmann«, schrie ich und suchte nach ihm. Wir sehen uns nicht. Ich höre nur seine Stimme weiter: »Sie Schwein, Sie Dreckjud, Sie wollen mich erschießen, was? Krepieren werden Sie, zwanzigmal, bevor Sie das können!« Ich wurde jetzt ganz ruhig und suchte von meinem Platz nach ihm. Er hatte mich auf eine großartige Idee gebracht. Erschieß ihn doch, sagte es in mir, erschieß ihn doch, er ist ja dein wahrer Feind, was hat dir schon jemals so ein Italiener getan, hast ja nicht einmal einen richtig gesehen. Er ist dein Feind und der Feind deiner Leute.

Eine Detonation unterbrach diese Logik, und noch eine, und noch eine. »Zurück, zurück«, schrien alle durcheinander, und wir kullerten und krochen und liefen, was wir konnten. Und nach einigen Stunden waren wir außerhalb des Feuers und hatten immer noch keinen Feind gesehen. Nur hier und da verirrte Gefangene. Wir sammelten uns wieder irgendwo in der Nähe des Waldes, von wo wir vor einigen Tagen ausgegangen waren. Slezak packte da seinen Rucksack aus und verkaufte Uhren zu spottbilligen Preisen und auch die blieb man ihm schuldig. Mir gab er die schönste als Geschenk. Das war der einzige lichte Moment, denn wir waren nur noch die Hälfte. Aber Czerny blieb uns erhalten. Die Leute bekamen Dysenterie, man lief, wo man gerade war. Erst lachte einer über den anderen, aber dann wurde es wie eine Panik. Ich bekam noch dazu einen Abszess unter meiner rechten Armhöhle. Endlich, nach Tagen, langte auch die Menage an und ein schriftlicher Befehl für den Hauptmann, der jetzt unser Bataillon führte. Es hieß, dass wir an einen anderen Frontabschnitt verlegt würden. Mit Anbruch der Dunkelheit gingen wir los. Der Hauptmann Czerny und der Hornist, der auch Meldereiter war, hatten Pferde und ritten an der Spitze. Slezak marschierte an meiner Seite. Ich hatte diesen blöden Abszess, der vom ganzen Körper das Blut zusammenzuziehen schien und fürchterlich schmerzte. Ich konnte meinen Rucksack und mein Gewehr nicht mehr tragen, und Slezak nahm mir alles ab und brachte es zum Bagagewagen. Wir marschierten die zweite, die dritte Nacht. Es hieß, wir gingen zum Isonzo an den linken Flügel der Front. Wir nannten uns das K. u. K.-Kackregiment, denn das taten wir ununterbrochen. Die Stimmung war auch danach. Wir marschierten schwitzend, keuchend, einer an den andern gelehnt und lernten schlafen, während wir uns vorwärts bewegten. Ich bekam Fieber von diesem Abszess, brach zusammen, konnte meine Knochen nicht bewegen und blieb liegen. Slezak machte sich um mich zu schaffen, redete mir zu und bat mich wie eine Mutter, doch nicht liegen zu bleiben, denn das wäre das Ende. Er organisierte noch einige Leute. Sie setzten mich auf ein Gewehr und schleppten mich, fiebernd wie ich war, mit sich.

Bald trug mich abwechselnd der ganze Zug. Ich konnte nicht mehr, war völlig am Ende. Am liebsten wäre ich liegen geblieben und krepiert. Plötzlich hieß es »Halt«. Der Hauptmann ließ die Zug-Kommandanten zu sich kommen, und so gut ich konnte, trat ich mit den andern an. Es fing schon zu tagen an und Czerny schimpfte seine Kompanie- und Zug-Kommandanten zusammen: »Mehr Standesbewusstsein, meine Herren! Diese galizischen *Chlopes* und Saujuden muss man ganz anders anfassen! Das sind ja lauter *Tachinierer*, Verräter und Moskophile. Knallt doch einfach so ein Schwein nieder, wenn es schlapp macht. Da werdet ihr sehen, wie die andern dann laufen.« Plötzlich guckte er mich an und hielt eine Weile inne. »Komödianten-Zugsführer vortreten.« Ich trat langsam vor. »Wo ist Ihre Ausrüstung, Sie Schwein?« – »Am Bagagewagen, Herr Hauptmann.« – »Melde gehorsamst, heißt das, Sie Dreckskerl!« – »Melde gehorsamst, Herr Hauptmann, am Bagagewagen.« – »Hornist, bringen Sie ihm sofort seine Ausrüstung.« Der trabte davon. »Warum haben Sie Ihre Ausrüstung abgelegt, Sie Drecksjude?« – »Herr Hauptmann, melde gehorsamst, ich bin krank«, kochte es aus mir heraus. »Sie sind was? Krank? Das ist ja ganz was Neues«, lachte er böse. »Sie

Tachinierer, Sie Schwindler, Sie *Peijaz*. Wenn Sie krank wären, lägen Sie im Spital. Hier ist man nicht krank.« Jetzt knöpfte er seine Revolvertasche auf, nahm mit einem bösen Lächeln die Waffe in die Hand und setzte selbstzufrieden fort: »Meine Herren, jetzt werde ich Ihnen zeigen, wie man ein Exempel statuiert.« Und wieder zu mir gewendet: »Wie halten Sie denn Ihre Hand, Sie Schwein? Stehen Sie ›Habtacht‹, wenn ich zu Ihnen spreche«, brüllte er jetzt hysterisch. Ich hielt nämlich meine rechte Hand wegen des Abszesses in der Armhöhle im Bogen abstehend vom Körper. »Hand an die Hosennaht, Sie Schwein, sonst knalle ich Sie nieder«, und er zielte auf mich. Alle standen da in Spannung und guckten bald den Hauptmann, bald mich an. Ich aber machte mit meiner Rechten eine Faust und mit einem gewaltsamen Ruck war der Arm unten und die Hand an der Hosennaht. Mein Abszess unter der Armhöhle platzte dabei und eine warme Jauche floss mir den Körper herunter. »Sehen Sie, meine Herren«, setzte unser Hauptmann triumphierend fort, »nur durchzugreifen braucht man, nur anzupacken, und alles geht in Ordnung.«

Der Hornist brachte jetzt meine Ausrüstung und hängte sie mir um. »Abtreten und weitermarschieren«, entließ uns jetzt unser Hauptmann. Als ich zu meinem Zug zurückkam, hatte der tschechische Einjährige Hanusch eine gute Idee: Er leerte meinen Rucksack und verteilte die Gegenstände unter die Leute und füllte den Rucksack mit Heu. Ich trug jetzt etwas Leichtes und es war mir besser. An diesem Morgen sagte der Hanusch zu mir, der in Zivil Ingenieur war und immer eine Pfeife rauchte: »Weißt du, du musst nicht glauben, dass alle Tschechen so sind wie der Czerny.«

Nach einigen Tagen waren wir in Gudine. Rechts der Doberdo und links Monfalcone. Da erst kampierten wir. Da war auch bald heiße Suppe, Zelte wurden aufgebaut und Latrinen gegraben. Da saßen wir immer, vierundzwanzig bis dreißig Leute, auf so einer Latrine und besprachen da alle unsere Probleme. Ich kam einmal hinzu und war Zeuge eines solchen Gespräches, das sich wie ein Kriegsgericht anhörte. Was würde man mit dem Hauptmann Czerny tun, wenn man ihn nach dem Krieg erwischte? Zum Tode verurteilen. Ja, aber was für ein Tod? Das war hier die große Auseinandersetzung. Da wurde alles aufgezählt, vom langsamen Hängen bis zum schnellen Erschießen, und man konnte sich nicht einigen. Da machte wieder mein Slezak einen Vorschlag, der einstimmig angenommen wurde: Wenn man mal nach dem Krieg diesen Czerny erwischt, wird er zu folgendem Tode verurteilt: Sein ehemaliges Bataillon müsste antreten, eine große Latrine graben, den Czerny aber, in voller Parade-Uniform, mit allen Orden, hineinlegen in die Latrine – und das ganze Bataillon soll ihn langsam zuscheißen. Dann soll ein Denkstein errichtet werden mit einer Erklärung, warum das Bataillon über seinen Hauptmann dieses Urteil vollstreckt hat.

Wir bekamen den Befehl, eine zweite Schützengrabenlinie hinter Monfalcone auszuheben. Dieser Ort war immer unter Artilleriefeuer. Nachts gingen wir hin. Erst blieben die Offiziere zurück und dann sogar die Feldwebel. Das war ja schlimmer als im Schützengraben, wo es doch wenigstens Deckung gab. Kein Mensch konnte arbeiten. Wir verkrochen uns unter Felsen und Steinen und warteten ab, blieben da die vorgeschriebene Zeit und gingen dann mit Verlusten zurück, ohne eine Schaufel angerührt zu haben. Auf dem Heimweg waren plötzlich auch die Offiziere und Feldwebel da, und man sprach nicht darüber. Eines Morgens kam uns eine Abteilung mit gelben Aufschlägen entgegen. »Ist das das Einundvierzigste«, fragte ich. »Jawohl«, war die Antwort. »Ist nicht bei euch ein Infanterist Granach?« Da springt ein Soldat aus der Reihe und ruft: »Zu Befehl, Herr Zugsführer«, und mein jüngster Bruder steht vor mir. Wir stehen da wie angenagelt, ohne uns die Hände zu reichen. Ich weiß, er geht in die Hölle. Ich erkläre ihm noch, wie er sich zu benehmen hat, und wir müssen uns trennen. Als wir zurückkamen, hieß es wieder abmarschieren. Es hieß, wir würden am Isonzo eingesetzt.

Nach zwei Tagen waren wir irgendwo in einer heißen, unfreundlichen Karstgegend. Wir übernachteten in einer großen

Kaverne in einem Berg. Über uns, in derselben Nacht, zogen sich die Italiener zurück. Wir wussten es und waren wach – vielleicht haben die es auch gewusst. Am Morgen war die Luft rein. Es hieß, eine freiwillige Patrouille vorschicken zu Quote 412 bei einer zerschossenen Mühle. Ich meldete mich, um so für einige Zeit aus der Nähe dieses Czerny zu verschwinden. Mit mir ging der Hanusch, der ein Spezialist im Kartenlesen war, ein anderer Mann und mein Jurko Slezak, der immer an meiner Seite war und mich nie verließ, der Getreue. Wir gingen durch eine öde Karstgegend, die voll Kriegsspuren war. Da lag ein aufgedunsener toter Gaul, weggeworfene Gewehre, zerschossene Wagen, Drahtverhaue, ein verwester Körper, altes Gerümpel. Bald sahen wir von weitem etwas wie eine Traverse von Schützengräben und links die zerschossene Mühle. Wir krochen vorsichtig durch Spanische Reiter, dichtes Drahtgeflecht – alles still, weit und breit kein Lebewesen. Wir kamen in einen Graben, der sich zur Linken und Rechten in Kurven zog, ein gut erhaltener, leerer Schützengraben, den wohl die Italiener letzte Nacht verlassen hatten. Wir setzten uns hin, verzehrten jeder eine Konservenbüchse, rauchten uns eine Zigarette an. Hanusch ging mit dem einen Mann zurück, um der Truppe den Weg zu zeigen, und Slezak und ich blieben da. Die Nacht kam. Slezak schlief ein, und ich sah zu meiner Rechten auf Görtz, das beschossen wurde. Es war aber ziemlich weit. Die Einschläge konnte man nicht hören, nur hier und da stiegen kleine Rauchsäulen auf. Bald kam dann auch die Truppe – wie in eine Wohnung. Jeder war froh, endlich mal in einem Schützengraben zu sein. Man suchte seinen Zug, seine Abteilung, einer kroch über den andern, ein Geschimpfe. Da trat einer dem schlafenden Slezak aufs Gesicht. Slezak erwachte, ließ seine besten ukrainischen Flüche los. Er belegte den Kerl, der ihm ins Gesicht getreten hatte, seine Mutter, seinen Vater mit den saftigsten Namen seiner Heimatsprache. Der Soldat war Korporal und knallte dem Slezak zwei herunter. Ich schmierte ihm zwei viel kräftigere zurück. »Wie wagen Sie, mich zu schlagen«, brüllte der Kerl. »Wie wagen Sie, diesen Mann zu schlagen.« – »Ich bin Korporal.« – »Und ich bin Zugsführer, jetzt marsch, und beschweren Sie sich.«

Wir hatten nicht lange Frieden in diesem Graben, denn auf demselben Weg, auf dem wir gekommen waren, erschienen plötzlich Italiener und wurden von uns mit Salven empfangen. Es dauerte einige Stunden, bis es wieder still wurde.

Am nächsten Tag sahen wir vor uns, hinter den Drahtverhauen, zum ersten Male den Feind. Er war auch schon eingegraben und guckte zu uns herüber durch Spanische Reiter. Man konnte ihn hören und hier und da sogar einzelne unterscheiden. Dann schoss einer, dann schossen zehn, dann dreißig, dann ging ein Geknatter los von einigen Stunden, bis es sich wieder beruhigte. Im Laufe des Tages war es ziemlich still. Aber mit der Dunkelheit gingen erst von beiden Seiten Leuchtraketen los, dann ein Geschieße und Geschrei, das sich hysterisch steigerte. Die Italiener versuchten immer wieder, unseren Graben zu stürmen und wurden immer wieder »abgeschlagen«. So lagen wir da – Essen und Wasser wurden immer weniger – wir bekamen geschwollene Mäuler vor Durst. Es war Anfang August 1916 und sehr heiß. Auch die Munition ging zu Ende, wir mussten Patronen »sparen«. Ich wurde plötzlich völlig wach – meine angeborene Neugierde hatte mich ganz mobilisiert. Ich hielt meinen Zug zusammen, die Leute mochten mich, wir besprachen alles wie Freunde. Ich war ein guter Soldat.

Nach und nach schoss sich die italienische Artillerie gut auf uns ein. Viele Traversen waren einfach weggefegt. Wir lagen verkrochen in Fuchslöchern und von den Offizieren war bald keiner mehr zu sehen. Es reizte mich, jetzt den Hauptmann Czerny zu finden, um ihm das alles zu melden. Ich wusste, dass sein Stab in einer Kaverne an der linken Seite des rückwärtigen Grabens war. Ich ging, ich kroch mit meinem Slezak hin. Da saß er mit seinen Offizieren in einer bequemen Höhle. Sie schienen alle betrunken und deprimiert. Ein Haufen von allerlei Konservenbüchsen lag herum. Ich sagte: »Herr Hauptmann, melde gehorsamst, drei Tage keine Verpflegung, kein Wasser, und die Munition geht auch zu Ende.« Er guckte mich fahl an, begriff die Situation. Er war ja selber ein guter Soldat. Er verstand, dass ich kam, um ihm zu zeigen, dass ich kein Feigling bin, denn schon der Weg zu dieser Höhle war lebensgefährlich. Er lallte dann mit Beherrschung: »Ach, das ist ja der Schauspieler«, begrüßte mich zum ersten Mal ohne Schimpfworte. »Naja, sie werden euch schon nicht fressen, die Katzelmacher. Hier ist ein Zeltblatt mit Munition und da eine Flasche Cognac.« – »Danke gehorsamst, Herr Hauptmann, ich trinke nicht«, versetzte ich ihm. Slezak und ich nahmen das Zeltblatt mit Munition aus der Ecke und krochen zurück. So, dachte ich, heimkriechend zu meinem Fuchsloch, jetzt hab' ich's ihm aber gezeigt, wie ein Schauspieler und ein Jude sich benimmt, wenn es drauf ankommt. Und das befriedigte mich im Stillen und ich kicherte in mich hinein. Slezak erzählte den Leuten von meiner Haltung und sie gaben mir Recht. Nur schade um den Cognac, meinte einer, aber was wäre schon eine Flasche für eine ganze Kompanie? Denn für die war ich jetzt verantwortlich. Die großen Herren lagen ja in der Kaverne.

In dieser Nacht habe ich auch zum ersten Mal den Feind Aug in Aug gesehen und das ging so vor sich: In meinem Zug waren zwei Rumänen, und immer, wenn der Rummel losging, wenn alle von beiden Seiten schossen und schrien, knieten diese Rumänen nieder und beteten. Ich hatte sie schon einige Male dabei erwischt. Die anderen Kameraden ärgerten sich auch darüber. Die Italiener kamen näher an die Drahtverhaue, schrien und schossen und wollten wieder den Graben nehmen. Uns lag ein Dreck an dem Graben! Aber wir wussten, bevor sie ihn nahmen, würden sie, wenn sie näher kamen, erst diese widerlichen »Kartoffeln« hereinschmeißen, diese Handgranaten, und davor zitterten wir. Gefangen nehmen schon, aber nicht in Wurfnähe lassen! Nicht krepieren von diesen krepierenden Kartoffeln! Das war auch der Hauptgrund, warum die Leute so verzweifelt schossen. Nur nicht in die Nähe lassen! Und wieder in dieser Nacht, als die Hölle losging, sehe ich zu meiner Linken – da, meine Rumänen knien mit gefalteten Händen und beten, beten schon wieder! Ich in meiner Erregung knalle einem eine herunter. »Schieß, du Hund. Beten kannst du später, wenn der Liebe Gott uns gerettet haben wird. Schieß!« Und sie schossen, und ich schoss, der ganze Graben knatterte ein zweistündiges Höllenkonzert, bis es sich wieder beruhigte. Sie waren wieder zurückgetrieben. Der Angriff war »abgeschlagen«. Wir schossen eine Leuchtrakete ab, sie sind weg, einige liegen tot vor den Drahtverhauen, die andern sind wieder in ihrem Graben. Ich spähe durch meine Schießscharte – da! Ganz an meiner Nase ein leiser Pfiff, tjuhh, und ein warmer Windhauch. Jemand schießt auf mich aus nächster Nähe. Ich habe mich gebückt und bin geladen mit Wachheit wie mit Elektrizität. Da wieder, Tjuhh! Ganz nah am Mund vorbei. Gebückt denke ich nach, wer das sein könnte. Es kommt von meiner linken Seite. Ja! Natürlich! Die Rumänen. Ich habe doch einem eine heruntergehauen. Sie hassen mich sicher, wie ich den Czerny. Ich krieche zu ihnen. Sie beten. »Hört mal, Halunken, ihr habt jetzt zweimal nach mir geschossen!« Ich halte mein Gewehr an den Geohrfeigten und spreche: »Sag die Wahrheit, hast du auf mich geschossen? Sag ›Ja‹, und ich tu dir gar nichts. Wenn du aber leugnest und sagst ›Nein‹, bist du ein Toter.« »Domino Zugsführer«, sagte der eine mit Tränen in den Augen, »ich schwöre bei Gott dem Allmächtigen, ich habe nicht auf dich geschossen. Gott bewahre mich vor solchen Gedanken.« Und bekreuzigt sich. Nein, der hat nicht geschossen, denke ich, so ehrlich kann kein Mensch lügen. Ich gehe an meinen Platz zurück und spähe wieder durch die Schießscharte.

Da höre ich mit einem Mal ein Gerassel, ein Gekrieche und wieder Stille, ein Gerassel, ganz nah, und sieh da! Über meiner Traverse steht plötzlich ein Mann! Ein Italiener in voller Größe und Ausrüstung. Mit einer Stoffgasmaske im Gesicht und das Gewehr in beiden Händen. Ein Bruchteil einer Sekunde, und mein Gewehr ist an seinem Bauch. Unsere Augen hängen aneinander. »Nicht rühren, oder ich drücke ab.« Mein Gewehr ruht an seinem Bauch, ich halte den Finger am Drücker, befreie langsam die Linke, packe ihn am Mantel: »Komm, spring!«

Und er ist im Graben, auf den Knien, spricht italienisch. Ich verstehe kein Wort, aber ich weiß, er fleht für sein Leben. Er hält immer noch sein Gewehr umklammert, des Soldaten Braut. Ich schlage es ihm aus den Händen und beruhige ihn – die Spannung ist weg. Er packt seine Tasche aus, gibt mir die Gasmaske, Konservenbüchsen, einen Kamm, einen Bleistift, italienisches Geld, alles, was er bei sich hat, packt er auf einen Haufen vor mir aus. Ich gebe ihm die Hand, wir schütteln uns lange die Hände. Eine große Erleichterung für beide. Wir haben Frieden geschlossen. Er will mich küssen, er weiß, jetzt wird er nicht mehr erschossen. Ich schicke ihn mit Slezak zum Bataillons-Kommando zurück, von da wurde er mit mehreren Gefangenen nach rückwärts verschoben. Czerny schimpfte, ließ mir bestellen, man mache keine einzelnen Gefangenen, aus Aberglauben nicht. Denn für jeden einzelnen Gefangenen verliert man einen ganzen Zug.

So habe ich dem Feind in die Augen gesehen. Aber was für Augen hat ein Mensch, wenn er den Tod vor sich hat und der Tod ihm nichts tut! Das kann man nicht beschreiben. Das kann man nur »darstellen«. Zwei neue Rollen möchte ich nach dem Krieg spielen, denke ich in dieser Nacht: den hysterisch fluchenden Czerny mit den bösen, tanzenden, spitzen Augen und diesen Feind mit dem samtweichen Ausdruck, mit dem vom Tode gezeichneten und mit dem Leben beschenkten Blick. Zwei großartige Rollen, die einer dichten sollte und die ich darstellen möchte auf der Bühne. Sollen dann die Menschen sehen, was es für Menschen gibt!

33
So ziehen wir nach Italien hinein

Wir hatten keine Verbindung mit der Haupttruppe. Die Front war schon irgendwo hinter uns. Die Italiener hatten einen großen Bogen zu beiden Seiten unseres Abschnittes gemacht und die Linie weit hinter uns verschoben. Wir lagen da, »abgeschnitten«, ohne Verpflegung, ohne Wasser und mit wenig Munition. Das Einzige, was wir hatten, waren verschwollene Gesichter und Läuse. Jetzt war nicht nur die italienische Artillerie auf uns eingeschossen, auch unsere feuerte in uns hinein. Die Italiener schossen zu lang, die unsrigen zu kurz, und wir waren gerade schön in der Mitte. Die Traversen der Gräben waren schon weggefegt und das große Sterben ging los. »Mama! Mama!« hörte man die ganze Zeit. Das letzte Abschiedswort des getroffenen Soldaten. Sie schrien »Mama!« und krampften ihre Hände in den Karst, als ob sie sich noch an der Erde festhalten wollten, bevor sie gingen. »Mama« in allen Sprachen. Der eine von den beiden Rumänen fiel und schrie »Mama«, ein Pole schrie »Mama«, ein Ukrainer schrie »Mama«, ein Jude schrie »Mama«, ein Tscheche, die Italiener in den Drahtverhauen, alle verabschiedeten sich von der Welt mit diesem einen Wort. Nur ein junger italienischer Offizier, den es vor unseren Drähten erwischte, rief »Venezia« und starb mit dem Namen seiner Heimatstadt auf den Lippen.

Wir hatten nur noch gezählte Patronen und schossen nicht mehr zurück. Eines Morgens nach einer etwas ruhigeren Nacht – der Tag graute erst – saß Slezak an meiner Seite und wir überlegten, was man tun könnte. Wir waren so hungrig, dass wir nichts mehr spürten, nicht einmal den Hunger. Wir waren schon apathisch. Die Italiener zeigten sich vor unseren zerschossenen Drahtverhauen in halber Figur. Sie verbesserten ihren Graben, buddelten sich ein, sie waren gute Zielscheiben, aber keiner von uns feuerte einen Schuss. Der Slezak und ich beobachteten einen bärtigen Italiener, er schien schon ein älterer Mann zu sein, er kam wohl mit der Ablösung. Wir sahen, wie er sich von seinem Rucksack befreite und ihn auf die Trümmer einer Traverse legte und zu graben anfing. Der Rucksack war voll und fett wie ein schönes Kalb.

Wir fingen zu überlegen, zu raten an, was wohl in diesem dicken Rucksack alles sein könnte. Auch der Italiener warf hier und da einen Blick zu uns herüber. Wir waren ja keine zwanzig Schritte entfernt. Der Slezak meinte, in diesem Rucksack wären sicher Konserven und Brot, vielleicht auch Polenta, denn sie essen ja Polenta wie wir, und ich fügte hinzu, vielleicht auch Wein. Und wir schmeckten schon den Inhalt auf unserer Zunge. Je mehr wir dachten und darüber sprachen, umso mehr zog uns dieser Rucksack an. Er guckte uns direkt in die Augen und hypnotisierte uns, dieser Rucksack! »Wissen Sie, Zugsführer«, sagte jetzt Slezak gedehnt, »Sie sind Scharfschütze und ich habe lange Hände. Wir könnten es doch probieren.« – »Gut.« Es leuchtete mir ein.

Ich kontrollierte leise mein geladenes Gewehr und wir krochen langsam hinaus, blieben ruhig liegen, warteten; wir hatten ja viel Zeit. Dann bewegten wir uns auf unseren Bäuchen vorwärts, nicht nur wie vorsichtige Soldaten, sondern wie Diebe! Zentimeterweise krochen wir und hielten immer wieder an, Slezak Richtung Rucksack und zur Seite als Deckung ich – den Mann, den Inhaber dieses Rucksacks, immer im Auge. Der Italiener hörte zu arbeiten auf und beobachtete uns wie versteinert. Er weiß es. Er fühlt es, ich habe ihn auf dem Korn. Und die mindeste Bewegung jetzt von ihm, und ich drücke ab. Wir halten, wir sind fünf Schritte vom Rucksack entfernt. Slezak schiebt sich ganz langsam vor, zwischen den zerschossenen Spanischen Reitern. Der Italiener, merke ich jetzt, hat schon graue Haare in seinem Bart, ein Landsturm-Mann, ein Vater, denke ich, ein ruhiger, guter Soldat. Jetzt hat Slezaks lange Hand eine Ecke des Rucksacks berührt – er streckt die andere Hand aus und hält diese Ecke umklammert. Ganz ruhig guckt mir der Italiener wissend in die Augen, ja, er begreift das Spiel, er ist beinahe amüsiert. Jetzt hat Slezak die Träger des Rucksacks um seine Rechte gewickelt und schleppt ihn schon rückwärts und benutzt ihn sogleich als Deckung vor seinem Kopf. Der Rucksack verhatscht sich in den Drähten, aber es geht schön rückwärts. Es gibt nicht nur ein schönes »Vorwärts«, manchmal ist ein »Rückwärts« genauso schön. Slezak ist schon längst hinter mir und ich krieche auch schon zurück. Mehrere Italiener beobachten uns jetzt schon und keiner schießt. Zurück und zurück geht es jetzt, schneller. Ich höre Slezak in den Graben plumpsen. Ich bin etwas nach rechts abgekommen. Slezak hat mich plötzlich an einem Bein und schleppt mich, hilft mir, und wir sind wieder in unserem Fuchsloch! Wieder zu Hause! Von einer weiten, weiten Reise zu Hause! Slezak bekreuzigt sich, und wir wischen uns den Schweiß, gucken auf den Rucksack, und keiner spricht ein Wort. Erst jetzt sind wir aufgeregt. Aber wir haben eine reiche Beute. Es stellt sich heraus, dass unsere ganze Abteilung uns beobachtet und für uns gezittert hat. Die Nachricht läuft zu beiden Seiten des Grabens. Der alte italienische Soldat, Inhaber des Rucksacks, ruft: *»Bravo, bravissimo, Austriaco!«* Einige rufen mit. Wir sind von beiden Seiten beobachtet worden. Im Rucksack finden wir einen ganzen Laden: sogar Seife und Hemden, Kaffee und Zucker und Socken und Handtücher und Briefpapier und Tinte und Büchsen, Büchsen mit so daumendicken Makkaroni mit Fleisch! Wir haben ein richtiges Bankett. Wir sitzen und genießen unser letztes Mahl in unserer Armee. Denn am nächsten Tag waren wir Gefangene, und das ging so vor sich:

Von vier Uhr in der nächsten Nacht bis gegen sieben ging ein höllisches Trommelfeuer los. Gegen Morgen waren viele verschüttet, tot oder verwundet. Die Italiener stehen jetzt in voller

Figur in ihrem Graben und vor den Drahtverhauen und rufen und winken. »*Hei, Austriaco, vinoqua, pane, aqua, vino, bella Italia! Vinoqua, vinoqua.*« Sie riefen stundenlang so, und wir wollten auch gehen und trauten uns nicht. Da nahm Slezak das Hemd, das er gestern im italienischen Rucksack gefunden hatte, und steckte es auf sein Gewehr und pflanzte es vor unserem Graben auf, und ein anderer steckte seine Schuhfetzen auf sein Gewehr, ein dritter ein Taschentuch, ein vierter ein Stück Zeltbahn, ein fünfter ein paar schmutzige Socken, ein sechster einen leeren Rucksack, ein siebter seine Unterhose. Und in zwei Minuten war der ganze zerschossene Graben links und rechts, soweit das Auge sehen konnte, mit so grotesk-komischen Flaggen geschmückt, wie sie sich nur Soldaten in ihrer höchsten Not ausdenken können. Die Italiener schrien: »*Bravo, bravissimo, Austriaco*«, und lachten und winkten und riefen immer wieder, kommt doch, kommt doch, *vinoqua, vinoqua, Austriaco,* und fingen an, Dinge zu werfen, und wir duckten uns und erschraken. Aber das waren ja keine Handgranaten. Das waren Konservenbüchsen! Feldflaschen mit Wasser! Und Brote, richtige Brote! Wir trauten unseren Augen nicht.

Die Leute wurden plötzlich ganz lebendig, alle Müdigkeit verschwand. Beide Schützengräben riefen sich Erklärungen in fremden Sprachen zu. Unser Rumäne rief auf italienisch hinüber und übersetzte die Antwort: »Sie sagen, wir sollen keine Angst haben und zu ihnen kommen.« Er war plötzlich so wichtig bei uns. Er wurde unser Dolmetscher, unser Fürsprecher, er hatte die Hauptrolle! Jawohl, jeder hat mal seine große Zeit. Er stand jetzt auch in voller Figur, stieß einen Spanischen Reiter zur Seite und ging, und einige mit ihm. Links und rechts taten Leute dasselbe. Einige hielten noch ihre Gewehre umklammert. Die Italiener schlugen sie ihnen aus den Händen, und waren genauso zu Tode erschrocken und aufgeregt wie wir. Und wir schrien alle durcheinander und alle warfen die Gewehre weg und hatten erhobene Hände. Aber die Italiener taten das Gleiche. Jetzt liefen wir alle nach rückwärts und rutschten plötzlich einen Karsthügel hinunter. Dort lagerte eine italienische Abteilung, viele hundert Soldaten. Sie sprangen auf, dachten, sie würden vom Feind überfallen und brüllten und liefen mit hocherhobenen Händen mit uns mit. Tausend Menschen, Italiener und Österreicher, liefen jetzt mit erhobenen Händen, zu Tode erschrocken. Eine Riesenmasse, eine österreichische und italienische Armee, lief, von Panik ergriffen, Hügel auf und Hügel ab in dieser Karst-Öde mit hocherhobenen Händen. Und niemand wusste, wer von wem gefangen war. An meiner Seite ist Slezak. Die Italiener fürchten ihn, weil er so groß und stark aussieht. Einige überfallen ihn. Ich schreie laut um Hilfe in deutscher Sprache. Ein italienischer Sergeant taucht auf, beruhigt die Leute, und jetzt, an unsere Seite laufend, sagt er: »Sprichst du Deutsch?« – »Ja«, sage ich. »Mein Name ist Stern aus Neapel. Wir haben eine Bierbrauerei.« – »Ich heiße Granach, aus Berlin, bin Schauspieler.«

Wir stellen uns vor wie in einem Salon oder in einem fahrenden Zug, während wir um die Wette um unser Leben rennen! Jetzt laufen wir in irgendeine italienische Reserve hinein. Da sind schon Trainwagen zu sehen. Italienische Offiziere schreien und fluchen, feuern ihre Revolver in die Luft, halten die jagende Herde auf, erklären, dass wir, die Österreicher, die Gefangenen sind. Die Massen fingen sich zu beruhigen an. Stern aus Neapel, der italienische Sergeant, der mir mitten in dieser Panik in deutscher Sprache erzählt hat, dass sein Vater mit der Tochter eines Münchner Bierbrauers verheiratet ist, verabschiedet sich jetzt von mir mit den Worten: »Na also, gratuliere! Hast ja den Dreck hinter dir! Ich muss die ganze Scheiße von vorne anfangen.«

Wir wurden nun von den Italienern getrennt und formiert und weiter nach rückwärts gebracht. Auf dem Weg sahen wir ein uns bekanntes Bild. Eine italienische Kompanie stand auf dem Feld. Ein Offizier kommandierte auf italienisch: »Helm ab zum Gebet.« Ein Feldpriester erteilte ihnen den Segen, wie uns damals der Segen erteilt worden war, bevor wir eingesetzt wurden. Für unsere Waffen und für ihre Waffen betete man zum selben Gott! Wie peinlich für ihn! »Sogar der Liebe Gott hat es schwer im Krieg«, sagte Slezak. »Wem soll er nun helfen?«

Die österreichische Artillerie erinnerte sich plötzlich auch, dass Krieg war und feuerte in uns hinein. Wir hatten Verwundete von unseren eigenen Schrapnells, die über unseren Köpfen krepierten. Wir kamen jetzt auf ein zerschossenes Gut. Ein verirrtes Geschoss schlug noch ein, das Dach der Scheune hob sich hoch und legte sich langsam zur Seite. Dann war es ruhig.

Wir bekamen sofort jeder eine Konserve und ein Brot, ein weißes Brot, wie wir's seit Jahren nicht gesehen hatten. Slezak streichelte und küsste es, wie ein großer Bruder sein Schwesterchen streichelt und küsst, wenn er es lange nicht gesehen hat. Der große Kerl weinte vor Freude. Wir verschlangen das Brot erst mit den Augen, dann rutschte es schnell den Schlund hinunter. Da gab es sogar schon einen Stand, wo man sich Käse, Salami und Wein kaufen konnte, Chianti. Weder Slezak noch ich hatten Geld. Während des Laufens hatte man bei uns nach Trophäen gesucht und uns die Taschen geleert. Jeder ging jetzt in eine andere Richtung, Bekannte suchen, um was zu pumpen. Wir waren hier acht- bis zehntausend Mann aus verschiedenen Regimentern.

Da entdeckte mich der Korporal, dem ich mal für Slezak zwei Ohrfeigen gegeben habe. »Da bist du ja, du Hurensohn«, ruft er, und um ihn sind gleich einige seiner Freunde. »Das ist der Lump, der Bandit, der mich geohrfeigt hat.« Ein Halbkreis hat sich um mich gebildet, ich bin bedroht und ziehe mich erstmal langsam mit dem Rücken zu einer Wand zurück. Nur keinen Hieb von hinten kriegen. Ich habe es nicht gern, wenn ich nicht sehe, von wo die Schläge kommen. Er schimpft sich Mut an, ein Kreis Zuschauer hat sich gebildet, bald geht es los. Da taucht plötzlich Slezak auf und ruft: »Wieviele seid ihr Schweine gegen einen? Wieviele seid ihr Helden?« Und der Korporal hat den ersten Faustschlag im Gesicht. Ich knöpfe mir einen anderen vor und ein neuer Krieg bricht aus in der österreichischen Armee. Wir wälzen uns im Dreck, Slezak und ich liefern ein gutes Stück Arbeit. Ein bewaffneter italienischer Posten greift ein und wir sind bald auseinander gebracht. Slezak und ich verlassen froh den Kampfplatz. Die Angreifer sind nicht nur »abgeschlagen«, sondern richtig verprügelt und haben zu den Schlägen noch die Schande eingesteckt.

Wir schlenderten jetzt zusammen herum und möchten so gern mit Wein unseren Sieg begießen. Da ist ja der alte Landsturm-Mann aus meinem Zug, der kleine Mahamudes mit dem ängstlichen Blick. »He, Mahamudes, da sind Sie ja! Wissen Sie noch, wie Sie mir gestern Ihr Geld angeboten haben, wenn ich Ihnen verspräche, dass Sie heute noch leben?« Er sitzt da, ganz friedlich, isst Käse, der Mahamudes, und hat seine Feldflasche voll Wein vor sich. »Leihen oder geben Sie mir etwas Geld, Mahamudes, ich möchte auch Wein trinken.« – »Warum soll ich Ihnen Geld geben? Nur weil Sie Zugsführer sind? Abgesehen davon habe ich nur ein paar Groschen, die ich selber brauche.« Und nahm einen Schluck Wein, steckte die Flasche und das Brot mit dem Käse in den Brotbeutel, stand auf und schlich davon, der Mahamudes.

Ich schämte mich vor Slezak über meinen Glaubensgenossen. Wir setzten uns in eine Ecke und schwiegen. Ich malte verlegen mit einem kleinen Stöckchen Figuren im Staub auf der Erde. Slezak kaute an einem Strohhalm, beobachtete mich von der Seite und fing nachdenklich zu sprechen an: »Ach, wissen Sie, Zugsführer, der Hanusch, der Hanusch der Ihnen den Rucksack leerte und Heu hineintat, damit er Ihnen leicht zum Tragen war, ja, der Hanusch war ein gescheiter Mensch. Wissen Sie noch, was er Ihnen damals sagte? Wissen Sie noch? Er sagte nämlich: ›Musst nicht denken, dass alle Tschechen so sind wie der Czerny‹.« – »Warum erzählst du mir das jetzt, Slezak?« – »Na ja«, kam es von ihm verlegen und gedehnt heraus, und er spuckte dabei, als ob er zu Hause in seiner Dorfschänke säße: »Sie müssen nicht denken, dass alle Juden so sind wie der Mahamudes.« Da musste ich aber lachen, dass er, ein Ukrainer, ein Christ, mich über mein Volk tröstete. Er kniff ein Auge zu und lachte mit mir mit.

Wir übernachteten da, und am nächsten Morgen schon um vier war großes Aufstehen, und Brote wurden wieder verteilt und schwarzer Kaffee, und bald marschierte eine Riesenkolonne durch eine weite Ebene ins italienische Hinterland. Ich marschierte mit Slezak in der ersten Doppelreihe. Wir wollten als Erste Italien sehen!

Zu beiden Seiten wurde unsere Kolonne von einer Kavallerie-Eskorte begleitet und vor uns an der Spitze ritt ein blutjunger Offizier. Er saß auf seinem Gaul, geschniegelt und gebügelt, schlank und zart, in Lackstiefeln und behandschuht, und trug einen hohen braunen Pelz-Tschako und hatte einen Lackriemen ums Kinn. Als wir an einen Kreuzweg kamen, ließ er halten, der salonmäßig gekleidete junge Kriegsherr, drehte seinen Kastanier, guckte wichtig in eine Karte, die auch in feines braunes Leder eingerahmt war, nahm das Opernglas von der Seite und untersuchte gewichtig die Gegend. Dann lächelte er zu uns hin, dass man unter seinem eleganten dünnen Schnurrbärtchen zwei Reihen großer, weißer Zähne leuchten sah, die Reitpeitsche und die Zügel hielt er in seiner rechten Hand, und mit der Linken machte er eine Geste nach rechts, die Richtung weisend, die wir einschlagen sollten. So eine elegante Geste hatte ich noch nie gesehen! Wer könnte ihn spielen, dachte ich, nur Bassermann! Der hatte genau so ein Lächeln, als er den Percy Heißsporn in »Heinrich IV.« spielte. Er war auch so braun geschminkt und hatte dieselbe schlanke, biegsame Figur wie dieser Kavallerie-Offizier. Während ich mir den Kopf zerbrach über die Besetzung dieser »Rolle«, waren wir an einem Feldbahnhof angelangt und wurden in genau solche Viehwagen verladen wie zu Hause und fuhren einen Tag und eine Nacht ins Innere Italiens. Wir fuhren langsam und wurden immer an den Lastbahnhöfen verschoben – kein Mensch wusste, wohin es ging. Bald hieß es nach Sizilien, bald Sardinien. Jetzt waren wir in Neapel, bald in Salerno, und fuhren noch ein paar Stunden und wurden ausgeladen und kamen in ein altes Kloster: Certosa di Padula, Provincia Salerno.

In unserer Einjährig-Freiwilligen-Abteilung pflegten wir ein freches Soldatenlied zu singen, das fröhlich von der Beute erzählte, die wir in den verschiedenen Ländern erobern würden:

»Brüder, haben wir keinen Speck,
so hauen wir den Russen die Arschbacken weg,
es reiten Husaren, es blitzen die Säbel,
es stürmen die Hessen, es stürmen die Jäger,
folgt dem tapferen Radetzky nach,
der bei Santa Lucia gewonnen hat die Schlacht,
Patriot, schlag ihn tot,
mit der Picke ins Genicke,
den Kujon Napoleon.
Brüder, haben wir keinen Wein,
so ziehen wir nach Italien hinein ...«

Und so weiter. Jawohl! Wir sind nach Italien eingezogen, aber anders, als es im Liede verheißen wurde! Als Kriegsgefangene! Als *»prigionieri di guerra«!*

Und obgleich es anders kam, als im Lied vorgesehen, war nicht ein österreichischer Soldat unglücklich darüber. Die Völker haben diesen Krieg wirklich nicht gewollt! Das Einzige, was sie aus vollem Herzen wollten und wünschten, war, ihn zu überleben!

Hier im feindlichen Land, als Gefangene, hatten wir die beste Gelegenheit dazu. Daher war es gut, nach Italien einzuziehen, wenn auch auf andere Weise.

34
STRASSEN FÜHREN IMMER IRGENDWOHIN

Certosa di Padula, Provincia Salerno, war ein im 14. Jahrhundert erbautes Kloster mit einem großen Hauptgebäude, das einen Innenhof hatte, mit vielen Ober- und Untergängen, mit Kellern und Katakomben und mit einem schweren Haupttor in die Außenwelt. Hinter einem Innentor lag ein meilenweites, mit alten Zypressenalleen und Olivenhainen bestandenes Gelände, in dessen Mitte sechzig Baracken errichtet waren. Das Ganze war von alten, breiten, haushohen Mauern umgeben, und darauf waren die Wachhäuser aufgebaut, vor denen die italienischen Posten uns bewachten. In jeder Baracke standen dreihundert Betten: in der Mitte zwei Reihen dreistöckiger Käfige und zu beiden Seiten der Fenster Einzelbetten. So ein Einzelbett bestand aus zwei langen »Hockern« und drei Brettern darüber. Wir hatten Strohsäcke und Heukissen, zwei Decken und sogar zwei Leinentücher, die alle vier Wochen gewechselt wurden. Die älteste Charge war Kommandant der Baracke und den Italienern verantwortlich für Ordnung. Man konnte sich auch freiwillig zur Arbeit melden und bekam jede Woche einen kleinen Lohn dafür ausbezahlt. Wir hatten Lagergeld. Das richtige Geld war aber beim italienischen Kommando hinterlegt, und man bekam dafür eine Summe in Gutscheinen, womit man sich in der Kantine Käse, Salami, Sardinen, Obst und Wein kaufen konnte. Dieses Lager war eine richtige kleine Stadt, in der sich im Laufe der Zeit bestimmte Sitten und Unsitten entwickelten. Die Küchen wurden von den eigenen Chargen verwaltet. Wir bekamen morgens schwarzen Kaffee, einen kleinen Laib Brot, mittags Makkaroni mit Speck und abends Reis mit Speck oder umgekehrt. Der Kommandant des Lagers war ein alter, pensionierter General. Wir waren achtzehntausend Gefangene und zweitausend Italiener als Bewachung, ein Riesenapparat. Die Verwaltung war durchaus freundlich und menschlich. Mit der Außenwelt war aber keine Verbindung. Im Hauptquartier, wo die Italiener wohnten, waren auch unsere Offiziere in alten Mönchszellen untergebracht und hatten ihre eigene Offiziersmesse, eine bessere Verpflegung und höhere Löhnung. Standespersonen bleiben eben auch in der Gefangenschaft Standespersonen und haben auch da ihre Privilegien! Die erste Zeit war ich nur hungrig. Die älteren Gefangenen waren schon satt gegessen und gaben uns ihr Brot oder tauschten es für andere Sachen ein. Ich traf da einen Landsmann, einen jungen Burschen aus meiner Heimat, der den Ehrgeiz hatte, sich im Lesen und Schreiben zu vervollkommnen. Er war ein Alteingesessener im Lager und satt gegessen und hatte auch etwas Geld. Ich wurde sein Lehrer, und er lieferte mir dafür sechs bis acht Brote täglich, die ich dann mit meinem Slezak verschlang, und trotzdem blieben wir immer hungrig. Ich diktierte ihm täglich drei bis vier Stunden Briefe: Es entwickelte sich eine große Korrespondenz zwischen Eltern und Kindern, Geliebter und Geliebtem, Freund und Freund. Es wurde so aufregend für mich selber, dass ich Tag und Nacht an nichts anderes dachte als an diese Probleme, die sich immer mehr zwischen diesen Leuten verwickelten. Bald waren die Eltern über ihre verlorenen Kinder verzweifelt; bald verkrachten sich die Liebenden; bald verrieten sich die Freunde. Dann fanden die Eltern ihre Kinder wieder; dann söhnten sich die Liebenden wieder aus und schworen sich ganze Ewigkeiten von Liebe; dann klärten die Freunde die Missverständnisse auf und waren sich wieder »stählerntreu«.

Das Leben dieser achtzehntausend österreichischen Soldaten aller Nationalitäten bekam einen eigenen Stil. Die eigentlichen Herren unter uns waren die Bosnier. Das waren große, schöne Männer. Sie trugen rote Feze und sprachen fließend italienisch. Gleich nach ihnen kamen die Dalmatiner, die immer guter Laune waren, Wein tranken und auch fließend italienisch sprachen. Die Tschechen hatten sich schon ganz abgesondert und trugen ihre Sokol-Abzeichen und sprachen offen vom Abfall von Österreich und von nationaler Befreiung. Es war 1917. Dann waren da die Südslawen: Slowenen, Serben, Kroaten. Sie sprachen und schimpften auf die Monarchie und nannten den alten Kaiser einen Trottel. Und als die Nachricht von seinem Tode ins Lager kam, besoffen sich alle vor Freude und sagten: »Der Alte ist krepiert.« Mir war das peinlich zu hören, denn ich war ja aufgewachsen in Ehrfurcht vor dem alten Herrn, für dessen Wohl in den Schulen und Kirchen gebetet wurde und dessen Bild in jedem Haus Symbol der irdischen Ordnung und Sicherheit war. Aber damals ging auch in mir ein Umschwung vor sich. Es hieß, dass Karl, der junge Großneffe des ermordeten Erzherzogs Ferdinand, jetzt Kaiser würde, derselbe Karl, der, als junger Leutnant in Kolomea stationiert, in allen Puffs zu Hause gewesen war! Die ganze Gegend sprach damals darüber, dass ein Spross des Kaiserhauses in den Bordellen sich mit Huren herumtrieb. So ein junger Soldat in der Gefangenschaft wird nachdenklich. Für einen alten, weißhaarigen, gesalbten Mann den Heldentod sterben – na ja! Aber für einen Burschen, der ins Puff zu Huren geht wie jeder Soldat – nein! Der kann auch nicht gesalbt sein! »Für den auch noch sterben?«, sagte Slezak, der von Hause aus ein frommer Bauer war, »ja wieso? Haben wir denn unser Leben auf dem Misthaufen gefunden?« So bekamen auch die loyalen Untertanen ihre Zweifel.

Im Laufe der Zeit war man wieder ausgeschlafen und satt gegessen, und andere Probleme tauchten auf: erstens die große Langeweile, zweitens die sexuelle Not, drittens Heimweh. Einige gingen auf Arbeit. So kamen sie manches Mal aus dem Lager heraus zu Zivilisten und konnten einige Zeit die Mauern von draußen betrachten und brachten dann immer phantastische Tratschgeschichten mit. Andere schnitzten Figuren und Zigarettendosen aus feinem Holz und Kinderspielzeug. Die

Italiener brachten ihnen Material und kauften ihnen auch die Sachen ab. Andere wieder eröffneten Kaffeehäuser. Dazu war ein Kontakt mit einem Italiener nötig, der den Kaffee und Zucker besorgte. Frühmorgens machte so ein Cafétier einen guten Kaffee, nicht die Lorke, die man sonst bekam, und brachte ihn ans Bett für zwei Centesimi, dasselbe auch am Nachmittag. Es entstanden Gruppen, die sich anfreundeten und andere Gruppen beklatschten, man log, man schwindelte, man erzählte sich Räubergeschichten. Solange diese interessant waren, hörte man zu. Wenn aber der Erzähler des Guten zu viel tat, fingen die Zuhörer an, ihre Knöpfe zu zählen, die Röcke mit den Händen zu bürsten, sich hinter den Ohren zu kratzen. Schließlich merkte der Erzähler, dass er zum Besten gehalten wurde, schlich davon oder lachte mit den anderen mit. Man verbrauchte sich gegenseitig sehr schnell. Bald kannte einer den anderen in- und auswendig, und man ging sich auf die Nerven und hatte sich nichts mehr zu sagen, und die besten Freunde verkrachten sich wegen Kleinigkeiten.

Um neun Uhr musste man schlafen gehen, aber man hielt sich nicht streng an die Vorschriften. Die Italiener drückten auch ein Auge zu. Es entstanden jetzt Freundschaften zwischen Männern wie Ehen. Normale Männer, die Frau und Kind zu Hause hatten, fingen miteinander »Verhältnisse« an. Fast alle onanierten. Gegen Abend verschwanden Pärchen in den verschiedenen Ecken des Hofes und wilde Gerüchte verbreiteten sich. Einmal hieß es, eine Frau, eine richtige Frau in Soldaten-Uniform, sei ins Lager eingeschmuggelt. Das verbreitete sich wie ein Lauffeuer. Eine Art Panik brach aus. »Eine Frau, eine Frau«, flüsterte man sich zu. Man lief von Baracke zu Baracke, und wenn man da in einer ankam, hieß es, sie sei schon in der nächsten. Niemand konnte schlafen. Man schnupperte im Lager herum wie Hunde, wenn sie eine Hündin spüren. Die Wachen wurden mobilisiert, die Leute wurden in ihre Baracken zurückgetrieben. Eine betrunkene Frau in Uniform wurde wirklich erwischt und von der Wache hinausgejagt. Sie schrie beim Tor dem italienischen Offizier laut ins Gesicht: »Jawohl, ich bin eine Hure. Gebt uns unsere Männer zurück, dann werden wir keine Huren mehr sein!« Dann kam eine Verordnung: Todesstrafe für jeden Gefangenen, der eine Italienerin anrührt. So waren wieder achtzehntausend Männer aufeinander und auf sich selber angewiesen.

In der Zwischenzeit wurden unsere Makkaroni und der Reis immer dünner, bis schließlich nur noch Wassersuppen auf den Tisch kamen, in denen man nach einer Nudel oder einem Reiskorn fischen musste, vom Speck schon nicht zu sprechen. Wir hatten es bald heraus, dass unsere Feldwebel nach alter österreichischer Feldwebel-Tradition auch hier zu stehlen anfingen. Sie verkauften unsere Lieferungen, ließen sich elegante Extrauniformen machen, aßen gute Salamis und tranken Wein – alles auf unsere Rechnung! Es ging ihnen großartig! Unzufriedene Gruppen besprachen sich zunächst einzeln in den verschiedenen Baracken. Dann besprachen sich alle zusammen, und wir beschlossen, zum Kommandanten des Lagers zu gehen und uns zu beschweren. Der Kommandant, dieser pensionierte General, ein freundlicher, lieber Herr, der am Weihnachtsabend mit seinem Stab von Baracke zu Baracke ging, Frohes Fest wünschend und baldige Heimkehr zu unseren Familien, nahm mit viel Verständnis unsere Beschwerde entgegen und fragte uns wie ein Vater, was er eigentlich praktisch für uns tun könnte. Wir baten ihn, die Feldwebel von der Verwaltung der Küche abzusetzen und uns zu erlauben, mit demselben Material uns selber zu verpflegen. Am nächsten Tag hatten wir wieder volle Schalen, dicht gefüllt mit Makkaroni und Speck wie nie zuvor. Ebenso war es am Abend mit dem Reis und ebenso auch die folgenden Tage! Die Feldwebel waren blamiert und hatten so den Krieg auch im Lager verloren! Man ignorierte und verachtete sie, und freute sich jeden Tag an dem guten Essen. Ich war jetzt den ganzen Tag in der Leitung der Küchen beschäftigt, lernte dabei selber gut kochen, und es machte viel Spaß.

Eines Tages erschien eine amerikanische Deputation vom »Christlichen Verein Junger Männer«. Sie wurde im Lager herumgeführt, inspizierte die Küchen, erkundigte sich, was sie für uns tun könnte, um uns das Leben zu erleichtern. Ich war wieder der Sprecher und bat sie, durchzusetzen, dass uns eine Baracke als Theater zugewiesen würde, damit wir Aufführungen veranstalten könnten. Sie ließ uns für ihr Geld in der Mitte des Lagers eine Baracke mit Podium bauen und in kurzer Zeit organisierte ich eine spielfreudige Truppe. Wir fingen zu arbeiten an. Wir spielten, da wir keine große Auswahl an Stücken hatten, was uns gerade zwischen die Finger kam, so Possen von Roderich Benedix, Shakespeares »Othello«, Strindbergs »Wikinger«, die Rüpelszene aus dem »Sommernachtstraum«, ein Stück von einem Tuermer mit Vater- und Sohn-Problem. Aber den größten Erfolg hatte Erkmann-Chatrians Reißer »Der polnische Jude«, der lange vor ausverkauften Häusern ging. Bald bildete sich eine tschechische, eine jüdische und eine ungarische Truppe, und wir waren die Sensation des Lagers.

Die italienischen Offiziere besuchten regelmäßig die Veranstaltungen und waren begeistert. Selbstverständlich wurden die Frauen von Männern gespielt und wir hatten zwei richtige Primadonnen: Der Mechaniker Hirschfeld aus Wien spielte die Liebhaberinnen, die jugendliche Naive spielte der Domenega aus Triest, ein siebzehnjähriger italienischer Bursche, der sich da in die Armee verirrt hatte. Es wuchs ihm noch kein Bart und er wurde immer rot aus Verlegenheit wie ein richtiges Mädchen. Die Männer bekamen hie und da aus einer Decke ein Zivil-Jacket gemacht, und für die Frauendarsteller wurden von den besten Schneidern des Lagers die Bettdecken so kunstvoll gesteckt, dass sie bald lange Nachthemden hatten und bald Röcke mit Blusen wie elegante Damen. Natürlich war alles in Weiß gehalten. Als Schuhzeug hatten alle dieselben österreichischen Bergsteiger mit großen Nägeln, und wenn der Liebhaber seiner Dame was von ihrem hübschen Füßchen flüsterte und die »Dame« darauf ihren benagelten Bergschuh hochhob, gab es immer Applaus auf offener Bühne. Der Hirschfeld konnte kokett die Hüften wiegen und spielte meistenteils mit dem Rücken zum Publikum, zu dessen Ergötzen.

Die italienischen Offiziere kamen in den Pausen und ließen

die Damen die Röcke hochheben, um sich zu überzeugen, dass es keine echten Damen wären. Die Preise waren acht Centesimi der erste Platz, fünf der zweite und drei der dritte. Die Einnahmen waren nach Quoten verteilt, und ich als Direktor, Regisseur und Hauptdarsteller bekam drei Teile und wurde so ein wohlhabender Mann. Die Bosnier hatten immer die erste Reihe reserviert und saßen da jeden Abend in ihrem roten Fez, und wenn die Vorstellung vorbei war, stellten sie immer einen oder zwei Eimer Chianti auf die Bühne, und Schauspieler und Mäzene und die sonstigen Freunde des Theaters feierten so jede Nacht. Sie machten auch den Damen kleine Geschenke und führten mit ihnen Don-Juan-Gespräche. Die Bühne wurde immer, je nach Charakter des Stückes, mit dunklen Decken oder hellen Leintüchern bespannt, und die Fensterrahmen waren aus Papier geschnitten und mit Nadeln auf diesen Hintergrund angeheftet. Die elektrischen Birnen wurden je nach der Stimmung, die man brauchte, mit grünem oder rotem Seidenpapier umwickelt. Wir spielten in unserer Not, ohne es zu wissen, stilisiertes, expressionistisches Theater, und alles ging großartig. Bis eines Tages die ungarische Truppe uns einen Strich durch die Rechnung machte. Sie führte ein Volksstück mit einem großen Gartenfest auf, und in ihrem Ehrgeiz, uns zu übertrumpfen, hackten sie Olivenbäume aus und bauten auf der Bühne einen echten, dichten Garten auf.

Die Italiener kamen in die Vorstellung, sahen die Olivenbäume mit den Oliven, die gerade reif waren, und verboten uns allen das Theaterspielen! Da half kein Bitten und kein Betteln. Die Ungarn hatten die zwanzig schönsten Olivenbäume ausgehackt und den Hain verunstaltet! Als altes Kunstvolk waren die Italiener gegen solchen Naturalismus. Und im Lager wurde es wieder langweilig. Der hübsche Domenega aber, unsere jugendliche Naive, der nie in seinem Leben Theater gesehen hatte, blieb Primadonna und Mittelpunkt des Lagers. Er war mir sehr dankbar für dieses Geschenk und kam jeden Morgen an mein Bett, Kaffee zu trinken, und saß jeden Abend an meinem Bett vor dem Schlafengehen. Es war klar, er liebte mich – ich ihn auch. Aber ich sah im Lager, wie Leute sich paarten, und betete jeden Abend vor dem Einschlafen und jeden Morgen beim Aufwachen: »Lieber Gott, lass mich nicht schwul werden!« Er hat mich wirklich erhört, und ich bin noch heute froh, dass ich trotz meiner angeborenen Neugierde davor bewahrt wurde.

Es geschah hie und da, dass ein Gefangener wahnsinnig wurde und verschwand. Plötzlich lief einer nackt durchs Lager, tanzte und schrie und lachte – wurde eingefangen, auf die Hilfsstation gebracht, dann hieß es, dass er nach Florenz geschickt worden sei. In Florenz war eine Sammelstelle für wahnsinnig gewordene Gefangene, die dann durchs Rote Kreuz ausgetauscht wurden und in ein Sanatorium nach der Schweiz kamen. Ich war schon zehn Monate im Lager, und eine große Unruhe und Sehnsucht bemächtigte sich meiner. Acht Monate Front, zehn Monate im Lager – ich hatte achtzehn Monate keine Frau gesehen! Ich hatte wilde Träume, Abszesse – und dazu noch der hübsche Domenega mit den runden Mädchenformen und dem koketten Kinderblick! Nein! Nein! Nein! Da muss etwas geschehen! Mein Slezak war immer noch mit mir. Er war jetzt mächtig stolz auf mich, seit er mich Theater spielen gesehen hatte. Er blieb für mich auch im Lager der Freund, mit dem ich alle meine Geheimnisse besprach.

Eines Tages ging ich mit ihm spazieren und legte ihm einen nagelneuen Plan vor: Ich werde in einer Nacht wahnsinnig! Was auch geschehen möge, er allein soll wissen, dass es nicht richtiger Wahnsinn ist! Er ist der Einzige, der die Wahrheit wissen soll. Ich will nur, dass man mich nach Florenz schickt und von dort durch das Rote Kreuz in die Schweiz. In der Schweiz angelangt, springe ich einfach vom Zug, gestehe den Leuten den Trick und bin ein freier Mann, kann wieder Theater spielen, meinem alten Beruf nachgehen, Frauen sehen, statt hier zu vegetieren. Slezak war erst traurig über die Trennung, aber der Plan war so großartig und er war so stolz, dass ich ihm als Einzigem das anvertraute, dass er versprach, alles für sich zu behalten. Ich hörte nun zunächst auf, mit den Leuten zu sprechen. Domenega war beleidigt und kam nicht mehr zu mir. Wenn man mich etwas fragte, guckte ich weg und gab unzusammenhängende Antworten. Ich rasierte mich nicht, saß allein und brütete vor mich hin. Ich fing an, aufzufallen. Die Leute musterten mich misstrauisch. Slezak kam besorgt. Er meinte, die Leute flüsterten sich schon komische Sachen über mich, fragten ihn aus, was eigentlich in mich gefahren wäre. »Gut, Slezak, du weißt von nichts. Heute Nacht geht es los. Verrate mich nicht und hau ab!«

Dieselbe Nacht um zwei Uhr, als die Leute im tiefsten Schlaf lagen, fing ich fürchterlich zu schreien an. Erst fing ich an, das Bett zu demolieren, Gegenstände herumzuschmeißen, riss mir das Hemd vom Leibe wie Paul Wegener als Franz Moor. »Geister aus Gräbern ausgespien«, schrie ich. Die Leute wurden wach, versuchten mich zu beruhigen, ich schlug auf jeden ein, der in meine Nähe kam. Sie packten mich, ich wehrte mich mit allen Kräften, bekam einige Hiebe, wurde schließlich überwältigt und gebunden. Ich schrie und weinte plötzlich wirklich. Jetzt wusste ich nicht mehr, ob ich spielte oder richtig wahnsinnig wurde. »Richtig verrückt«, schoss es mir durchs Hirn, »du bist ja verrückt«, sagte es in mir, »ein normaler Mensch kommt doch nicht auf solche Gedanken. Wahnsinnig bist du, mein Junge«, sagte es in mir. Ich bekam ungeheures Mitleid mit mir selbst, das Elend überwältigte mich.

Sanitäter kamen mit einer Bahre und brachten mich auf die Hilfsstation. Es war schon längst Tag. Slezak stand bei mir und weinte mit mir. Weder er noch ich wussten, ob ich spielte oder wirklich verrückt war. Jedenfalls war ich krank. Der Arzt kam, nickte über den Bericht, meinte, das wäre schon der achte Fall in diesem Jahr, ließ die Personalien aufnehmen. Ich zitterte jetzt vor richtiger Aufregung.

Als alles schon fertig war und er schon den Transportschein nach Salerno unterschrieben hatte, fragte er: »Was ist er denn in seinem Zivilberuf?« – »Beim Theater, Schauspieler«, antwortete Slezak stolz. »Was, Schauspieler?«, platzte der Arzt heraus, schaute mir in die Augen wie ein Pferdedieb dem anderen und setzte fort: »*Amico Comediante!* Sie sind nicht verrückt! Sie haben sich da was Schönes ausgedacht! Aufbinden! Loslassen!« Ich war plötzlich überrascht und verlegen, fiel aus der Rolle und bettelte: »Aber Herr Doktor, doch, doch, ich bin verrückt, ich bin wahnsinnig!« Da lachte schon das ganze Zimmer mit dem Arzt, und er erklärte triumphierend: »Das ist es ja! Ein echter Wahnsinniger behauptet ja immer, dass er normal ist. Raus mit ihm«, gab mir noch einen Tritt in den Hintern, und ich war wieder auf dem Hof des Lagers und schämte mich meiner Niederlage so sehr, dass ich wirklich melancholisch wurde.

Aber einige Tage war ich die Sensation des Lagers. Die Leute kamen gratulieren zum Schauspiel, das ich ihnen nachts geboten hatte. Alles wäre ja ausgezeichnet gegangen, wenn mein Schauspielerberuf mich nicht verraten hätte. Wenn ich aber wieder kein Schauspieler gewesen wäre, hätte ich doch nicht einmal den Versuch machen können. Auch die Italiener lachten darüber und nannten mich »*Grande Attore*«.

Was es nicht alles für Probleme gibt! Einem, der was kann, glaubt man's nicht; einer, dem man's glauben würde, kann es nicht. Ich war aber jetzt noch mehr von der Idee besessen, wegzukommen. Ich hatte doch eine braune Jacke aus einer Decke gemacht und besaß Haarkrepp und Schminke vom Theaterspielen. Ich konnte ja Maske machen und als Zivilist hinausgehen! Aber wie weit würde ich schon kommen? Wir waren ja in Süditalien.

Eines Tages war auf dem schwarzen Brett angeschlagen, dass sechshundert Mann sich zum Straßenbau nach Norditalien melden könnten. Norditalien, dachte ich, das ist ja die französische und Schweizer Grenze. Ich meldete mich sofort mit Slezak und wir verließen das Lager. Nur hinaus! Hinaus aus dieser Einöde des Lagerlebens in eine neue, unbekannte Gegend mit unbekannten Möglichkeiten! Meine braune Jacke und den Haarkrepp hatte ich mit mir und einen Plan, eine Absicht, durchzubrennen. Dieser Krieg, dachte ich, kann ja noch viele, viele Jahre dauern, bis ich dann ein alter Mann bin. Ein

Mensch muss immer Pläne haben. Warum soll es nicht dieses Mal gehen? Versuchen muss man's, nichts wird einem ins Bett gelegt. So hatte ich wieder eine Hoffnung, die mich ausfüllte. Ich hatte wieder einen Inhalt. Und damit gingen wir nach Norden, Straßen bauen. Straßen führen immer irgendwohin. Wohin? – Wir werden's ja sehen.

35
Auf halbem Wege schon kommt das Leben entgegen ...

Wir, der Abfall, der Ballast, die unwichtigste Fracht des Krieges, die Kriegsgefangenen, fuhren jetzt von Süd- nach Norditalien. Wir waren zwar streng bewacht und wurden, wenn wir hielten, auf Nebengleise verschoben, aber immer kamen doch Leute aus der Bevölkerung zu uns durch. Auch fuhren wir erst an der Küste entlang und sahen von weitem Menschen in Badekostümen spielen und schwimmen, bunte Schirme und Strandkörbe – das alles gab es noch!

In Pisa war es, in Pisa mit dem schiefen Turm, den man vom Bahnhof gut sehen konnte. Da standen wieder Leute vor einer Sperre und unterhielten sich mit uns. Wir sprachen ja schon italienisch. Da stand eine rundliche Frau, eine Mutter in den Vierzigern, mit großen, gutmütigen Augen voll Tränen und beklagte und bedauerte uns: »*Niente scrivere la famiglia,* ach, arme, arme *prigionieri di guerra!* So lange schon von zu Hause weg! So lange getrennt von Müttern und Bräuten und Schwestern und Frauen!« Neben mir stand eine junge Frau, Anfang zwanzig, dunkel angezogen, sauber, mit einem olivenfarbenen, durchsichtigen, zarten Gesicht, das schwarze Haar glatt zurückgekämmt zu einem Knoten, und zwei großen fragenden grauen Augen mit langen, schwarzen Wimpern, wie sie alle Filmschauspielerinnen der Welt so gern haben möchten. Da steht ein Junge, ein Straßenjunge, barfuß, zerlumpt, und läuft immer einem Gefangenen etwas kaufen. Er verschwindet und kommt zurück und bringt Brot und Käse und Salami und auch eine Korbflasche Chianti und bekommt dafür ein paar Centesimi, und er schwitzt vor Aufregung und saust davon und kommt zurück, und der Posten drückt ein Auge zu. Ich nehme meine letzten zwei Lire. »Hier, mein Junge, bring mir auch eine Flasche Chianti, ein Stück Käse und Brot für den Rest.« Und der Junge läuft davon, aber diesmal dauert es länger, und der Zug pfeift, und die Türen werden schon zugemacht, und der Blick der Grauäugigen mit den langen Wimpern strahlt jetzt warm, die Mama weint und schluchzt und schneuzt sich die Nase in die Schürze, der Zug setzt sich in Bewegung. Die Glattgekämmte hebt langsam ihre schmale Hand und winkt und lächelt, wie sündhaft, zum ersten Mal, dass man zwei Reihen blinkender Zähne sehen kann. Wir fahren schon schneller, und die Mama weint jetzt herzzerbrechend, als ob wir ihre Kinder seien, von denen sie sich verabschiedet. Die langbewimperte Schöne strahlt uns verführerisch nach, aber der Junge mit dem Wein und Käse und Brot kommt nicht zurück! Wir waren tief beeindruckt von den drei Generationen: gefühlvolle Mamas, erotische Schönheiten und freche Straßenjungen. Ist das typisch italienisch? Konnte das nicht auch in meiner Heimat passieren? Aber ja! Es ist auf der ganzen Welt dasselbe. Die anderen, die vom Jungen beliefert worden waren, gaben uns einen Trostschluck und einen Happen Käse und neckten uns dafür.

Wir fuhren weiter, Tage und Nächte, immer nach dem Norden, bis wir eines Nachts ausgeladen wurden in der Stadt Aosta, im Aosta-Tal, das Italien von der Schweiz und Frankreich trennt. Da sah man die Berge Valpellini, Sankt Bernhard, Montblanc und das Paradiso-Gebirge. Diese Bergriesen also, mit dem ewigen Schnee, könnten Tore in die Freiheit sein! Wir wurden von einer Bewachungsgruppe übernommen, um nach Kogne gebracht zu werden, einem Ort bei Aosta, wo wir für die neu entdeckten Bergwerke Straßen bauen sollten. Ein italienischer Feldwebel war da als Dolmetscher. Er sprach fließend deutsch. Da aber unsere Abteilungen aus Ukrainern, Polen, Kroaten und Slowenen bestanden, wurde ich dem Dolmetscher als Unterdolmetscher zugewiesen. Bald marschierten wir zusammen einen engen Bergpfad entlang nach unserem Bestimmungsort und hatten eine anregende Unterhaltung. Der italienische Dolmetscher war der Sergeant Ludovico Merlo, ein Landsturmmann, der in Aosta zwei Gasthöfe besaß, Hotel de Posta und Hotel La Corona. Er war ein kleiner, schmächtiger Mann in den Vierzigern, mit gutmütigen, klugen blauen Augen und einem fein gestutzten Spitzbart. Er sprach lebhaft, als ob er referierte, und freute sich, seine in Deutschland erlernte Sprache wieder zu lüften. »Was hältst du vom Krieg?«, fragte mich der »feindliche« Feldwebel und Dolmetscher, mit dem ich sofort einen so engen Kontakt hatte, als ob ich ihn schon jahrelang gekannt hätte. »Vom Krieg, ich? Ich wüsste schon eine bessere Beschäftigung! Ich halte was von Shakespeare, aber nichts vom Krieg, der von mir verlangt, dass ich Menschen töten oder selbst getötet werden soll, statt einem Beruf nachzugehen, der mir und anderen Spaß machen könnte.« – »Ja, ja«, sagte Merlo, »wenn wir uns im Schützengraben begegnet wären, hätten wir aufeinander geschossen, und jetzt führen wir nützliche Gespräche. Siehst du, wir einfachen Leute werden nie gefragt, was wir wollen. Immer diese großen Herren! Sie trinken nicht nur unseren besten Wein, schlafen mit unseren schönsten Frauen, wohnen in den Schlössern, sie schicken uns auch einfach in den Tod, wenn es ihnen gerade passt. Schau dir meine Leute an, die euch bewachen, und deine Leute, die da marschieren. Wenn du sie befragst, sie wollen sicher alle nach Hause zu ihren Werkstätten und Bauernhöfen, jeder hat seine Familie, seinen Beruf, sein Heim, wo sie nützliche Arbeit taten. Aber eines Tages hieß es plötzlich, alles stehen und liegen lassen und morden gehen oder gemordet werden! Wenn zwei Nachbarn sich verhauen, kommen sie vor den Richter, der den Friedensbrecher bestraft. Aber wenn so große Minister in ihren diplomatischen Geschäften sich nicht einigen können, machen sie Krieg. Arrangieren Massenmord. Wenn so ein hungriger armer Teufel ein Brot stiehlt, wird er eingesperrt; wenn ein Besoffener eine Fensterscheibe einschlägt, wird er bestraft, wenn einer einen Mord begeht, wird er gehenkt – aber wenn diese großen Herren Hunderte, Tausende, ja Millionen von Morden begehen, nennen sie es Krieg nach Gesetz und Ordnung. Diese Kriegsmacher müsste man ordentlich bestrafen! Ist es nicht eine Schande, dass erwachsene Menschen keinen anderen Ausweg wissen, als alle zwanzig, dreißig Jahre alles zu zerstören, was mühselig aufgebaut worden ist? Von den vielen Waisen und Witwen abgesehen!« So sprach der »Feind«, der mich bewachte, ein italienischer Sergeant. Niemals hatte ich einen österreichischen Feldwebel so sprechen hören. Dann fragte er mich: »Wie gefällt dir Italien?« Darauf erzählte ich ihm vom Erlebnis mit der weinenden Mutter und dem Jungen, der mit den zwei Lire verschwand, und der Schönen mit dem glatt gekämmten Haar und den lang bewimperten, grauen Augen, den schönsten Augen der Welt! »Ja, ja«, lächelte Ludovico befriedigt, »alle Mütter der ganzen Welt weinen über diesen Krieg. Den Schaden durch den Jungen wirst du hier ersetzt bekommen. Du wirst hier genug Wein zu trinken haben und zu essen auch, denn ich leite die Küche für die Offiziere und Ingenieure, und da wirst du mir helfen müssen. Was aber die schönsten Augen der Welt anbetrifft«, sagte er, »in diesem Punkt irrst du dich. Siehst du, ich hab viele Jahre in Berlin als Kellner gearbeitet und hatte da eine Anna. Herrgott ja, die Anna!« Und da unterbrach er sich plötzlich und lauschte wie verträumt in sich hinein: »Die Anna! Die hatte Augen! Natürlich haben meine Italienerinnen schöne Augen, aber solche, wie sie meine Anna in Berlin hatte, gibt es eben nicht einmal in Italien!«

So marschierten wir plaudernd durch schmale, schlechte Wege ins Gebirge hinein und waren nach vielen Stunden Marsch in Kogne, in einem für uns bereiteten Lager angelangt. Am nächsten Tag wurden wir in Arbeitsgruppen eingeteilt. Ich wurde dem Merlo als Dolmetscher und Hilfskoch für seine Offiziersküche zugewiesen. Die ersten Tage holte er mich immer ab, aber später konnte ich mich beinahe frei bewegen. Die Verpflegung war hier für die Leute viel besser als im Lager. Da gab es verschiedene Werkstätten, wo einige gleich zu arbeiten anfingen. Die anderen waren beim Straßenbau. Alle bekamen anständig bezahlt, denn wir arbeiteten für ein ziviles Unternehmen. Den ganzen Tag war ich mit Ludovico zusammen, half ihm einkaufen und in der Küche. Wir kochten für etwa zehn Herren, die um elf Uhr zum Essen kamen und bis zwei Uhr bei Tisch saßen. Sie fingen erst mit kleinen Sachen an: Anchovis, Thunfisch, Sardinen, verschiedenen Salaten, Salami, kaltem Schinken, Wein, dann die reiche Suppe, die gar keine Suppe war! Für diese Suppe wurden einen Tag zuvor fette Markknochen ausgekocht, dann die Knochen entfernt und die Brühe über Nacht kaltgestellt, dass daraus ein richtiges Gelee wurde. Dann wurden Scheiben Brot geröstet und mit Knoblauch eingerieben, rohes grünes Gemüse mit Zwiebeln klein geschnitten und viel Parmesankäse vorbereitet, jetzt wurde das alles in einen großen eisernen Topf getan, eine Schicht Gelee, eine Schicht Brot, eine Schicht Gemüse, eine Schicht Parmesankäse. So wurde der Topf vollgemauert und kam in den Ofen. Und diese Suppe war gar keine Suppe und schmeckte uns besser als Suppe und Gemüse und Fleisch! Dann gab es verschiedene Braten oder Hühner oder Enten oder Wild, dann Puddings, dann eine gemischte Käseplatte, dann Mokka und Cognak und feines Buttergebäck. So ein Mahl dauerte drei lustige Stunden. Und wenn die Herren weggingen, räumten wir ab und deckten von neuem für uns und aßen genauso lange Zeit dasselbe gute Essen, vielleicht noch besser. Denn die besten Happen legten wir für uns beiseite!

Ich war also den ganzen Tag beschäftigt und freundete mich mit Merlo immer mehr an. Am schönsten war dieses Mittagessen. Denn da saßen wir so lange, bis wir einen sitzen hatten. Wir aßen und tranken und besprachen alle Probleme der Welt, als ob nur wir beide für sie verantwortlich wären und als ob nur wir beide sie lösen könnten. Merlo hatte seine Hotels in Aosta und kannte die Gegend ausgezeichnet. Ich erkundigte mich nach den verschiedenen Ausflugsorten nach Frankreich und in die Schweiz. So erfuhr ich von ihm, dass der leichteste Weg nach der Schweiz über den Valpellini wäre, der zweitleichteste über den Sankt Bernhard. Manchmal zeigte er mir sogar Karten und ich vertiefte mich in tiefes Studium. Denn diese Berge schienen mich anzugucken und zu locken: »Komm doch, komm, ich halte still, ich bin zuverlässig, mein Sohn, über meinen Rücken kannst du bequem hinüberklettern ins Schweizerland, in die Freiheit.« Meinen Rucksack hielt ich in der Ecke beim Bett, wo ich schlief, unter einer Decke sorgfältig verborgen. Seit Wochen schon brachte ich von der Küche Proviant. Ich rechnete, dass die Flucht über den Valpellini oder Bernhard zwei Wochen in Anspruch nehmen würde, denn von Merlo wusste ich, dass ein normaler Ausflug nur vier bis fünf Tage dauerte. Ich rechnete vierzehn, denn am Tage wollte ich mich versteckt halten und nachts gehen – den Polarstern als Richtung zu meiner Rechten und den Montblanc zur Linken. Dazu brauchte ich also vierzehn Tage Verpflegung. Erstens sammelte ich Brotrinden als getrockneten Zwieback, dann Ölsardinen, Anchovis, Thunfisch, Salami und Käse. Nach einigen Wochen war mein Rucksack voll wie eine Kuh vor dem Kalben. Ich hatte mir auch eine Zeichnung vom Aosta-Tal angefertigt, mit der ich mich gut am Polarstern orientieren konnte.

Die Frage war nur, wie ich das Lager und den Ort verlassen könnte, wo die Leute in Gruppen und unter Bewachung arbeiteten. Hier gab mir der Zufall einen Wink: Alle paar Tage kam ein italienischer Bauer aus der Nähe ins Lager, Brotabfälle für seine Ziegen zu sammeln. Er war in meiner Größe und hatte ein steifes Bein, einen Spitzbart und einen dichten, nach oben gedrehten Schnurrbart. Er hinkte immer mit einem leeren Rucksack ins Lager herein und vollbeladen hinkte er hinaus. Ich beschloss, seine Maske zu machen. Ich hatte ja meine Zivil-jacke vom Theaterspielen in Padula und Schminke und Haar-krepp. Dieser Plan stand bald fest bei mir. Ich beobachtete den Mann die ganze Zeit. In meinen stillen Stunden hatte ich mir Spitz- und Schnurrbart zurechtgezupft, ich brauchte sie nur mit Mastix anzukleben. Ich überlegte noch, ob ich Slezak mitnehmen sollte – aber das kam aus zwei Gründen nicht in Frage. Erstens waren schwere Strafen für Fluchtversuch vorgesehen. Einer hatte gerade vierzig Tage bei Wasser und Brot gebrummt. Gefangene aber, die an den Grenzen erwischt werden, stand im letzten Befehl, werden als Spione an Ort und Stelle erschossen! Dazu war der Slezak ein Riesenlackel, der immer auffiel durch seine Länge. Ich beschloss, diesmal den Slezak nicht nur nicht mitzunehmen, sondern ihm auch nichts zu erzählen. Aber was mit Merlo? Wir waren jetzt richtig befreundet. Kann ich einfach durchbrennen, ohne ihm ein Wort zu sagen? Nein, das kann ich nicht!

Dann kam der Tag. Mein Rucksack war so voll, dass er keine Nadel mehr hätte aufnehmen können. Die Jacke lag bereit, in einem Heft Spitz- und Schnurrbart nur zum Ankleben, Feldflasche, Trinkbecher, Handtücher, Seife, sogar Besteck und etwas Geschirr war nicht vergessen. Ich hatte nur abzuhauen.

Die Offiziere und Ingenieure verließen den Tisch. Wir deckten für uns, und ich wusste, dass ich heute das letzte Mal mit Merlo aß. Ich war sehr aufgeregt, konnte ihm nicht recht in die Augen sehen, trank ein Glas Chianti nach dem andern und überlegte, wie ich ihm das alles beibringen könnte. Aber immer, wenn ich den Mund auftun wollte, blieben mir in der Kehle die Worte stecken, und ich spülte sie hastig mit einem neuen Glas hinunter und wurde traurig und melancholisch und kam dem Weinen nahe. Merlo merkte das und fragte mich besorgt, warum ich denn so unglücklich sei.

»Ludovico«, kam es schluchzend aus mir heraus, »wir essen heute zum letzten Mal zusammen. Ich halte es nicht mehr aus. Ich bin krank, ich werde wahnsinnig, oder ich brenne durch.« Ludovico war plötzlich kreidebleich und goss auch ein volles Glas herunter, und ich fuhr zu sprechen fort: »Siehst du, wir gehören feindlichen Armeen an, du bewachst mich, aber wir sind Freunde, und ich muss dir alles gestehen, ich muss dir das sagen, damit du nicht glaubst, dass ich falsch zu dir war.« Ludovico, der »Feind«, war jetzt auch ganz gerührt und hatte Tränen in den Augen und schenkte unsere Gläser von neuem voll und sagte: »Aber, Mensch, ich habe doch die ganze Zeit gemerkt, dass du was tun willst. Ich habe doch immer mehr Konserven gekauft, als wir brauchten. Ich habe ganz gut gemerkt, wie du die Brotrinden abschneidest. Ich habe auch deine Fragen über die Ausflugsorte in der Gegend gut verstanden. Ich hoffte aber, du würdest es mir nicht direkt erzählen, damit ich dann, wenn du fort bist, ehrlich schwören kann, dass ich von deiner Flucht nichts wusste. Abgesehen davon bin ich aber müde und nicht ganz beisammen, ich gehe schlafen«, umarmte und küsste mich wie ein großer Bruder, legte fünfzig Lire auf den Tisch und verschwand.

Ich ging jetzt schnell in meine Baracke ins Lager zurück. Die Leute waren schon fort zur Arbeit. Ich zog meinen Zivilrock an, hängte mir meinen Rucksack um, ging auf die Toilette, klebte mir den Spitz- und Schnurrbart an, betrachtete mich im Handspiegel, und eine richtige Schauspielerfreude überkam mich bei meiner Ähnlichkeit mit dem Italiener, der die Abfälle für seine Ziegen sammeln kam. »Dreimal ausspucken und steifes Bein nicht vergessen!« Und guter Laune hinkte ich hinaus. »Falls sie mich erwischen«, denke ich, »spiele ich Theater, war alles nur ein Scherz.«

Und wie ich zum Tor komme, steht da der Ingenieur Fiorello, mit dem Tenente Calliacci diskutierend. Die letzten sechs Wochen habe ich sie täglich bedient. Sie gucken mich nicht einmal an. »Gut gehinkt, mein Junge«, lobe ich mich stolz. Jetzt bin ich schon im Ort, ich, der arme Italiener, der einen so dicken Rucksack für seine Ziegen gesammelt hat. Ich hinke durch den Ort, ein bisschen hastiger heute als sonst, und schon ist der Ort hinter mir. Da, am Ortsende, wo ich abzubiegen habe, arbeitet eine Gruppe, und mein langer Slezak ragt aus ihr hervor. Ich biege ab und gehe quer über die Wiese. Da, der Slezak wird aufmerksam. Er guckt mir nach und erkennt mich. Er stiehlt sich von den Leuten fort, folgt mir, lässt sich in den Rasen nieder und ruft flüsternd: »Granach, Gott mit dir, was tust du?« – »Guck nicht nach mir, geh zurück und schweige!«, antworte ich zwischen den Zähnen, ohne ihn anzusehen. Er schleicht davon, und ich höre noch, wie er brummt: »Möge Gott dir helfen!«

Ich bog scharf nach rechts und war im Wald jetzt, sah noch die Leute arbeiten, aber niemand konnte mich sehen. Ich ging immer schneller die Höhe hinauf, an einem Bergbach entlang. Es wurde immer steiler und plötzlich konnte ich weder vorwärts noch rückwärts. Eine richtige Wand wölbte sich über mir. Ich lag da, festgeklammert an einem Fels, Angstschweiß bedeckte mich, der Stock rutschte aus meiner Hand und fiel steil hinunter, und ich hörte ihn einige Male aufschlagen, dann war es still. Auch ich hielt mich ruhig und überlegte meine nächste Bewegung. Vorsichtig rutschte ich zur Seite und war so aus meiner ersten unbequemen Lage heraus. Und jetzt arbeitete ich mich langsam im Zickzack vor und war allein in einem düsteren Bergwald. Es stieg immer noch höher, und es wurde jetzt ganz finster. Bald sah ich die dunkle Wand von einer Hütte. Halb fühlte ich mich heimisch, halb fürchtete ich, es könnte jemand drin sein. So ließ ich mich vorsichtig nieder, mit dem Rücken zu dieser Wand, und ruhte und wartete erst. »Ob die mich jetzt schon vermissen dort?«, dachte ich. Sicherlich! Ich war mindestens fünf bis sechs Stunden gekraxelt. Es war ja schon richtig Nacht, mit einem Sternenhimmel voll riesiger Diamanten mit einem silberstaubigen Pfad in der Mitte. Mit einer schreienden Ruhe! Mit einem brüllenden Schweigen! »Theater«, dachte ich. Und nahm erst jetzt meinen Spitz- und Schnurrbart ab.

Ich spiele Theater, mit einem echten Wald und Bergen und Himmel und Sternen als Dekorationen. Mit einer starken Handlung ohne Text, nur gedachte Worte und Wind. Winde aus weiter Ferne erzählen sich pfeifend lustige Klatschereien in den Baumkronen, die Erfahrungen einer langen Reise. Ich verstehe kein Wort. Ich fühle mich fremd hier und allein, sitze wie erstarrt an die Wand gelehnt und habe Angst, mich zu bewegen. Bald schlafe ich ein und träume ein wildes Durcheinander. Ich sehe Reinhardt mit seinem Stab ein außergewöhnlich großes Stück inszenieren. Das ganze Aosta-Tal ist die Bühne. Und die Berge Valpellini, Sankt Bernhard und Montblanc sind die Dekorationen. Die Schauspieler tragen solche Rieseneinlagen, dass sie mit den Köpfen in Bergeshöhe sind. Und die Textbücher für ihre Rollen sind so groß, dass immer zwei Mann nötig sind, um nur ein Blatt umzuschlagen. Jawohl, und die ganze österreichische und italienische Armee exerziert herum als Statisterie, und Ludovico Merlo ist der Inspizent. Er reitet in der Gegend umher und ruft mir zu: »Wenn ich das Gongzeichen gebe, gehst du zu den Dekorationen im Hintergrund und kletterst hinüber – dann fällt der Vorhang!« Aber erst muss ich noch vorsprechen mit Orchesterbegleitung. Und ich bin nicht vorbereitet! Und das Orchester spielt und singt und pfeift, ich wache langsam auf, es spielt immer noch! Nein, es singt! Ein Riesenorchester von Vögeln.

Und die ersten Sonnenstrahlen brechen durch. Es wird hell. Es wird Tag. Ich sitze noch da und überdenke die letzten Traumfetzen, dann stehe ich langsam auf und schleiche vorsichtig um die Hütte herum. Sie ist alt und eingefallen, nicht nur die Tür, eine ganze Wand fehlt. Hier ist schon lange kein Mensch gewesen.

Ich ging weiter die Steigung aufwärts, bis sich nach einigen Stunden der Wald lichtete und ein Kreuz mit der Aufschrift der Bergkuppe und Höhe dastand. Da war auch ein Wasserbecken, mit einem natürlichen Kranz von Felsen und Steinen umzäunt, und eine freundliche Morgenruhe umgab mich. Ich ließ mich behaglich nieder, entblößte meinen Oberkörper und rieb mich mit dem kalten Quellwasser ab, breitete auf einem Stein ein Handtuch aus, deckte für mich wie für einen lieben, fremden Gast und servierte mir selbst meine erste Mahlzeit, Thunfisch und Käse, trank das frische, klare Wasser, nahm meine Zeichnungen heraus, alles stimmte. Ich sah den Montblanc und den anschließenden Sankt Bernhard und den Valpellini. Ich beschloss, weiterzugehen bis gegen Mittag. Bald lag das ganze Aosta-Tal vor mir – alles schien zum Greifen nahe. Ich hatte nur im Aosta-Tal den Fluss zu durchqueren, dann zum Valpellini-Berg, dessen Rücken schon die schweizerische Grenze ist. Jawohl! So einfach ist alles auf der Karte.

Wie sah aber die Wirklichkeit aus? Natürlich ganz anders. Hier war ich auf einem Plateau, von wo ich ins Tal sehen konnte, fand bald einen ausgetretenen Pfad und entdeckte wieder ein kleines Bächlein, das wohl von der Stelle kam, wo ich frühstückte. Hier musste ich mich jetzt aufhalten. Da habe ich auch den Ausgangspunkt, sodass ich nachts nicht herumzuirren brauche. Es ist schon Mittag jetzt und warm. Es ist Mitte August, genau ein Jahr, seitdem ich gefangen wurde. Ich setze mich an den Bach, ziehe die Schuhe aus und nehme ein Fußbad. Ich überlege, es rechnet in mir, es macht Bilanz: drei Jahre Krieg, davon acht Monate Front, ein Jahr Kriegsgefangenschaft. Seit zwanzig Monaten also tue ich zum ersten Mal, was ich will, und gehe, wohin ich will. Genieße meinen Ausflug und meine Freiheit zum ersten Mal seit zwanzig Monaten. Ich bin stolz auf mich selbst, dass ich es mir ermöglicht habe, jetzt so friedlich und still mein Fußbad zu nehmen. Ich denke ans Lager, an Slezak, den italienischen *Tenente* Calliacci, den Kommandant unserer Arbeitsgruppe. Dieses junge Bleichgesicht aus den oberen Zehntausend, dessen hochmütige Nase noch nicht Pulver gerochen hat. Sein Kriegsdienst besteht im Bewachen der Gefangenen, weil das Bürschlein adelig ist und gute Verbindungen hat. Dieser *Tenente* Calliacci la Savoja wollte immer wissen, was wir Gefangenen sprechen und was wir über den Krieg denken. Jeden Tag nach der Arbeit sammelten sich die Leute in meiner Baracke, um die Neuigkeiten zu hören. Ich erzählte, was ich im Laufe des Bedienens der Herren bei Tisch aufgeschnappt und was ich mir hinzugedacht hatte. Die Leute wussten schon, dass ich flunkerte, aber sie unterhielten sich dabei. Eines Abends sprachen wir darüber, welcher Soldat in diesem Krieg der beste sei. Unter uns waren Slowenen, Kroaten, Dalmatiner, Ukrainer und Polen. Wir einigten uns, dass der serbische Soldat der beste sei, dann kam der Franzose, der Deutsche, der Russe. Plötzlich kam unser *Tenente* zum Gespräch hinzu, und um ihn zu ärgern, nannten wir eine ganze Weile niemand und erst ganz zuletzt setzten wir den italienischen Soldaten an. Der Tenente geriet in Zorn und hatte mit mir folgenden Krach:

Er: »*Caporale*, es soll mir eines Tages ein großes Vergnügen sein, dich einzusperren bei Brot und Wasser für die frechen Gespräche, die du führst, und die Beleidigungen, die du äußerst.«

Ich: »*Signor Tenente*, erstens ist es den Gefangenen nicht verboten, miteinander zu reden. Und wenn wir dir schon die Ehre erweisen, dich nicht anzulügen und ehrenhaft von Soldat zu Soldat uns auszusprechen, ist es das Gegenteil von einer Beleidigung.«

Er: »Aber du redest zu viel, *Caporale*, und bist frech. Ein bisschen Einsperren kann dir nur gut tun.«

Ich: »*Signor Tenente,*« – lachte ich ihn an und mit mir die Umstehenden – »wenn Sie mich für nichts und wieder nichts einsperren, werde ich durchbrennen.«

Er: »Wenn du durchbrennst, *Caporale*, schieß ich dich nieder.«

Ich: »Wie kannst du mich niederschießen, *Signor Tenente*, wenn ich durchgebrannt bin! Höchstens dann meine Seele.«

Die Leute brüllten vor Lachen und das Milchgesicht verfärbte sich weinrot und schrie hysterisch.

Er: »Ach du, du hast ja gar keine Seele! Einen Furz hast du, *Caporale*, das ist deine Seele.«

Ich: »Na großartig, *Signor Tenente*, dann wirst du eben den erschießen, dann musst du aber gut zielen, denn der ist ja bekanntlich unsichtbar ...«

An diese Unterhaltung erinnerte ich mich, als ich das klare, kalte Wasser des Bergbaches über meine Füße spülte. Ich guckte währenddessen auch in meinen Taschenspiegel und dachte noch, so zufrieden sieht dieser *Tenente* Calliacci sicher nicht aus. Da hörte ich plötzlich ein Gerenne und Geläute. Es kam immer näher wie eine Schar von Buben und Mädels in angeregter Unterhaltung. Es waren Schafe! Liebe, gute Schafe kamen zum Bach trinken. Eine ganze Herde. Im Handspiegel sah ich hinter mir einen jungen Menschen, einen Hirten. Ich sah ihn erstarrt auf mich gucken. Ich stehe langsam auf, aber er saust davon. Ich laufe auch, in die entgegengesetzte Richtung. Als wir so hundert Schritte voneinander entfernt waren, blieben wir wieder stehen, schauten uns noch einmal um und liefen wieder voreinander davon und haben uns nie wieder in unserem ganzen Leben gesehen! Schade, er war sicher ein netter Mensch. Als ich mich noch einmal im Spiegel betrachtete, wusste ich schon, warum er davonlief. Ich sah ja aus wie eine ganze Mörder-Kombination; wie ein Vater-, Mutter- und Kindesmörder sah ich aus mit meinem stoppelig-verschwitzten Gesicht, und ich empfand doch nur friedliche Freundschaft in meinem Herzen! Bald entdeckte ich einen sicheren Platz zwischen einer dichten Baumgruppe und legte mich schlafen. Gegen Abend fing ich an, ins Tal hinunterzusteigen, und merkte bald, dass ich die Distanz unterschätzt hatte. Dem Blick sah alles so nah aus! Du gehst aber nicht durch die Luft, sondern auf der Erde! Und diese zwingt dich, dich ihr anzupassen und hat ihre Stege und Wege und vor allem Umwege. Am übernächsten Morgen erst war ich im Tal. Auf meiner Zeichnung führte durch das Tal ein dünner Strich, aber dieser Strich war hier ein breiter, reißender Fluß und unmöglich zu durchqueren. Mein Plan war, um die Stadt Aosta einen großen Bogen zu machen. Du kannst doch auf einer Flucht den Leuten nicht in die Arme laufen! Ich wanderte also an diesem Fluss entlang einen Tag und noch einen und sah weit und breit keine Brücke. Ich mied selbstverständlich Menschen. Bis ich dann eines Morgens doch so ein einsames kleines Bäuerlein wegen der Überquerung dieses Flusses ansprach. Er sprach lebhaft über diese schlechten Zeiten, und dass der Krieg schon so lange dauere, und von ihm erfuhr ich auch, dass dieser Fluss gen Westen immer breiter wird, und dass die einzige Brücke im Tal die Aosta-Brücke ist, die direkt in die Stadt Aosta hineinführt. Es leuchtete mir vollkommen ein. Ich hielt mich den Rest dieses Tages noch in dieser Gegend auf und nachts arbeitete ich mich langsam der Stadt zu. Morgens gegen sechs Uhr kamen immer mehr Leute mit Ziegen und Eseln, mit Gemüsekarren und Milch, und ich war bald zwischen ihnen und ging über die Brücke, und da stand ein Posten auf jeder Seite, und ich schlenderte gleichgültig, brummte ein altes Liedchen vor mich hin, das ich im Lager von den Italienern gelernt hatte:

Addio Mamina,
Mamina mia,
andiamo partire,
andiamo partire,
addio mamina,
Mamina mia,
andiamo partire,
la libertà.

So ging ich singend an beiden Posten vorbei. Der eine schüttelte nur den Kopf. Er dachte wohl, was alle Soldaten denken, wenn sie im Krieg einen gesunden Zivilisten so guter Laune sehen: »Schau dir doch diesen Kerl an! Das Schwein ist immer noch in Zivil und singt sich eins! Und ich muss hier Wache schieben! So ein Drückeberger! So ein schlauer Bauer«, dachte ich, denkt sich der Soldat. Und ich war in Aosta! Erst kam ich an einem Exerzierplatz vorbei, der überflutet war mit Militär. Sie exerzierten in größeren und kleineren Gruppen. Bald fing auch die Stadt an. Da waren auch schon Geschäfte. Da, Hotel La Corona, das meinem Freund Ludovico Merlo gehörte. Es kitzelte mich, da einzukehren, Grüße zu bestellen. Ich ging lieber in ein kleineres Geschäft und kaufte mir drei Paar Socken, bekam so die fünfzig Lire gewechselt, die mir mein Freund geschenkt hatte. Dann kaufte ich mir drei frische Brote und in einem anderen Bäckerladen wieder drei, um nicht aufzufallen. Dann versuchte ich, durch Weingärten statt durch die Stadt zu gehen, und fiel mehr auf, als auf der belebten Straße. Ich bog wieder zur Landstraße zurück, und am Ende der Stadt war eine alleinstehende Kantine, und da kaufte ich mir eine große Korbflasche Chianti und ging lustig weiter. Soldaten, einzeln und in Gruppen, kamen mir entgegen und überholten mich. Ich schloss mich wieder einem gemächlichen Eseltreiber an, erfuhr von ihm, was ich ja schon wusste, dass diese Landstraße nach dem Ort Valpellini am Abhang des Berges gleichen Namens führte, der die schweizerische Grenze darstellte. Der Bauer war sehr gesprächig. Er war stolz, weil er an meinem Akzent gleich erkannte, dass ich Neapolitaner sei. Unsere Bewachungstruppe in Certosa di Padula war aus Neapel und wir sprachen ihren Dialekt. Und hier hatten die Leute schon einen französischen Akzent. Er fragte, ob ich Verwandte in dieser Gegend hätte und wie es käme, dass ich noch in Zivil wäre, und ob ich glaubte, dass dieser Krieg noch lange dauern wird. Und ich wusste nicht, ob er mir freundlich gesinnt war oder ob er mich dem nächsten Karabinieri übergeben würde. Und ich setzte mich, um auszuruhen, und ließ ihn weitergehen, und nach einer Weile verschwand ich wieder in den Wald und legte mich erstmal schlafen, um dann mit klarem Kopf die Fortsetzung dieser Reise zu überlegen.

Nach den vielen Soldaten, die sich auf der Landstraße befanden, war es klar, dass der Ort Valpellini eine Garnisonsstadt war und sehr bewacht. Ist ja auch Grenze. Also heißt es, einen weiten Bogen um den Ort zu machen. Aber erstmal schlafen und ruhen. Mein Rucksack war ja noch vollgepackt. Ich entdeckte eine einladende Stelle, wo ein klares, dünnes Wässerchen rann. Da war auch ein flacher Stein, da breitete ich mein Handtuch aus und deckte und servierte einen freundlichen Tisch mit einem freundlichen Mahl. Mich selber zerteilte ich in zwei Personen, redete einem Teil in mir freundlich zu und bediente ihn, und der andere Teil war gerührt von dieser gastlichen Freundlichkeit und dankbar. Alles zusammen ergab eine gute Laune. Nach diesem Mahl und nach einem kräftigen Schlaf weckte mich das dünne Bächlein auf, das plötzlich größer und lauter wurde, und ich ging los, dem Polarstern nach und einen Bogen in diesem Wald um den Ort Valpellini ziehend. Ich ging so lange, bis die Sonne schon herauskam und ich wieder müde wurde und wieder rastete und wieder schlief, und wieder war ein Tag um, und ich ruhte und schlief und wanderte, immer guter Laune, und aß und schlief und ging, und es nahm kein Ende. Am dritten Tag sah ich plötzlich ein Handtuch. Mein Handtuch auf einem flachen Stein! Und da war auch ein Bächlein und eine Chianti-Flasche und eine leere Sardinenbüchse! Ich war drei Tage im Kreis gewandert! Schweiß bedeckte meinen ganzen Körper. Ich erschrak. Die gute Laune war zum Teufel. Erst streckte ich mich auf dem Boden aus und gab mich der Erschütterung hin, bis sie ausklang. Dann zog ich mich nackt aus und rieb mich mit dem kalten Quellwasser ab und hatte eine beruhigende Beratung mit mir selber. Es war klar, dass ich die erste Etappe, die schwierigste vielleicht, hinter mir hatte, die Durchquerung des Aosta-Tales. Über den Valpellini kann ich nicht gehen, ich muss also weiter parallel zum Sankt Bernhard. Der ist zwar größer und schwieriger, hat aber auch mehr Möglichkeiten. Er ist ja im Plan mit einkalkuliert. Es ist gut, dass ich nicht über den Valpellini kletterte, da wäre ich ja vielleicht schon draufgegangen. Dieser Marsch im Kreis war das kleinere Übel und eine Warnung. So redete ich mir gut zu, nahm wieder ein Mahl ein, merkte, dass mein Rucksack dünner wurde, und legte mich erst schlafen.

Am nächsten Abend ging ich mehr nach links ab, weg vom Valpellini, dem Montblanc zu, dazwischen war der Sankt Bernhard. Ich wanderte bald nachts, bald am Tage, die Tage und Nächte vermischten und verwischten sich ineinander und ich wusste nicht mehr, was für ein Tag es war! Der Rucksack schrumpfte immer mehr ein. Ich fing an, Ökonomie zu treiben. Es wurde mir leichter auf dem Buckel, aber schwerer auf dem Herzen. Ich hielt mich auch nicht mehr so sehr an die Nacht bei meiner Wanderung – sie machte immer meine Lider schwer, diese schwarze Dame. Ich sehnte mich nun beinahe, jemandem zu begegnen. Da, eines Morgens, eine große Lichtung – ein Plateau – Ziegen, eine einsame Kuh. Da, unweit auch eine Hütte. Ein kleines Mädchen steht davor, sehe ich von weitem. Es läuft davon und kommt mit einer Frau zurück. Ich schreite auf sie los. Da liegt ein alter, fauler Hund und schläft in der Sonne. Eine Rinne fängt Wasser von einer Bergquelle auf und führt es zu einem großen Fass vor dem Haus, das längst voll ist und überläuft. Jetzt kann ich schon die Frau gut sehen. Sie hält ihren Arm um das etwa zwölfjährige Mädchen. Ich beuge mich über die Rinne und trinke. Trinke langsam und lange, während wir uns gegenseitig beobachten. Bald kommt noch eine Frau heraus. Ich versuche, mich ihnen zu nähern, und sie sagt: »Seien Sie lieber vorsichtig, der Hund hier beißt.« Das war wohl nur ihr Wunsch, denn der Hund lag müde da, döste vor sich hin und ignorierte mich. »Oh, das wird er nicht, er ist ja ein Guter und beißt nicht nette Menschen.« Dabei kam ich langsam näher und setzte das harmloseste, demütigste Gesicht auf, das es nur geben kann. Die Frauen lächelten jetzt zurück und eine fragte: »Von wo kommen Sie denn?« – »Von sehr weit«, seufzte ich, »und es ist eine lange Geschichte, die schwer zu erzählen ist mit einem hungrigen Magen.«

Die eine ging ins Haus und brachte mir einen halben Wecken Brot heraus, den ich gierig verschlang, und wieder trank ich Wasser dazu, jetzt schon aus dem Fass. »Sie sind kein Italiener«, sagte die eine Frau jetzt. »Nein, ich bin Russe, der aus einem deutschen Gefangenenlager weggelaufen ist, aber die Franzosen glauben es mir nicht. So muss ich eben auf einem anderen Weg versuchen, nach Hause zu kommen. Da habe ich nämlich eine Frau, eine nette, wie Sie, und drei süße Kinder, das älteste ist ein Mädchen und so groß wie diese Kleine da.« Und ich glaubte es selber, was ich da erzählte, und fühlte eine große Sehnsucht nach meinen drei süßen Kindern und meiner Frau, und meine Stimme knickte um und Tränen rannen mir übers Gesicht, und ich schämte mich halb, aber ich fühlte auch, dass ich sie beeindruckte. »Martha«, sagte die eine, die das Brot brachte, »bitte ihn doch herein und ich mache einen Kaffee.«

Bald saß ich in einer gemütlichen Stube bei heißem Kaffee und erfuhr, dass in Russland Revolution ausgebrochen war und dass die Martha kroatisch spricht – sie ist ein Flüchtling aus Fiume –, und wir sprechen jetzt Russisch zusammen, das heißt, sie spricht Kroatisch, ich Ukrainisch, und es wird mir heimisch und freundlich. Sie packten mir meinen Rucksack voll mit allem, was sie hatten: Käse, Brot, Polenta und sogar einige Konservenbüchsen. Sie beschrieben mir genau die Gegend. Ich befand mich zwischen dem Valpellini und dem Sankt Bernhard. Meine Nase hatte mich also Gott sei Dank richtig geführt. Martha begleitete mich und zeigte mir den Bergkamm, den ich noch zu überqueren hatte, um in die Schlucht zu kommen, die mich dann rechts über den Sankt Bernhard nach der Schweiz führen würde.

Wir gingen so einige Stunden zusammen in einem Wald und ließen uns dann nieder und hatten beide das Gefühl, dass wir uns schon jahrelang kannten. Wir hielten uns umschlungen und scherzten und lachten und küssten uns, als ob wir lange aufeinander gewartet hätten. Und ohne Frage und Antwort, ohne Priester und Rabbi heirateten wir in diesem dichten Wald im Hochgebirge. Und wir waren Mann und Frau und lachten und weinten vor Glück. Und schliefen ein.

Als ich aufwachte, war sie weg, meine Geliebte. Ich war traurig, aber ich wusste, dass ich wieder ein Mensch, wieder ein Mann war.

Und wenn nun an dieser Stelle das Leben zu Ende wäre, wenn sie mich jetzt wieder einfangen würden, so hat sie sich doch schon gelohnt, diese Flucht. So an- und ausgefüllt war ich von diesem Leben! Von diesem Erleben. Noch war ich nicht frei, noch war ich mitten auf der Flucht – aber es rührte mich schon an mit seiner ganzen Pracht, mit seinem ganzen Reichtum, mit seiner ganzen Trunkenheit, das lachende, das weinende, das quellende Leben!

36
Ein Versprechen, das ich immer halten werde

Die vierte Woche war ich jetzt schon unterwegs. Ich war schon längst aus der bewaldeten Gegend heraus. Bald überschritt ich einen felsigen Kamm, bald wieder ein grünes Plateau, hier und da lagen Schneeflecken, und ich stieg immer höher und höher im Hochgebirge. Martha hatte mir genau beschrieben, wie ich zu gehen hätte, um den Grenzpatrouillen, den *Bersaglieri*, auszuweichen. Die Nächte waren jetzt so kalt, dass ich mich immer in Höhlen gegen die scharfen, pfeifenden Winde schützen musste. Am Tage sah man den Montblanc ganz nahe durch diese dünne Luft. Auch der Sattel des Sankt Bernhard war mit Händen zu greifen. Ich rastete und schlief und aß meinen zur Neige gehenden Käse und trank viel Quellwasser und ging immer weiter, und manches Mal dachte ich, dass diese Berge auch gingen, sich genauso bewegten wie ich, und mich nur riefen und narrten. Bis ich eines Morgens doch die Schlucht des Sankt Bernhard sah, von der meine Geliebte gesprochen hatte. Ich war auf einem wilden, zackigen Bergrücken, von dem ich alles überblicken konnte, Montblanc, Sankt Bernhard und hinter mir den Valpellini.

Aber was ist das? Vorsicht! Über meinem Kopf, ganz niedrig, kreisen Adler! Riesentiere, wie große, fette Weihnachtsgänse kreisen sie um mich. Um sie zu verjagen, tobe ich, was ich kann, aber ich kann nicht viel toben, denn mein Rucksack und mein Magen sind leer. Das letzte Stückchen Zwieback war weg, der letzte Happen Käse. Schon seit gestern Früh! Ich war ungeheuer müde und hungrig. So hungrig, dass ich schon anfing, Gräser zu kauen und Wurzeln zu saugen. Aber es schmeckte bitter und ich fürchtete eine Vergiftung. Sobald ich eine Quelle fand, trank ich mich voll, weit über den Durst, und der Wasserbauch machte mich müde und traurig. Die Adler waren jetzt weg. Ich war wohl in die Nähe eines Horstes gekommen, und möglich gar, dass sie mich fürchteten. Es war jetzt Mittag, denn die Sonne, die immer so lieb von den Poeten besungen wird, stand jetzt am Himmel in der Mitte der Welt und brannte und sengte so niederträchtig ohne jegliches Erbarmen, dass man fluchen könnte, wenn man noch die Kraft dazu hätte!

Da sah ich plötzlich eine Hütte! Herrgott ja, eine richtige Hütte, ein Zeichen menschlicher Wesen. Schnell zu dieser Hütte, dachte ich; nein, nicht *ich* dachte, der Hunger in mir war es, der jetzt für mich dachte und fühlte. Das ist eine Hütte, da sind sicher Menschen drin, Menschen, Grenzwachen, Menschen, *Bersaglieri*, sie warten darauf, dich einzufangen, dich zu erschießen! Aber wenn du selber zu ihnen hingehst und dich ihnen auslieferst, so geben sie dir noch einmal zu essen, bevor sie dich ins Jenseits befördern. Sterben musst du sowieso. Aber bevor du tot bist, wirst du noch einmal den Genuss des Kauens erleben, noch einmal die Freude des Herunterschluckens fühlen! Herrgott ja, noch ein Mal etwas Festeres als Wasser im Magen haben! Sterben, tausendmal sterben – ich bin bereit, hunderttausend Tode zu sterben für einmal Essen. Also hinab zu der Hütte! Die Aussicht auf Essen zog mich, schleppte mich, stürzte mich hinunter zu dieser gefährlichen Hütte. Die müden Knochen flogen, liefen, rutschten, krochen so schnell sie konnten. Es war so steil, dass ich mich zur Bergseite halten musste, um nicht plötzlich den Abhang hinunterzufallen.

Die Hütte verschwand bald aus der Sicht und war bald wieder da. Ich musste Zickzack-Wege machen. Hochgebirge! Kannst eben nicht durch die Luft gehen! Die Erde zwingt dich, du kleiner Wurm, zwingt dich, sich ihren Gesetzen anzupassen. Es wurde Spätnachmittag; die Hütte nahm klarere, größere Formen an, aber die Entfernung narrte mich wieder! Ich gab nicht nach. Ich rutschte und ging und kroch, aber auch die Sonne ging ihren Weg. Bald fing sie an, hinter den Bergen zu verschwinden. Fetzen von Nacht verdichteten, verdunkelten die Luft. Bald sind schon einzelne Sterne zu sehen. Ich strenge meine letzten Kräfte an. Ich renne beinahe. Ich muss diese Hütte erreichen! Noch ein Felsen und noch eine Krümmung, noch ein Abhang und noch ein Umweg, weiter, weiter! Es ist schon finster. Da, ein ausgetretener Pfad, eine Spur, ein richtiger Weg, eine Biegung! Es ist finstere Nacht und ich stehe vor der Hütte. Habe gar keine Angst vor der Patrouille. Ich gehe hinein.

Und da sitzt ein Mönch, der aussieht wie Friedrich der Kühne als Domingo im »Don Carlos«. Er sitzt neben einem Feuer an der Wand auf einer Holzbank und zwischen seinen Knien ruht eine Ziege. Beide haben dieselben grünlich-grauen Augen und gucken mich gleichgültig an. »*Mangiare* – Essen!«, rief ich unhöflich. »*Si, si, signore, uno momento*«, und er macht sich zu schaffen. Auch der Tonfall und die schleichenden Bewegungen, alles wie bei Kühne als Domingo. Er bringt mir eine Blechschüssel mit Milch und ein Stück altes Brot. Es kracht unter meinen Zähnen, dieses trockene Brot. Der Speichel überschwemmt jeden Bissen und ich löffele die Milch. Gierig rutscht alles den Schlund hinunter in den leeren Magen. Er füllt mir die Blechschüssel nach, noch ein Stück Brot. Ich schaue nicht auf. Wie ein hungriger Hund bin ich über meinen Fraß gebeugt und fühle, wie schon meine Kräfte wiederkommen und wie ich mich langsam beruhige. Der erste verzweifelte Hunger ist gestillt. Ich schäme mich beinahe und sehe zum ersten Mal auf.

Der Mönch sitzt wieder mit seiner Ziege und schaut vor sich hin. Im Feuer brennt ein letztes, ein einsames Stück Holz zu Ende. Ich sehe mir diesen Kühne-Mönch an und bin misstrauisch und ängstlich. Das ist kein Mönch, das ist ein verkleideter Bergräuber, denke ich. Er guckt mir nie in die Augen, er will mir sein Gesicht nicht zeigen. Was hat er nur mit mir vor? Ich bin erschöpft, müde, habe keine Waffe. Er hat sicher Waffen versteckt! So, das ist hier die Situation. Ich glaube, in der größten Gefahr meines Lebens zu sein! Die Nacht der Entscheidung! Misstrauisch frage ich ihn nach einer Schlafgelegenheit. Er zeigt mir vor der Hütte eine Art Scheune, einen Heuhaufen. Da lasse ich mich erstmal nieder. Er ist wieder mit seiner Ziege drinnen und ich allein bin draußen. Das »Draußen« in einem Dorf ist weiter als das in einer Stadt. Das »Draußen« in einem Feld ist noch weiter als das in einem Dorf – aber hier ist es ja ganz unheimlich! Es ist hier so weit und so kalt, und diese großen Sterne, wie böse sie dich anblinken! Wie gefährlich und drohend. Dabei bin ich todmüde. Aber, denke ich, dieser schleichende Kühne wartet natürlich nur darauf, dass ich einschlafe, dann kommt er angeschlichen mit einem langen, scharfen Messer in seinen weiten Ärmeln und fährt mir über den Hals wie einem Huhn und ich bin erledigt, tot. Tot? Jetzt, wo ich wieder bei Kräften bin und vielleicht schon morgen die Grenze überschreiten kann? Nein, mit einem Messer kommt er nicht. Das ist ja zu viel Arbeit und zu gefährlich für ihn. Ich könnte ihn ja auch kommen sehen. Aber mit einem Beil kann er sich so schön ruhig von hinten heranschleichen, der Kühne, und mit einem unsichtbaren Hieb schmettert er mir den Schädel ein! Doch nicht mit einem Schlag! Ich bin ja schließlich kräftig. Nein, er schafft es nicht mit einem Schlag! Ich stürze mich dann auf ihn, ich kann ja ringen, ich mache die Krawatte, massiere ihm das Genick, habe ihn hinter mir wie einen Frosch! Ich straffe jetzt meine Muskeln, alle meine Kräfte sind angespannt. Packen werde ich ihn, gegen alle Regeln, an der Kehle, jawohl, so halte ich ihn zwischen meinen Händen an der Kehle und drücke, drücke, was ich kann, bis er keinen Mucks mehr von sich gibt. Bis ihm die Augen aus den Höhlen starren, bis er rot und blau anläuft, bis er kalt und reglos ist, bis er schön tot ist, mausetot. Dann, ja dann verscharre ich ihn im Heu, stopfe mir noch meinen Rucksack voll. Er hat sicher noch Brot, vielleicht auch Ziegenkäse. Ich packe mir alles voll und gehe hinüber, da, über diesen Sattel des Sankt Bernhard.

Von dem aber jetzt etwas Blutigrotes kommt! Ja, was ist denn das? Ein riesiges Feuer steigt hinter den weißen Schneebergen auf. Brennt denn plötzlich die ganze Welt? Ein runder flackernder Ball! Die Sonne, die Sonne kommt herauf! Der Tag bricht an – mein Gott, habe ich die ganze Nacht von Morden und Gemordetwerden geträumt?

Ich setze mich langsam auf. Nicht einmal den Rucksack habe ich abgelegt. Guten Morgen, Sonne, murmele ich in stiller Scham und Entschuldigung, guten Morgen, Alex, sage ich zu mir selbst. Guten Morgen, Scheiko, sage ich schon freundlicher zu mir, wie mein Vater mich zu nennen pflegte, wenn er mich für etwas loben wollte. Wie gut, dass ich diese Nacht niemanden mordete und niemand mich mordete. Ich muss auch nach dem Mönch sehen. Vielleicht hat er was zu essen. Ich kann ihn ja aufwecken, den Kühne, den schleichenden Domingo. Ich gehe in die Hütte. Die Tür steht weit offen, wie gestern Nacht, als ich hineinkam und als ich ihn verließ. Er sitzt da am selben Platz mit der Ziege zwischen den Knien, der Alte, wie gestern Nacht, nur hat er jetzt einen müden Blick. Er hat ja auch nicht geschlafen, denke ich, natürlich nicht, war mir jetzt klar – er dachte sicher, dass ich ihn umbringen will. Unser beider Gedanken haben lange Mordgespräche in dieser Nacht geführt. »*Buon giorno, signore, pocco mangiare?*«, fragt er, und ohne auf Antwort zu warten, bringt er mir wieder in derselben Blechschüssel Milch und ein Stück alte Polenta. Ich frage ihn nach dem Weg zum Valpellini. Er zeigt ihn mir, und ich weiß, dass ich in die entgegengesetzte Richtung zu gehen habe.

Ich ging keine Stunde, da sah ich Kühe grasen. Bald entdeckte ich einen jungen Burschen, dem ich mich näherte. Er war damit beschäftigt, ein Wasser, das da durch einen künstlichen Graben lief, immer mit einer Metallplatte abzusperren, dass es dann schräg die Wiese hinunterlief und das Gras tränkte. Er wartete dann eine Zeit und sperrte ein Stück weiter das Wasser von neuem ab. Ich gab ihm Zigaretten und wir rauchten. Er war ein etwa zwanzigjähriger ausgemergelter Bursche mit kranken Augen und trug die Mütze tief im Gesicht.

Wir rauchten langsam und schauten uns dabei gar nicht an, als ob wir alte Bekannte wären. Die letzten zwei Wochen, seit meiner Hochzeit im Wald, war ich, mit Ausnahme des gestrigen Weges zur Hütte, immer gestiegen, immer höher geklettert in diesen Bergen. »*Quanto distanza la frontiera Swizzera?*«, fragte ich meinen friedlich rauchenden Freund. »*Questa frontiera*«, und zeigte mit einer kurzen Handbewegung auf den Schneehügel vor uns. Genau wie wenn ich gefragt hätte: »Wo ist denn Herrn Schultzes Haus?«, und er mit der Hand auf das nächste Haus vor meiner Nase gezeigt hätte. Das war so nah, dass es mir im Moment durch den Kopf schoss: Lauf, lauf doch schnell, in zehn bis fünfzehn Minuten bist du drüben! Nein, nein, antwortete ich mir selber, hast ja schon deine Erfahrung mit den Entfernungen im Gebirge gemacht. Bist du nicht erst gestern getäuscht worden? Bist du nicht von Mittag bis spät in die Nacht zur Hütte gelaufen, wo du geglaubt hattest, es ist nur eine halbe Stunde Weg? Die Luft in diesen Höhen ist dünn und täuscht Nähe vor. Vorsicht!

Während ich so denke, zieht mein neuer Freund die Platte aus dem Wasser und steckt sie etwas weiter wieder hinein, um ein anderes Stück Wiese zu bewässern, und setzt sich dann wieder zu mir und spricht leise, wie in Fortsetzung einer Unterhaltung: »Gestern ist hier eine ganze Kompanie hinübergegangen. Siehst du dort die kleine Hütte?« Nein, die habe ich wirklich nicht gesehen. Sie war direkt in einen Felsen gebaut, aus denselben grauen Steinen. »Das ist das fünfte und letzte Grenzwachthaus in der Schlucht.« – »In welcher Schlucht?«, fragte ich verdattert. »Schau«, zeigte er noch einmal auf den schneeigen Hügel, »das ist der Bernhard, die Grenze, und das ist das fünfte Grenzwachthaus in der Schlucht des Bernhard. Wir sind hier zwischen dem vierten und fünften. Das vierte Wachthaus ist etwas hinter dem Einsiedler, von dem du kommst, und hier zur Rechten ist die Meierei.« Die ich, obwohl sie vor meiner Nase war, bisher auch nicht gesehen hatte. »Zur Rechten in dieser letzten Grenzwachthütte wohnen drei Karabinieri, die jeden Morgen hier vorbeigehen, um beim Einsiedler Milch zu trinken.«

Während er noch spricht, sehe ich drei befederte Soldaten in

Pelerinen kommen und wieder in einer Krümmung hinter einer Felswand verschwinden. »Da kommen sie ja«, sagt er, und ich, wie auf Verabredung, lasse langsam den Rucksack herunterfallen, gehe zum Wassergraben, ziehe die Platte heraus und haue sie wieder hinein. Warte aber nicht, bis sich das Gras bewässert, sondern ziehe sie wieder heraus und haue sie wieder hinein, ununterbrochen, als ob ich langsam Holz spalten würde, als ob ich eine tiefere Grube machen wollte. Mein Freund hat in der Zwischenzeit meinen Rucksack unter einem Stein versteckt. Die *Karabinieri* kommen auf uns zu, immer näher. Ich höre sie schon sprechen. Ich gucke nicht auf und arbeite ruhig, ohne Hast. Jetzt sind sie schon so nah, dass ich ihre Schritte im Geröll höre und erwarte, dass jeden Augenblick einer die Hand auf meine Schulter legt. Nein, sie gehen weiter! Bleiben nicht einmal stehen! Bald sind sie hinter einer Biegung verschwunden. Ich spähe ihnen einen Moment verstohlen nach – sie sind ganz weg! Jetzt haue ich mit aller Kraft die Platte in den Graben und lasse sie drin. Und das Wasser fließt langsam ins durstige Gras. Mein Freund nimmt jetzt den Rucksack und sagt: »Folge mir«, und führt mich keine fünfzig Schritte über einen Abhang in eine Scheune, die ich zuvor auch nicht gesehen hatte. Bringt mich auf einen Dachboden, verschwindet und kommt nach einigen Minuten mit einem Eimer frischem Wasser und einem heißen Stück Polenta und einem Riegelkäse auf einem Brett und rät mir, den ganzen Tag dazubleiben und zu schlafen. Und nachts verspricht er, mich aufzuwecken und mir dann den Weg zu zeigen, wie ich hinüberkommen kann.

Das war der längste Tag meines Lebens! Erst am späten Nachmittag schlief ich ein, und am Abend mit den Sternen kam auch mein Freund und zeigte und erklärte mir noch einmal den Weg. In einer halben Stunde war ich in der Nähe des letzten Wachthauses, in dem Licht brannte. In einem Bogen kroch ich langsam vorbei. Dann ging es über Felsblöcke und Geröll immer höher und höher. Jetzt war ich plötzlich im Schnee, gefrorener, fester Gletscherschnee, aber immer noch weit vom bezeichneten Sattel, wo ich mich nach rechts halten musste.

Ich ging auf einer weißen Decke – es war Mitternacht, Wind, bald kalt, bald warm, pfiff schneidend durch die Luft. Ich zitterte vor Einsamkeit. Die Sterne waren klar und böse und manche sahen aus wie kleine zackige Monde. Da ist ja der Sattel! Hinüber nach rechts! Es geht ja verflucht steil abwärts jetzt! Nun bin ich aus dem Schneefeld heraus. Hier, nasses Geröll! Ich rutsche ab, sitze auf meinem Hintern, und das Geröll hinter mir rutscht mit mir. Ich werfe mich auf den Bauch und kullere seitwärts nach rechts ab. Das Geröll aber fällt schräg hinunter und schlägt auf, und das Echo dröhnt beim Aufschlag zurück. Es wird immer lauter, lauter, als ob es donnerte. Gut, dass ich da nicht mitsause und mitdonnere, denke ich. Bald sind schon Büsche und die ersten Bäume da, und ich, voll guter Ahnung, steige immer schneller und schneller hinunter.

Nach einigen Stunden fängt es an, heller zu werden, die Nacht verabschiedet sich. Ich sehe ganz unscharf einige Gespenster kommen. Ach was! Das sind ja Leute, Menschen, ich höre sie sprechen. Auf zehn Schritte Entfernung bleibe ich stehen. Sie halten auch. »*He, signore, quanto distanza la frontiera Swizzera?*«, frage ich. »*Questa la Swizzera!*«, ist die Antwort. Das ist ja die Schweiz! Es waren Schweizer Touristen. Ich quietsche vor Freude, lache und weine und springe und tanze und erzähle ihnen unzusammenhängend von meiner Flucht aus der italienischen Kriegsgefangenschaft. Die ruhigen Schweizer gratulieren, dann erklären sie sachlich, dass von dieser Seite selten jemand herüberkomme, weil da viel aufgeweichtes Geröll ist, das sich oft löst – erst vor einigen Stunden kam da eine Lawine herunter. Das war ja der nasse Hügel unter meinem Hintern, mit dem ich zu rutschen anfing! Von dem ich dann zur Seite kullerte und er donnerte dann allein hinunter. Die Touristen erklärten mir, dass ich ungefähr zwei Stunden zur Landstraße brauche, die links nach Frankreich und rechts nach dem ersten schweizerischen Ort, nach Orsiers, führe.

Alle fröhlichen Lieder, die ich je gehört, habe ich gesungen und mir neue hinzugedichtet und habe getanzt dazu, bin gesprungen, statt zu gehen. Die schönsten Sachen, die ein

Mensch sich ausdenken kann, habe ich mir selber gesagt. Ich beglückwünschte und pries mich selber! Ich bedauerte nur, dass ich mich nicht selber umarmen und küssen konnte! Zwei Seelen wohnten in meiner Brust. Eine vollbrachte die Tat und die andere lobte mich dafür. So kam ich in Orsiers an, kehrte ins erste kleine Gasthaus ein und war von Kaffee und Butterbrot vollständig betrunken. Einer alten Frau, die bediente, erzählte ich von meiner Flucht. Es machte gar keinen Eindruck auf sie, was mich durchaus nicht störte. Bald war ich am kleinen Bahnhof. Die Leute sprachen französisch. Ich redete fremde Menschen an und erzählte von meiner Flucht. Aber wenige verstanden mich. Da war eine junge Lehrerin aus Basel. Sie sprach Deutsch und war als Erste sehr begeistert. Bald stand auf diesem schläfrigen, stillen Bahnhof eine Gruppe um mich versammelt und ich erzählte laut und schallend von meiner Flucht. Die Lehrerin bot mir an, mir eine Fahrkarte nach Basel zu kaufen. Darauf nahm mich ein kleiner Herr mit Spitz- und Schnurrbärtchen zur Seite und sagte mit stark französischem Akzent: »Gehen Sie nicht nach Basel. Die sind da verrückt und deutsch-patriotisch. Die schicken Sie noch mal in den Krieg zurück. Kommen Sie lieber mit mir nach Lausanne. Von da gehen Sie nach Genf, dort bleiben Sie, bis der Krieg zu Ende ist, und brauchen nicht mehr bumbum zu machen.« – »Ja«, wandte ich ein, »aber ich habe nicht so viel Geld und die Dame wollte mir eine Karte nach Basel kaufen.« – »Ich kaufe Ihnen eine Karte nach Genf«, und der kleine Herr ging zur Kasse. So kämpften zwei freie Schweizer Bürger um meine Seele.

In Lausanne hatte ich mit meinem Wohltäter noch ein gutes zweites Frühstück und am selben Nachmittag schon war ich in Genf. Da sprach ich Leute gleich auf dem Bahnhof an, und wer es hören und wer es nicht hören wollte, dem erzählte ich von der Flucht. Da rollte plötzlich ein deutsch-österreichischer Austausch-Invaliden-Zug aus Serbien ein. Bald war ich umringt von einer Gruppe Soldaten, die sich an meiner Fluchtgeschichte berauschten. Sie gingen dann zu den verschiedenen Waggons und gaben die Geschichte weiter – man gratulierte von allen Seiten, man rief nach mir. Ich war Hans an allen Waggonfenstern. Ein schweizerischer Gendarm kam hinzu, legte die Hand auf meine Schulter und brachte mich zum Platzkommandanten. »Wer sind Sie?« – »Ich bin österreichischer Soldat.« – »Was machen Sie hier?« Jawohl, da hatte ich wieder eine Gelegenheit, die ganze Geschichte zu erzählen. Während der Kommandant noch zuhörte, hatte einer das österreichische Konsulat angerufen.

Ein junger Beamter erschien, stellte ein paar Fragen und garantierte für mich bei der Behörde. Er entschuldigte sich bei mir, dass der Konsul nicht selber kommen könnte, brachte mich in ein erstes Hotel, und ich erzählte ihm noch einmal die ganze Flucht. Er stellte mich im Hotel als österreichischen Offizier vor (ich war es ja gar nicht). Ich sah zwar gesund aus, aber ungeheuer zerlumpt und zerschunden. Ich bekam ein schönes Zimmer mit Bad, und der Beamte erklärte, dass ich der Gast der österreichischen Gesandtschaft sei. Sie zahlten also für mich und ich erzählte im Hotel jetzt meine Fluchtgeschichte.

Ich war kaum allein in meinem Zimmer, da erschien ein kleines, kirschäugiges Stubenmädchen mit Handtüchern. Gleich als sie hereinkam, wollte ich ihr von meiner Flucht erzählen, aber sie unterbrach mich und sagte: »Haben Sie Taschentücher?« – »Nein, ich habe keine.« – »Also«, sagten ein paar neugierige Kirschaugen zu mir, »wenn Sie gebadet und unten gegessen haben, bringe ich Ihnen Taschentücher. Dann können Sie mir die ganze schöne Geschichte erzählen. Jetzt bin ich nämlich eilig.« Ich badete schnell und ging mit Bart und Lumpen und guter Laune und einem Riesenhunger in den Speisesaal hinunter. Herren und Damen in Abendtoilette saßen an den Tischen und wussten schon von meiner Fluchtgeschichte. Der Oberkellner kam. Die Flucht und der Hunger strahlten aus meinen Augen, und ich fuhr mit dem Finger über die Karte und sagte: »Erstmal diese Seite!« Da war Kaviar drauf und Austern und das Beste, was im Hause war. Dazu bestellte ich noch den teuersten Champagner, Mumm Dry, zwei Flaschen gleich, eine für hier und eine zum Mitnehmen aufs Zimmer. Der Kellner strahlte vor Begeisterung. So einen hungrigen Gast hatte er noch nie bedient. Die Leute an den anderen Tischen, so steif sie waren, lächelten freundlich zu mir herüber. Ich aber dachte schon an die versprochenen Taschentücher und beeilte mich, nahm dann meine Pulle Sekt mit mir und ging auf mein Zimmer.

Ich wartete nicht lange. Das kirschäugige Kind kam jetzt, scheu und zögernd, und hatte ein kleines Taschentuch mit. Ich schenkte zwei Wassergläser mit Champagner ein und erzählte vom Krieg, von der Gefangenschaft, von Italien, von der Flucht. Sie unterbrach mich immer und fragte, ob nicht Italien ein wunderschönes Land sei. Ja, das ist es wirklich! Und Herrgott im Himmel, wie flüchteten wir in unsere gegenseitigen Herzen hinein! Im Zimmer war es schon längst finster und wir erzählten uns die ganze Nacht das ewige Lied der Liebe.

Und als es morgens zum Abschied kam, als sie mich verlassen wollte, sagte sie nur: »Bitte, du fremder Mann, du musst mir jetzt was versprechen.« Und ihre Augen füllten sich mit Abschiedstränen. »Aber ja, du süßes Kirschauge! Nicht nur versprechen, ich will es auch halten!« Jetzt dachte ich, sie möchte, dass ich sie heirate, dass sie gleich mit mir kommt – ich war auf alles gefasst und zu allem bereit – nur weinen sollte sie nicht. Das erfüllt mich immer mit Scham und Trauer. Und sie guckt jetzt vor sich hin und spricht langsam und stockend: »Sehen Sie, fremder Soldat, ich bin ein italienisches Mädchen und habe zwei Brüder in diesem Krieg. Schießen Sie nicht auf sie, bitte! – Hast du mich lieb?«, fragte sie mich plötzlich. Ich stotterte etwas und nahm sie in meine Arme. »Wenn du mich lieb hast, musst du mir versprechen, nie wieder auf einen italienischen Soldaten, auf einen italienischen Menschen zu schießen!«

Mit Scham und Würgen in meiner Kehle habe ich Kirschauge das Versprechen gegeben, und so wahr mir Gott helfe, in alle Ewigkeit will ich mein Versprechen halten!

37
In der Heimat, da gibt's ein Wiedersehen!

Am nächsten Tag war beim österreichischen Konsul, einem jungen, Vertrauen erweckenden Herrn mit gepflegtem Vollbart, ein Empfang. Ältere Herren, jüngere Protektionskinder, Teedamen von Beruf begeisterten sich an meiner Fluchtgeschichte und lobten meine »patriotische Tat«. Da wurde es mir zum ersten Mal klar, dass das nicht der Grund meiner Flucht gewesen war. Ich hatte nie daran gedacht, mit dieser Flucht ein Patriot oder ein Held sein zu wollen. Ich war geflohen aus Sehnsucht nach Freiheit, aber auch das ist schon ein geschwollenes Wort. Ich war geflohen aus Sehnsucht nach Theaterspielen! Oder ich war geflohen aus sexueller Not, oder aus Neugierde, um zu sehen, dass man fliehen *kann*. Aber hauptsächlich war ich geflohen aus Spaß, weil es so unmöglich erschien. Sicherlich nicht aus den Gründen, für die diese Gesellschaft mich feierte.

Am selben Nachmittag nahm mich der Konsul in seine private Villa mit und erklärte mir, dass nach den Kriegsregeln, dem internationalen Recht, ich in der Schweiz interniert werden müsste. Er könnte mich nicht heimschicken, aber meine Erzählungen wären von ungeheurer Wichtigkeit, und er riet mir freundlich, mich noch heute Nacht in den Austausch-Invaliden-Zug einzuschmuggeln, um in der Heimat alles zu berichten, was ich in der Gefangenschaft, auf den Arbeitsplätzen und auf der Flucht gesehen und gehört hätte. »Jawohl, Herr Konsul«, sagte ich dem gepflegten Vollbart ohne jegliche Diplomatie, »ich habe aber diesen Krieg jetzt auf eigene Faust beendet und spüre gar keine Lust, ihn noch einmal von vorne anzufangen. Ich möchte wieder frei sein und Theater spielen!« – »Das werden Sie auch«, meinte der diplomatische blonde Vollbart, »hier aber würde man Sie doch internieren, und Sie wären also wieder ein Gefangener, und ich werde Ihnen ein Schreiben mitgeben, das Sie berechtigen wird, sofort aus dem Militärdienst auszutreten.« Gut, dachte ich, nur nicht noch einmal gefangen sein.

Am selben Abend noch schmuggelte ich mich in den Austausch-Invaliden-Zug ein und am nächsten Morgen waren wir im österreichischen Grenzort Freiberg in Vorarlberg. Wiedersehen in der Heimat!

Da wurden sie ausgeladen, die Austausch-Invaliden. Im Bahnhofsrestaurant war ein Empfang für sie vorbereitet. Da wurde als Wrack wieder zu Hause abgeladen, was mal bei klingendem Spiel ausgezogen. Manche wurden auf Bahren in den Speisesaal hineingetragen, junge Kerle ohne Beine, ohne Hände, auf provisorischen Krücken, manche mit einem verbundenen Auge oder schwarzer Brille, von einem Hinkenden geführt. Komitee-Tanten, Wohltätigkeitsweiber strahlten ihnen lügnerische Heimatgrüße entgegen. Ein schlottriger alter Herr in einer altmodischen Generals-Uniform, in der er aussah wie ein Schuster auf einem Maskenball als General verkleidet – man konnte es ihm ansehen, dass er schon die letzten dreißig Jahre in irgendeinem Nest seine Pension verzehrte – dieser General aus einem Witzblatt übernahm den Zug mit der Fracht von Wracks, sein ganzes Aussehen passte sehr gut zu diesen armen Menschenresten, den Resultaten der Diplomaten und Kriegsmacher unseres Jahrhunderts.

Dieser alte Herr war noch dazu stocktaub, sodass ich ihm mein Eintreffen ganz laut ins Ohr brüllen musste. Ich übergab ihm auch den Brief vom Genfer Konsul wegen der Entlassung aus dem Militärverhältnis und wollte gleich nach Hause fahren. Er las den Brief, wackelte dabei missbilligend mit dem Kopf und sagte mit einer kränklich-weinerlichen Stimme, der er noch eine militärische Schneidigkeit geben wollte, die wie ein böses Krächzen klang: »Seit wann haben diese Zivilisten das Recht, uns Militärs Anordnungen zu geben?« Übergab einem idiotisch lächelnden Adjutanten den Brief und ließ mir einen Fahrschein zu meinem Ersatz-Bataillon ausstellen. »In der Heimat, in der Heimat, da gibt's ein Wiedersehen!« Im Bahnhofsrestaurant fand noch ein Bankett statt, dünne Suppe mit süßlich schimmligem Brot. Ein mageres Essen mit fetten Begrüßungsreden vom Bürgermeister, dem General und einem Priester.

Ich fuhr dann über Wien nach Österreich-Schlesien zu meinem Kader. Im Zug waren mit Rucksäcken beladene Soldaten, die von Geschäften sprachen. Ich erfuhr bald, dass Wien hungerte, und dass diese Soldaten Schleichhandel mit Lebensmitteln trieben und so Geld verdienten. Da auf meinem Fahrschein nicht stand, wann ich mich bei meinem Ersatz-Bataillon zu melden hätte, schloss ich mich so einer Gruppe an und fuhr ins besetzte Gebiet nach Lublin, wurde da mit zwei Rucksäcken Speck beladen und lieferte diese dann in Wien ab. Hier in Wien ging ich jetzt in die Theater, um vorzusprechen. In einem Theaterchen spielten sie einen Goldoni in Versen, »Mirandolina«, und da der Hauptkomiker gerade krank geworden war, gab man mir diese Rolle, und noch am selben Abend sollte ich einspringen. Eine Stunde vor der Vorstellung war eine Verständigungsprobe angesetzt, aber keiner der Spieler erschien. Als dann die Vorstellung losging und ich auf die Bühne kam und die vielen fremden Gesichter sah, stolperte ich gleich über den ersten Satz. Die Wiener Kollegen lachten mich auf offener Bühne aus, das Publikum lachte mit – mir wurde dunkel vor den Augen, das Ganze war wie ein böser Traum – ich lief davon und war froh, ein Ersatz-Bataillon zu haben, um diesen Wiener Kollegen zu entgehen.

Als ich da ankam, war ich schon eine kleine Sensation. Der Oberst ließ mich kommen, gratulierte persönlich und auch im Bataillonsbefehl, war sehr interessiert. Schließlich war ich ja der einzige Soldat unseres Regiments, wenn nicht der ganzen österreichischen Armee, der aus der italienischen Kriegsgefangenschaft durchgebrannt war. Am nächsten Tag hatte ich mich bei seinem Adjutanten, dem Hauptmann Weigel, einzufinden. Weigel erklärte mir, dass mein Feldkommandant, der Hauptmann Czerny, beim Ersatz-Bataillon Dienst tue, und ich hätte mich am nächsten Morgen bei seiner Kompanie zum Rapport einzufinden. Und heute Abend sei ich vom Obersten in die Offiziersmesse eingeladen, wo ich nach dem Essen erzählen solle über Gefangenschaft und Flucht. Da traf ich Kameraden, die mit mir in der Einjährigen-Abteilung gewesen waren – jetzt Leutnants und Oberleutnants mit Auszeichnung –, andere waren schon gefallen, wieder andere hatte ich in der Gefangenschaft zurückgelassen. Nach dem Essen wurden Mokka und Kognak serviert und Schnäpse und Bier, und ich fing zu erzählen an. Ich war vom Alkohol und Empfang erregt, und sprach ohne jegliche Hemmungen, ohne Diplomatie und Vorsicht, über die Gefangennahme, über das Lagerleben, über die Reibungen im Lager zwischen den verschiedenen Nationalitäten und auch über die Tschechen. Czerny hustete unbequem, trank hastig und schielte böse zu mir herüber. Seine kleinen, spitzen Augen tanzten stechend über mich her, wie damals an der Front. In der Armee war ja die tschechische Haltung bekannt, aber man sprach nicht darüber. Ich erlaubte mir zu sprechen. Ich sprach ganz offen. Ich hielt Czernys bösen, drohenden Blick aus. Genauso hatte er ausgesehen, als er mich, einen Fieberkranken, zwang, meinen Arm in Habt-Acht-Stellung auszustrecken, wobei der Abszess in der Armhöhle platzte. Ich erzählte, wie nach der Gefangennahme die tschechischen Offiziere sich mit den italienischen verbrüderten, dieselben, die vor der Gefangennahme von uns strengste Disziplin gefordert und uns kujoniert hatten. Ich wusste zwar, dass der Kampf des tschechischen Volkes ein gerechter war, hier hatte ich aber eine persönliche Abrechnung mit meinem Vorgesetzten, meinem Quäler, der mich für nichts und wieder nichts gedemütigt und mir mit Erschießen gedroht hatte. Meine Worte klatschten in ein von Unbehagen und Alkohol gerötetes Gesicht, jeder Satz eine Ohrfeige. Dann ging ich in meiner Rede zur Flucht über. Die persönliche Rachestimmung war weg, es wurde lustig und ein großer Erfolg. Alle gratulierten, man saß noch lange Zeit und trank bis morgens.

Um elf stand ich vor Czerny und meldete ihm offiziell meine Flucht, damit er mich für eine Auszeichnung eingäbe. Er hörte mich kaum zu Ende und der alte Kujonierer legte gleich los: »Was sind Sie, aus der Gefangenschaft geflohen? Das können Sie Ihrer jüdischen Großmutter erzählen! Desertiert sind Sie, Sie schlauer Handelsjud, haben sich versteckt gehalten, und jetzt möchten Sie noch dafür dekoriert werden! Eine Auszeichnung wollen Sie noch dafür kriegen? Einen Dreck werden Sie kriegen, solange ich Hauptmann bin!« Ich hatte jetzt aber gar keine Angst und rief noch lauter als er zurück: »Herr Hauptmann sprechen nicht die Wahrheit! Sie haben gar kein Recht, mich zu beschimpfen und mein Volk zu beleidigen!« – »Maul halten, Maul halten, Sie frecher Komödiant, schweigen Sie, oder ich knalle Sie nieder wie einen Hund!« Ich pfiff jetzt auf seine Drohungen und überbrüllte ihn so laut, dass die Zivilbevölkerung aus der Nachbarschaft hinzukam. »Schießen Sie doch, Herr Hauptmann, schießen Sie doch!« Und war bereit, mich auf ihn zu stürzen, wenn er eine Bewegung nach der Revolvertasche gemacht hätte. Er tat es aber nicht. Er merkte den Ernst der Situation. »Sie werden sich das tausendmal überlegen, bevor Sie schießen, Herr Hauptmann!« – »Tages-Korporal, abführen diesen Verbrecher! Abführen und einsperren bis er blau wird«, überschlug sich seine hysterische Stimme. Und unter der Sympathie der Umstehenden wurde ich ins Gefängnis gebracht. »In der Heimat, in der Heimat, da gibt's ein Wiedersehen!«

Jetzt erst begriff ich, dass meine Flucht eine große Dummheit gewesen war. Da hatte ich mein Leben aufs Spiel gesetzt, aus dem feindlichen Land zu entkommen, um in der Heimat dafür eingesperrt zu werden. Ich heulte vor Wut, ließ mir Briefpapier geben und schrieb einen zehn Seiten langen Brief an das Kriegsministerium. Ich schrieb mir meine Wut vom Herzen. Ich schrieb ohne Einhaltung des Dienstweges und ohne Beachtung des dienstlichen Stils, ich schrieb voll Zorn und Empörung. Ich fing an: »Sehr geehrter Herr Kriegsminister!«, als ob ich mich bei einem mir bekannten älteren Herrn über das Unrecht beklagen wollte, das ich jetzt erfuhr. Ich schrieb wie an einen Kaufmann, der mich statt mit guter Ware mit Schund beliefert, wie an einen Fischhändler, der mich mit faulen und stinkigen Karpfen betrogen hat. Ich beschwerte mich über meine Heimat bei meiner Heimat. Ich erzählte von Czernys Benehmen an der Front, über die Offiziere, die sich nach der Gefangennahme mit den Italienern verbrüderten und vorher von uns die strengste Disziplin verlangt und uns gequält hatten. Ich erzählte vom Leben im Lager, von meiner Flucht, meinem Brief vom Konsul in der Schweiz, vom klapprigen General, der ihn mir abgenommen, und jetzt von Czernys Empfang und seinen Drohungen, mich zu erschießen. Der letzte Satz lautete: » Und das alles, Herr Minister, schreibe ich Ihnen aus dem Gefängnis und frage Sie, ob ich als Bürger nur die Pflicht habe, für das Vaterland zu sterben, und gar keine Rechte.« Ich zeichnete dann mit vollem Namen und Angabe des Regiments und der Kompanie. Am nächsten Tag wurde ich aus dem Gefängnis entlassen und ich schickte dieses dicke Schreiben ab, adressiert an den Herrn Kriegsminister, Wien. Beim Bataillon beschwerte ich mich nicht. Czerny sah ich nicht mehr, denn ich tat Dienst bei einer anderen Kompanie.

Das Leben beim Ersatz-Bataillon war jetzt vollkommen verändert. Es war schon Winter 1917. Die Verpflegung war noch schlechter geworden, die Disziplin ganz gelockert. Die älteren Reserveoffiziere waren müde, die jüngeren trugen noch stolz ihre Orden auf der Brust, die keinen Eindruck mehr machten. Von Russland kamen Nachrichten ins Land geweht: der Zar gestürzt, Revolution, Separatfrieden. Unsere ukrainischen Männer fingen in ihren privaten Gesprächen untereinander zu philosophieren an. Man spürte, wie das österreichische Gebälk wackelte. Man sprach nicht offen darüber, man konnte sich ja einen völligen Zusammenbruch nicht vorstellen, aber dass der Krieg schon verloren war, haben alle geglaubt. Es war Gefahr in der Luft und die Leute wollten einfach nach Hause. Der

Krieg schien ihnen jetzt noch sinnloser als zu Anfang. Man wollte nach Hause, wieder ein nützliches Leben führen. In ihre Werkstätten wollten sie, ihre Erde wieder bebauen, säen und ernten, mit ihren Weibern schlafen und Kinder zeugen, mit ihren Nachbarn wieder sonntags in der Schänke sitzen, Schnaps trinken, die Pfeife rauchen und Gespräche führen. Auch war ihnen hier die Bevölkerung fremd und feindlich, dazu noch diese bestialischen Feldwebel und diese jungen Schnösel, kaum aus dem Gymnasium, als Kadetten und Leutnants verkleidet, diese ewige Schinderei und Drill und schlechte Ernährung. Es steigerte sich auch die Fremdheit zwischen unserem ukrainischen Regiment und der dortigen österreichischen Bevölkerung bis zum Hass. Die hungrigen Soldaten verließen immer nachts heimlich ihre Quartiere und stahlen, was sie konnten. Die Bevölkerung beschwerte sich beim Kommandanten, es wurden nachts Patrouillen ausgeschickt, die Quartiere zu kontrollieren, aber es nützte alles nichts. Die Leute verschwanden auf die geschickteste Art von ihren Schlafstellen. Sie legten Gegenstände auf ihre Matratzen und deckten sie so zu, dass die kontrollierende Patrouille immer glaubte, die Leute lägen in tiefem Schlaf. Sie wollten es auch glauben! Währenddessen stahl man bei der unfreundlichen Bevölkerung die letzten Kartoffeln, den letzten Scheffel Korn, die letzten Hühner und auch andere Gegenstände, die man dann in einem Nachbardorf verkloppte. Sie verkauften auch eigene Mäntel, Zeltblätter, Schuhe – nur um etwas Essen zu ergattern.

Ich weiß noch, wie ich eines Nachts mit einem anderen Patrouillendienst hatte und auf dem Feld unweit unseres Dorfes Feuer entdeckte. Als ich hinzukam, stand da eine Gruppe aus meinem Zug und kochte etwas in einem großen Waschkübel. Sie waren gar nicht verlegen. Einer rührte mit einer Latte im Kübel, und da schwammen zwei fette, gestohlene Gänse, und sie luden uns zwei frech und freundlich auch zum Essen ein, und wir hatten so um drei Uhr nachts ein großartiges Frühstück: gekochte, heiße Gänse mit Brot und Bier. Als ich morgens zum Rapport kam, wartete schon der Bürgermeister des

Nachbardorfes mit einer Beschwerde auf den Hauptmann, man hätte ihm letzte Nacht die zwei fettesten Gänse gestohlen. Oh ja, sie waren wirklich sehr fett! Ich aber, als diensthabender Unteroffizier meldete stramm, dass ich letzte Nacht vorschriftsmäßig jede Stunde die Quartiere kontrolliert und alles am Platz gefunden hätte. Aber verdächtige Zivilisten, die ich für Einheimische gehalten, hätte ich herumstreichen sehen, und ich beschrieb sie ganz genau, diese Diebe! Mein Hauptmann wusste schon, dass ich lüge, war aber froh, dass ich ihm endlich eine Gelegenheit gab, den Bürgermeister des Nachbardorfs zusammenzuschimpfen, der für jeden zivilen Strolch, für jeden Dieb seine Kompanie, seine ehrlichen Soldaten verantwortlich machte! Trotz aller Schikanen innerhalb der Armee, zwischen Vorgesetzten und Untergebenen, bestand doch eine Art Solidarität gegenüber dem »Zivilistenpack«.

Nach einigen Monaten gab es Krach. Ich wurde zum Rapport bestellt, und man teilte mir mit, dass ich eines schweren Verbrechens beschuldigt würde. Ich hätte den Hauptmann Czerny in einem nichtdienstlichen Schreiben an das Kriegsministerium verleumdet! Da war ein dicker Akt mit meinem aus dem Gefängnis an den Kriegsminister gerichteten Brief, der jetzt die große Dienstreise zurückgelegt hatte, vom Kriegsministerium zur Division, von der Division zum Regiment, vom Regiment zum Bataillon, vom Bataillon zu meiner Kompanie. Jede Instanz hatte noch etwas dazugeschrieben, und da stand es nun schwarz auf weiß, dass ich infolge dieses Disziplinbruchs als politisch unzuverlässig gelte, nicht in Marschformation eingeteilt werden dürfe und vor ein Kriegsgericht gestellt werde, um für mein Verbrechen abgeurteilt zu werden. Eines Tages kam auch der Befehl, ich solle mich in Mährisch-Ostrau beim Kriegsgericht melden. Da kam ich erst zu einem Gerichtsbeamten im Rang eines Oberleutnants. Er war ein Mann mit einem höchst unmilitärischen Aussehen, die Uniform saß locker an ihm, er hatte einen etwas melancholischen Blick und einen ganz zivilen Kopf voll grauer Haare. Auf seinem Tisch stand dazu noch ein Kalender mit einer dicken Aufschrift »Mensch, ärgere dich nicht, auch das geht vorüber!« Er erklärte mir, er habe meine Akte studiert und er müsse mich darüber orientieren, dass es mir zustehe, eine Art Verteidiger zu beanspruchen. Er war in seinem Zivilberuf Anwalt, sprach halb dienstlich, halb privat beratend. »Siehst du«, sagte er, »deine Sache steht nicht so schlecht. Erstens bist du Schauspieler und hast ein gewisses Recht, Temperament zu haben. Und zweitens ist deine Flucht aus der Gefangenschaft dein großes Plus, und wenn du dir noch einen Verteidiger zulegst, der haut dich schon heraus!« Und zeigte auf seine Losung auf dem Tisch: »Mensch, ärgere dich nicht, auch das geht vorüber!« Und lachte dabei freundlich privat. Ich dankte ihm für den Rat und sagte: »Ich will keinen Verteidiger haben. Ich habe im Schützengraben selber geschossen, ich bin aus der Gefangenschaft selber durchgebrannt, ich werde mich in meiner Heimat vor einem Gericht auch selber verteidigen können.« – »Sehr gut«, schmunzelte der zivile Kopf in Uniform, »genau in dieser Linie sollst du sprechen und ich zweifle nicht an dem Erfolg.« Am ersten Verhandlungstag schmetterte ich mit schauspielerischem Schwung eine Rede, in die auch die Fluchtgeschichte gut eingebettet war. Richter und Ankläger hörten gespannt zu, es machte mir auch viel Spaß – wie im Theater! Es war mir, als spielte ich eine Hauptrolle – im Leben! Als dann alles vorbei war, wurde ich zu meiner Truppe zurückgeschickt. Meine Rede ging wieder im Dienstwege auf Reisen, um nachgeprüft zu werden. Nach vielen Wochen wurde ich erneut gerufen und es spielte sich dasselbe Theater ab.

Dann wurde unser Ersatzbataillon in seine Heimatstadt Kolomea, Ostgalizien, zurückversetzt. Ostgalizien war jetzt vom Krieg ganz und gar ruiniert. Die Armeen wechselten, das Land war ausgepresst, die Männer teils gefallen, teils in Gefangenschaft, teils verkrüppelt. Die Stimmung unter der Bevölkerung war verbittert und die Disziplin in der Armee hatte sich gelockert. Alle wussten, dass der Krieg verloren war und dass er jeden Tag zu Ende sein konnte. Mein ältester Bruder mit Familie wohnte jetzt auch in Kolomea. Er war aus unserem

Heimatdorf Werbiwizi vor den Russen geflohen, und obwohl die Österreicher schon längst wieder da waren, ging er nicht ins Dorf zurück, denn sein Haus und Gut waren zerstört. Die zaristische Armee hatte der galizischen Bevölkerung das Veranstalten von Pogromen beigebracht. Besonders in den kleinen Orten und Dörfern besoffen sich die Leute und plünderten und zerstörten jüdische Heime. Mein Bruder hatte aber trotzdem Heimweh und bat mich, mit ihm nach Hause zu fahren, um zu sehen, ob er sich nicht noch einmal da einrichten könnte. Ich nahm Urlaub und mit meinem Gewehrstutzen fuhren wir in unseren Geburtsort Werbiwizi. Ins Dorf führte ein Abhang hinunter, ein nicht gepflasterter Hang mit Gräben und Löchern, sodass jeder Wagen holperte und krachte, wenn er da hinunterfuhr, und an diesem Lärm erkannten die Leute immer Wagen und Inhaber und kamen langsam aus ihren *Chatas* heraus, zu grüßen und zu plauschen, und auch gleich aus erster Quelle Neuigkeiten aus der Stadt zu hören. Das war so eine alte Sitte im Dorfe Werbiwizi. Als aber jetzt das Geräusch unseres Wagens dem Dorf unsere Ankunft mitteilte, kam uns nicht nur niemand entgegen, sondern die Leute, die zufällig auf ihren Höfen standen, gingen schweigend in ihre *Chatas* hinein! Und als wir dem Haus zufuhren, in dem wir alle geboren waren, das mein Vater gebaut hatte, war das Haus eine Leiche. Es war für uns wie der Anblick eines nahen, geliebten Wesens, das tot und verstümmelt am Boden liegt! Eine Ruine mit einer noch aufrecht stehenden Wand, in der die Fenster eingeschlagen waren. Das Strohdach lehnte schief an dieser Wand und ringsum waren zerbrochene Türen und Bänke, Tische und Töpfe verstreut, dazwischen viele lose Blätter von zerrissenen heiligen Büchern, die der älteste Bruder von unserem Vater bekam, der sie von seinem Vater geerbt hatte und der Großvater von seinem. Und Unkraut und Brennnesseln umwucherten schon die Gegenstände. Nein, niemand kam uns entgegen, und wir saßen wie gelähmt auf unserem Wagen vor diesem geschändeten Stück Heimat, wo wir als Kinder zum ersten Mal den Himmel gesehen hatten.

Das Haus, in dem wir zum ersten Mal Worte gelallt, war jetzt eine verstümmelte Leiche.

Der alte Fedorkiw, der Nachbar und Freund unseres Vaters, kam jetzt langsam, zögernd auf uns zu. Er beklatschte erst den Kastanier freundlich, der ihn erkannte und höflich zurückprustete. Dann lehnte er sich an den Wagen, stellte einen Fuß auf das Vorderrad und half uns erstmal schweigen. Dann hob er langsam seinen weißen Kopf, trocknete sich mit der breiten Handfläche das gegerbte Gesicht und die gütigen feuchten Augen und murmelte wie in Fortsetzung des Schweigens: »Für Dein Brot, für Dein Salz, für Deine Güte haben sie's getan.« Und würgend, stockend kam es aus meinem Bruder: »Wenn sie's doch nur verbrannt hätten! Aber nein, stückweise auseinander geschleppt haben sie es, wie wenn du einem Menschen bei lebendigem Leibe die Knochen auseinander reißen würdest.« Der alte Fedorkiw nahm erst jetzt des Bruders Hand und sagte: »Oh, Schachne Eber, es ist mir eine Schande, eine Schande für die Leute! Sie schämen sich ja auch jetzt, und deshalb wagen sie nicht, dich zu begrüßen. Aber siehst du, das war ja auch eine ganz verrückte Nacht. Die Kosaken kamen schon besoffen mit Gesindel aus anderen Städten und Dörfern, trommelten das Dorf zusammen, banden den Schankwirt mit Stricken in seinem Bett fest, rollten dann alle Fässer, Schnaps und Met und Bier auf den Platz hinaus und tranken wie die Tiere. Sogar Weiber und Kinder waren so betrunken, dass sie dann tagelang krank waren. Und in dieser Besoffenheit haben sie einfach alles auseinander getragen. Türen und Wände, Kommoden, Tische, Bänke verschwanden. Als sie dann nach Tagen nüchtern wurden, schämten sie sich ihrer Sünde und brachten stückweise alles zurück. Denn sie begriffen, was sie getan hatten, und fürchteten den Fluch ihrer Tat.«

Der jüngste Sohn, Nikolaj, mein Milchbruder, der mit mir beim selben Regiment diente und auch auf Urlaub war, kam jetzt hinzu. Wir sprachen zusammen und sie baten uns in die Stube. Als wir über den Hof gingen, lag da ein Haufen Bretter und Balken, und der alte Fedorkiw sagte: »Siehst du, meine

Söhne waren ja leider auch dabei, aber jetzt sammeln sie Material und wollen dir helfen, wieder aufzubauen.« Da kam uns der älteste Sohn Andryj entgegen, der jetzt auch schon graue Haare hatte, und sagte mit einem verlegenen Humor: »Schau, Schachne Eber, wir sind ja zusammen aufgewachsen, wir waren ja immer wie Jakob und Esau, wir haben uns manchmal betrogen und gehauen, aber wir waren Brüder. Das aber war doch zuviel! Warum bist du weggelaufen?« Und in der Stube öffnete er gleich eine Flasche Wodka und goss ein. Die alte Juzecha stellte einen großen irdenen Topf Piroggen, mit *Kascha* und Kartoffeln gefüllt und saurer Sahne, auf den Tisch. Für meinen Bruder kochte sie schon harte Eier. Es kamen immer mehr Nachbarn herein. Alle saßen beim großen Tisch und tranken und rauchten, und Andryj sagte wieder: »Siehst du, Schachne Eber, dein zerstörtes Haus ist wie ein Loch im Herzen des Dorfes. Wir helfen dir schon, alles aufzubauen.« Die Stube war bald voll, und man sprach kein Wort mehr vom Vorgefallenen, man rechnete jetzt, wieviele Bretter und Balken da waren, und fragte den Bruder, ob er das neue Dach mit Ziegeln oder Schindeln bedecken möchte. »Nein, nein«, sagte er, »ich will schon lieber beim Strohdach bleiben, wie mein Vater gebaut hat.« Und der alte Fedorkiw freute sich darüber und sagte: »Siehst du, ich hab's ja gewusst. Der Schachne Eber ist wie ein Rechtgläubiger, ein Unsriger. Er wird dem Gutsbesitzer, den *Panes* und Städtern nichts nachmachen. Sein Dach will er haben genau wie sein Vater – Gott hab ihn selig – und das ist gut so!« Der Dorfälteste Wassilj Bohacz, sagte dann: »Da hatte aber der Andryj recht, dass er Schachne Ebers Acker bestellt hat. Er war eben sicher, der Schlaue, dass der Schachne Eber zurückkommen wird.« Und Andryi rief lachend: »He, du, Bruder aus der Heiligen Schrift, das hab ich ja beinah vergessen, du musst mir eben nächsten Herbst mein Feld bebauen helfen und den Samen zurückerstatten. Aber es sieht heuer gut aus, wir werden eine gute Ernte haben!« Dann gingen die anderen heim. Mein Bruder und ich schliefen mit Nikolaj und Andryj in der Scheune und haben noch lange alles besprochen.

Am nächsten Morgen ritten wir zum Feld hinaus, und da stand das halbreife Korn wie eine riesige grün-gelbe Bürste, und Andryj sagte: »Da siehst du, die Erde fragt nicht, ob sie für den Juden oder für den Christen das Brot hergibt. Wer sie bearbeitet, den beschenkt sie.« Nikolaj und ich lachten. »Die beiden werden noch lange fromme Gespräche führen wie unsere Alten«, meinte Nikolaj. »Wir sind ja auch schon grau«, scherzte mein Bruder, »mal muss man doch anfangen.« Dann fuhren wir nach Kolomea. Andryj spannte seine zwei besten Pferde ein im großen Heuwagen. Nikolaj kam mit, wir verluden meines Bruders Hab und Gut auf beide Wagen, und mit Weib und Kindern kehrte noch am selben Tag mein Bruder in unser Heimatdorf Werbiwizi zurück.

In der Heimat, in der Heimat, da gibt's ein Wiedersehen!

38
Ein Mensch ist kein Baum

Es war Sommer 1918. Noch vor dem Zusammenbruch der österreichischen Armee fingen Soldaten an, in »Urlaub« zu gehen und viel zu spät oder überhaupt nicht mehr zurückzukommen. Müde Reserve-Offiziere, die sich auch nach Hause sehnten, nahmen es nicht mehr so genau. Als die österreichische »Schlamperei« den Höhepunkt erreicht hatte, hieß es eines Tages ohne jede Sensation: »Es ist zu Ende.«

Man ließ noch einmal die Leute in der Kaserne antreten, und der Oberst erschien, sollte eine Rede halten, war aber ein bisschen verwirrt von der Situation – und bat den Hauptmann Weigel, seinen Adjutanten, den die Leute im ganzen Bataillon besonders mochten, es zu tun. Weigel machte ein paar bittere Witze und schickte die Leute heim. Es war wie bei einer Beerdigung, die plötzlich komisch wirkt. Die Einzigen, die fahle Gesichter hatten und tiefunglücklich aussahen, waren die Feldwebel. Sie verloren ihre langen Dienstjahre und fürchteten auch die Leute, die sie früher schikaniert hatten. Wer schreiben konnte, saß jetzt in der Kanzlei und schrieb Passierscheine. Man klammerte sich noch an die Ordnung, aber die Stempel lagen schon offen herum, sodass jeder sie benutzen konnte. Langsam und mit gemischten Gefühlen ging man auseinander. Ein Teil der Soldaten stand noch in den Kasernen und verzehrte den Rest aus den Speichern und Küchen.

Das große Interesse konzentrierte sich auf den Hund der Bataillonsküche, der *»Czolowicze«* hieß. *»Czolowicze«* bedeutet »Mensch«. Er war ein mittelgroßer Hund unbestimmter Rasse, der 1914 mit unserem Bataillon in den Krieg ging und das Schicksal unserer Truppe teilte. »Mensch« hatte auf seinen vier Pfoten den schneeigen Karpaten-Feldzug mitgemacht und war später auch mit in der brennenden Sonne Italiens, bis er eines Tages an der Vorderpfote angeschossen wurde. Seitdem hinkte er. Zuletzt hielt er sich immer in der Nähe der Küche auf und wurde fett vom guten Essen und wenig Bewegung, unser »Mensch«. Einige Male kam der Befehl, ihn zu erschießen – die Leute versteckten ihn und meldeten immer die Erschießung. Da aber jetzt alles auseinander fiel und sich keiner fand, der ihn mit sich nehmen wollte, beschlossen die Leute, ihm eine Gnadenkugel zu geben, um ihm das langsame Verrecken eines Kriegskrüppels zu ersparen. So versammelten sich eines Sonntagmorgens die Reste der Leute, erst ging man ins Feld und hob ein Grab aus für »Mensch«; dann rief man ihn, und alle begleiteten ihn, einen Lebendigen, zur ewigen Ruhe. Sein bester Freund, der Hauskoch, nahm als Einziger ein Gewehr mit, und unser vierbeiniger Kriegskamerad schien alles zu verstehen und bellte und heulte den ganzen Weg. Der Koch ließ ihn im Grabe sich hinsetzen, und zielte gut und traf, und »Mensch« heulte noch einmal auf – es klang wie ein »Mama« in seiner Hundesprache –, und er stand noch einmal gereckt auf seinen Hinterpfoten, groß jetzt, wie ein richtiger Mensch, und fiel um, und der Körper zuckte noch einige Male und lag dann im Grabe mit geschlossenen Augen, unser Kriegskamerad, der Hund »Mensch«. Das Grab wurde zugescharrt, und einer hatte eine Holztafel mitgebracht mit einer Aufschrift: »Hier ruht der Hund ›Mensch‹ des K. und K. 24. Infanterie-Regiments. Möge die Erde ihm leicht sein zu tragen.«

Die Offiziere und Mannschaften konnten gar nicht so schnell heimfahren, wie sie wollten, denn Kolomea war jetzt ein verstopfter Knotenpunkt. Züge trafen sich hier vom Osten und Westen. Soldaten aus zersprengten Armeen und Kriegsgefangene hingen an den Waggons wie Trauben. In offenen Loren standen sie zusammengepfercht, und auf den Dächern saßen sie ineinander gezwängt. Jeden Tag gab es neue tote Soldaten zu begraben, von denen niemand wusste, wer sie waren.

Die Stadt war überfüllt mit fremden Truppenteilen, die zu plündern anfingen. Bald hieß es, dass Abteilungen eines Banditen-Generals Wrangel in der Umgebung Pogrome machten. Wir organisierten einen Selbstschutz und hielten in der Stadt, die plötzlich ohne Regierung war, die Ordnung aufrecht. Der Magistrat funktionierte noch, polnische Beamte wollten eine polnische Regierung organisieren – aber die Mehrheit der Bevölkerung waren Ukrainer und Juden. Jetzt wurde es heiß in Kolomea! Jeden Tag waren viele Versammlungen. Polen, Ukrainer, Juden, alte und junge Politiker sprachen, diskutierten durcheinander in den Kirchen und Synagogen, in den Filmsälen – alle wollten dasselbe: Arbeit und Brot! Aber gerade das konnte man in Kolomea nicht kriegen! Wilde Gerüchte von der russischen Revolution und vom Bürgerkrieg kamen; auch in Ungarn und Deutschland – hörten wir – seien Unruhen ausgebrochen.

Ich ging zu den verschiedenen Versammlungen, war bald in einem Kreis, der eine Verbindung mit Russland oder Ungarn herstellen wollte, aber alles war vage und unklar. Den größten Erfolg als Redner hatte ein junger Mensch in einem schwarzen Hemd mit blondem Vollbart. Es war ein ewiger Student mit langem Haar und einem spitzen, beleidigten Kindermund. Eines Tages sprach er von den abgerüsteten Soldaten und der armen Bevölkerung in einem Kinosaal, der eng und überpackt war. Er fasste nur fünf- bis sechshundert Menschen, jetzt waren aber mehr als zweitausend drin. Er sprach voll Schwung und Gefühl, mit vielen schönen Fremdworten, riss die Leute so mit sich, dass er mit der Versammlung alles hätte tun können. Er malte uns eine sonnige Zukunft und eine schöne Welt aus, und der Höhepunkt der Rede war ungefähr: »Die Zeit ist jetzt gekommen, dass die Armen aus den schmutzigen Untergassen endlich in die Sonne können! In den feinen Vierteln werden jetzt die Armen wohnen und die armen Kinder müssen auch mal weißes Brot mit Butter essen. Die Reichen haben genug in ihren feinen Betten geschlafen! Alles muss jetzt umgekehrt werden!« Die Versammlung schrie und applaudierte vor Begeisterung, und ein breitschultriger Lastenträger, der blind auf einem Auge war, rief mit einer dröhnenden Bass-Stimme in die Versammlung: »Das ist gut, das ist ja wunderbar, was dieser Mensch da gesagt hat, und jetzt, Leute, kommt, lasst uns erstmal umziehen! Worauf warten? Erstmal die Armen in die feinen Häuser bringen! Sollen die Reichen eine Zeit lang in den Untergassen leben, dann werden wir ja weiter sehen!« Der edle Redner mit dem gepflegten Vollbart wurde jetzt kreidebleich. Er war zu Tode erschrocken und fing zu beschwichtigen an: »Nein, nein, nein, so war es ja nicht gemeint!« Die Leute schrien alle durcheinander, einer, der den Vorsitz führte, klingelte ununterbrochen. Man verstand kein Wort mehr in diesem Lärm. Endlich hörte man wieder die zitternde, aufgeregte Stimme des edlen Vollbarts: »Genossen! Freunde!«, rief er beschwichtigend, »erst muss man sich organisieren, Direktiven muss man erst haben! Und Taktik!« Und noch andere Fremdworte rief er, die untergingen, denn da wurde er wieder vom Lastenträger mit der tiefen Bass-Stimme unterbrochen: »Woher nehmen? Kostet ja wieder Geld!« Jetzt wieder ein wildes Durcheinander. »Wir haben kein Geld, und die es haben, geben es nicht her!« Andere riefen: »Was ist das überhaupt? Wo kann man das kaufen?« – »Kaufen!«, schrie eine Frau hysterisch, »Kaufen! Kann nicht mal für Geld Mehl oder Eier oder Milch kriegen!« – »Ist ja nichts mehr wert, das Geld!«, rief eine andere Stimme, und gleichzeitig kreischte jemand: »Wer wird schon jetzt, wenn er was hat, für schlechtes Geld verkaufen wollen?«

Die Versammlung wogte jetzt hin und her wie ein reifes Weizenfeld, von einem stürmischen Wind gepeitscht. Ich fühlte mich plötzlich als ein Teil der Erregung, wurde mitgerissen und hochgehoben und stand plötzlich auf einem Stuhl und schrie mit und brüllte mit und überschrie und überbrüllte den Lärm. Noch redete alles durcheinander – da riefen einige »Ruhe«, man wandte sich mir zu, schon hatte ich die Aufmerksamkeit der Versammlung, und ich sprach über Krieg, über Gefangenschaft, über Ludovico Merlo, über Freundschaft, über die Heimgekehrten und nicht Heimgekehrten, über den erschossenen Hund

»Mensch« – dazwischen rezitierte ich den Shylock-Monolog: »Wenn ihr uns stecht, bluten wir nicht ...« Ich sprach über alles und über gar nichts, und ich wusste nicht mehr weiter – aber es tat weh, und ich sprach und schrie und konnte nicht aufhören und dachte an einen Abschluss, an einen Aktschluss, an einen Vorhang! Und schrie plötzlich, an die Pogrome denkend: »Und wer nicht will, dass seine schwache, sorgenvolle Mutter von Wrangel-Banditen erschlagen wird, muss in den Selbstschutz! Und wer nicht will, dass seine junge Schwester von Mördern an den Zöpfen über die Straße geschleppt wird, muss in den Selbstschutz!« Ein Sturm brach los. Alle schrien laut, und schon war ich von den Umstehenden in die Luft gehoben, und die Versammlung flog auf, und ich war umringt von Gesichtern, die ich nie gesehen hatte, und man nahm mich in ein privates Haus zu einer Frau Gisela Herrmann.

Die Stube war vollgestopft mit Menschen, darunter auch der einäugige Lastenträger. Er war immer noch wütend über den Vollbart-Redner, den er einen Schaumschläger nannte. Jedenfalls hat an jenem Tage der Umzug der Armen in die feinen Viertel nicht stattgefunden. Aber jetzt besprach man sich ruhig in Giselas Haus und beschloss, eine Deputation in die größere Stadt Stanislau zu schicken, um zu erfahren, was die dort machten.

Ich ging mit dieser Deputation, ebenso der breitschultrige Lastenträger und Gisela. Gisela war eine hagere, abgehärmte Frau in den Vierzigern, sah aber älter aus, denn sie rackerte sich immer für andere Leute ab. Sie war Krankenschwester. Sie hatte nie für sich selber Zeit. Sie stand immer ganz früh auf und war den ganzen Tag unterwegs. Sie war immer überarbeitet und voller Sorgen wegen der vielen Kranken, derer sie sich annahm. Gisela hatte ihre eigenen Ansichten über das Leben und lebte auch danach. Jetzt auf der Fahrt im engen Coupé dieses schleichenden, hustenden Zügleins setzte sie mir ihre Auffassungen in ihrer stotternden, nervösen Art auseinander: »Hauptsache im Llleben ist Vvverantwortung. Nimm ein StStStreichholz – ist das nnnützlich? Soll ein Mensch versuchen, einer allein, ein StStStreicholz zu machen! Wwwieviel er auch tun würde, sein Leben würde draufgehen, und er würde es nnnie fertig kriegen! Oooder gar eine Uhr! Eine Eisenbahn! Aber alle zusammen mmmachen Uhren und Eisenbahnen und StStStreichhölzer und alles, was sie brauchen! WWWir hängen einer vom anderen ab und hhhaben die Verantwortung fffüreinander zu tragen! Bbbesonders für Schwächere und Kinder! Kkkinder ...«, stotterte sie voller Erregung jetzt, »schau, wenn so ein dddummer Lehrer ein Kind beleidigt – eine Wunde bleibt, das Leben lang. Wenn wir von unseresgleichen beleidigt werden, haben wir auch Wwwunden. Deshalb ist ein Lllehrer vor jedem und jeder für jeden verantwortlich. Bis nicht alle danach leben, wird keine bbbessere Welt sein! Ich kümmere mich derweilen um Kinder und Tiere. Mmman lacht mich aus und nennt mich Kkkatzen-Mama, aaaber was soll ich tun, ich kann nicht schlafen, wwwenn in einer Winternacht ein hungriger Hund heult oder eine frierende Katze miaut. Ja, ja, aaaber erst Kinder – Kinder nur angucken, eigene oooder fremde, ganz gleich – mmmacht schon glücklich! Abgesehen davon, weiß man schon, was so ein Erwachsener ist – schschschau mich an! Aber ein Kind kkkann noch alles werden! Wer weiß, vielleicht ein Weiser, ein GeGeGelehrter, eine neue Erfindung ausdenken, etwas, was wir vielleicht uns nicht mal vorstellen können! Schau nur in die Augen eines Kindes, es ist vvvoller GeheimGeheimnisse, ein Kind! – Wie dumm, dass man überhaupt dadadarüber sprechen muss – wie dumm!«

In Stanislau angelangt, waren wir überrascht, wie viel mehr die Leute dort wussten, obwohl es doch nur drei Stunden Entfernung von uns war. Wir hatten Adressen von verschiedenen Arbeitern, bald waren wir in einem privaten Haus, wo Leute aus der ganzen Umgebung versammelt waren, einige von weiter her, von Lemberg und Przemysl sogar. Unter ihnen erkannte ich meinen alten Freund Schimele Ruskin, den Bäcker – der immer noch nicht lesen und schreiben konnte, aber doch die Seele der Versammlung war. Er sorgte dafür, dass die Leute aus den verschiedenen Gegenden erstmal erzählten, wie es bei ihnen aussah, und später sollte man dann gemeinsam Beschlüsse fassen. Einer von der russischen Grenze berichtete, dass dort auf der anderen Seite erst der Boden der Gutsbesitzer an arme Bauern verteilt worden war, dann aber plötzlich Banden von einem General Wrangel und Petljura erschienen waren, die Blutbäder veranstalteten, besonders unter der jüdischen Bevölkerung. Einer aus Lemberg hatte sogar Zeitungen mitgebracht aus Wien und Berlin, in denen stand, dass dort auch Bürgerkrieg sei. Einer erzählte, dass in Ungarn richtige Revolution wäre, und dass wir uns eigentlich in der Mitte zwischen dem russischen Bürgerkrieg und den westlichen Unruhen befänden. So schön gerade in der Mitte! Und dass, wenn wir keine Verbindung mit den russischen oder ungarischen revolutionären Kräften herstellten, wir hier in diesen Gegenden von den Wrangel-Petljura-Banden und den Polen, die sich gerade vom Zaren-Joch befreiten, zerrieben werden würden. Denn beide kämpften bereits um Galizien. Erste Aufgabe wäre, dass kein Soldat das Gewehr wegschmisse – umgekehrt, wir müssten uns alle bewaffnen, um nicht wehrlos zu sein. Vieles, vieles haben wir da in zwei Tagen und zwei Nächten erfahren. Aber was man nun tun sollte, wusste doch niemand genau. Eines nur war klar: sich ans Gewehr klammern, um das nackte Leben zu verteidigen, denn der Schrecken der Wrangel-Petljura-Banden war schon in der Umgebung bekannt. Mir persönlich wurde es noch bewusst, dass ich in dieser Heimat, die ich vor so vielen Jahren freiwillig verlassen hatte, nicht mehr leben könnte, auch wenn hier jetzt Ruhe und Ordnung wäre! Meine Wahlheimat war das Theater, das Theater in Berlin. Und ich musste eigentlich nach Hause! Hatte ich nicht einen Beruf, dem zuliebe ich mir die Beine hatte brechen lassen? Dem zuliebe ich aus der Gefangenschaft geflohen war! Ich musste wieder zum Theater, ich musste mich durchschlagen nach Hause!

Als diese Versammlung zu Ende war, ging ich auf die Straße – es war ja Stanislau! Stanislau, wo ich als kleiner Junge beim Bäcker arbeitete, geprügelt wurde, wo wir den ersten Streik verloren, und wo ich mich als Heimatloser und Arbeitsloser in den Winternächten herumtrieb, wo ich aber auch zum ersten Mal eine Frau hatte, die Chajachett in der Zosina-Wolja-Gasse. Während das alles wieder vor mir stand, war ich auch schon in derselben Gegend und fragte in denselben Häusern nach Chajachett. Ja, sie war noch da, sie wohnte noch in derselben Gasse, bei dem alten Schuster Borella. Ich lockerte mit meinem Bajonett einen Absatz von meinem Stiefel und ging zum Schuster hinein, um mir den Absatz wieder annageln zu lassen. Wir kamen bald ins Gespräch, und ich fragte ihn, ob ich nicht seine Frau sprechen könnte. »Aber natürlich, Fremder. Chajachett!«, rief er in die kleine, nebenan liegende Küche, »ein Soldat möchte dich sprechen!« Und da kam sie, meine erste Frau, die immer so adrett ausgesehen hatte mit ihrer dreistöckigen, roten Haarfrisur. War sie es wirklich? Eine kleine, rundlich-zerflossene Person kam herein, mit ungekämmtem Haar, das jetzt aschgrau war statt rot. Aus einem durchfurchten, quabbligen Gesicht zwinkerten matte, kranke Augen. Alte Fetzen hingen von einem formlosen Körper mit einem kleinen Spitzbauch. Sie erkennt mich nicht. Ich frage, ob ich sie sprechen kann, und sie folgt mir gleichgültig. Wir gehen einige Schritte. Unweit vom Haus ist eine Bank unter einem Kastanienbaum und mit einem müden Seufzer lässt sie sich nieder. Ich habe Herzklopfen und kann den Mund nicht auftun. Da sagt sie leise vor sich hin: »Na also, Soldat, was soll es sein: dunkel, blond, dick, dünn – und vor allem, wieviel wollen Sie ausgeben?« Sie ist also immer noch in diesen Geschäften. »Chajachett, erkennst du mich nicht?« – »Nicht zum Besten halten, Soldat, ich habe viele gekannt, aber nicht Sie.« – »Ich bin doch Saschka – Saschka, der dir immer die Briefe an deine Sonjitschka geschrieben hat.«

Erst schweigt sie, dann sagt sie nachdenklich: »Ach, Saschka«, und sie hebt zum ersten Mal ihre kranken Augen zu mir, wischt sich die Hand an der Schürze und reicht sie mir. »Saschka, natürlich, das bist du ja. Schöne Briefe hast du immer an meine Sonjitschka geschrieben. Ja, und auch vorgelesen hast du mir immer aus so gebildeten Büchern von feinen Leuten.« Und mustert mich dabei mit dem halb erloschenen Überbleibsel eines koketten Blicks. »Mein Gott, ja, du warst ja so klein und abgehärmt. Nun bist du ja ein großer Kerl, ein richtiger Mann geworden!« Dann schwieg sie eine Weile und fuhr verändert fort, ganz stolze Mutter: »Du solltest aber jetzt Sonjitschka sehen. Beim reichen Syboldt in Stellung ist sie. Sie ist flink und drall – und schön, dass man ihr nicht ins Gesicht sehen kann, wie der Sonne! Dabei groß und vollbusig und vollkommen unberührt. Gott sei Dank, eine Keusche! Nicht wie ihre sündige Mutter!« Und schneuzte sich dabei in die Schürze. »Du, Saschenka, vielleicht – vielleicht heiratet ihr beide? So wahr ich lebe, ihr werdet ein wunderschönes Paar! Sie hat mich auch immer gefragt, wer mir damals die schönen Briefe geschrieben hat – du, komm doch Sonnabendnachmittag, da hat sie frei, komm und lernt euch kennen, willst du?« – »Ja, ich werde versuchen, zu kommen«, murmelte ich. »Siehst du«, sagt sie, als sie meine Verlegenheit merkt, »damals, als du arbeitslos warst und ich dich aufnahm, da dachte ich immer, ich habe die Sonjitschka und dich – zwei Kinder – vielleicht wird es Wirklichkeit, und ihr werdet beide meine Kinder – komm doch bestimmt am Sonnabend!« Und ich verabschiedete mich, versprach noch einmal, zu kommen, und verschwand wie damals vor vielen Jahren, um sie so zum zweiten Mal zu enttäuschen. So endete mein drittes Wiedersehen in der Heimat.

Ich ging schnell zu meiner Deputation und wir fuhren noch am selben Nachmittag nach Kolomea zurück. Als ich mit Gisela allein im Coupé in einer Ecke saß, erzählte ich ihr von meinen drei Wiedersehen in der Heimat: erst mit Czerny, dann mit meinem Bruder im Dorf und jetzt mit Chajachett. Da sagte Gisela: »Du bbbist eben nicht mehr zu Hhhause in deiner Hhheimat.« – »Doch, doch im Dorf Werbiwizi bin ich zu Hause, da fühle ich doch meine Wurzeln!« – »Ach was, Wwwurzeln«, stotterte Gisela freundlich, »ein Mmmensch ist kein Baum. Ein Mensch bbbewegt sich und wwwächst in andere Gegenden hinein. Wwwo er wirkt, wo er ssschafft, wo er liebt, dddort schlägt er Wwwurzeln! Dort bleibt er, dort trägt er

Fffrüchte – dort ist er zu Hhhause. Dddu musst zurück, wo du hingehörst, wohin es dich zieht – Wwwurzeln – nein, nein, nein, ein Mensch ist kein Baum!« Dann schwiegen wir beide bis Kolomea.

39
Auf einer Probe muss Krach sein

In Kolomea war jetzt eine große Veränderung. Über Kaserne, Bezirkshauptmannschaft, Magistrat wehten ukrainische Fahnen. Plötzlich war eine ukrainische Regierung da. Kommandant der Stadt war ein Kriegskamerad von meinem Regiment, Tymczuk. Wir waren zusammen in der Einjährigen-Abteilung gewesen, hatten zusammen die Leute unterhalten. Der Tymczuk sang mit seiner schönen Stimme ukrainische Volkslieder und war ein halber Schauspieler. Wir mochten uns immer und waren befreundet. Ich ging zu ihm, und er war bereit, mit allem zu helfen. Nach seiner Meinung hatte ich nur zwei Möglichkeiten: in die ukrainische Armee einzutreten oder schnell nach dem Westen, nach Berlin zurückzukehren. Ich war für das Letztere entschlossen. Er sprach von der ukrainischen Regierung, von der Befreiung seines Volkes, von Hetman Petljura und dem General Wrangel. Diese Namen waren ein Symbol für uns beide. Er hielt sie für die Befreier seines Volkes und ich für die Mörder meines Volkes. Aber als Kriegskameraden sprachen wir höflich miteinander, und er stellte mir ein Stück Papier aus mit Stempel und Unterschriften, es war ein Gemisch zwischen Geburts- und Passierschein; ich hatte die Erlaubnis, Kolomea zu verlassen.

Jetzt verabschiedete ich mich noch von Gisela und ihrem Kreis. Am nächsten Tag schon brachte sie mich zum Bahnhof. Wie gerne hörte ich diesem warmen, weisen Menschen zu, der nur für andere lebte. Wie ein Vermächtnis klangen ihre letzten Worte im Wartesaal: »Pppolitik ist ein Fach, wwwenn du willst, eine Wissenschaft. Eine ökökökonomische Wissenschaft von den Problemen des täglichen Lebens. Das muss man studieren und sein ganzes Llleben dem widmen und es lieben, wie du das Theater liebst. Pppolitik ist Wochentag, Kunst ist Feiertag. Pppolitik sorgt für den Körper und Kunst für die Seele. Was kannst du schon in einer Versammlung sagen! Wwwas kann schon überhaupt ein Mensch sich in seiner Erregung ausdenken? Aber als SchSchSchauspieler hast du alle Gefühle und Gedanken, die die Dddichter und Kkkünstler von allen Vvvölkern je gedacht und geträumt haben! Schschschau mich an: Ich, ich bin schon zwanzig Jahre in der sosososozialistischen Bewegung – verstehe aber nichts davon – in Wirklichkeit bin ich ja nur eine Krankenschwester, eine, die hhhelfen möchte, denen, die noch hilfloser sind als ich. Und es gibt ja in unserer Welt keinen so Armen, dass es nicht noch einen Ärmeren gäbe!« – »Gisela«, sagte ich, »ich möchte ja auch nicht nur für mich leben, ich möchte ja auch helfen!« – »Dddas glaube ich dir schon – das sollst du auch – aber dddu kannst nur auf deine Art helfen. Schschschau, wenn du ein guter Schauspieler wirst, hhhilfst du ja auch deinem Volke. Denn die Llleute werden dann sagen« – neckte sie mich halb im Spaß und halb im Ernst – »die Llleute werden dann sagen: ›Schaut doch diesen HamHamHamlet, diesen Shylock, diesen Mmmephisto an, seht, er kommt von ganz armen Juden aus Galizien!‹ Und glaub mir, die Leute denken dann mit mehr Respekt, mit mehr Achtung von deinem Volk. Ist das keine Hilfe? Deshalb muss jjjeder tun, was er am besten kann.«

Und sie brachte mich jetzt in den vollgepackten Zug, und ich zwängte meinen Kopf noch durch ein Fenster, und es rollte prustend und pfeifend das Züglein gegen den Westen, und es rollten die Tränen mir über das Gesicht.

Der Zug war übervoll mit Heimkehrern, österreichischen und deutschen Soldaten. Wir hatten sogar eigene Heizer und Lokomotivführer. Wir fühlten uns wie auf einem Schiff, das unsicher einen Ozean überqueren muss, und wirklich, gleich hinter Stanislau, auf halbem Weg nach Stryz, wurden wir schon von einer polnischen Patrouille aufgehalten, durchsucht, und erst nach vielen Stunden freigelassen. Aber vor Stryz blieben wir wieder stecken. Es wurde um den Bahnhof gekämpft. Wir rollten auf ein Nebengleis, nahmen Deckung unter den Waggons, und am nächsten Tag war am Bahnhof eine ukrainische Patrouillentruppe. Es wurde aber immer weiter in der Umgebung geschossen und wir blieben endgültig stecken. Wir konnten jetzt weder vor- noch rückwärts und beschlossen, solange den Zug zu verlassen und in die Stadt zu gehen. Bald waren auch die Ukrainer weg, man sah kein Militär mehr, nur verirrte Kugeln pfiffen von allen Seiten.

Der Kampf schien einen oder zwei Kilometer von dem Bahnhof entfernt zu sein. Auf den Schienen standen herrenlose Frachtzüge mit Mehl und Zucker und Obst und Petroleum. Leute von unserem Zug und aus der Stadt nahmen sich da, was sie tragen konnten. Einige rollten Fässer Petroleum weg, andere schleppten Säcke mit Obst, mit Mehl, mit Zucker. Ich entschloss mich, einen Sack Mehl auf den Buckel zu nehmen, und kam nach Stunden schwitzend in die Stadt hinein. Vor einem Haus stand eine Frau mit erwachsenen Kindern, und wir einigten uns bald, dass ich bei ihr das Mehl ablieferte und dafür bei ihr wohnen durfte, bis wir wieder weiterfahren konnten. Ich bekam einen kleinen Raum und noch am selben Tag habe ich zur Freude der Familie Brot gebacken. Die Stadt Stryz hungerte genauso wie Kolomea. Die Leute freuten sich über das Brot und wurden beneidet um das große Glück, das ihnen mit meiner Einquartierung widerfahren war.

Am nächsten Tag traf ich in der Stadt den schönen Redner mit dem blonden Vollbart aus Kolomea. Er trug jetzt einen teuren Pelz und erzählte, dass auch er hier stecken geblieben war mit einer Ladung Petroleum aus Drohobicz, die er an die neu entstandene Tschechoslowakei abzuliefern hatte. Er handelte jetzt statt mit Revolutionen mit Petroleum. »Die Leute nehmen alles so ernst auf Versammlungen heutzutage«, sagte er. »Vor dem Krieg konnte man ihnen alles erzählen und versprechen – aber jetzt wollen sie es gleich haben. Wie dieser einäugige Lastenträger in Kolomea, der gleich von den Untergassen nach den Obergassen umziehen wollte. Nein, nein, es lohnt sich schon viel mehr, mit Petroleum zu handeln.«

Die Polen und die Ukrainer kämpften weiter um den Bahnhof, um die Stadt Stryz, um Galizien; die Heimkehrenden und die Juden waren in der Mitte. Die galizischen Juden, die bis jetzt friedlich gelebt hatten, spürten plötzlich, dass mit Österreich auch sie den Krieg verloren hatten. Denn beide Armeen, die Polen und die Ukrainer, hatten dieselbe Losung: »*Bej Zyda!* – Haut den Juden!«

Nach Wochen tauchte ein Regiment Polen aus Posen auf, in deutscher Ausrüstung, und übernahm die Stadt. Unsere Offiziere gingen zum Bahnhofskommandanten und bekamen die Erlaubnis, mit unserem Zug hinauszufahren, und mit kleinen Aufenthalten sind wir nach einer Woche dann doch in Wien angekommen. Hier war dasselbe Bild, dieselbe Unordnung, dieselbe Unsicherheit, nur in größerem Maßstab. Demonstrationen, Versammlungen, Schießereien. Die Stadt hungerte. Man spürte ganz stark den Zerfall Österreichs. Ich ging zu einer Abrüstungskommission, wo Frontsoldaten Rat und Unterstützung bekamen. Da wurde mir erklärt, ich sei kein Österreicher mehr. »Ich habe aber für Österreich vier Jahre gekämpft«, wandte ich ein. »Ja«, sagte der Beamte, »tut mir leid, bedauere sehr, es war eben ein Irrtum.« – »Ich habe Auszeichnungen, bin aus der Gefangenschaft geflohen!« – »Bedaure sehr, habens eben einen Irrtum begangen!« – »Und wenn ich euren Heldentod krepiert wäre?«, fragte ich ihn. »Bedaure sehr, wäre eben auch ein Irrtum gewesen.« – »Na, Gott sei Dank, dass ich wenigstens diesen Irrtum nicht begangen habe«, brüllte ich ihm ins Gesicht und ging zu einem nagelneuen Konsulat einer ukrainischen Regierung. Die gaben mir einen Pass, aber keine Unterstützung.

Da sah ich Plakate: »Moissi-Gastspiel in der Neuen Wiener Bühne!« Ich ging einfach hin, und es waren schon Proben, und der große Schauspieler Moissi fragte mich nicht, ob ich ein Österreicher sei oder ein Pole, Ukrainer oder Jude, er fragte mich nicht nach Papieren und Pässen – er begrüßte mich herzlich und warm, wie einen kleinen Bruder, der den Krieg überlebt hatte. Stellte mich dem Theaterleiter vor, ich wurde für die Zeit seines Gastspiels engagiert und hatte wieder zu essen und einen Platz zum Schlafen und fühlte mich im Theater zu Hause. Als Spiegelberg in den »Räubern« neben Moissis Franz Moor wurde ich von der Wiener Kritik anerkannt, aber mein großes Erlebnis war ein anderes.

In »Hamlet« sah ich zum ersten Mal ein kleines, jungenhaftes, zartes Mädchen die Ophelia spielen. Man wusste eigentlich nicht recht, was da am Aussehen dieses Wesens beherrschend war: ein braun-rötlicher Kopf voll Haare, wild, nicht zurechtgemacht, aber zugleich eine klare, gewölbte, hohe Denkerstirn, die eine große Ruhe verkündet. Dann zwei große, warme, dunkelbraune, ahnende, fragende und erzählende Augen. Diese Augen verstehen jede noch so unausgesprochene Andeutung. Dann ein fester, kleiner, halbrunder Mund, wie ein Halbmond, Halbmond-Mund. Wenn er sich leise kräuselnd öffnet, kommt noch lange kein Laut – erst hängt man an ihm mit den Blicken, gespannt, und lauscht aufmerksam – dann sagen die Augen was – dann kommt eine zögernde Handbewegung, von den Schultern hemmend zurückgehalten, dann werden langsam von diesem Halbmond-Mund Worte geboren. Dunkel gefärbte, reife Worte! Und unabänderlich bestimmt sind diese Worte!

Dann erscheint in diesen vieldeutigen Augen wieder ein lustiges Schimmern und Leuchten, das ein Gemisch ist zwischen Leichtsinn und Schwersinn, zwischen Lobgesang und Lachgesang. Wie das Dankgebet eines ganz Frommen nach einer Genesung, nach einem Wundererlebnis.

Dieses kleine Mädchen erinnerte mich an Riffkele, meine erste Liebe. Aber aus einer ganz anderen Welt! Einer Welt, der ich erst zustrebte, in der sie aber schon zu Hause war. In der Wahnsinns-Szene kommt dieses Ophelia-Kind freundlich und leise auf die Bühne, lächelt in sich hinein, und die großen Augen sind mit Wasser gefüllt. In dem linken Arm hält sie, vorsichtig wie ein Kind, einen bunten Strauß und verteilt zaghaft mit der rechten Hand die Feldblumen. Sie hat aber in Wirklichkeit keinen Strauß, keine Blumen – sie verteilt mit leeren Händen aus dem leeren Arm Nicht-Blumen aus einem Nicht-Strauß. Es hat aber niemals auf der Welt farbigere, duftendere Blumen gegeben! Zuschauer und Mitspieler halten den Atem zurück vor diesem süßen Wahnsinn, vor diesem poetischen Shakespeare-Kind, vor dieser Anfängerin! Sie heißt: Elisabeth Bergner.

Als das Gastspiel zu Ende war, kaufte ich mir eine Fahrkarte und fuhr nach Berlin zurück. Am Anhalter Bahnhof umarmte ich eine Säule und küsste sie lange. Ein dicker Berliner Bierkutscher beobachtete mich von seinem Bock und sagte: »Mensch, Mädchen musste küssen und nicht Steine!« – »Das hatte ich mir versprochen, 1914, als ich auszog!« – »Na ja, da musste wohl Wort halten«, brummte er freundlich. 1914! Es war ja schon 1919 jetzt! Bald war ich in meinem alten Café des Westens, traf Freunde, ging herum, vorzusprechen, bekam einen Antrag an das Münchner Schauspielhaus. Hermine Körner, die große Künstlerin, eröffnete da ein eigenes Theater und engagierte mich als ersten Charakterspieler. Wir eröffneten mit »Kabale und Liebe« – ich spielte den Wurm. Bekomme achthundert Mark im Monat. Am ersten Halbmonatsgagentag hatte ich vierhundert Mark, vierhundert theaterverdiente Mark in meiner Tasche! Ich ging ins Restaurant Torgel-Stuben und spendierte mir Kaviar und Champagner, wie ich es in den Romanen gelesen hatte.

Nun hatte ich wieder ein eigenes Zimmer, neue Freunde, spielte alle vierzehn Tage eine klassische oder moderne Hauptrolle. Die Jahre, die der Krieg mir weggenommen, waren nicht verloren: Ich war jetzt kräftiger, erwachsener, aber nicht ruhiger! Ich konnte nicht ruhig sein. Ich schrie und brüllte wie am Spieß mit einer ganzen jungen, heimgekehrten Generation. Wir fanden eine Welt vor, die jetzt fett und feige ihre Ruhe haben wollte. Wir schrien ihr unsere Enttäuschung, unsere Verzweiflung, unseren Protest ins Gesicht. Die Jugend in der Kunst schrie! Expressionistisch, mit stilisierten Gesten, schrien wir im

Theater gegen die alte Generation, gegen die alten Einrichtungen, gegen alte Traditionen, gegen alte Sitten, besonders aber gegen die Väter! Es erschienen Dutzende Vater und Sohn-Dramen. »Der Bettler« von Reinhard Sorge, »Die Wandlung« von Toller, »Der Sohn« von Hasenclever, »Thomas Wendt« von Feuchtwanger, »Gas« von Georg Kaiser, »Trommeln in der Nacht« von Bert Brecht. Hunderte Dramen klagten an und schrien und tobten, und ich schrie und tobte mit. Ich stürzte mich in die Arbeit, in der ich schon meine Erfahrungen verwerten konnte, mit einem Heißhunger und merkte nicht einmal, dass ich im Land eines verlorenen Krieges lebte, einer blutig niedergeschlagenen Revolution.

Ich habe ein geschenktes, ein gefundenes Leben. Ich stehe jeden Abend auf der Bühne in einer anderen Rolle. Jawohl, ich bin berauscht von Glück. Neue Kreise, neue Menschen lerne ich kennen, da ist eine lustige Jugend in Schwabing, da gibt es jeden Abend auf einer anderen Bude Atelier-Feste. Da ist der »Simplizissimus« von Kati Kobus. Eine heimgekehrte enttäuschte Jugend tobt sich in Sexualorgien aus. Und eines Tages ganz große Aufregung im Theater: Die Rollen vom »Kaufmann von Venedig« werden verteilt und ich bekomme den Shylock! Vier ältere Charakterspieler kämpfen um die Rolle! Ich habe aber den Shylock im Vertrag. Ich habe ihn in meinem Vertrag, ich habe ihn in meinem Herzen, ich habe ihn in meinen Fingerspitzen. Ich zittere vor Aufregung, kann nicht schlafen. Ein Traum, eine Sehnsucht langer Jahre, soll in Erfüllung gehen! Der erste Probetag kommt. Es zittert in mir wie ein Erdbeben. Regie führt ein junger semmelblonder dummer Mensch, ein Herr Nebeltau aus Bremen, Sohn eines reichen Vaters. Er ist der Geldgeber des Theaters und geschäftlicher Leiter. Er s-pricht immer von s-pitzen S-teinen und s-tarrt die S-teine an. Bevor die Proben beginnen, nimmt er mich zur Seite und sagt mir wörtlich: »Verstehen Sie, wir wollen mit dem Stück den Juden eins auswischen!« – »Warum?«, frage ich irritiert. »Warum nicht?«, und guckt mich dabei misstrauisch an. »Sie sind doch nicht etwa ...« – »Ja, ja, ja, ich bin ein Jude«, brülle ich ihm laut ins Gesicht, dass er rückwärts stolpert und beinahe ins Orchester fällt. Die vier alten Charakterspieler, die sich um den Shylock bemühten und schlechter Laune und halb verschlafen dastanden, einer mit Monokel, einer in weißen Handschuhen, wachten plötzlich auf und lachten provozierend und voller Schadenfreude über diesen Krach. Ich lief davon, und die erste Probe flog auf. Hermine Körner, die künstlerische Leiterin des Theaters, ließ mich sofort ins Büro kommen, und Herr Nebeltau war auch dabei. Sie war eine große Schauspielerin, ich verehrte sie und hatte immer Herzklopfen in ihrer Nähe. Sie wusste es und sagte jetzt lächelnd und voller Charme: »Na, das haben Sie sich ja großartig ausgedacht, natürlich haben Sie den Krach nur aus Aberglauben gemacht!« – »Aber natürlich, Hermine«, bestätigte ihr Herr Nebeltau. »Ich tu das genauso vor einer wichtigen Rolle, nicht, Otto?« – »Genauso, genauso«, bestätigte Herr Nebeltau, und beide lachten. »Wenn ich eine Rolle sehr liebe, muss es auf der ersten Arrangierprobe und auf der Generalprobe Krach geben.« – »Ja, ja, ja, Arrangier- und Generalprobe«, lachte Herr Nebeltau bestätigend, und ich lachte auch schon mit, ohne zu wissen, warum. »Natürlich hat Herr Nebeltau mit seiner Bemerkung heute früh nur einen Scherz gemacht, nicht wahr, Otto«, fragte sie jetzt direkt den Semmelblonden. »Aber natürlich, Hermine«, bestätigte er. »Wie konnten Sie nur von ihm so etwas denken! Dazu ist er ja viel zu intelligent! Also Kinder, reicht euch die Hände! Und morgen gehen die Proben wieder an. Ich werde selber auch dabei sein!« Und so geschah es auch.

39
Shylock

Mit siebzehn Jahren lag ich auf der Erde und lernte aus dem Roman von Karl Emil Franzos den Shylock kennen. Ich lag da und heulte über das Unrecht, das diesem Menschen widerfahren war. Damals beschloss ich, mein ganzes Leben dranzusetzen, um einmal der Welt dieses Unrecht ins Gesicht schleudern zu können. Jetzt war ich neunundzwanzig und lag wieder auf der Erde und hatte die Erfüllung dieser Aufgabe vor mir. Zwölf Jahre hatte ich mich mit diesem Menschen beschäftigt und konnte ihn noch nicht ganz begreifen. Ich verglich ihn mit meinem Vater; ich verglich ihn mit Schimschale dem Milnitzer, fand aber keine großen Ähnlichkeiten. Vielleicht hatte er Ähnlichkeiten mit dem Bankier Jungermann – aber den kannte ich nicht so gut. Das Stück selber habe ich oft gelesen und oft gesehen, und es waren ja immer zwei Stücke: Erstens ist da diese heiter-freche Gesellschaft um den reichen Antonio, dessen schwer beladene Schiffe über alle Meere ziehen. Da ist dieser wilde Graciano, der lustig und verwegen schnattert und herumabenteuert. Da ist dieser nette Geck Bassanio, der durchaus das reichste Mädchen in Belmont heiraten will und sich dafür bei Gott und der Welt Geld pumpt, um hochzustapeln und Heirat zu schwindeln. Da ist dieser singende und tanzende Lorenzo, der gleich das Mädchen mit dem Geld ihres Vaters stiehlt. Da sind, unter einem ewig blauen Himmel, mit sinnlich verführerischer Musik, Bälle und Maskeraden auf Kosten des reichen Antonio, dieses Melancholikers, der sich so gern von seinen Kumpanen unterhalten lässt. Später kommt noch Porzias Welt hinzu, die eigentlich dieselbe ist.

Auf der anderen Seite lebt in einem engen Ghettogässchen der Jude Shylock. Er ist ein Fremder in dieser Stadt, Gesetze gibt es gegen ihn, er trägt einen gelben Fleck, das Symbol, dass er nicht gleiche Rechte mit den anderen hat. Er lebt allein, ohne Festlichkeiten, ohne Gesellschaften, ohne große Ausgaben; er lebt seinem Glauben, seinen Geschäften und seiner kleinen, zarten Tochter, Jessica, die er über alles liebt, denn sie ist das Einzige, was ihm von seiner Frau, seiner Lea, zurückgeblieben. Er hat sie sehr geliebt, diese Lea, nach ihrem Tode sind viele, viele Jahre vergangen, ohne dass er wieder geheiratet hat. Er lebt ihrem Andenken und seinem Kinde.

Da, eines Tages, erscheint die andere Welt bei ihm, diese Welt, die ihn sonst nur verachtet, anspeit, verfolgt. Sie kommen und wollen Geld von ihm leihen! Anstatt zu sagen ja oder nein, sagt er beides. Er genießt es, dass seine Feinde ihn brauchen, und schlägt ihnen einen spaßigen Vertrag vor: Dass, falls sein Feind, der ihm erst letzten Mittwoch ins Gesicht gespien hat, der ihn von seiner Schwelle tritt wie einen fremden Hund, dass, falls dieser Feind die Summe, die er von ihm leihen will, nicht am bestimmten Ort und zur bestimmten Zeit zurückzahlen kann, dass er dann das Recht haben soll, ein Pfund Fleisch aus ihm herauszuschneiden, an welcher Stelle es ihm belieben würde! Ein vollkommen irrsinniger Pakt! Ein verwegener Pakt! Ein grotesker Pakt, der nur als frecher Spaß genommen werden kann. Denn nach des Dichters Absicht ist es eine Komödie, ein lustiges Liebesspiel.

Den Liebenden werden erstmal Hindernisse in den Weg gelegt – erst werden sie mit großer Angst bedroht, erst wird ihnen das Leben sauer und bitter gemacht, erst müssen sie mit Schweiß und Schrecken diese Gefahr, diese Hindernisse überwinden, damit dann zum Schluss der Gesang der Liebe noch süßer, noch inniger, noch glücklicher ausklingt. Dann ist alles wie ein Sommernachtstraum! Dann ist alles, wie es euch gefällt! Dann habt ihr alles, was ihr wollt! Also war in diesem lustigen Spiel, in dieser bunten Komödie von Venedig eine dunkle Figur nötig, um die Liebenden zu erschrecken, zu bedrohen, bis endlich der fünfte Akt beginnt mit dem poetischen Gesang »In solcher Nacht ...« und endet mit den verschenkten Ringen und einem glücklichen Zubettgehen! Jawohl, nur als finsterer Kontrast war der Shylock vom Dichter geplant, ein schwarzer Narr, ein böser Kerl, ein geprellter Bock. Aber, aber, aber ... fragt man sich: Wie kommt es dann, dass seine Verteidigungen zu Anklagen werden?

»Wenn ihr uns stecht, bluten wir nicht?
Wenn ihr uns kitzelt, lachen wir nicht?
Wenn ihr uns vergiftet, sterben wir nicht?
Und wenn ihr uns beleidigt, sollen wir uns nicht rächen?«

Die Antwort ist ganz einfach. Der Liebe Gott und Shakespeare haben keine papiernen Geschöpfe gemacht, sie gaben ihnen Fleisch und Blut! Wenn auch der Dichter den Shylock nicht mochte, so hat er sich in der Gerechtigkeit seines Genies seines schwarzen Narren doch angenommen und ihn aus seinem verschwenderischen, ewigen Reichtum mit einer menschlichen Größe und einer seelischen Kraft und einer tragischen Einsamkeit beschenkt, die diese lustige, singende, schmarotzende, Geld pumpende, Mädchen stehlende und heiratsschwindlerische Gesellschaft um den Antonio zu kleinen Tage- und Nachtdieben machen.

Jetzt wusste ich, wie Shylock durch die Laune seines Schöpfers in diese Gesellschaft hineingekommen war. Ich musste aber auch wissen, was mit ihm geschieht, wenn der Vorhang fällt, wenn das Spiel zu Ende ist. Was tut Shylock, wenn er, durch den Dreh mit dem nicht zu vergießenden Blutstropfen um sein Recht geprellt, ein Gebrochener, den Gerichtssaal verlässt, wenn er den letzten Satz flüstert: »Schickt mir die Akte nach und ich will zeichnen.« Wird er zeichnen? Kann er? Seine eigene Enteignung kann er vielleicht unterzeichnen. Aber kann ein Shylock auch unterzeichnen, dass er seinen Glauben ablegt und einen neuen annimmt? Kann man einen Glauben wechseln wie ein Hemd? Würde das mein Vater getan haben? Oder

Schimschale, der Milnitzer? Nein, nein, nein! Sie würden lieber tausend Tode gestorben sein, als eine solche Handlung zu begehen. Seinen Glauben und seine Weltanschauung kann weder ein Gläubiger noch sonst ein Mensch mit Charakter wechseln! Wenn man sechzig Jahre alt geworden ist wie Shylock, ändert man nicht mehr sein Lebensbild. Das bleibt schon bis ans Lebensende! Daran klammert man sich, daran hält man fest, sonst stirbt man vor Leere und Einsamkeit. Niemals kann ein Shylock seinen Glauben ändern, ein Mann, der eben erst im Gerichtssaal die Worte herausgeweint hat:

»Nein, nehmt mein Leben auch,
schenkt mir das nicht!
Ihr nehmt mein Haus,
wenn ihr die Stütze nehmt,
worauf mein Haus beruht.
Ihr nehmt mein Leben,
wenn ihr die Mittel nehmt,
wodurch ich lebe!«

Darauf erst verhöhnt man ihn, und die »edlen« Menschen teilen sich schon in seiner Gegenwart sein Vermögen und für diese »Gnade« soll er noch seinen alten Glauben ablegen, seine einzige sittliche und moralische Kraft! Nein, nein, nein! Das wird mein Shylock nicht tun! Ein Mensch mit solch einer Intelligenz und Kraft kämpft bis zum letzten Atemzug mit allen Mitteln – besonders auch mit List. Ich stell mir das so vor:

Wenn Shylock, ein Gebrochener, das ungerechte Gericht verlässt, ist es schon gegen Abend. Er geht langsam. Als er dann merkt, dass ihm niemand folgt, beeilt er sich, weckt seinen Freund Tubal und die anderen Glaubensgenossen, die mit ihm im Ghetto wohnen, und klagt ihnen die neue Gefahr, die ihnen droht. Denn sie lebten zwar im Ghetto, wurden verfolgt, unterdrückt, aber an das Allerheiligste, ihren Glauben, wurde nicht gerührt. Und da Shylock keine Häuser und keinen Boden besaß, nur leicht transportierbares Gut, Geld und Juwelen, schüttet er alles in seine Tasche und nimmt noch in derselben Nacht einen Kahn und flieht, und die Flucht gelingt ihm! Er kommt dann eines Tages in Holland an, in der reichen Stadt Amsterdam, die schon voll mit Flüchtlingen ist von der spanischen Inquisition. Und da beschließt er, weiter zu wandern, nach dem Osten! Er reist durch die Länder der Ungarn und der Rumänen, der Polen und der Russen. Er wandert lange in diesen Ländern herum, bis er dann im Osten Galiziens, in der Ukraine, einen weisen alten Wunder-Rabbi findet, den Weisesten all der Länder dort. Zu ihm ging er sein Leid klagen und sich Rat holen. Der hagere Greis war hochbetagt, hatte einen weißgelben, langen Bart, und buschige Brauen beschatteten seine wissenden Augen. Und sein Ruf ging ihm durch die Länder voraus und es schickte sich nicht mehr, über sein Alter zu sprechen – in Gedanken zitterte man um seine geschenkten Jahre. Er saß da, in seinem hohen Urvater-Stuhl, wie die verkörperte menschliche Würde. Er lächelte gastlich unserem Shylock entgegen.

Die Güte und das Vertrauen des Greises lösten Shylocks Zunge und Herz, und er fing zu erzählen an. Er erzählte von seinem Vaterhaus, seiner Jugend, seinen Lehrjahren, seinen Wanderungen, bis er seine Lea kennen lernte. Wie er sie liebte, diese Lea, und wie sie ihm die Jessica schenkte und verschied, und wie er sein Leben nur ihrem Angedenken, in der Verkörperung ihrer Tochter, gelebt, und wie ihn dann das eigene Kind verraten, und wie er wieder auf seine alten Tage den Wanderstab nehmen musste.

Er sprach über alles, er sprach viele Tage und viele Nächte, bis es ihm ganz leicht und warm ums Herz wurde. Der Weise ermunterte ihn dazwischen mit Fragen und hörte aufmerksam zu. Und als seine Rede zu Ende war, lächelte ihm auch schon aus dem Antlitz des Greises freundliches Verstehen entgegen, und er sprach leise und warm: »Es ist gut, mein Sohn, dass du zu uns gekommen bist, denn nach solch schweren Erlebnissen muss man den Ort wechseln, weil man dadurch auch das Glück wechselt. Es ist gut, dass du zu uns gekommen bist. Wir leben hier unter einem freundlichen Volk, und wir dürfen hier nicht nur Handel treiben, wir können auch ein Handwerk ausüben und die Erde bebauen. Und das tut uns gut und wir leben unseren alten Gesetzen nach. Wenn du dort in den Ländern, woher du kommst, einen Weisen gefragt hättest, der hätte dir auch geraten, erstmal hierher zu kommen, weil es doch geschrieben steht: ›*Meschanei mokim, meschane mazl*‹, du wechselst das Glück, wenn du wechselst den Ort.« – »Nun«, seufzte der Alte mit einem Lächeln, »gelobt sei der Ewige – da bist du ja!« Und Shylock fühlte sich ganz erleichtert, war aber immer noch verlegen, aus Dankbarkeit, und der Greis setzte fort: »Und doch möchte ich dir etwas Bestimmtes raten: Du musst nämlich wieder heiraten, du bist ja noch rüstig, und ich weiß, der Herr wird dich noch mit Kindern segnen.« – »Rabbi«, Shylock stotterte beinahe, »gerade darüber wollte ich Euch befragen!« – »Ja, mein Sohn«, nickte der Weise, »nimm eine Tochter aus dem Volk, eine gesunde, eines Handwerkers Kind«, und beide Männer lächelten jetzt verständnisvoll und Shylock stand auf und verabschiedete sich voll Ehrfurcht, ein Dankbarer und ein Erlöster.

Shylock hat dann in der Ukraine die Tochter eines Tischlers geheiratet, und der Herr machte seine Ehe fruchtbar und segnete sie mit Kindern. Die Kinder wuchsen heran auf dieser schwarzen und saftigen Erde und bebauten sie, und sie säten und ernteten und sahen die vier Jahreszeiten kommen und gehen und hörten nicht mehr die leichte, verführerische Musik unter den ewig blauen, südlichen Himmeln. In ihre hebräischen Melodien mischte sich das langgezogene, melancholische, slawische Lied, und sie wuchsen heran, die Kinder, breitschultrig, arbeitsam und neugierig ...

Viele, viele Generationen sind dann gekommen und gegangen, und bei einzelnen dieser Nachkommen erwachte manchmal aufs Neue die Sehnsucht nach dem Westen, und sie fingen wieder an auszuwandern. Sie ergriffen da neue Berufe, manche wurden Schauspieler und entdeckten bei Shakespeare ihren Urahnen, den Shylock. Sie wussten seine Leidensgeschichte von ihren Eltern und Ureltern und erkannten ihn mit ihren verwandten Herzen. Und sie spielten diesen Urahnen tragisch und parteiisch, sich auf das Genie Shakespeare stützend, der eine dunkle Gestalt mit so viel Kraft, so viel Leben, so viel Gerechtigkeitssinn und so viel menschlicher Würde beschenkt hat. Sie spielten ihn als Opfer und den Ankläger dieser schlechten Gesellschaft, die ihn anspeit und verfolgt, und als Vertreter der Menschenrechte des Juden, wozu die Gnade seines Schöpfers ihn auch gemacht hat.

Und man muss ihn so lange so spielen, bis einmal alle künstlichen Unterschiede von uns abfallen und der Mensch in seinem Mitmenschen den Bruder erkennt und seinen Nächsten liebt wie sich selbst und ihm nichts antut, was er selber nicht erleiden möchte.

Mit diesen Ansichten und Gefühlen spielte ich meine Sehnsuchtsrolle, den Shylock, erfüllte sich mir ein zitternder Traum. Es war noch nicht, wie ich es wollte – aber mit den Jahren wird es schon besser werden.

Glossar

Adonaj (hebr. »Mein Herr«): Name Gottes

Barches: Hefezopf, der an Schabbat und an Festtagen gegessen wird

benschen: beten, segnen

Bocher, Bocherl: Jüngling, Talmud-Schüler

Broder-Sänger: Fahrender Sänger, der in Wirtshäusern Arbeiterlieder vortrug, benannt nach Berl Broder (ca. 1817–1880)

Challe (jidd.): Hefezopf, der an Schabbat und an Festtagen gegessen wird

Chassidim: Anhänger einer religiös-mystischen Bewegung, die in der Mitte des 18. Jahrhunderts im osteuropäischen Judentum entstanden ist.

Cheder (hebr. »Stube«): Traditionelle ostjüdische Elementarschule für Knaben ab dem 4. Lebensjahr

Chumisch (jidd.): Die fünf Bücher Moses

davenen: beten

Gebetsmantel (hebr. Tallith): Schal, den Männer in der Synagoge tragen

Goj, Gojim, Goimlech (hebr. »Volk, Völker«): Bezeichnung anderer Völker als Israel; Nichtjude(n)

Jom Kippur: Strenger Fasten- und Bußtag; wichtigster jüdischer Feiertag

Kaddisch: Jüdisches Totengebet

Kascha: Speise aus Buchweizen

Kiddusch: Segensspruch über den Wein

koscher (hebr. »rein«): gemäß den jüdischen Speisevorschriften zubereitetes Gericht

Kwas: Most

Leviathan: Meeresungeheuer aus der biblischen Mythologie, von dessen Fleisch die Gerechten im Paradies gespeist werden

Matze: Ungesäuertes Brot, das in der Pessachwoche zur Erinnerung an den Auszug der Juden aus Ägypten gegessen wird

Mazl toff (jidd.): Glückwunsch (hebr. Masal = Glück)
Meschuggener (jidd.): Verrückter
Mezuza: Kleines Etui, das am rechten Türpfosten befestigt wird und das Gebet »Schma Israel« auf Pergament enthält
Mezzieh: Gute Gelegenheit, vermeintliches Sonderangebot
Minjir (hebr. Minjan = »Zahl«): Versammlung von zehn religionsmündigen Männern in der Synagoge, die anwesend sein müssen, um einen Gottesdienst abhalten zu können
Mojsche Rabejnu (jidd.): Moses
Peijaz: Lump, Lausbub
Pessach: Feiertag im Frühjahr zur Erinnerung an den Auszug der Juden aus Ägypten; Passah-Fest
Schabbes: Jiddisch für Schabbat; Ruhetag
Schalet: Eintopfgericht, das Freitagmittag aufgesetzt und bis Samstagmittag langsam im Ofen gegart wird
Schames: Synagogendiener
Shaye (jidd.): Kurzform für Jessaja
Schiwu (hebr. schiwa = sieben): Siebentägige Trauerzeit, die die Hinterbliebenen auf Schemeln sitzend verbringen
Schorr-Abor: Wilder Stier aus der biblischen Sage
Schul, Schule (jidd.): Betstube, Synagoge
Simchas Thora: Festtag im Herbst und Abschluss der jährlichen Thora-Vorlesungen; zugleich Erntedankfest
Talmud: Mündliche Überlieferung und Auslegung der Bibel (abgeschlossen um 500 n. Chr.)
Taufel (jidd.): Semmelteig
Tfilim: Gebetsriemen, die beim Morgengebet auf der Stirn und am linken Arm (gegenüber dem Herzen) getragen werden
Thora: Bezeichnung der fünf Bücher Moses; Bibel
treife: nicht koscher; nach dem jüdischen Speisegesetz nicht erlaubt.
Wajekru: Drittes der fünf Bücher Moses.